道家文化研究

第十二輯

陳鼓應主編

文史哲出版社印行

國家圖書館出版品預行編目資料

道家文化研究 / 陳鼓應主編. -- 校訂一版. -- 臺北市: 文史哲, 民 89

面 ; 公分

ISBN 957-549-300-1 (一套：精裝) ISBN 957-549-301-x (第一輯)ISBN 957-549-302-8 (第二輯)ISBN 957-549-303-6(第三輯)ISBN 957-549-304-4 (第四輯)ISBN 957-549-305-2 (第五輯) ISBN 957-549-306-0 (第六輯) ISBN 957-549-307-9 (第七輯) ISBN 957-549-308-7 (第八輯) ISBN 957-549-309-5 (第九輯) ISBN 957-549-310-9 (第十輯) ISBN 957-549-311-7 (第十一輯) ISBN 957-549-312-5 (第十二輯)

1.道家 - 論文-講詞等 2. 道教 - 論文-講詞等

121.307 89011271

道家文化研究 第十二輯

主編者：陳 鼓 應
出版者：文 史 哲 出 版 社
登記證字號：行政院新聞局版臺業字五三三七號
發行人：彭 正 雄
發行所：文 史 哲 出 版 社
印刷者：文 史 哲 出 版 社
臺北市羅斯福路一段七十二巷四號
郵政劃撥帳號：一六一八〇一七五
電話 886-2-23511028・傳眞 886-2-23965656

精裝全十二冊售價新台幣 元

中華民國八十九年八月校訂一版

ISBN 957-549-300-1 全
ISBN 957-549-312-5 (十二)

《道家文化研究》在臺重版序言

八十年代以來，在中國大陸陸續創辦了一些學術性的刊物，如《管子學刊》、《孔子研究》等，對推動儒家、管子思想及稷下學的研究，起了積極的作用。在此之前，1979 年創刊的《中國哲學》，它是以書代刊的形式出版，給我留下深刻的印象，為此我和一些研究道家的學者曾多次商議想辦一個專門討論道家思想的專刊，這想法終於得到香港道教學院院長侯寶垣先生和副院長羅智光先生的大力支持。於是，《道家文化研究》第一輯很快就於 1992 年面世了。

時光荏苒，轉眼之間，《道家文化研究》已經出版了十八輯，辦刊的過程是艱辛的，但每一輯的出版也都帶來收穫的愉快。特別是它能夠獲得海內外學術界的廣泛關注與好評。

眾所周知，《道家文化研究》一直是在大陸印行的。這對於臺灣感興趣的讀者帶來諸多不便。兩年多前，我剛回臺大的時候，就感到了這個問題，也就有了在臺灣重新印行它的念頭。當然，我也知道，這並不是很容易做到的。因為，任何一個出版公司若要出版它，大半是要賠錢的。所以，我非常感謝我的老朋友——文史哲出版社的彭正雄社長，願意幫忙印行《道家文化研究》一到十二輯，目前僅印三百部提供專業學者研究之需。同時，我也要借此機會，向上海古籍出版社和北京三聯書店表示感謝，由於他們的慷慨，得以使本刊在臺重印。

陳 鼓 應

1999 年 8 月

《道家文化研究》臺灣版出版開言

《道家文化研究》是道家及道教研究的專業研究性刊物，在知名道家專家陳鼓應教授多年努力耕耘下，今天它已經是國際同行不可或缺的學術園地。世界學人只要想用中文發表有關這個領域的研究成果，莫不努力爭取在這個學術園地刊出。試看《道家文化研究》出版至今共十餘輯，作者群就已經遍佈世界各地了，除了海峽兩岸外，更包括韓國、日本、新加坡、澳洲、加拿大、美國及歐洲等地。而且其中更包括張岱年、柳存仁、王叔岷、湯一介、李學勤、朱伯崑、金谷治、余敦康、許抗生、蒙培元、李豐楙、劉笑敢、陳鼓應等等知名學者。

可惜，從前受限於現實情況，海峽兩岸資訊交流不易，臺灣地區的學者專家，並不容易取得這一份刊物的。而且《道家文化研究》從創刊號到今天，已經出版了十八本了，好些早已銷售一空；特別是期數較早的，更是一冊難求。有鑒於此，本社認爲需要重印整套《道家文化研究》，以饗讀者。

也許關心我們的讀者會替本社擔心成本效益問題，但我們的老客戶都知道本社成立近三十年，始終沒有只以營利爲唯一的宗旨。雖然我們還不至於像莊子所說的「舉世而譽之而不加勸，舉世而非之而不加沮」，但是，正如同許多讀者一般，我們欣賞這樣高水準的學術雜誌，我們更希望能讓更多人分享到這許許多多知名學人的學術成就。當然學術性專業期刊的銷路，本身就很有限，所以本社也將限量發售，只印三百套，供有興趣的專家學人們選購，當然更希望學校機關及圖書館能夠購備，以便更多讀者可以讀到這份雜誌。這樣，我們的辛勞就不會白費。

最後，我們得感謝陳鼓應教授的信賴，更感謝上海古籍出版社及北京三聯書店的慷慨，使得我們的重印計畫得以實現。

彭 正 雄

文史哲出版社發行人

2000 年 7 月 15 日

《道家文化研究》合刊總目

《道家文化研究》第一輯目錄

《道家文化研究》第二輯 目錄

《道家文化研究》第三輯　目錄

《道家文化研究》第四輯　目錄

《道家文化研究》第五輯　目錄

《道家文化研究》第六輯 目錄

《道家文化研究》第七輯　目錄

《道家文化研究》第八輯　目錄

《道家文化研究》第九輯 目錄

《道家文化研究》第十輯 目錄

《道家文化研究》第十一輯 目錄

《道家文化研究》第十二輯　目錄

《道家文化研究》編委會

RUDOLPH G. WAGNER 瓦格納(德國)

KRISTOFER M. SCHIPPER 施舟人(荷蘭)

BARBARA HENDRISCHKE 芭芭拉(澳)　鄺國强(香港)

鄧立光(香港)

支　　持 香港道教學院

編輯部地址： 100080　北京海淀芙蓉里 5－115

聯 絡 人 陳鼓應

生活·讀書·新知 三聯書店

編者寄言

繼上一輯道教易專號之後,這一輯我們又發表道家易專號。在中國哲學史上,易與道的關係密不可分,但向來為學界所忽視。我們相信這兩輯論文的發表,在學術史上具有重大的意義。

自春秋末以來,研究《周易》者便形成不同的流派。在諸多流派中勢力最強、影響最大者,莫過於儒、道兩家。

道家易始於老子,老子率先引易入道,其後《易傳》(或稱道家別派)又引道入易,此後三玄(易、老、莊)便成為中國哲學最重要的經典。

近年的研究成果表明,先秦道家除老莊與易有密切關係之外,道家黃老之學與《易傳》的發展形成也有深切的淵源,最近我們還發現《文子·上德》篇中有大量解易的文字,《文子》一書屬於戰國後期或漢代作品,因此這一研究結果為戰國晚期至漢初道家易的存在提供了文獻依據。

漢唐時期,道家易有兩系三支。所謂兩系,即道家系(或稱黃老系)與道教系。所謂三支,指除上述兩系外,尚有隱士《易》一支。隱士《易》一支,難於考究,因他們多隱於民間,但確實是存在的。

道家系(黃老)在西漢有司馬季主(《史記》有列傳記載)、《淮南道論》(九師說)、嚴遵和揚雄。孟喜與焦贛,習慣上列為儒家,實際上二人均得隱士之說,孟喜"得《易》家候陰陽災變書",宣帝聞喜改師法,遂不用喜。所謂改師法,即由儒家易改為道家易。孟喜的卦氣説實屬道家而非儒家。

東漢時期，馬融、鄭玄、荀爽均為著名的儒學大師或易學大師，但他們都受道家影響很深。虞翻易學集漢象數易之大成，其實他屬道家易而非儒家。他自謂“與道士遇”，道士布六爻，他吞了三爻，“道士言《易》道在天，三爻足矣”(《三國志·虞翻傳》)。虞翻易源於孟喜和魏伯陽，其《易》注言不及仁義而廣引《老子》，此即是明證。

魏晉時期，玄學家的《易》注可稱為玄學易，實為道家易。著名者計有：何晏(《周易解》)、王弼(《易注》)、向秀(《周易義》)、韓康伯(《繫辭注》)等。

總之，道家在易學哲學史上有着難以估量的影響，這方面的工作有待學界繼續發掘與發展。

本輯以介紹道家易為主，並附論儒家易(如程朱)所受道家哲學的深刻影響。

目　錄

先秦道家易學發微

陳鼓應

內容提要　本文論述周易與先秦道家思想上的內在聯繫。周易本為史官所執掌,老子為史官,故諳熟《易經》。老子"引易入道",建立中國哲學史上第一個系統性的辯證法思想。戰國道家或易家"引道入易",將原本是占筮之書的周易予以哲學化。本文詳細論證了先秦道家三派:老學、莊學及黃老之學與易學的密切關係,並論證易傳的哲學思想主要是融合了道家三派的重要概念、範疇和思維方式而形成的。

本文首次發現《文子·上德》論述周易十餘卦的卦象,為戰國晚期提供了黃老道家解易的重要文獻資料。本文還附論了漢初道家易多種派別盛行的概況。

一、先秦易學與道家哲理

《易》本是殷周之際的占筮之書,自西周到春秋戰國的漫長時間裏,逐漸由哲理化而哲學化,其哲理化是春秋以降解《易》者的成果,而其哲學化則是受了老莊及稷下道家思想的洗禮。

先秦易、道的相互匯通,經歷過兩個重要的階段,起初是老子的引易入道,其後則是《易傳》的引道入易。現將易、道思想聯繫的這兩個重要階段略述如下。

(一)老子的引易入道

春秋以前,《周易》為歷代史官所掌管,這由《左傳》的記載可為明證。老子是史官,故而通曉《易經》。《易》、《老》的內在聯繫在辯證法思想方面最為突出。周易六十四卦卦形,有五十六卦都以對反為順序,如需卦(䷄)倒轉過來就是訟卦(䷅),泰卦(䷊)倒轉過來就是否卦(䷋)。再如卦序:乾與坤、損與益、既濟與未濟等,這種兩兩相對的關係,到了《老子》有着非常系統化的發展。兩兩對立的概念在《老》書中可謂俯拾皆是,如:同異、無有、難易、長短、高下、音聲、前後、美醜(惡)、虛實、弱強、盈沖、動靜、天地、開闔、榮辱、古今、清濁、曲全、彎直、窪盈、敝新、多少、靜躁、輕重、結解、救棄、雌雄、白辱、行隨、噓吹、強羸、載隳、壯老、祥惡、左右、吉凶、歙張、廢興、取與、厚薄、實華、盈竭、生滅、貴賤、明昧、近遠、存亡、陰陽、堅柔、得失(亡)、成缺、巧拙、辯訥、寒熱、生死、母子、牝牡、親疏、利害、正奇、禍福、善妖、大小、終始、德怨、治亂、智愚、先後、上下、儉廣、進退、主客、彼此、損益、正反、天人、德怨、治亂、成敗以及昭昭昏昏、察察悶悶、有餘若遺、有為無為、有事無事、有道無道等等。老子由萬事萬物的對反現象尋找出它們之間的發展規律,從而建立了中國哲學史上第一個系統性的辯證法思想——它發端於《易經》而體系的建立則完成於《老子》。

老子的引易入道,最重要的莫過於把《易》的萌芽性的辯證思想引入道論而成為其哲學體系建構中的重要的方法論。這是易、老關係密不可分的一環。

研究周易的學者總要引述鄭玄《易贊》及《易論》關於易有"三義"的說法:"易簡一也,變易二也,不易三也"。易的這三個主要意涵，全部貫穿在老子哲學思想中。

易之三義中以“變易”最為重要（西人意譯為 book of change 是很恰當的）。老子認為道是動體（“反者道之動”），它是“周行而不殆”地運轉着的。由此可見，《易經》與《老子》在對待變動的問題上，同是極為關注的。“簡易”的觀念在《老子》中最為明曉（由 63、70 等章可見）。“不易”的這一含義，則被老子提升為“常”的重要哲學概念。因而，由易之三義也可以看出《老子》與《易經》在思想上的密切關係。

老子的引易入道還涉及到中國哲學的起源問題。中國“哲學的突破”始於老子，而老子的哲學思想並非憑空而來，它是繼承了幾百年史官文化的傳統，是由幾百年的史官文化蘊育而成的。在這方面，王博的博士論文《老子思想的史官特色》[①] 論證了這個問題，對老子哲學的發生線索，給予了一個充分合理的說明。

（二）戰國道家或易家的引道入易

由占筮材料集編而成的《易經》，主要是占筮語言，其中也兼有哲理性的語言。正如朱伯崑先生所指出的，《易傳》除了“占筮語言”外，還產生了一套“哲學語言”[②]。馮友蘭先生也曾說《易傳》中有兩套話，一套衹說道，另一套是說易中之象及其中的公式[③]。從周易特重象數的特質來看，易學當是一門獨立的學派，但若從哲學角度來看，則戰國中後期所形成的《易傳》，其主要哲學內涵是屬於道家學派的，或可稱之為“道家別派”。

《易傳》的天道觀屬於道家，倫理思想屬於儒家，這點已有易學

---

① 王博《老子思想的史官特色》，臺北文津出版社，1993 年初版。

② 朱伯崑《易學哲學史》第一卷第一篇第二章：《易傳》及其哲學。

③ 《〈易傳〉的哲學思想》，原載《哲學研究》1960 年 7—8 期，後收入作者《中國哲學史論文集》，上海人民出版社 1962 年版。

專家指出[①]。如果我們再進一層分析,還可看出其倫理觀念並不合於孔孟,而近於稷下黄老。而且,倫理思想在《易傳》中並非居於主體的部分。誠如馮友蘭先生所説的:"從哲學史的角度看,《易傳》的重要性不在於這些道德教訓,而在於它的宇宙觀和辯證法思想[②]。"這是十分精闢的論斷。現在容我進一步從三個方面論述《易傳》哲學的主要部分與早期道家的直接繼承關係。

1. 對待與流行 馮友蘭先生説:"朱熹和蔡淵都説,周易有兩個基本原則:一個是'流行',一個是'對待'。這個説法很扼要。從周易看起來,什麽東西都是一個過程,一個流行。整個宇宙就是一個大過程,大流行,中國哲學稱為'大化'。'流行'之中有'對待','對待'就是兩個對立面的矛盾和統一[③]。"從這兩個基本原則來看,它和老莊的血緣關係就更為明確。衆所周知,"對待"原本就是老子辯證法思想中一個重要的範疇,而"大化流行"則是莊子哲學中獨特的思想觀念。老子云"反者道之動","反"就已孕含了"對待"的概念,"動"即"流行"。不過老子哲學將"對待"的原理闡述得非常透徹,而"大化流行"的學説要到莊子纔加以發揮。宇宙"大化流行"的説法,不僅是孔孟所不具有的,即便老子也不以"化"來命名宇宙過程,他衹説"自化"("我無為而民自化"),唯獨莊子纔開始以"化"來形容萬象流變。"化"字在《莊子》書中共出現八十餘次,如"萬化而未始有極也"、"萬物之化"、"與時俱化"等,均具深刻哲學意涵。

2. 道論 《易傳》借道家的道論來解釋世界變化的法則,《繫

① 朱伯崑先生曾指出:"儒家的倫理觀念,道家和陰陽五行家的天道觀,成了《易傳》解易的指導思想。"見《易學哲學史》。

② 馮友蘭著《中國哲學史新編》第二册。

③ 《周易學術討論會代祝詞》,載唐明邦等編《周易縱横録》,湖北人民出版社,1986年11月。

辭傳》談及"道"處有二:一是"形而上者謂之道,形而下者謂之器",一是"一陰一陽謂之道"。這兩句話非常重要,然而卻是對老子道論的"照着講"和"接着講"。《繫辭》的"一陰一陽謂之道"可能是對《老子》42 章萬物生成論的一個概括。有關道器的問題,在《老子》書中已經隱約提出,馬王堆帛書《老子》有云:"道生之……而器成之(在今本 51 章)",今本《老子》28 章云:"樸散則為器",意即道散則為器(樸即道,見《老子》32 章"道常無名樸")。此外,《尹文子·大道上》首句即云:"大道無形,稱器有名",由此看來,《繫辭傳》的道器說可能與稷下道家更為接近。

《繫辭》云:"是故易有太極,是生兩儀,兩儀生四象,四象生八卦,八卦定吉凶,吉凶生大業……"從上下文義看,這段話是講筮法的[①],其實衹是占筮語言,並不是關於宇宙發生論的論述,對於這段話的哲學解釋起於漢人。如果一定要從哲學意義上來理解,將其視作對宇宙形成過程的描述的話,正如高亨先生所說的:"易傳作者對於宇宙形成過程的看法與老子基本相似……應該說易傳是受了老子的影響[②]。"

3. 陰陽學說 周易的卦畫的基本符號"—""- -"原來並不是陰陽的符號,而是由數字卦演變而來的[③]。它既不具有原始陰陽概念的意義,更不具有哲學上陰陽範疇的意義[④]。陰陽第一次成

---

① 朱伯崑先生指出:"太極是作為筮法的範疇而出現的,《繫辭》的作者,將莊子形容空間最高極限的術語,加以改造,用來表達六十四卦的最初根源,此即'易有太極'的本義。"見《易學哲學史》。

② 高亨《〈周易〉大傳的哲學思想》。

③ 見張政烺《易辯——近幾年根據考古材料探討周易問題的綜述》,該文根據衆多考古資料,論證出陽爻乃由"一"字、陰爻乃由"六"字變化而來。文載《中國哲學》十四輯。

④ 這一論點余敦康教授在《從〈易經〉到〈易傳〉》一文中說得很清楚。余文見《中國哲學》第七輯,三聯書店,1982 年出版。

為哲學範疇見於《老子》(42章),莊子在提到《易》時,曾一語中的地指出周易的核心思想:"《易》以道陰陽"(《天下》篇)。

老子只在談到宇宙生成時用到過"陰陽",到了莊子,陰陽概念被大加發揮(《莊子》書中"陰陽"一詞出現約30次),意涵也變得豐富起來。老子衹講"負陰抱陽",莊子則具體討論了陰陽交感產生事物、變化形成規律("道紀")、陰陽蘊含動靜性能以及陽主生物的觀念,對於後來《易傳》產生了深遠的影響。

《莊子·田子方》中有一段在《老子》42章基礎上進一步對陰陽交感及消長變化規律的論述:

"至陰肅肅,至陽赫赫;肅肅出乎天,赫赫發乎地;兩者交通成和而物生焉,或為之紀而莫見其形。消息滿虛,一晦一明,日改月化,日有所為,而莫見其功。"

"兩者交通成和而物生焉,或為之紀而莫見其形"——這中間蘊含着兩個與《易傳》相關聯的重要命題:"陰陽交感而生物"和"陰陽和合以為道紀"。前者為《彖·咸》("天地感而萬物化生")、《彖·泰》("天地交而萬物通也")兩卦所本,後者在《繫辭》中衍化為"一陰一陽謂之道"("陰陽合和以為道紀"正是對陰陽與道的二而一、一而二的屬性的概括)。

《莊子》"消息滿虛"的概念,在《彖傳》中受到極端的重視;陰陽消長、變化的規律,在《彖·剥》中被發展為:"消息盈虛,天行也"。關於陰陽消息對待之理,《莊子·則陽》也有申論:"陰陽相照,相蓋相治……雌雄片合……安危相易,禍福相生,緩急相摩,聚散以成。"同樣,《繫辭》中"一陰一陽謂之道"也蘊含了陰陽消息對待的法則。《莊子》還提到陰陽的動靜之性,《天道》篇云"静而與陰同德,動而與陽同波"。莊子這種陰静陽動的性能,在《繫辭》上下篇中都有所發揮,並在《淮南子》和《文子》中有進一步的論述,《文子·微明》云:"陽中有陰,陰中有陽”，《淮南·天文訓》云：“陽生於陰，陰生於陽，陰陽相錯”，這種陰陽相錯的學説，都説明了易與道的相通性。此外，陽主生物的概念也見於《莊子》，《寓言》篇有人生於陽氣交動説（“而生陽也”）。《莊子》這種陽主生物的觀點為《繫辭》所繼承和發揮（如“夫乾……是以大生焉，乾，陽物也，故能大生”）[①]。

黄老道家同樣倡導陰陽説，帛書《黄帝四經》陰陽概念出現數十次之多（按，《四經》中“陰陽”並提約 47 見），其中最突出的論述見於《稱》：“凡論必以陰陽【之】大義，天陽地陰……貴陽賤陰”，這種重陽賤陰的思想，為《繫辭》所吸收。至於稷下道家的“精氣説”則更明顯為《繫辭》所繼承。《彖傳》的成書時間當在孔孟之後、荀子之前（《荀子·大略》篇曾引《彖傳》文字），孔孟對陰陽學説絲毫不感興趣，“陰陽”概念在《論》《孟》中竟然未得一見。反之，在南北道家的大力倡導下，陰陽學説盛極一時，在《易傳》的形成過程中（由《彖傳》到《繫辭》可以看出）越來越多地被吸收而成為易學的精髓部分。依個人看來，《彖傳》受《莊子》陰陽説的影響較大（個人且懷疑《莊子》外雜篇和《彖傳》是同一或同羣作者所為），《繫辭》則受黄老道家影響較深，其精氣説和貴賤觀乃本於黄老學説。

從老子的“道生……萬物，萬物負陰而抱陽”到莊子“易以道陰陽”乃至《繫辭》“一陰一陽之謂道”，可以清楚地見出先秦陰陽觀的發展脈絡。

上面談到的對待與流行、陰陽學説其實都屬於道論的範圍，我們可以看出，在《易傳》中這些重要的哲學範疇和命題都是對

---

① 有關陰陽學説，參看胡自逢《先秦諸子易説通考》，臺灣文史哲出版社，1974 年出版。

老莊道論的照着講或接着講。道論創始於老子，無論是萬物生成之道還是變化之道、以及作為事物原理的道，在老子哲學中都有系統的論説，《易傳》中雖然也有十分精闢的概括性命題，但無論就其系統完整性或是理論的建構上，《易傳》都是無法與《老子》相比的。

老子的道論是一個嚴密的系統，在討論道時，就宇宙構成論來説，以道為物質的實體；就宇宙發生論而言，以道為萬物的本原；就宇宙運行變化而言，以道為萬物遵循的法則。形上之道，產生萬物並內化於萬物，是為德。道與德成為人生最高的準則，提升人們向上的精神境界。是以老子的道，形上、形下是個貫通的整體，其道論具有十分嚴密的實質系統。《易傳》對老子的道論雖有所繼承，但有關道的論述衹是片語隻字，而無系統性可言。

綜上所述，老子在天道觀及辯證法思想的課題上率先引易入道，其後《易傳》引道入易，使易學有着哲學化的傾向。反觀孔學，我們必須承認它在政治倫理思想上的重大貢獻，然其思想視野却從未觸及宇宙論的問題，正如方師東美教授所説的："《論語》這部書，就學問的分類而言，它既不是談宇宙發生論或宇宙論的問題，又不談本體論的純理問題，也不談超本體論的最後根本問題"，方東美先生肯定《論語》這部書充滿了人生的寶貴經驗，可以用來指導實際的人生，然而衹是"格言學"（Moralogy）而非哲學①。因此，由《論語》之主人倫而罕言天道，可以看出孔子和《易》在思想性上的根本分歧。《易》主占筮之事，依孔子的思想觀念來看，是屬於"怪力亂神"之列。孔子的"不占"的態度一直沿續到荀子，其思想理路是十分明確的。這點朱熹早

① 方東美著《新儒家哲學十八講》，臺北黎明文化事業公司1990年，頁25。

已敏鋭地看到並指出:"《詩》、《書》、執禮,聖人以教學者,獨不及於《易》。""蓋《易》衹是個卜筮書,藏於太史太卜,以占吉凶……《語》《孟》中亦不説《易》……孔子晚而好《易》,可見這書卒未可理會[①]。"此處朱熹講出了兩個十分重要的觀點,其一:因《易》衹是卜筮之書,故孔子對它"卒未可理會",其二:儒家重視詩書傳統而不及易。後者《莊子·天下》篇中已有論及:"其在於《詩》《書》《禮》《樂》者,鄒魯之士縉紳先生,多能明之。"這由先秦儒學的典籍也可證明他們的重《詩》《書》而輕《易》的特色:由《論語》到《孟》、《荀》,均大量徵引詩書而不及易,如《論語》一書言及《詩》《書》者19見,《孟子》一書言及《詩》《書》者56見(《詩》43見,《書》13見),先秦集儒學之大成者《荀子》,徵引《詩》《書》多達124見(《詩》97見,《書》27見),足可見其輕《易》而重《詩》《書》的程度。

考察先秦諸子典籍,都無《易》的專著或專論,這是一個值得探討的問題。在現存孔、莊、荀的作品中,僅有偶發性的片語隻字言及,孔和荀都不是直接討論易的底蘊,孔子借爻辭宣揚德義,荀子借卦辭攻擊腐儒,唯莊子獨具慧眼地指出"陰陽"為《易》的核心觀念,朱熹極其贊賞地稱説:"莊周'易以道陰陽'等語,後人如何下得,它直是似快刀利斧劈截將去,字字有着落。"在《朱子語類》中,朱熹一而再、再而三地稱許莊子的精斷[②]。

朱熹論《易》,力求還回它的本來面貌。在《語録》中朱熹有兩處為《易》下界説,值得我們注意。一處是説:"潔静精微謂之《易》",另一處是説:"《易》衹是明個陰陽剛柔吉凶消長之理而已",

① 《朱子語類》第五卷,中華書局1986年版(下注同),1658頁。

② 語見《朱子語類》第八卷,2989頁。此外,朱熹對莊子"易以道陰陽"的見解的稱贊,還見於《語類》第四卷1605頁、1628頁,第八卷3001頁等處。

這兩處説《易》都以道家思想而立説。前者朱熹如是説:"'潔静精微'謂之《易》,《易》自是不惹著事,衹懸空説一種道理,不似它書便各著事上説。所以後來道家取之與《老子》為類,便是《老子》説話也不就事上説[①]。"在此朱熹指出《易》與《老》相同,都並不就具體事物而談,而是就抽象概念而説理("懸空説一種道理"),而"它書便各著事上説"是指《論》《孟》等書而言,《易》懸空説理為"道家(道教)取之與老子為類",這裏隱約提出了"道家易"和"道教易"的説法。至於朱熹引用《禮記·經解》所説的"潔静精微謂之易",衆所周知,"静"、"精"、"微"都是老子常用的概念,由此可見朱熹是採用以《老》解《易》的。

朱熹又説:"《易》只是明個陰陽剛柔吉凶消長之理而已[②]。"孔子不談吉凶,老子談吉凶;老子以後,莊子和黄老道家特重陰陽消長之理,儒家則不然。因此從思想的内在聯繫來看,先秦不存在儒家易,衹有道家易。

《易》學在傳承中,其流衍分化與道家學説自身的流衍分化是同步發展的。道家學説史由老子而莊子、黄老以至秦漢所謂"新道家"的孳衍綿繹,呈現出鮮明的階段性;而這一點恰與先秦道家《易》學史的階段性相重合。由於先秦道家《易》説的納入"百家語"中,使其未能免於秦火;而漢興《易》學譜系之重建,又恰是儒學獨舉、百家被黜的文化一元結構的時期,因此連先秦道家《易》學的傳承譜系亦不得見諸著録。本文着重在鈎沉先秦道家《易》學狀貌、勾畫其與易學思想上的内在聯繫,同時也可視為作者對先秦道家《易》學史的重構。

---

① 《朱子語類》第五卷,1663 頁。

② 《朱子語類》第四卷,1630 頁。

二、老子引易入道

先秦《易》學的重要一支當是老子道家《易》學。它是對西周史官文化的直接繼承，而老子的道論又是第一次系統地將先秦《易》學納入哲學領域，提升到形上的層次。其最為顯著者，就是春秋末諸史官解《易》僅就陰陽二氣而言，還祇停留在實體形下的層面；到了老子，《易》學纔得以獲得實質性的突破。

(一)爻題、終始、一

説到《易》，我們首先會想到它的筮辭(卦爻辭)、卦名、爻題。近人研究，這三者不是同時完成的①，它們的形成次序是：

筮辭——————卦名——————爻題

(周初)　　　　(周中期)　　　　(周晚期)

在《左傳》《國語》中，每逢筮占，均以"遇某卦之某卦"的形式來表示六爻中的某一爻(如筮得歸妹卦最上一爻，則云"遇歸妹之睽")。從《左傳》看，至魯哀公九年(公元前486年)，筮占時仍用"遇某之某"的方法表示所占之爻("遇泰之需")，則爻題的發明，可能是在哀公年間。當然在這前後爻題與"遇某之某"的方法曾經並存一段時間也有可能。如果我們把爻題"初——上——通(帛書《易經》作'通九'、'通六')——初"與老子的"終始"、"復"、"一"聯繫起來考察，不妨作出這樣一個設想：《易》的爻題之發明，或與老子思想有關。

我們可以肯定，爻題的設計發明是以哲學理論較為發達為基

① 高亨著《周易古經今注》，中華書局1984年，第三篇《周易卦名來歷表》頁24—45。

礎的。因為爻題可分為三個環節,即"初——上——通",這恰如後來西方哲學上所常講的"正——反——合"或"肯定——否定——否定之否定"三段式相似。"通"就是變、變通、往復。"初"表示事物始端狀態,維持肯定階段。經過"二"、"三"、"四"、"五"量變的積累,至"上"則完成對"初"的否定。"通"則標誌着"上"的自我否定,成為第一個循環周期的終點和第二個循環周期的始點,緊密地繫聯着"上"與"初",如此長久地循環下去,是為老子"復"的範疇,也即後來《繫傳》所説的"《易》終則變,通則久"、"往來不窮謂之通"。有一點必須明確:《易》雖衹乾坤二卦有"通九"、"通六",然而這是以乾坤二卦示其例,表示由乾、坤二卦所領屬的其他六十二卦盡皆仿此。這就如同《周易集解》引姚信釋《文言》所説:"乾坤為門户,文説乾坤,六十二卦皆仿焉。"

我們下面就以乾卦爻辭、爻題與《老子》做個比較:

初————二、三、四、五————上————通

《易》

(潛龍)　(見龍、或躍、飛龍)　(亢龍)　(無首:循環往復無終極)

《老》　一、樸、始、首————既雕既琢————徼、終、後————一、樸、反、復

老子的"慎終如始"、"觀徼"(一説"徼",歸,歸宿)、"觀復"、"復歸其根"、"復歸於樸"、"周行"、"反者道之動"等哲學思考與命題,應該説一方面是受了《易》卦爻辭的啓迪,同時又很有可能反過來對《易》中所蘊含着的樸素的辯證思維做質的豐富與提升,並最終設計出《易》的爻題。爻題的發明創製,是《易》學的一大突破,而這一巨大貢獻或與老學思想有所聯繫。

(二)事物的對立類分和依存轉化

《易》對事物的對立類分,除爻畫(—與- -)、卦名(泰與否)、爻題(初與上)之外,其卦爻辭亦復如是,其初終、先後、上下、進退、損益、有無、吉凶等對立概念幾乎都在《老子》中重出,並被老子最終提升為陰陽、剛柔、雌雄等對立範疇。

《易》的依存轉化的思想如"無平不陂,無往不復"、"先迷後得"、"先否後喜"、"無初有終"等與《老子》的"曲則全,枉則直"、禍福倚伏、愛費藏亡相互對待轉化學說也相一致。《易》的觀象占事與老子的推"天之道"以明"人之道"也是同一個傳統。《易》對事物周而復始的運動規律表述為"潛龍勿用——見龍在田——或躍在淵——飛龍在天——亢龍有悔——羣龍無首——潛龍勿用",這個運作規律,被老子從道論的角度抽象為"反者道之動",並用了《易》所習用的"反復其道,七日來復"的"復"來範疇此規律,進而將對這一規律的觀照稱之為"觀復"。

(三)老子發揮易之坤德及易之"潛龍"意旨

以"坤"象徵"地"、"順"、"母"見於《説卦傳》("坤也者,地也"、"坤,順也"、"坤,地也,故稱乎母"),而《説卦》較晚出(時間當在戰國末至秦漢間)。從坤的卦名及卦爻辭來看,並無陰柔或大地之義。

"坤"卦在馬王堆帛書周易中作"川",形似水流。"川"指水穿地而流。老子尚水,水流入地,由此可推想老子思想與水的相關性。坤卦卦辭有"利牝馬之貞"句,經文的原始意義是筮問有關牝馬之事,見"坤"卦則吉。"牝馬"之"牝",原義為"雌"、"母",到了老子被予以高度的哲理化,進而可以作為老子哲學的最具代表性的概念。《老子》書中"牝"字五見,除了55章一處"牝牡之合"作"雌雄"之雌解,其餘多處均具哲學意涵。老子將"牝"哲學化,一方面作為生萬物之源,一方面强調其涵容性。61章:"大邦者下流,天下之交,天下之牝",這裏的"天下之牝"乃謙下涵容之義。同章"牝常以静勝牡",老子從世事經驗的觀察中,見雌性之所以能勝過雄性,一方面在於能深切瞭解對方的情勢,知已知彼(28章"知雄守雌"),同時能以静定制服對方。6章"谷神不死,是謂玄牝。玄牝之門,是謂天地根",其中,"谷神"是道體的寫狀,"谷"象徵道體的虚狀,"神"比喻道的靈妙。"玄牝"——微妙的母體也是道體的寫狀,道生天地萬物,因其不可思議的生殖力,故爾命名。"天地之根",也説明了道之為産生天地萬物的本原。

坤卦爻辭曰:"初六,履霜堅冰至",有防微杜漸之意,這種審慎的處世態度也是老子所稱許的。老子的"微明"(36章),是説細緻地觀察到事物發展的終極規律、一種機先的徵兆,64章也云:"其安易持,其未兆易謀。其脆易泮,其微易散。為之於未有,治之於未亂。"

周易乾卦卦辭曰:"元亨利貞",其本義簡樸,無哲理義涵。然乾卦各爻辭則極富哲理(易經各卦爻辭,多無深義,唯乾之爻辭是個例外),如"潛龍勿用"、"亢龍有悔"等,尤具哲學意義,下僅舉幾例以説明之。

"初九,潛龍勿用","潛"有隱、藏之意(《集解》引崔憬曰:"潛,隱也"、《説文》:"潛,藏也")。《史記》載孔子問禮於老子,孔子贊其為龍,司馬遷稱其為隱君子。老子對孔子説:"良賈深藏若虚",是以老子深明隱、藏之旨。《老子》中並有"功遂身退"、"道隱無名"的説法,《莊子》中巨鯤潛游於北海的寓言故事,也即"潛龍勿用"之義。總之,從老至莊,都體現了一種隔離的智慧,一種含蓄、謙退的哲學。

"亢龍有悔",李鼎祚《周易集解》引王肅曰:"窮高曰亢,知進忘退,故悔也。"《老子》36章云:"將欲翕之,必固張之"、58章"福兮禍之所伏"、30章"物壯則老"都體現了老子對於事物規律的觀察總結。

"羣龍無首"乃老子不居先之義的寫照。《彖傳》"厚德載物"即受老子"處厚"(38章)的影響。

總之,老子主張進退有度、謙和寬厚、虛懷若谷的思想,在《易傳》中有鮮明的體現。

(四)老子的謙下退守與《易》之關係

老子的謙下退守思想,與《易》有密切關係。如《易》所說"括囊無咎無譽"、"飛鳥遺其音,不宜上宜下"、"弗過防之"、"不利為寇(為:治,攻)利禦寇"等。最為顯著者,即是謙卦。其卦辭為"有終"(有吉),六爻皆"利",這在六十四卦中是罕見的。這種謙下退守的思想顯然是得之於卦象所表現出的事物由"初潛"到"上亢"的消息盈虛的規律。而老子的"塞其兑閉其門"、"大者宜為下"、"用兵有言:吾不為敢為主而為客,不敢進寸而退尺"等,都與《易》的謙退思想有關。

值得留意的是《老子》中"陰陽"、"牝牡"、"雌雄"、"靜動"的排列序次,如"萬物負陰而抱陽,沖氣以為和"、"牝常以靜勝牡,以靜為下"、"牝牡之合而朘作"、"知其雄守其雌"、"……濁以靜之……安以動之……"、"靜為躁君"、"靜勝躁"等等。這種崇陰尚靜的陰性詞在前、陽性詞在後的排列序次於現存古籍中獨見於《老子》,有人曾斷言這是母系社會的孑遺,並由此證明《老子》一書的早出。

我們再做一語言學上的統計,《老子》中"陰"字一見,"雌"字二見,"牝"字五見,"靜"字九見,"母"字五見。陰、雌、牝、靜、母等字於《老子》中之習見並皆處於矛盾對立中的主導地位,這很有可能與老子對《易》的哲學思考有關,具體説,很可能老子所習的《易》乃

是以"坤乾"為序次的《歸藏易》。我們可以舉出如下例證:

第一,《老子》中陰陽、牝牡、雌雄、靜動、柔剛、弱強等詞匯的排列順序恰與《歸藏易》"坤乾"的次第一致。

第二,"萬物負陰而抱陽,沖氣以為和"正是對《歸藏易》"泰"卦卦象的哲學引申。泰卦卦象是三個陽爻(乾)背負三個陰爻(坤),即䷊,這正是《歸藏》坤☷列於乾☰上的序次;所謂"和"即隱喻《歸藏》的"泰"卦,也即《老子》中的"安平泰"。此"陰乘陽"、"柔乘剛"却反稱為"泰",正是《歸藏易》"尚坤"精神的體現;它所直接啓發老子的即是"知雄守雌"、"靜勝躁"、"牝勝牡"等。

第三,《老子·六章》"谷神不死,是謂玄牝;玄牝之門,是謂天地根",地主藏養之說即根於此。而《歸藏易》坤居首位,為《歸藏易》之門户;地主藏養之說顯然又是對"尚坤"的"歸藏"二字的詮解。

第四,牝、下、靜在《老子》中均與"地"相關聯。《老子·三十九章》有"地寧"之說,"寧"即"靜"。而《老子·六十一章》又説"牝常以靜勝牡,以靜為下";則靜卽牝、即下。因此,"地"之性,為牝、為靜、為下。由此可見,老子對雌牝靜下的崇尚與《歸藏》的"尚坤"相關。

另外,"天動地靜"説最早見於《莊子》、帛書《黄帝四經》及《易傳》。然而我們懷疑這種界説應該是源於老子。老子有"濁以靜之"、"安以動之"、"靜勝躁"、"天得一以清,地得一以寧"等靜動、天地相對舉及"地寧"的説法,則其實已蘊含了"天動地靜"的意思。"天之道":天動地靜——《歸藏易》:"坤乘乾"——"人之道":"靜勝躁"、"下制上"、柔克剛。這便是老子以《歸藏易》觀照天道人道的思路。

總之,老子的研習《歸藏》,老子對《易》的哲學思考與提升,在總體上奠定了以後《易》學的基本精神,範鑄了後來《易傳》的大致規模和架構。至於《易傳》的向形下人道層面的落實、對有為和剛健的並重,則是繼承並發展了老子道家、黄老道家思想的體現,突出反映了黃老道家《易》學觀。

三、莊子以陰陽解易

莊子是老子道論哲學的正嫡承繼者,他在認識論及人生哲學的思考方面又有了新的指向。就《易》學而言,他在老子的《易》學範式基礎上,又拓闢了更為明確乃至嶄新的理論範疇。我們今天所見到的《易傳》,其實就凝結有許多莊子的《易》學領悟。

(一)"《易》以道陰陽"與帛書《易》卦序

莊子繼承了老子以陰陽説詮解《易》、範疇《易》的傳統。如老子通過對《歸藏》"坤乾"的排列順序及泰卦☷卦象的觀察思考後提出了"萬物負陰而抱陽,沖氣以為和"的哲學命題,而莊子則在衍繹泰卦時説"至陰肅肅,至陽赫赫;肅肅出乎天,赫赫發乎地。兩者交通成和而物生焉"(《田子方》。按:"肅肅出乎天",謂陰氣上出至天;"赫赫發乎地",謂陽氣下發至地。如此則恰好成為泰卦☷)。老子釋泰卦為陰陽沖融——生三、生和氣——生萬物,莊子釋泰卦為陰陽交通——成和——物生。這顯然是同樣的以陰陽解《易》的思維路徑,這在《彖傳》中被表述為"天地交而萬物通,上下交而其志同"。值得留意的是,老子、莊子在説完陰陽交通之後都提到"為和"、"成和",這個"和"即泰、泰和,暗契泰卦。

我們應該特別予以關注的是,《易》中無"陰陽"一詞,老子雖以陰陽解《易》,但在《老子》中"陰陽"僅一見;然而莊子却斷言"《易》以道陰陽"(《天下》)。這原因我們推斷是:

第一,莊子繼承了老子以陰陽解《易》的傳統,並使它得到了極大的發揚。《莊子》書中,"陰陽"一詞約出現三十次之多。所以"《易》以道陰陽",正是莊子本人説《易》的寫照。

第二,莊子習《易》的讀本,可能即與馬王堆出土帛書《周易》的本子接近。具體説,莊子所見到的《易》的本子是按乾坤父母六子卦分陰分陽排列的。《易》卦的分陰分陽排列,當是在老、莊之間,可能也是受老子思想的影響。

第三,與莊子同時代、並同屬老子《易》學傳承的《易》學家,在當時都習用陰陽解《易》,並且形成很强大的勢力。據《晉書·束皙傳》和《春秋左傳集解後序》載,西晉太康二年在汲郡汲縣魏襄王墓中得竹書數車,其中就有論《易》的著作《陰陽説》以及《易繇陰陽卦》等。而襄王死時,大約也正是莊子活動的晚期(按:《戰國策》中即有顏斶與齊宣王説《易》的記載,他先引《易》説,又證之以《老子》,可見也是屬道家《易》學一系的,而顏斶的活動期也恰與莊子同時)。

第四,《晉書·束皙傳》載汲冢竹書與《周易》有關者為:

其《易經》二篇,與《周易》上下經同。

《易繇陰陽卦》二篇,與《周易》略同,其繇辭則異。

我們推測:這裏的"《周易》"和"《周易》上下經"即指今本《周易》無疑,而與通行本《周易》不盡相同的"《易繇陰陽卦》二篇"可能是當時道家《易》學派的讀本。所謂"略同"與"則異"是互文,都是指與通行本有區别。這區别首先是指卦爻辭不同,其次從"《易繇陰陽卦》"這個名稱看,應該是指卦序也不同,可能即是按分陰分陽乾坤父母六子卦的序次排列,與馬王堆帛書《易經》相近。

另外,《莊子》中尚柔傾向不如老子明顯,其《天下》篇的"天與地卑"可能是"天尊地卑"的反命題,因此《莊子》當時所習之《易》可能即是乾在坤前的《周易》序列。

(二)陰陽相感與"有待"説

莊子以陰陽交通説泰卦䷊(《田子方》),又以雌雄相感論咸卦䷞,云:“夫白鶂之相視,眸子不運而風化(按:鶂又作鷁,水鳥。據説雌雄相視,雌鳥即感而産卵。所以《左傳·僖公十六年》周内史在解釋“六鷁退飛過宋都”時説“是陰陽之事,非吉凶所生也”);蟲雄鳴於上風,雌應於下風而風化;類自為雌雄,故風化。性不可易,命不可變”(《天運》)。莊子這裏是以“感而後應”(《刻意》)、“二類相召”(《山木》)的陰陽雌雄感應説詮解咸卦䷞。“雄鳴於上風”指咸卦九五陽爻,“雌應於下風”指咸卦六二陰爻,並把這種相感説總結為“性不可易,命不可變”。咸卦《彖傳》也説“咸,感也……二氣相感以相與……觀其所感,而天地萬物之情可見矣”似即本於莊子。然二者又略異,莊子是以爻位立論,因咸卦陽爻九五居上、陰爻六二應於下,故莊子云“雄鳴於上風,雌應於下風”;《彖傳》則是以卦位立論,因陰卦兑居上位、陽卦艮居下位,故《彖傳》云“柔上而剛下……男下女”(《荀子·大略》襲用《彖》傳文字釋咸卦)。

與感應説相關聯的便是“有待”説。《易·歸妹》九四“歸妹愆期,遲歸有待”(“待”字原訛作“時”,《穀梁傳·隱公七年》范注引作“待”。《象傳》云“愆期之志,有待而行也”。《雜卦》説得更明確:“漸女歸,待男行也”。蹇卦初六《象傳》説“往來蹇蹇,宜待也”)。莊子亦談“有待”,如《齊物論》“景曰:吾有待而然者邪? 吾所待又有待而然者邪?”此論影陰之移有待於日陽之動,似是在隱括歸妹卦九四爻辭。在《田子方》中,又推衍為萬物皆有待之説,云“萬物亦然,有待也而生,有待也而死”。《齊物》論“有待”,而《逍遥遊》則論超越“有待”之“無待”,這正是莊子研《易》而最終完成了遊於陰陽死生之外的人生領悟和境界標的。

(三)隱顯説與“反復終始”説

1. 隱顯説　《莊子》中多處論“龍”,頗似在隱括《易·乾卦》。如《在宥》“尸居而龍見”,“尸居”,初九“潛龍”;“龍見”,九二“見龍在田"。《山木》"一龍一蛇,與時俱化……一上一下,以和為量……此神農黄帝之法也"。"一蛇",謂初九"潛龍"。"一龍",謂九五"飛龍"。這裏的"時"、"和"即《易》的"時中"説。"下"、"上"與"初九"、"九五"即是所謂的"時"。或蛇或龍、或隱或顯,當因時而動,此正《人間世》所謂"天下有道("時"——九五),聖人成焉(龍、上、飛龍);天下無道("時"——初九),聖人生焉(蛇、下、潛龍)"。而《逍遥遊》寓言中巨鯤之潛伏海底,深蓄厚養;大鵬之展翅高飛,遠舉圖南,與《易·乾》爻辭龍之隱顯義涵相同。

2."以觀無妄" 《在宥》"以觀無妄"。莊子對《易·無妄》卦的觀照,深化其自然無為之説。此猶老子通過對《易·復》卦等的觀照("觀復")深化其"反者道之動"的辯證觀是一樣的。程頤説無妄卦云"動以天為無妄"、朱熹説無妄卦云"無妄,實理自然之謂",正申莊子之意。

3."反復終始" 《易》卦爻辭及爻題都表示出事物"初——上——通——初"循環往復的運動規律,這一規律被老子抽象為"觀復",而莊子則表述為"反復終始,不知端倪"(《大宗師》)、"萬物皆出於幾,皆入於幾"(《至樂》)、"始卒若環,莫得其倫,是謂天均。天均,天倪也"(《寓言》)、"無始而非卒也,人與天一也"(《山木》。郭象注此句説:"卒,終也。於今為始者,於昨為卒。則所謂始者,即是卒矣"。深得其藴)。

在這裏,我們附帶説一下《列子》與《易》思想上的聯繫。

《列子》對《易》的爻題"初——上——通——初"循環規律的理解是最得老子《易》學之旨的,這突出地反映在《天瑞》中,云:"易變而為一,一變而為七,七變而為九,九變者,究也,乃復變而為一"。注家對此數句多不能得其正解,此實為爻題之詮釋,姑列一表以明之:

《易》爻題:"初——二、三、四、五——上——通——初"

《列子·天瑞》:"一——七——九——復變——為一"

這裏的"九變而為一"恰是帛書《易》"通九"、"通六"的最好闡釋。《天瑞》篇由此引發開去便是對"徼"和"復"的觀照,云"死也者,德之徼也"、"欲恒其生、畫其終,惑於數也",如果能認識到"有生則復於不生,有形則復於無形",則可不惑不妄;莊子要"以觀無妄",《易·序卦》便説"復則無妄",思路是相承的。既然一九復變、生死復轉,則陰陽、剛柔、圓方、玄黄亦可變轉而不可恒之而"畫其終",其云"能陰能陽,能柔能剛,能短能長,能圓能方……能玄能黄",這實為黄老思想的核心,被當時的《易》學家廣為吸納,今所傳《易傳》即是。

另外,《易經》的"自"字多次出現(如"勿逐自復"等),表示自然性。這一點被莊子、列子做了極大的發揮,呈現出强烈的自然主義傾向。如《列子》"自生自化,自形自色,自智自力,自消自息"(《天瑞》),張湛注釋云"皆自爾耳,豈有尸而為之者哉?"甚得其蘊。莊子常説"有自"、"無自",由其自然性而發展為自然無為觀,如《田子方》"老聃曰:天之自高,地之自厚,日月之自明,夫何修焉"。由天道之"自"演繹出人道之"何修",正是對《易·坤》六二爻辭"不習無不利"的最好釋説。程頤釋之為"不習,謂其自然",亦是承襲列、莊之義。

四、黄老道家的思維方式及其易學的時代精神

春秋末的老學,經關尹、楊朱、列子的繼承,到戰國中期,道家内部的發展臻於高峰,崛起了兩大派别,其一為楚文化孕育而成的莊學,另一為齊文化孕育而成的黄老。黄老之學,除了在政治哲學方面(即外王之道)有着與老學密不可分的關係之外,另有幾方面值得我們注意:

首先我們要説的是:黄老道家《易》學與老子道家《易》學是前後相承相同系脈的關係,而同時又為《易》學注入了更多的嶄新的時代精神,這在今本《易傳》中有充分的體現。

其次,戰國陰陽家是道家的一個支系,其陰陽説與終始説的系統化肇端則有二,其一為老莊、黄老的陰陽説、終始説;其二受《易》爻題所顯示的爻位上下循環往復規律的啓發。隨着這一學説的興茂,也連帶着壯大了黄老道家《易》學陣容。

第三,《易傳》一改老子一味尚雌的傳統,而倡揚柔順剛健、無為有為並重,這個事實,是因為其時黄老道家大面積流滲到《易》學領域的結果,它所反映出的正是黄老道家最為顯著的特色。

第四,黄老學派本是學術大融合的產物,受其影響,戰國中後期迄至秦漢的《易》説也成為了以道家為主體的包容各家思想的大融合的產品。如果從融合的角度審視中華文化,那麽戰國黄老學派是第一個以老學為主體而融合各家的學派,戰國《易》説便是這第一個學術大融合的成品。

第五,以"陰陽"理論為中介,老子道家是"援《易》入道",而道家後學則是"援道入《易》"。比如莊子曾説"《易》以道陰陽",而後來的《系傳》卻説"一陰一陽之謂道";老子曾説"道生一,一生二",後來的《系傳》却説"《易》('道')有('育'之訛字,生也)太極('一'),是生兩儀('二')"。著録中淮南子有《易》説《淮南道訓》,名為"道訓"而實為《易》説,可見"易"已昇格為"道"。我們由此也可以想象出戰國以降,道家《易》學之宏偉規模。

第六,作為道家兼《易》學家的作品如《文子》、《尹文子》、《鶡冠子》、《淮南子》、《淮南道訓》等皆為楚齊人所撰作,可見楚齊道家勝地之《易》學蔚為大觀。

(一)稷下道家與帛書《黃帝四經》對戰國易學的影響

戰國道家或易學家將道家的道論援引入《易》,道論中陰陽兩氣的消長變化以及萬物盛衰的循環運行規律是它的重要組成部分,這散見於《莊子》,而黃老學派尤為注重。黃老道家特重天文曆法,並以此構成其自然觀的基礎。黃老自然觀在繼承老子的思想之外更具有兩大特色:其一,視天地萬物為一有機整體,這一點直接被《易傳》所繼承,《易傳》之"三極之道"或"三才之道"也就是對黃老之學天地人一體觀的概括;其二是人道與天道的結合,將對自然現象及其規律的觀察(如日月星辰運行、四時變化、萬物盛衰等)推之於人事。這兩個方面都對《易傳》產生了直接的影響,可惜戰國黃老豐富的著作在漢武帝"罷黜百家,獨尊儒術"時期首當其衝地受到排斥,現多已亡佚了。所幸尚有稷下論叢《管子》傳世,加之帛書《黃帝四經》等黃老文獻的出土,從這些不完整的史料中還可看出戰國易學(如《易傳》)及秦漢易說、如馬王堆出土的衆多古易說《二三子問》、《要》、《易之義》、《昭力》、《繆和》等)所受的深遠影響。拙著《易傳與道家思想》已有專文論述。這裏僅就《易傳》承襲黃老學派思想特色最為明顯的幾方面簡述如下:

1. 就思維方式來看《易傳》對道家黃老學派的繼承

①"推天道以明人事"的思維方式發端於老子,經黃老之學的廣泛應用而成為道家獨特的思維方式。這一思維方式,在《黃帝四經》中得到了普遍而突出的運用。《易傳》中多處可見這一思維方式的體現,例如《繫辭》"天尊地卑……貴賤位矣"即由《黃帝四經》"天地有恒常,貴賤有恒立(位)"而來;《象傳》"天行健,君子以自強不息",乃承《四經》"天行正信,日月不處,啓然不怠,以臨天下"之義。這種現象在《彖傳》中尤為普遍,拙文《〈彖傳〉與道家思維方式》中已有論述,在此不再贅言。

②《易傳》所説的"三才之道"及"三極之道"是對於黄老道家天地人整體性思考方式的概括性的語詞。

《管子·内業》云:"天主正,地主平,人主安静",此乃《易傳》"三才之道"所本;"春秋冬夏,天之時也;山陵川谷,地之枝也;喜怒取予,人之謀也"、"天出其精,地出其形,合此以為人"。《黄帝四經》中也多處表現出黄老道家這一思想特色,如"参於天地,合於民心"(《經法·四度》)、"有天焉,有地焉,有人焉,三者參用之"(《經法·六分》)及"上知天時,下知地利,中知人事"(《十大經·前道》)等,不僅影響了《易傳》,並且為《荀子》所接受,可證《易傳》中的重要命題"三才之道"、"三極之道"乃源自黄老道家。

③對反及循環往復的思維方式也是先秦道家的一個重要的思維方式,由老學、黄老之學到《易傳》,我們可以清楚地看到這一思維方式的發展線索:

老子的"觀復"(16章)、"周行而不殆"(25章)、"反者道之動"(40章)的觀點直接為稷下黄老道家和《易傳》所繼承,這種循環往復的思想在黄老著作中隨處可見,如稷下道家的代表作《管子》即云:"日極則仄,月滿則虧。極之徒仄,滿之徒滅,孰能亡已乎?敦夫天地之紀"(《白心》),又如《黄帝四經》"周䙴(遷)動作……極而反,盛而衰,天地之道也,人之李(理)也"(《四度》)、"極而反者,天之生(性)也"(《論》)、"赢極必静,動舉必正"(《亡論》)、"一生一殺,四時代正,冬(終)而復始"(《論約》)及"明明至微,時反(返)以為幾(機)(按:"時返",指天道運行往返的規律)"(《姓爭》)等。《易傳》的循環往復的自然觀,正是在這種南北道家俱極興盛的濃厚學術文化空氣中形成的,這特點在《彖傳》中表現得更為突出,例如《彖傳》的《復》卦"復,其見天地之心乎"、《豐》卦"日中則昃,月盈則食,天地盈虛,與時消息"等,便是對道家的循環往復的自然觀的最具代表性的概括。

2. 從天文曆法的自然觀看《易傳》與道家黃老學派的關係

①孔孟儒家典籍中沒有關於天文曆法的觀念,《易傳》重視對天地、日月、四時的觀察的特點是對黃老道家的自然觀的直接繼承。關於天地日月四時的論説遍見於《易傳》,如《繫辭》中"廣大配天地,變通配四時,陰陽之義配日月"、"鼓之以雷霆,潤之以風雨,日月運行,一寒一暑"、"法象莫大乎天地,變通莫大乎四時,懸象著明莫大乎日月"等;《彖傳》中"天地以順動,故日月不過,而四時不忒"(《豫》)、"天地之道恒久而不已也。……終則有始也。日月得天而能久照,四時變化而能久成,……"(《恒》)、"天地革而四時成"(《革》)等。這種建構在重視天文曆法基礎上的自然觀,正是黃老學派的特點之一。如《黃帝四經》中有言:"天地陰陽,四時日月,星辰雲氣,蚑行蟯動,……"(《道原》)、"大堇(庭)氏之有天下也,不辨陰陽,不數日月,不志(識)四時"(《順道》)、"四時有度,天地之李(理)也,日月星辰有數,天地之紀也"(《論約》)等,均可明證《易傳》之重視天文觀察與黃老之學的緊密聯繫。

②《易傳》"時變"的概念源於稷下道家。《易傳》中"時變"的觀念見於《彖傳》:"觀乎天文,以察時變"(《賁》)和《繫辭下》:"變通者,趣時者也"。然而稷下黃老道家對"時變"早已有着明確的闡説:"隨變斷事也,知時以為度"(《白心》)、"聖人與時變而不化"(《內業》)、"與時變而不化,應物而不移"(《心術下》),可見稷下學派非常重視"時變"。"貴時主變"——掌握時代命脈、推動時代變革,是稷下道家興盛於戰國末的一大時代特點,由此也可看出《易傳》與黃老道家在"時變"觀點上的直接聯繫。

③與"時"有關的觀念中最為重要的是"時"與"動靜"的結合。談到"時"與"動靜"的結合,學界常常會把它認做是儒家的觀點,其實這是錯誤的。"時"與"動靜"的概念是道家特有的,二者的結合最早見於《老子》"動善時"(8章),後為黃老學派所繼承和强調。在

稷下代表作《管子·宙合》中已有"時則動,不時則静"。帛書《黄帝四經》對於"時"與"動静"關係則更加强調。如謂:"動之静之……時也"(《君正》)、"動静不時,謂之逆"(《四度》)、"動静不時,……則天地之道逆矣"(《論》)、"静作之時"(《觀》)、"静作得時,天地與之。静作失時,天地奪之"(《姓争》),反觀《彖·艮》"動静不失其時",正是黄老學説的延伸。

3. 由《易傳》陰陽説之尚陽思想看它與道家黄老學派的聯繫

道家各派在陰陽學説方面各有發展,但仍可概括為兩方面的内容,一方面强調陰陽相濟,另一方面在陰陽剛柔對舉時各有所偏,例如老子在陰陽對舉中尚陰,在剛柔並舉中尚柔,而黄老學派則正相反,在陰陽對舉中尚陽。《易傳》的陰陽學説乃是承襲黄老學派而來。

早期儒家對於"天地陰陽"的概念毫不關注,大約是因其屬於"怪力亂神"之列而不被重視,《論》《孟》中均未出現過"陰陽"的概念,而"剛柔"的概念,不僅孔孟學説中未見,《荀子》中也未出現,因此從文獻的角度來考察,現在流行的説法,以為辯證法有兩大體系:道家"尚柔"、儒家"尚剛"。這説法在文獻的依據上頗成問題。首先,道家各派並非一味尚柔:老子尚柔,莊子並無偏頗,黄老則尚陽,因此道家"尚柔"的劃分本身就是不妥當的;其次,先秦典籍中無一處可證早期儒家有陰陽或剛柔對舉的概念,更没有在陰陽或剛柔對舉中尚陽或尚剛的觀點。反之,陰陽對舉之尚陽説,僅見於道家黄老學派,如《管子·樞言》"盡以陽者王,盡以陰者亡"(《文子》尚陽思想十分突出,《上德》"陽滅陰,天下肥,陰滅陽,天下亡"語當即承《樞言》而來),這種尚陽的思想在《黄帝四經》中也很明確,如《稱》"貴陽賤陰"等,由此可證《易傳》尚陽思想來自道家黄老之學而與儒家全然不相干。

(二)《文子》的道家易學

《文子》一書多處論《易》,尤其在《上德》篇,連續論述十餘個《易》卦。可見《文子》的撰作者當是戰國黃老學派中的一位《易》學大師,並可能曾著有《易》學專書,《上德》可能即是其中的一部分。而且,《上德》連續論《易》而不出“易”、“卦”等字樣,這也正和黃老學派融匯貫通的學風相一致。

《文子》是一部典型的黃老道家的作品,可惜這書一向為學界所忽視,而《文子》書中的解《易》論述,則更不曾受到任何人的留意。下面我們試舉數例以見《文子》中的道家易說。

1.《上德》篇首論泰、否二卦。論否卦時說:“天氣不下,地氣不上,陰陽不通,萬物不昌。小人得勢,君子消亡。五穀不殖,道德内藏”。此處釋易與《彖傳》相近,但“道德内藏”之説,則更近於稷下道家(《内業》篇有“攝德”“内藏”語詞)。並且,此處不以“外君子,内小人”這樣的内、外卦位為説,與稍後的《易》説亦有異(這一點似可為《文子》非晚出之證)。

2.《上德》論離卦云“天明日明,而後能照四方,君明臣明,域中乃安,域有四明,乃能長久。明其施明者,明其化也”。離卦的《彖傳》説“日月麗乎天……重明以麗乎正,乃化成天下”,《象傳》説“明兩作,離。大人以繼明照於四方”。三者相近亦相異。首先,《文子》的“域有四明,乃能長久”是老子“域有四大”、“天長地久”的口吻。其次,“天明日明”,“天明”之説乃黃老所習用。如帛書《黃帝四經》“黃帝曰:吾類天大明”(《十大經·立命》)。

3.《上德》論泰卦云“陽不下陰,則萬物不成;君不下臣,德化不行”。“君下臣”之説是典型的黃老道家口吻(如帛書《黃帝四經》謂“帝者臣,名臣,其實師也”。黃老道家强調君主要“重士而師有道”)。

4.《上德》論晉卦云“日出於地,萬物蕃息。王公居民上,以明道德”。“明道德”一語見於《莊子》,如“古之明道者,先明天而道德次之;道德已明,而仁義次之”(《天道》)。

《上德》篇一共衍述了十六個《易》卦,即泰、否、離、坎、乾、坤、謙、豫、晉、明夷、家人、睽、損、咸、履、解,這十六個卦說,全是據卦象而立說。《上德》的取象說,與《彖》、《象》一致,它在義理的解釋上,和《彖》、《象》是一脈相承的發展。三者釋《易》的思維方式(尤其是以天道推衍人事的思維方式)完完全全是黃老道家獨特的思維方式。

《文子》道家易說的發現,在先秦或秦漢易學史上至關重要,這有待於專文來論述。

五、結　語

有關先秦易學的學派屬性問題,我曾經作過長期的思索。越深入研究越感覺先秦易學(如《易傳》)在思想上和道家的聯繫密不可分,而與儒家的關係可說是微乎其微。前面談到,對於這個問題,朱熹早已看出其中端倪,指出孔以詩書教學,“獨不及於《易》”,並且說孟子“亦不說《易》”,同時朱熹解《易》結合老莊思想。現在有些學者還堅持《易傳》是儒家的著作,然而解決這個問題,最重要的還是依據文獻來作論證,而不能憑“自明真理”。

本文意在勾劃先秦道家易學形成的線索,因此文中的觀點也可視為本人對先秦易學體系的重構。本人還試圖從另一個角度來探討先秦易學的發展,由於先秦諸子並没有易學的專論或專書遺世(如果證明《文子·上德》篇的易學思想屬於戰國時期,這個問題就應作别論),正如前面所說,衹有孔、莊、荀各自說了一兩句話。是否由於諸子本着强烈的人文精神,對本屬占卜之説的《易經》不感興趣呢?《易》之興盛,也有可能是由於掌管卜筮之書的太史太卜大量吸收作為當時主流學派的道家思潮,也即戰國易學家的引道入易,使得易學富於哲理性之後,引起戰國末、秦漢間各派的矚目吧。另一較大可能是在秦火之後,秦的挾書令獨不禁《易》,是以易學在占筮派和道家易之外也興起了儒家易。易學在道家哲學的啓迪之下,秦漢之後有着三派的發展:一是史巫系的象數派,二是道家的哲理派,三是儒家的德治派。當然三者間也有交通融匯之處。例如新近公布的馬王堆出土帛書易說《繆和》、《昭力》及《要》等篇,其形式為儒學作品,但其主要內容之一則為闡發黄老道家的"君人南面之術"。

《周易》本是各家各派公共的文化資源,西漢"罷黜百家,獨尊儒術"之後,儒家借助官方力量,獨擅公共資源,又有漢代史家幫助捏造傳經的譜系,後世也便人云亦云起來。打破一家一派對公共文化資源的壟斷,是我們作為現代研究者的一個努力的方向。不僅如此,我們還要通過深入的挖掘、探索,將被湮没掩蓋的歷史原貌還諸於世。先秦諸子百家本來是多元並舉的,由於儒家和專制政治的結合,遂導致多元化的學術局面成為儒學的一元化的狹隘格局。

我們在這裏一再强調《文子·上德》篇易學發現的重要性,是因為:如果證實它是戰國的作品,則它可為先秦道家易體系提供一份極其珍貴的文獻資料;若證實它是漢代的作品,則也可由此看出漢代道家易學衆多派別的興旺發展——除《文子》學派的易學之外,有文獻可考的還有三支易學傳承:

①楊何——司馬談　司馬談是漢代黄老道家的重要人物,其《論六家要旨》更是"道家主干説"的重要作品。《史記·太史公自序》説他"受易於楊何,習道論於黄子",其師楊何為齊人,楊何之師田何也是齊人,雖然田、楊易學流派屬性不明,但由其文化地域推

論,其易學當受到齊文化的主流稷下黄老道家易學思想的影響。

②司馬季主　司馬遷在《史記》中專門為他作傳(《史記·日者列傳》),以相當大的篇幅描寫這位民間易學研究的重要代表,評論他的學術特點是"通易經,述黄帝、《老子》",又大段援引莊子言論,可見這一傳系與道家易的淵源關係。

③淮南學派的九師易　據《漢書·藝文志》記載,《淮南子》有《道訓》二篇,專門討論易學,惜俱亡佚。然而我們從《淮南子》現存的十五六條易説,還可見其易學思想之一斑。特别使我們重視道家易學《淮南子》這一傳系的是,其元氣説及宇宙生成論對其後的嚴遵、楊雄、《易諱·乾鑿度》直至王弼都有深刻的影響。

從漢代衆多易學傳系來看,漢代道家易學的興盛必然有其歷史根源,這也是我們認為先秦存在着道家易學的重要原因之一。

作者簡介　陳鼓應,1935年生,福建長汀人。曾任臺灣大學哲學系副教授。現任北京大學哲學系教授。主要著作有《悲劇哲學家尼采》、《老子注譯及評價》、《莊子今注今譯》、《老莊新論》、《易傳與道家思想》、《黄帝四經今注今譯》等。

“黃老易”和“莊老易”

——道家經典的系統性及其流變

王葆玹

内容提要　本文探討道家經典的系統性，說明戰國秦漢道家分為南北兩支，北方道家尊崇“黃老易”的系統，一般不注重於研習《莊子》；南方道家尊崇“莊老易”的系統，對《黃帝經》的重視遠遜於北方道家。魏晉玄學家沿襲戰國秦漢南方道家，尊崇“三玄”。“三玄”按其聖賢經傳的名份排列，為“易老莊”，按其所受重視的程度排列，則為“莊老易”。

中國儒道兩家的經典都有某種系統性，而在兩家的經典系統裏，《周易》的地位如何曾是個敏感的問題。在戰國時代，《周易》主要是道家經典，當時儒家所崇尚的是“詩書禮樂”，《周易》在儒家經典系統裏似不能與“詩書禮樂”並列，而不過是《禮經》的附屬品。祇是到了秦代焚書之際，“詩書禮樂”遭到禁止，儒家纔開始採用解《易》的形式以闡揚其舊有的學說，使《周易》得以進入“詩書禮樂”的系列，形成五經或六藝的系統。至於戰國秦漢的道家，對《周易》卻是一直重視的。這一時期的道家分為南北兩個支系，北方道家的經典系統為“黃老易”，主旨在於融合道法而形成一種帝王之術；南方道家的經典系統為“莊老易”，主旨在於提倡無為政治理論並維護個人的精神自由。在這裏，“黃老易”和“莊老易”兩種次序，正好顯示了這些經典的權威地位的等次,其中《莊子》的地位一度超過《老子》這一點,尤值得學界注意。戰國秦漢文化是以北方中原文化為主,道家經典也是以"黄老易"的系統為主流,"莊老易"的系統到漢武帝以後纔顯得重要起來。東漢以後,控制中原地區的曹氏、夏侯氏家族先仿效漢初的黄老之治,後又沿襲早期的南方道家而提倡"三玄"之學,使由"黄老易"到"莊老易"的學術重點轉移過程變相地重演了一遍。下面就此作一簡單的論述,進而辨析魏晉時期"三玄"系統與早期的"莊老易"系統的異同。

一、戰國秦漢儒家與《易》的關係

若是準備談論包括《周易》在内的道家經典系統,有必要先澄清一下《周易》與儒家的關係。由於古文經學當中《周易》為五經之首,多數人受此影響,認定《周易》為儒家的經書。少數學者注意到《荀子》屢言"詩書禮樂"而未將《周易》納入這一系列,遂以為先秦儒家與《易》無關,儒家尊崇《周易》不過是從漢代纔開始。筆者覺得這兩種意見都證據不足,而一種新的解釋之路也許是可取的,即在一方面承認先秦儒學當中確已有《周易》占筮學的内容,另一方面則要説明這種占筮學在先秦儒學中的地位尚未重要到可與"詩書禮樂"並列的程度,當時占筮學乃是從屬於禮學的,《易》學不過是禮學的一部分而已!

先考察一下孔子與《易》的關係。《論語》中直接記載孔子論《易》的文字,衹有《述而》篇的一節:

子曰:加我數年,五十以學《易》,可以無大過矣。

此節由於《經典釋文》的記録而引起長期的争議。《釋文》説:"魯讀'易'為'亦',今從古。"其中"魯"字指《魯論語》,"古"字指《古論語》。有人説"魯讀"是注音,不是標舉不同傳本的異文,然而這種看法是不對的,《釋文》所稱"魯讀"都是徵引鄭玄《論語注》的文字,所謂"讀"乃是以注音的方式舉出異文,例如對《論語》"車中不内顧"一句,《釋文》説:"魯讀'車中内顧',今從古。"即是標舉異文之例。這樣,按照《釋文》所舉的"魯讀",我們衹能將"五十以學《易》"看作《古論語》的特殊寫法,而應承認《魯論語》此節當從下述的讀法:

子曰:加我數年,五十以學,亦可以無大過矣。

一些學者以為《魯論語》比《古論語》更加可靠,遂以為《論語》絶無關於孔子論《易》的記録,進而得出孔子與《易》無關的結論。另一種意見以為,《釋文》所舉的《魯論語》並非漢初流傳的魯地《論語》原本,而是東漢包咸、周氏的注本,包、周所用的底本乃是《張侯論》,亦即西漢晚期張禹綜合《魯論》與《齊論》而形成的新的寫本,其形成時間遠在《古論語》之後,那麼,應當承認《古論》關於"五十以學《易》"的記述是更為可靠的。另外,早於張禹的司馬遷已提到:"孔子晚而喜《易》,……曰:假我數年,若是,我於《易》則彬彬矣。"(《史記·孔子世家》)顯然是依據《論語》而稍變更辭句,可見漢武帝時司馬遷所見的《論語》與《古論》略同,寫為"五十以學《易》"。然而,河北定縣新出土的《論語》竹簡本當中此節原為:"五十以學,亦可以毋大過矣。"由此看來,我們不能過於看重孔子與《易》的關係,當然也不能完全否認這種關係。

《易經》卦爻辭都是占筮的記録,因而古書中關於孔子議論占筮的記載可支持上述關於他確曾論《易》的意見。《論語·子路篇》記載:"子曰:南人有言曰:'人而無恒,不可以作巫醫。'善夫! '不恒其德,或承之羞。'子曰:不占而已矣。"鄭玄注説:"無恒之人,《易》所不占也。"孔子既論占筮,便不可能不涉及《周易》。

然而,在孔子的眼裏,《周易》是不能與《詩》、《書》並列的。孔子所提倡的進學順序是"興於《詩》,立於禮,成於樂",未提《周易》在其中是處於何種位置。《史記·孔子世家》提到孔子"以《詩》、

《書》、禮、樂教”,也未提到孔學裏是否有《易》學的科目。據《史記·仲尼弟子列傳》,孔門三千弟子當中傳《易》者僅有商瞿一人,則孔子傳《易》之事與他傳授《詩》、《書》的活動絶不能相提並論。孔子死後,《周易》在儒家經典系統裏長期處於次要的地位,直到戰國末期仍是如此,當時荀子在《勸學》中依次列舉禮、樂、《詩》、《書》及《春秋》,未論《易》學。《荀子·大略篇》提到“善為《詩》者不説,善為《易》者不占,善為禮者不相,其心同也”,主題不在於列舉學科,而在於論證“不足於行者,説過”的道理。《荀子·堯問篇》説荀子“下遇暴秦”,那麽可以推斷,先秦儒學科目僅有《詩》、《書》、禮、樂等,没有《周易》一科。確切地説,先秦儒家對於《周易》占筮學,只是當作禮學的一個不甚重要的局部來對待的。

先秦儒家所從事的“禮”,往往以卜筮為起點,例如舉行祭禮必須先“卜牲”和“卜日”,“卜牲”是用卜筮的方法從備用的牛羊當中挑選祭祀的“犧牲”,“卜日”是用卜筮的方法確定舉行祭祀的日期。“卜”是龜卜,“筮”是以蓍草占休咎,這樣《周易》占筮學就與祭禮發生了聯繫。不但祭禮要確定日期,冠禮、射禮、喪禮等等也都如此,因而占筮成了各種禮儀的不可少的步驟,成為禮的從屬的部分。現存《儀禮》首篇《士冠禮》的第一節是:

> 士冠禮,筮于廟門。主人玄冠朝服,緇帶素韠,即位于門東,西面。有司如主人服,即位于西方,東面北上。筮與席所卦者,具饌于西塾。布席于門中,闑西閾外,西面。筮人執筴,抽上韇,兼執之,進受命于主人。宰自右少退贊命,筮人許諾,右還即席坐,西面,卦者在左。卒筮,書卦,執以示主人。主人受眡,反之。筮人還,東面旅占,卒,進告吉。若不吉,則筮遠日,如初儀。徹筮席。宗人告事畢。

此節主題是“筮日”,亦即為決定冠禮的日期而舉行的占筮活動。《儀禮》各篇列舉占筮儀式的章節還有一些,如《士喪禮》有“筮宅”

的規定,提到"命筮者在主人之右","北面,指中封而筮","卒筮,執卦以示命筮者,命筮者受視",等等。《特牲饋食禮》有"筮日"和"筮尸"的禮儀規定,"筮日"與冠禮的儀式接近,"筮尸"也類似於"求日之儀",但先有"命筮"之辭,聲稱"筮某之某為尸"。《少牢饋食禮》篇首"筮日"一章較之《士冠禮》首章尤為詳細,例如規定了主人的命筮之辭和筮者的述命之辭應循由何種格式,並且指明筮者的身份是"史",服裝必須是"朝服"。在這裏,最值得注意的是《儀禮》各篇屢次提到占筮程序是某種"儀",亦即所謂"筮儀"。這種筮儀給人的印象是極為繁瑣,參與人員的站立方位、動作順序、言辭對答等等都有一定之規,稱其為繁文褥節是絕不會過份的。從這些繁文褥節,我們可受到啓發:如果衹將《儀禮》所講的占筮程序當作各種禮儀的準備事項,是不够的。更確切地說,占筮儀式本身即是先秦儒家禮儀的一個門類,而議論占筮的文字則構成禮書的重要章節。當然,若是將先秦時期一切的占筮程序都歸入禮的範疇,可能是冒險的。《儀禮》所說的筮儀會不會得到先秦一切筮者的遵守,也是可疑的。但我們至少可以肯定一點:即《儀禮》所講的占筮儀式曾為孔子所陳述,在先秦儒家學派的内部乃是不可違背的金科玉律。

支持這一論斷的證據有很多,其中最值得一提的是《儀禮》這部書的可靠性和權威性。早在漢武帝時,這部書便成為五經之一,立於學官,號稱《禮經》。而在當時大小戴《禮記》尚未産生,《周禮》尚未"發得"。時至現代,人們公認《儀禮》的可靠性超過同類的《周禮》和《禮記》,甚至超過五經中的《易傳》、《尚書》、《毛詩》和《春秋》三傳。《儀禮》是今文經書,自劉歆始,古文經學家一直激烈地抨擊今文經書和今文經學,而他們對《儀禮》的指責卻從未涉及這部書的可靠性問題,衹是説這部書的内容不够完整,屬"殘"、"缺"之類。至於這部書與孔子的關係,可謂密切之極。《禮記·雜記下》說:"恤由之喪，哀公使孺悲之孔子學士喪禮，《士喪禮》於是乎書。"可見《儀禮》至少有一部分是孔子言辭的記録，甚至可能是由孔子親手寫定。上述筮儀即有部分見於《士喪禮》一篇，這使上述關於孔子既要論《易》為何卻從不以《詩》、《書》、《易》並列的問題得以澄清，他的"學《易》"即是禮的研究的課題之一，他的"執禮"即已包括占筮在內了。

孟、荀思想的一大區别也可由此獲得解釋。據《孟子》一書，孟子從不稱引《周易》，罕言占筮；而《荀子》卻多次稱引《易》類典籍，不止一次地議論占筮。究其原因，當在於孟子擅長於《詩》學和《書》學，而荀子卻以"隆禮"著稱。既要"隆禮"，對禮中的筮儀便難以排除。請看《荀子·天論》關於占筮的議論：

> 雩而雨，何也？曰：無何也，猶不雩而雨也。日月食而救之，天旱而雩，卜筮然後決大事，非以為得求也，以文之也。故君子以為文，而百姓以為神。以為文則吉，以為神則凶也。

在這裏，雩祭、救日月之祭與龜卜占筮歸為同類，概括為"文"，"文"即禮之節文、敬文及文飾，如《荀子·勸學》即以"禮之敬文"與"樂之中和"對舉，確定"文"是禮的特徵。那麽，荀子稱卜筮為"文"與孔子以占筮從屬於禮的道理是一樣的，也是以筮儀為禮儀之一。再看《荀子·禮論》關於占筮的議論：

> 故先王案為之立文，尊尊親親之義至矣。故曰：祭者，志意思慕之情也，忠信愛敬之至矣，禮節文貌之盛矣，苟非聖人，莫之能知也。……卜筮視日，齋戒修涂，几筵、饋、薦、告祝，如或饗之；物取而皆祭之，如或嘗之；毋利舉爵，主人有尊，如或觴之；賓出，主人拜送，反易服，即位而哭，如或去之。哀夫敬夫！事死如事生，事亡如事存，狀乎無形影，然而成文。

在這裏，占筮、龜卜與喪祭告祝之禮歸為一類，必須虔誠，纔能"成文"。"成文"即是"禮節文貌之盛",可見占筮與喪祭告祝等等乃是禮的不同門類。或者說,筮儀即為禮儀的一種。

假若先秦儒學中《易》學當真從屬於《禮》學,那麽當時的儒學科目便不會多達"六藝",當時的儒家經書也不會是"六經"。然而《莊子》為何提到六經呢?《莊子·天運》假託孔子說:"丘治《詩》、《書》、《禮》、《樂》、《易》、《春秋》六經";《天下篇》說:"《詩》以道志,《書》以道事,《禮》以道行,《樂》以道和,《易》以道陰陽,《春秋》以道名分"。先秦文獻提及六經的,僅此兩例。當然,這兩例的疑問可舉出很多,例如《天運》、《天下》兩篇是否出於先秦,尚未論定;《天下篇》"《易》以道陰陽"以下兩句是否為後人補入,亦可商榷;學界很多人以為先秦本無《樂經》,則《天運》提到《樂》之經書也可成為疑問。然而, 即使沿襲傳統的說法, 將《莊子》這兩篇的時代定為戰國晚期,也不妨礙筆者作出先秦儒學中《易》學從屬於《禮》學的論斷,因為這兩篇的作者都是更為重視《周易》的道家人物。《戰國策·齊策》中顔斶先引述《易傳》,後引述《老子》,以證成道家關於王者賤稱"孤"、"寡"而不如士人尊貴的見解,可見先秦道家已以《易》、《老》並列,而先秦儒者却未以《詩》、《書》等經書與《周易》並列。《史記》等書說老子曾擔任史官之職,《漢志》也說道家"出於史官",而先秦史官的職責恰有占筮一項,如《儀禮》規定筮者的身份必須是"史",《左傳》中筮者凡指明職稱的也多數是"史",如《左傳》莊公二十二年載,為陳完占筮的是"周史",僖公十五年載,為晉君占筮的是"史蘇",成公十六年由"史"來占筮晉楚戰爭的結局,在襄公二十五年由"史"來占筮崔氏的婚事。西漢已有太卜的官職,而太史令司馬遷却自稱"近乎卜祝之間"(《報任安書》)。這樣看來,源出史官的道家學派對《周易》的重視程度,較之儒家一定是大大超過了。《莊子》兩篇的作者見儒家也治《周易》,遂不顧儒家原有的將《易》學從屬於《禮》學的傳統,假託孔子而將《周易》提昇到《詩》、

《禮》的系列，杜撰出“六經”的名目[1]，這完全是情理之中的事。這樣的杜撰在《莊子·天道》篇也有一例，竟説孔子有“十二經”。歷代注家無不為“十二經”而困惑，有人説這是六經加六緯，其實先秦哪裏有六緯呢？有人説《春秋》十二公的經文即是十二經，但在先秦儒書中間哪裏有這樣的先例呢？有人説十二經是《周易》上下經加上十翼，然而據馬王堆帛書《易傳》，十翼的系統在漢初尚未形成，哪裏會出現在先秦呢？若是根據道家的著作來説明儒家的經書系統，看來一定要陷於混亂，上述關於儒學中《易》學從屬於《禮》學的結論，不會由於道家的杜撰而發生動摇。

綜結先秦儒家對《易》學的態度，可説是既非輕視，亦非重視。《禮》學包括《易》學，禮儀包括筮儀，先秦儒者對筮儀的各項規定嚴格遵守，視為金科玉律，顯然是不敢輕視的。然而在各種禮儀當中，筮儀無論如何不如禱告和祭獻的儀式重要，因為占筮乃是為告、祭等儀式服務的，它在禮儀程序中衹是準備的階段，若是用“重視”一詞來説明先秦儒家對《易》或占筮的態度，也是不够允恰的。在先秦儒學中，關於仁義的思想與禮的儀式有密切的聯繫，而這種聯繫在仁學與占筮學之間却不很明顯。西漢經學家將《周易》與《詩》、《禮》並列，構成五經的系統，這種作法絶不合乎先秦儒學的精神。至於古文經學家所規定的《易》、《書》、《詩》、《禮》、《樂》、《春秋》之次，與先秦儒學傳統的距離更為遥遠。那麽，《周易》是怎樣進入“詩書禮樂”的序列的呢？通過研究馬王堆帛書《要》篇可以回答這一問題。《要》篇“詩書禮樂不足百篇”一語，表明它是秦代焚燒《詩》、《書》之時的著作。篇中假託孔子之言，聲稱《尚書》“多

---

① 《易經》的“經”字何時何人所加，是個有待考定的問題。我以為《周易》稱經可能始於戰國中期，但這“經”的意義與“五經”之經不同。《漢志》著録醫經多種，又有《山海經》、《四時五行經》等，先秦尚有甘、石《星經》，則稱經之書未必與五經並列。

匆",《周易》"未失",故可通過"樂其辭"或曲解卦爻辭的方式來闡發儒學原有的"德義"。由此可見儒家在"詩書禮樂"遭到焚禁的情況下竟能渡過浩劫,乃是有賴於《易》學形式的藉用,他們通過解釋在當時未遭到禁止的《周易》,使那些原本是依託於"詩書禮樂"的思想繼續閃耀光芒。《周易》由於起到掩護儒學使之繼續生存的功效,遂在秦代被推舉為儒門的經典,成為六藝或五經之一。當人們熟悉了這樣的《周易》並繼續提昇它的地位時,竟忘了它在先秦儒家文獻中的地位原是微不足道,不過是《禮經》的附屬品而已!

二、"黃老易"的經典系統

《黃》、《老》、《易》之有密切關聯,可由許多史料而得到證明,如春秋時期有叔向兼引《易》、《老》之例,戰國時期有顏斶兼引《易傳》、《老子》之例,西漢時期的司馬季主和司馬談則以傳習《黃》、《老》、《易》而聞名。很多學者以為這些事例不足重視,可能是由於未能注意到這些事例有兩個內在的原因,其一,道家學說以及關於黃帝的傳說都出於史官,而《易》之占筮恰是春秋時期史官的職責;其二,陳氏奪取齊國政權的謀略很像是得於《老子》,而陳氏據有齊國權力的憑據恰是兩項占筮的記録,以及奉黃帝為祖先。

目前學界多已注意到《易》、《老》同出於史官這一點。老子與道家之出於史官,見於《史記》、《漢書·藝文志》等書,一直為學者所贊同,近年王博先生發表《老子思想的史官特色》一書,更使《老子》之出於史官成為定論。關於《易》與史官的聯繫,上文已提到《左傳》所載占筮之事多為史官所為。今再推敲《左傳》所載的占筮之事,如成公十六年記載,晉侯令人占筮若是實行某種策略能否擊敗楚軍,"史曰吉";襄公二十五年記載,崔武子欲娶棠姜,令人占筮吉凶,"史皆曰吉";哀公九年記載,晉國趙鞅關心救援鄭國將有何種結果,"占諸史趙、史墨、史龜"。《國語》也有類似的記録,公子重耳占筮能否取得晉國政權,"筮史占之,皆曰:'不吉'"。這些占筮事務均由衆多的"史"來操持,可見《左傳》所載占筮之例多為史官所為,絶非偶然,而是以某種制度為背景。《儀禮·少牢饋食禮》篇首筮日一章規定了占筮程序應循由何種格式,指明筮者的身份必須是"史",也證明古代占筮事務在史官的職責範圍之內。李鏡池、朱伯崑諸先生有鑒於此,推斷《周易》卦爻辭的作者為史官之流,這樣推斷顯然是中肯的。老子其人既然擔任過史官,必通《易》筮,而《易》中的辯證法思想以及謙、損等卦的思想都與《老子》相合,則《易》、《老》同源已是可以肯定的。

更為有趣的是,原有密切聯繫的《易》、《老》兩書,正好都是陳氏家族奪取齊國政權的理論依據。關於陳氏家族與《老子》的關係,我在《老子與稷下黄老之學》(刊於《哲學研究》1990年增刊)一文裏曾有簡單的論述,指出《老子》原是春秋晚期陳國的作品。陳氏在齊國擴大權勢的成功範例肯定影響了《老子》的作者,《老子》成書後又漸成為陳氏家族所遵循的箴言或訓條。在公元前532年,陳桓子擊敗欒、高氏,"陳氏始大"。公元前489年,陳乞聯合鮑氏,擊敗國、高氏。公元前481年,陳成子殺齊簡公,誅滅鮑氏、晏氏等公族,控制了齊國政權。《老子》大約成書於陳乞之前,陳乞、陳成子所施行的"大斗出貸,以小斗收"的政策,恰有《老子》的名言充作依據。《老子》説:"是以聖人執左契而不以責於人,故有德司契,無德司徹。"這裏的"契"即契約,"左契"為負債人所立,由債權人收執;右契為債權人所立,交負債人收執;"責"即債權人向負債人索債。"聖人執左契而不以責於人",意謂聖人處於債權人地位而不索取所欠,或者説施捨而不求報,正如《老子》所云:"夫唯道,善貸且善成。"這裏所謂的"徹"是周代的税法,與魯國的"税畝"相比是一種陳舊的剥削形式。《老子》未以"税"、"徹"對舉,而以"契"、"徹"對舉,顯然是以春秋晚期齊國的經濟狀況為背景,是針對陳乞和陳成子的"善貸"而論。據《左傳》和《史記·田完世家》所載,陳桓子收買人心的方式是"以家量貸,以公量收之";陳乞的方式是:"其收賦稅於民以小斗收之,其稟予民以大斗";陳成子的方式是:"以大斗出貸,以小斗收"。陳氏三世的出貸與收債方式都與《老子》的訓戒一致,是"執左契而不以責於人","善貸且善成"。另外,《老子》說:"上善若水,水善利萬物而不爭,居衆人之所惡,故幾於道矣。"而陳成子對齊簡公說:"德施人之所欲,君其行之! 刑罰人之所惡,臣請行之!"(見《史記·田完世家》)這不正是《老子》所主張的"居衆人之所惡"!《老子》說:"大邦者,下流也。……故大邦以下小邦,則取小邦。"陳成子殺齊簡公之後,"盡歸魯、衛侵地"(《田完世家》),不正是"大邦以下小邦"!《老子》說:"天道無親,常與善人。"陳氏代齊違背了宗法世襲的原則,宣揚"天道無親"正好是十分有利的。《老子》稱禮為"忠信之薄而亂之首",這也有助於陳氏家族勢力的擴張,因為"禮"正是齊國姜氏防止陳氏篡權的工具,例如晏嬰曾為防止陳氏勢力擴大而提出建議:"唯禮可以已之。"(見《左傳》昭公二十六年)

陳氏篡齊之事常被看成春秋戰國之交最為嚴重的篡弒之例,此事構成對周代制度和宗法思想的挑戰,因而兩周傳統的制度與思想均不能充作陳氏統治齊國的依據。另一方面,這種依據又是陳氏家族所不可少的,陳氏所篡奪政權的國家是東方大國,控制這樣的國家不能不有賴於某種神學理論的支持。支持將來自何處呢?《老子》是講哲理和政治謀略的書,不是宣揚天命的書,陳氏家族僅依靠《老子》,尚不能使自身的權威顯得神聖。此種思想領域的空白,大概需要由《易經》來填補。《左傳》昭公三十二年記載,趙簡子向史墨發問:"季氏出其君,而民服焉,諸侯與之,君死於外而莫之或罪,何也?"史墨回答:

……社稷無常奉,君臣無常位,自古以然。故《詩》曰:"高岸為谷,深谷為陵。"三后之姓,於今為庶,主所知也。在《易》卦,雷乘乾曰大壯䷡,天之道也。

這是三家分晉的理論依據之一。史墨在表面上是為魯國季氏辯護,在實質上是為趙氏參與瓜分晉國政權尋找理由。由於陳氏篡齊是比三家分晉更為典型的篡弒行為,因而史墨的議論自然也會起到為陳氏辯護的效用。這辯辭由一位史官道出,所說"社稷無常奉,君臣無常位"是與宗法世襲制度正相敵對的原則,而這原則竟是由《易經》卦義推演而成,則《周易》之為陳氏權力的依據這一點,從情理上說已有可能。湊巧的是,《左傳》莊公二十二年記載了陳氏占筮之事兩例,一例是:

初,懿氏卜妻敬仲(陳完),其妻占之,曰:"吉。是謂鳳皇于飛,和鳴鏘鏘。有媯之後,將育于姜。五世其昌,並于正卿。八世之後,莫之與京。"

另一例是:

陳厲公……生敬仲(陳完)。其少也,周史有以《周易》見陳侯者,陳侯使筮之,遇觀䷓之否䷋,曰:"是謂'觀國之光,利用賓于王'。此其代陳有國乎?不在此,其在異國;非此其身,在其子孫。……風行而著于土,故曰其在異國乎!若在異國,必姜姓也。姜,大嶽之後也。山嶽則配天。物莫能兩大,陳衰,此其昌乎!"

《左傳》作者不是齊國人,卻能詳載陳氏家族内部的筮例,可見這兩件筮例一定在陳氏篡齊之後廣泛流傳,流傳的原因當是陳氏家族故意宣揚,以證明自身的權力合乎占筮的結果,或者說合乎占筮所反映的上帝鬼神的意旨。《史記·田完世家贊》說:"《易》之為術,幽明遠矣,非通人達才孰能注意焉!故周太史之卦田敬仲完,占至十世之後;及完奔齊,懿仲卜之亦云。田乞及常所以比犯二君,專齊國之政,非必事勢之漸然也,蓋若遵厭兆祥云。”意謂陳氏篡齊不是人事方面的偶然事件或由時勢所促成的結局,而是合乎天命的結果。根據《周易》而作出的兩項占筮記録,無疑是陳氏篡齊的重要的神學依據。

《戰國策·齊策·齊宣王見顔斶章》所引顔斶之言,是上述觀點的首要例證。顔斶説:

> 是故《易傳》不云乎:“居上位未得其實,以喜其為名者,必以驕奢為行。據慢驕奢,則凶從之。”是故無其實而喜其名者削,無德而望其福者約,無功而受其禄者辱,禍必握。……故曰:“無形者,形之君也;無端者,事之本也。”夫上見其原,下通其流,至聖人明學,何不吉之有哉!《老子》曰:“雖貴必以賤為本,雖高必以下為基。是以侯王稱孤寡不穀,是其賤之本與!”夫孤寡者,人之困賤下位也,而侯王以自謂,豈非下人而尊貴士與!

有些學者懷疑顔斶與《齊策》下章所提到的王斗是同人異名,使上述顔斶言論的可靠性受到懷疑。然而顔、王兩人是不能混淆的,《齊策》關於兩人游説齊王的情節全然不同。王斗“欲見”齊王,通過諷諫,使齊王“舉士五人任官”,以致“齊國大治”;顔斶則為齊王所見,經過辯論,辭去歸隱,“終身不辱”。王斗議論的主題是“士”的價值勝過狗馬酒色,顔斶議論的主題則是“士貴耳,王者不貴”。王斗與齊王的辯論乃是“當今之世無士”與“何患無士”兩個命題的衝突,顔斶與齊王的辯論焦點則在於“據上位者”和“貧賤下位者”孰為尊貴的問題。兩者差别如此之大,絶不應當是一人一事。唐代學者盧藏用在《春秋後語釋文》中指出顔斶是“齊之高士”,王斗(燭)是“齊之忠臣”,即顯示出二人有隱仕之别。再考慮顔斶言論有“當今之世,南面稱寡者乃二十四”一句,正是戰國中期局面的反映,當時除七雄之外,尚有宋、衛、中山、魯、鄒及“泗上諸侯”(《史記·

田完世家》)等,由此可肯定《齊策》所引顏斶言論確實出於戰國齊宣王的時代。顏斶所引《易傳》之文有道家思想傾向,引述之後又說:"故曰:無形者形之君也,無端者事之本也。"這種典型的道家之言顯然也是出自上面的《易傳》。他在引《易》之後,又引《老子》,這種援引方式可證明《易》、《老》曾並列為戰國時期齊國道家的經典。

據《史》、《漢》諸書所載,戰國時代齊國稷下的多數學者以及韓國的申不害等人都歸本於黃老,西漢文帝和景帝都以為《黄》、《老》兩書"過於五經",則戰國秦漢時期北方道家學者都應兼崇《黄帝四經》和《老子》。《易》既與《老》並列,則當時道家經典系統似不限於"黄老",歸納為"黄老易"似更為恰當。根據陳侯毀上的銘文,至遲在齊威王時,齊國陳氏家族已奉黄帝為祖先,為其據有齊國政權的依據之一,則《黄帝經》之與同為陳氏權力依據的《易》、《老》兩書並列,乃是順理成章的事。先秦時期越地産生了《范蠡》二篇,其佚文散見於《國語·越語下》和《越絶書》等,文中的見解合於《黄》、《老》之處頗多,可能是黄老學派影響下的學者所作。又據《史記·日者列傳》所引司馬季主語:"越王句踐放文王八卦以破敵國,霸天下。"可見摹仿八卦乃是越人的傳統,對《范蠡》的作者不會没有影響,那麼可以推斷《范蠡》作者也是"黄老易"的系統的傳習者。另外,《日者列傳》附褚少孫説,司馬季主"通《易經》,述黄帝、老子";《太史公自序》説,司馬談"受《易》於楊何,習道論於黄子",並在《論六家要指》中兼引《黄帝四經》和《老子》的命題。如此種種,都證明早期道家經典當中有一個"黄老易"的系統。

馬王堆出土的帛書有很多,其中主要的部分有二,一是《黄帝四經》與《老子》合卷,一是《周易》及其卷後佚書,包括《易經》、《繫辭》、《二三子問》、《易之義》、《要》、《繆和》、《昭力》等。這不是"黄老易"的系統,又是什麼呢?誠然,其中《二三子問》、《易之義》、

《要》等篇章屬於儒家,但是在秦代以後,《周易》兼受儒道兩家的尊崇,在有"採儒墨之善"的傾向的道家文獻裏摻有儒家著作,原是在情理之中的。

辨明戰國秦漢道家的最受尊崇的經典系統是"黃老易",便會體會到桓譚的言論有一種特殊的意義,他說:"昔老聃著虛無之言兩篇,薄仁義,非禮學,然後世好之者尚以為過於五經,自漢文景之君及司馬遷皆有是言。"(見《漢書·揚雄傳贊》)桓譚生活於兩漢之交,他說西漢文帝和景帝都以為《老子》"過於五經",並有"是言",定有可靠的文獻為據。《老子》既"過於五經",自然要超過五經中的《周易》,而"黃老"的提法又表明《黃帝四經》勝過《老子》,那麼用"黃老易"的術語來概括道家經典系統,當是準確的。附帶指出,這一系統主要是流行於戰國秦漢時期中國的北方,在當時南方的情況要特殊一些。

三、"莊老易"的經典系統

從戰國秦漢道家文獻中歸納出一個"黃老易"的系統,無疑是思想史研究的一項進展。然而,若是以為當時道家的經典系統僅止於此,卻會流於片面,因為當時道家還有另一個經典系統,即是"莊老易"。人們也許會問:早期道家的經典系統為何竟有兩個呢?或者說,道家經典系統為何不能統一呢?對這問題的回答是,戰國秦漢道家本不是統一的。正是由於不統一,先秦文獻纔未出現"道家"之名,韓非列舉"顯學"纔祇提到儒家八派與墨家三派。確切地說,戰國秦漢時期北方道家崇尚"黃老易",多與法家交融;南方道家崇尚"莊老易",更熱衷於標榜個人的精神自由,對《黃帝四經》有時重視,有時忽略。在"黃老易"的系統裏,《黃帝四經》的地位超過《老子》;在"莊老易"的系統裏，莊子所獲評價一度超過老聃。南北道家的思想有很大的差異，不像儒家八派和墨家三派那樣有共同的經典系統，以致荀子、韓非等人拒絶稱其為"道家"或"黄老學派"，而以老、莊等人名來作學派的標誌。

且先考察一下南北道家的差異。過去，學界普遍注意到先秦諸國的變法態勢，北方諸國多有變法事件發生，如齊國陳氏逐漸實行了政治改革，秦國的商鞅變法、韓國的申不害法治、魏國的李悝變法均獲成功。趙國的變法可能也很劇烈，竟致仿效胡服騎射。燕國先有失敗的禪讓事件，後有燕昭王的成功的改革。北方諸國的道家普遍與法家融合，如韓國的申不害"本於黄老而主刑名"，對韓、秦兩國影響較大的韓非之學也是"歸本於黄老"(均見《史記·老莊申韓列傳》)，齊國稷下先生田駢、慎到等人"皆學黄老道德之術"，同時又傾向於"任法"，慎到著作在《漢書·藝文志》未入道家而列入法家；出於齊國的《管子》一書强調"法出乎權，權出乎道"。這些道法結合之例多數可能是以帛書《黄帝四經》首句"道生法"為其依歸，裘錫圭先生稱其為"道法家"，是很精確的。

與北方諸國相反，先秦時期南方諸國的政治革新均不成功，如楚國的吴起變法是一場以失敗告終的悲劇，越國則因未有成功的政治革新而迅速衰亡。如果説道家學説在北方諸國能成為變法的思想基礎，那麼這些學説在南方諸國便有可能成為反對變法的依據。例如，《淮南子·道應篇》記載：

> 吴起為楚令尹，適魏，問屈宜若曰："王不知起之不肖，而以為令尹。先生試觀起之為人也。"屈子曰："將奈何?"吴起曰："將衰楚國之爵而平其制禄，損其有餘而綏其不足，砥礪甲兵，時爭利於天下。"屈子曰："宜若聞之，昔善治國家者，不變其故，不易其常。今子將衰楚國之爵而平其制禄，損其有餘而綏其不足，是變其故、易其常也。行之者不利！宜若聞之曰：

怒者，逆德也；兵者，凶器也；爭者，人之所末也[1]。今子陰謀逆德，好用凶器，始人之所末[2]，逆之至也。……”吳起惕然曰：“尚可更乎?”屈子曰：“成形之徒，不可更也。子不若敦愛而篤行之。”

屈宜若，《史記·韓世家》作“屈宜臼”，《集解》引《淮南子》許慎注説：“屈宜臼，楚大夫亡在魏者也。”則上述屈宜若對吳起的批評，正好表達了楚國貴族對吳起變法的反對意見。他反對的理由，是“陰謀逆德，好用凶器，始人之所末，逆之至也”，而這正是《范蠡》所説的：“陰謀逆德，好用凶器，始於人者，人之所卒也。”(見於《國語·越語下》)《范蠡》之屬道家已為學者所公認，那麼屈宜若與《范蠡》的一致，表明楚越道家學者的主張不是“道生法”，而是在宣揚“道”的同時又貶抑“法”。進一步説，楚越道家所持的不是尚法並限制貴族特權的立場，而是維護貴族特權的立場。當然，貴族政治往往是不可取的，然而楚越兩國卻又有其不得已的苦衷。楚國在秦軍的壓迫下，政治中心不斷轉移，楚頃襄王在郢都失陷後遷都於陳，楚考烈王又遷到壽春。越人的處境更為窘迫，楚威王興兵擊破越軍，“盡取故吳地至浙江”(《史記·越世家》)，越人遂離散，“濱於江南海上”(同上)。在遷徙和逃亡之際，處於亡國滅族的危險之中，族姓自然會受到保護，晉室東渡後竭力維護出自中原的大族的特權，即是典型的一例。戰國中期以後的楚越兩國也是如此，一方面，法制因貴族特權受到保護而不得伸張；另一方面，在遷徙當中不斷有破落的貴族出現，這種貴族中的人物往往比平民更為珍重個人的權利和自由，也更容易憧憬某種美好的社會圖景。《莊子》一書即反映了這種心態，書中反覆談論人間世的黑暗，提出“安時處順”、“僅免刑焉”的避患之道，謳歌逍遥而申説關於美好世界的幻想，這與《黄帝四經》

---

① ② 兩“末”字原均作“本”，據文義及《國語·越語下》改。

的帝王之術及尚法精神相比較,可謂天淵之別。《鶡冠子》是楚國道家人物的著作,書中雖對《黃帝四經》多次引申,並論及刑法,但思想風格却不同於《黃》、《老》,如書中《著希篇》説:"賢人之潛亂世也,上有隨君,下無直辭,君有驕行,民多諱言。故人乖其誠能,士隱其實情,心雖不説,弗敢不譽;事業雖弗善,不敢不力;趨舍雖不合,不敢弗從。"這與帝王之術顯然不可同日而語,與《莊子》的隱者避患之道卻頗為相似。可見南方道家的思想傾向與北方道家相去懸殊,是否為同一學派,是很可疑的。

戰國秦漢南北道家的最明顯的差別,表現在對《莊子》的態度上。北方道家人物顏斶、田駢、慎到、司馬談等人都未支持或引用《莊子》,南方道家人物却經常表露出對《莊子》的尊崇。據《史記·日者列傳》,司馬季主為楚人,褚少孫説他"通《易經》,術黃帝、老子",而《傳》中所引司馬季主的言論却是兼引《莊》、《老》、《易》而不提《黃帝》之書。淮南王劉安曾詮釋《莊子》,《文選》李注引有淮南王的《莊子後解》與《莊子要略》,《淮南》各篇廣引《莊子》之文,約二十餘例。各篇引述《易》、《老》之例也有很多,而對《黃帝四經》祇是偶加引用。嚴遵是南方道家的著名人物,生活於漢成帝時,《漢書》本傳説他在成都以卜筮為業,又"依老子、嚴(莊)周之旨著書十餘萬言";《華陽國志》説他"專精大《易》,耽於《老》、《莊》",可見嚴遵學説也是融合《莊》、《老》、《易》的思想而成。學界曾流行一種説法,以為"老莊"之學到三國時期纔開始興盛,而從"老莊"到"莊老"的轉變在魏晉之間纔完成,這真是嚴重地歪曲了事實。陳鼓應先生注意到《莊子·天下篇》有一節重要的異文,通行本寫為:"關尹、老聃聞其風而悦之,……可謂至極。關尹老聃乎! 古之博大真人哉!"異文則見於日本高山寺所藏的南朝寫本,寫為:"關尹、老聃聞其風而悦之,……雖未至極,關尹、老聃乎,古之博大真人哉!"兩字之差,顯示出早期的《莊》學並非依附於《老》學,而是自命凌駕於

《老》學之上的。由此可見戰國秦漢南方道家的經典系統主要是由《莊》、《老》、《易》三書構成,其中《莊子》的地位與《老子》接近,有時超過《老子》。《黄帝四經》在這系統裹可有可無,重要性遠在"莊老易"之下。

講到這裏,可由桓譚之言再次得到啓發。《漢書·揚雄傳贊》引桓譚説,西漢文景之君都以為《老子》"過於五經",勝過《周易》。這種《老》勝於《易》的認識既流行於北方道家,在更能體現道家精神的南方道家學説裏會顯得更加强烈。那麽,可以肯定南方道家經典系統的内在關係是《莊》勝於《老》,《老》勝於《易》,概括為"莊老易"是很允恰的。

四、早期南方道家與魏晉三玄之學的比較

由南方道家的"莊老易"的系統,容易聯想到魏晉時期的"三玄"。筆者在過去曾追隨一種權威的意見,以為"莊老易"之為經典系統是到曹魏時期纔有的事,這種意見看來是必須放棄的了。

首先應當指出,戰國秦漢南方道家的經典系統與魏晉"三玄"幾乎是重合的。《顔氏家訓·勉學篇》説:

> 洎於梁世,兹風復闡,《莊》、《老》、《周易》,總謂三玄。武皇、簡文,躬自講論。

"三玄"一名的提出,至遲是在南朝梁代,而"三玄"所指的"莊老易"的系統,與魏晉玄學的經典系統全同,與戰國秦漢南方道家的經典系統亦合。在辨明這一點的基礎上,還應指出這兩個時代的道家竟有相似的發展過程。在戰國時期,"黄老易"的系統形成在先,"莊老易"的系統形成在後。在秦漢時期,是先有秦代的刑法之治,後有"黄老易"之學的興盛,到西漢中期以後,"莊老易"之學纔顯得重要起來。在漢末魏晉時期也是如此,東漢之末,曹操的名法之治

使刑名法術之學一度流行。魏文帝即位後,仿效漢初的黄老之治,如《魏志·文帝紀注》引《魏書》説他"常嘉漢文帝之為君,寬仁玄默",又説他撰有《太宗論》稱贊漢文帝,曾將此論"頒於天下,明示不願征伐",與"黄老易"的宗旨大致吻合。據《隋書·經籍志》,《周易》和《老子》等書在魏晉南北朝一直受到重視,可見魏文帝的政策定曾鼓勵學者研治"黄老易"的經典系統,使早期的北方道家學説復興。至魏齊王芳正始時期,王弼以《莊》解《老》,又以《莊》、《老》解《易》,與夏侯玄、何晏等人一同創建了玄學,使道家經典系統由"黄老易"轉變為"莊老易"。這樣看來,戰國秦漢時期道家經典的重心由"黄老易"到"莊老易"的轉移過程,在曹魏時期竟又重複了一遍。

早期南方道家經典系統與魏晉"三玄"的差别,衹是在名義的方面。《周易》在西漢中葉尚不十分顯赫,在西漢末期纔備受尊崇,在新莽時期一度為五經之首,但在東漢時的學術地位又有下降。當時道家尊崇《莊》、《老》甚於《周易》,是學術環境所允許的。到三國時期,古文經學興盛,《周易》之為五經之首得到學界的公認,因而人們很難堅持《莊》、《老》勝過《周易》這一點。王弼、阮籍等人遂建立新説,"以為聖人與道合體,老氏未能體道",為"上賢亞聖之人"(見陸希聲《道德經傳序》),這意見的宗旨是承認《周易》為經,作者為聖人;《老》、《莊》為傳,作者為上賢或亞聖。《世説新語·文學篇》劉注引《文章敍録》説,何晏以為老子"與聖人同",這"同"是説老子的主旨與聖人一致,不是説老子本人即為聖者。《弘明集》卷六載周顒《重答張長史書》指出:"王、何舊説,皆云老不及聖。"可見王弼所提出的《周易》為經、《老》、《莊》為傳的意見,在魏晉玄學中有普遍的代表性,是玄學家的共識。但從思想實質上説,玄學家重視《莊子》往往甚於《易》、《老》,與早期的南方道家可謂一脈相承。這樣,可得出一個結論,即魏晉"三玄"有兩種次序,一是名義上的"易老莊"之次,《經典釋文》中的經傳次第即與此相合;一是實質上的"莊老易"之次,南朝梁代學者所說的"《莊》、《老》、《周易》,總謂三玄"即屬此例。在名、實之間,實更重要,因而現在研究玄學,應更加注意從早期南方道家到玄學的發展的連續性。

作者簡介　王葆玹,1946年生,北京人,現為中國社會科學院哲學所研究員,撰有《正始玄學》、《西漢經學源流》等書,以及《西漢國家宗教與黄老學派的宗教思想》、《從西漢河内佚書的出土看五行八卦兩種模式的融合》等論文。

《易傳》與道家思維方式合論

羅 熾

内容提要 由原始的中華易文化奠定的中華民族思維方式，是一種以辯證思維為核心的、經驗的、非邏輯型的思維方式。它主要地表現為四種類型：(一)天人合一的整體思維；(二)奉常處變的循環思維；(三)寓理於象的形象思維；(四)得意忘言的直覺思維。四種思維方式又集中表現為兩種模式：經學模式和陰陽五行模式，從而形成了具有鮮明特色的中華民族認知系統。

這種認知系統，奠基於《易經》，形成於《易傳》。《周易》由經到傳，經歷了一個漫長的歷史演變時期。其間包容了我國歷史上第一個百家爭鳴的璀燦的黃金時代。百家之學，從不同側面、不同程度地發展了中華易文化，而《易傳》則是百家爭鳴的一個豐碩成果。正如《繫辭傳》所說："天下同歸而殊途，一致而百慮。"而《易傳》是形成中華易文化傳統的一個重要中間環節。《易傳》形成於黃老之學風靡的時代，其中固然吸取了鮮明的儒學內容，但其特質仍以黃老道家之學為著。其認知系統主要傾向是道家，而不是儒家。

一

首先，從天人關係論看。《易傳》以天為自然之天，以天與人為被效法和效法者，從而肯定了天人關係為自然與人的關係。《易傳》說：

"一陰一陽之謂道。繼之者，善也；成之者，性也。……顯諸仁，藏諸用，鼓萬物而不與聖人同憂，盛德大業至矣哉。富有之謂大業，日新之謂盛德，生生之謂易。""是故剛柔相摩，八卦相蕩，鼓之以雷霆，潤之以風雨。日月運行，一寒一暑；乾道成男，坤道成女。""天地絪緼，萬物化醇；男女構精，萬物化生。"（《繫辭傳》）

"天地感而萬物化生。""大哉乾元，萬物資始，乃統天。雲行雨施，品物流行，大明終始，六位時成；時乘六龍的御天。乾道變化，各正性命，保合太和，乃利貞。""至哉坤元，萬物資生，乃承天。坤厚載物，德合無疆，含弘光大，品物咸亨。"（《彖傳》：《咸》、《乾》、《坤》）

此處所謂道，即天道。天道一陰一陽，相互感應、消長盈虛、自然無為，生生不已。天地化育萬物沒有私心，也不顯露出其作為，沒有聖人能憂患的那種人格意識。風雨變化、品物流行、日月更替、寒暑交章，各因其性而生，合諧共處而長。這裏描繪了一幅人與萬物以及各種自然現象在陰陽二氣絪緼交感、相摩相蕩中周流變化、生成發展的美妙圖景，對殷商以降及於春秋戰國儒家孔孟的天道觀是一個根本否定，表現了鮮明的道家意識。衆所周知，孔孟儒學是諱言"陰陽"的，《論語》甚且言未及氣，其哲學亦未及宇宙生成問題，所謂"夫子之言性與天道，不可得而聞也。"（《公冶長》）道家則不然。道家以"道"為其哲學的最高範疇，認為天之道與人之道是相區別的。何謂天道？《老子》說：

"天之道，不爭而善勝，不言而善應，不召而自來，繟然而善謀。"（73章）

"天之道，其猶張弓與！高者抑之，下者舉之，有餘者損之，不足者補之。天之道，損有餘而補不足。"（77章）

"天之道,利而不害";(79章)

"天道無親,常與善人。"(81章)

《莊子》説:

"天地固有常矣,日月固有明矣,星辰固有列矣,禽獸固有羣矣,樹木固有立矣。……循道而趨,已至矣。"(《天道》)

"天道運而無所積,故萬物成"。(同上)"天之自高,地之自厚,日月之自明。"(《田子方》)

《文子》説:

"天道為文,地道為理,一為之和,時為之使,以成萬物,命之曰道。"(《上德》)

"夫道者,陶冶萬物,終始無形,寂然不動,大通混冥,深閎廣大不可為外,析毫剖芒不可為內,無環堵之宇,而生有無之總名也。"(《道原》)

顯然,道家之謂天道,乃是指自然界的內在秩序,萬物固有的規律性。而所謂"天",也就是自然界。天人關係,也就是自然與人的關係。

在天人關係和思維的本體問題上,《易傳》主張天人合一的整體思維。它通過《序卦傳》對《易經》的六十四卦序列作了一種準系統論的闡釋。如説:

"有天地然後有萬物;有萬物然後有男女;有男女然後有夫婦;有夫婦然後有父子;有父子然後有君臣;有君臣然後有上下;有上下然後禮義有所措。"

"有天地然後萬物生焉。盈天地間唯萬物,故受之以'屯'。……屯者,物之始生也。物生必蒙,故受之以蒙,……物之稚也。物稚不可不養也,故受之以需。需者,飲食之道也。飲食必有訟,故受之以訟。訟必有衆起,故受之以師……"

這是說,整個人類社會以及人類所賴以生存的客觀世界,都是一種鏈式的因果系統結構,而這個系統結構又可以用卦象符號聯結起來,從而成為一個"範圍天地之化而不過,曲成萬物而不遺,通乎晝夜之道而知"(《繫辭傳》)的完整系統。《易傳》將這個系統表述為:太極→兩儀→四象→八卦→定吉凶、生大業的與天地準、彌綸天地之道的天人合一模式。

《易傳》這種對天地萬物和人類生成和結構的天人合一的系統思維方式,緣起於《易經》,却啓迪於道家。如《老子》說:

"天下萬物生於有,有生於無。"(第40章)

"道生一,一生二,二生三,三生萬物,萬物負陰而抱陽,沖氣以為和。"(第40章)

"故道大、天大、地大、王亦大。域中有四大,而王居其一焉。人法地,地法天,天法道,道法自然。"(第25章)

"天下有始,以為天下母。既得其母,以知其子;既知其子,復守其母,沒身不殆。"(第52章)

道家老子認為天地萬物和人類的最初原因是"無","道"是無的外化、是母。它負陰、抱陽,陰陽沖和而生天、生地、生人(王)。人效法天,人道統一於天道。《莊子》亦有這種思想。如說:

"察其始而本無生;非徒無生也,而本無形;非徒無形也,而本無氣。雜乎芒芴之間,變而有氣,氣變在而有形,形變而有生。"(《至樂》)

"至陰肅肅,至陽赫赫;肅肅出乎天,赫赫發乎地,兩者交通成和而物生焉,或為之紀而莫見其形。"(《田子方》)

"人之生,氣之聚也。聚則為生,散則為死。……故萬物一也。……故曰:通天下一氣耳。聖人故貴一。"(《知北遊》)

莊子描繪的圖式是由無生、無形、無氣的無有變而為有氣;氣有至陰、至陽之別,二者交通成和而生成有形、有生的萬物,乃至於人。

萬物和人類統一於氣,最終統一於道(亦稱為"一")。盡管人道與天道"相去遠矣",但人應該"絶聖棄智","反其真",回歸自然,"與天為一"。《易傳》崇尚的"太極"與道家崇尚的"道"都是相同的"貴一"方法論原則。《易傳》在絶對的"太極"之下展開了六十四卦的相對範疇,與道家在絶對的"道"之下展開的有無、剛柔、强弱等七十餘對範疇的思維方式完全是一致的。

孔孟儒家也講天人合一。但孔子以天為人格之天,孟子以天為義理之天,都脱離了陰陽之氣這一基本質料,而且也都没有構建出一個崇尚絶對的相對主義的天人合一系統。這是《易傳》異於儒家的一個顯著特徵。

二

其次,從常變關係論看。《易傳》非常强調《易經》的變化之道。指出:

"《易》,窮則變,變則通,通則久。"(《繫辭下》)

"一闔一辟謂之變,往來不窮謂之通。"(《繫辭上》)

"《易》之……為道也屢遷,變動不居,周流六虛,上下無常,剛柔相易,不可為典要,唯變所適。"(《繫辭下》)

"參伍以變,錯綜以數。通其變,遂成天地之文,極其數,遂定天下之象。"(《繫辭上》)

在《易傳》看來,"天地之文","天下之象",都是易數與爻位變化的結果。《易傳》還試圖用"生生"、"日新"來闡明窮通變達之理,肯定湯武革命的鼎革意義。但它最終没能擺脱《易經》所設置的封閉型圓圈,使變化局限於循環往復之道。如說:

"日往則月來,月往則日來,日月相推而明生焉;寒往則暑來,暑往則寒來,寒暑相推而歲成焉。"(《繫辭下》)

"日中則昃,月盈則食,天地盈虛,與時消息,而況於人乎,況於鬼神乎!"(《彖傳·豐》)

《易傳》以為,《易》有變易與不易之義。變易者,指"一陰一陽"、"一闔一辟"、"往來不窮"、"剛柔相易"、"日月代明"、"寒暑錯行"、"盈虛消息";不變者,乃是指陰陽闔辟、盈虛消息之道。所謂日月往來,寒暑相推,剛柔相易,表現為一種物極必反的循環。矛盾雙方,都是易道的不同變現。故《易傳》非常强調"極數知常",强調"復其見天地之心"(《彖傳·復》)。此所謂"天地之心",乃是指自身不變而又主宰萬物變化的常道。"知常"就在於奉常而應變。

《易傳》這種奉常而處變的環道變化觀,無疑受到道家思想的啓迪。如《老子》說:

"希言自然。故飄風不終朝,驟雨不終日。……天地尚不能久,而況於人乎?"(23章)

"金玉滿堂,莫之能守。"(9章)"禍兮,福之所倚;福兮,禍之所伏,孰知其極?其無正也。正復為奇,善復為妖。"(58章)

天地間的自然現象以及人世之貧賤、禍福、善惡、奇正,都處在不停的變化之中。這種變化表現為一種周而復始的循環:

"有物混成,先天地生。寂兮寥兮,獨立而不改,周行而不殆,可以為天下母。吾不知其名,字之曰'道',強為之名曰'大'。大曰逝,逝曰遠,遠曰返。"(25章)"反者道之動。"(40章)

"夫物云云,各復歸其根。歸根曰靜,是曰復命,復命曰常,知常曰明。不知常,妄作,凶。知常,容。容乃公,公乃王,王乃天,天乃道,道乃久,沒身不殆。"(16章)

所謂歸根復命,就是"復歸於嬰兒","復歸於無極","復歸於樸",返回其本然之道。萬物都是道的變現,而道本身則是獨立周行而不改的,這就是變中之"常",奉常處變,就可以恒久不衰。《莊子》亦認為:

“彼是莫得其偶,謂之道樞。樞始得其環中,以應無窮。”(《齊物論》)

是非、生死彼此都是相對的。道的關鍵、核心本質、精髓就是排除了絶對性的絶對相對,這就是“常”,是環之“中”。掌握了“中”、“常”就可以應“窮則反,終則始”(《則陽》)“始終相反乎無端”(《田子方》)的無窮之變。

孔子言變而不講循環,無常可奉;孟子曾提出治亂循環每五百年為一周期的循環論,但不承認這一周期的絶對性。可見,孟子天道五百年一循環的思想,與《易傳》循環論之不同是明顯的。

三

再次,從理象關係論看。《易傳》作者繼承和發揚了道家寓理於象的形象思維原則。中華民族的形象思維傳統,緣起於周易古經的觀物取象思維。周易“傳”之解“經”,將其取象思維推進到了一個新的層次。如《易傳》説:“天垂象,見吉凶,聖人象之;河出圖,洛出書,聖人則之。”(《繫辭上》)認為八卦的造作,就是伏羲氏“仰則觀象於天,俯則觀法於地,觀鳥獸之文與地之宜,近取諸身,遠取諸物”(《繫辭下》)的結果。伏羲氏之造作八卦,目的在於利用卦象“通神明之德,類萬物之情”。(同上)

“是故夫象,聖人有以見天下之賾,而擬諸其形容,象其物宜,是故謂之象。”

“八卦成列,象在其中矣。”“聖人立象以盡意;設卦以盡情偽,繫辭焉以盡言。”“是故吉凶者,失得之象也;悔吝者,憂虞之象也;變化者,進退之象也;剛柔者,晝夜之象也;六爻之動,三極之道也。”(《繫辭上》)

本於此,《易傳》對“經”中一些典型的爻辭作了哲理性的闡釋。如

"乾"之上九爻辭:"亢龍有悔"。《易傳》解釋說:

"貴而無位,高而無民,賢人在下位而無輔,是以動而有悔也。""亢之為言也,知進而不知退,知存而不知亡,知得而不知喪。其為聖人乎,知進退存亡,而不失其正者,其唯聖人乎!""亢龍有悔,窮之災也。""亢龍有悔,與時偕極。"(《文言》)

"亢龍有悔,盈不可久也。"(《象傳》)

"乾"卦取天空蒼龍七宿為象。以龍星由潛而現而躍而飛昇而到極頂(亢),表明了物極必反之理。所謂"亢"就是指偏激、片面,衹顧有利一面而不慮及負面影響,不能把握中正之道。"亢龍有悔,"謂龍飛昇到了極高處,就會招致窮極之災,跌落下來,故爾有悔,要倒霉。龍又是人君的象徵。人君的權勢一旦到了極點,淩駕萬人之上而脱離基層和實際,賢德之人遭到壓抑,位雖至尊而失去了輔翼和憑借,權力必然會被駕空,其行事也必然遭致挫折。象外之理就是勸喻人們處世恪守中道,不可太過。《易傳》的這種思想觀念與道家的處世哲學是完全一致的。《老子》說:

"強梁者不得其死,吾當以為教父。"(第41章)"堅強者,死之徒,柔弱者,生之徒。是以兵強則滅,木強則折。"(第76章)"物壯則老,是謂不道,不道早已。"(第55章)

"貴以賤為本,高以下為基。"(第39章)"生而不有,為而不恃,長而不宰,是謂玄德。"(第10章)"名與身孰親?身與貨孰多?得與亡孰病?是故甚愛必大費,多藏必厚亡。知足不辱,知止不殆,可以長久。"(第44章)"是以聖人去甚、去奢、去泰。"(第29章)

《易傳》"亢龍有悔"的"中道"哲學,在《莊子》中也得到形象的說明:

"莊子行於山中,見大木,枝葉盛茂,伐木者止其旁而不取也。問其故,曰:'無所可用。'莊子曰:'此木以不材得終其天年。'夫子出山,舍於故人之家。故人喜,命豎子殺雁而烹之。

豎子請曰：'其一能鳴，其一不能鳴，請奚殺？'主人曰：'殺不能鳴者。'明日，弟子問於莊子曰：'昨日山中之木，以不材得終其天年；今主人之雁，以不材死；先生將何處？'莊子笑曰：'周將處乎材與不材之間。……'"（《山木》）

莊子還就養生處世的問題為文惠君講了一則"庖丁解牛"的寓言。他現身說法道：

"始，臣之解牛之時，所見無非牛者；三年之後，未嘗見全牛也。方今之時，臣以神遇而不以目視，官知止而神欲行。依乎天理，批大郤，導大窾，因其固然。……今臣之刀十九年矣，所解數千牛矣，而刀刃若新發於硎。彼節者有間，而刀刃者無厚；以無厚入有間，恢恢乎其於游刃必有餘地矣。是以十九年而刀刃若新發於硎。"（《養生主》）

"亢龍有悔"、"木强則折"、"材與不材之間"、"以無厚入有間"，就處世之道而言，反映了共同的人生價值取向。誠如莊子所言：

"為善無近名，為惡無近刑，緣督以為經，可以保身，可以全生，可以養親，可以盡年。"（同上引）

《易傳》與道家形象思維的一個共同特色就是：立足於天人合一的整體觀念和天道循環往復的觀念，以治身況喻治國。縱觀《老》、《莊》、《文子》諸書，用形象思維表達這一深旨的論述，所在多有。如《老子》說：

"貴大患若身。……吾所以有大患者，為吾有身。及吾無身，吾有何患？故貴以身為天下，若可以寄天下；愛以身為天下，若可以托天下。"（第13章）

"治人事天莫若嗇。夫唯嗇，是謂早服。早服謂之重積德。重積德，則無不克；無不克，則莫知其極；莫知其極，可以有國。有國之母，可以長久。是謂深根固柢，長生久視之道。"（第59章）

患之大莫大於危及人身,如果不以身為重就無所謂禍患。如果誰視天下如人身,就可以委以天下之任。國家的長治久安,如同人的長生久視。要使國家長治久安,就得象氣功養生那樣"重積德",愛護精、氣、神,使之"深根固柢",築就基礎。所以《老子》强調修於身——家——鄉——邦——天下。這是一個積累德行的遞進過程。從天下可以觀身,從身亦可以觀天下。德行積累得豐厚,就象嬰兒赤子一樣,陰陽沖和之至,無可憂慮。《文子》對此曾作過解釋:

> "平王問治國之本。文子曰:'本在於治身,未嘗聞身治而國亂者也,身亂而國治者,未有也。'"(《上仁》)"修之身,然後可以治民,居家理治,然後可移官長。故曰'修之身,其德乃真,修之家,其德乃餘,修之國,其德乃豐。'"(《微明》)

治身與治國的根本在於無為。所以道家堅持無為而治。"無為"本是道家修身之第一要義。它既是指一種修持方法,又是指修持所達到的一種精神境界。前者是指修身要滌除物欲,摒棄成見,毋意、毋助,順其天然,不要作違背規律的主觀努力;後者則指修持達到一個空靈的無所不能的即無須為而無不為的那種"玄德"境界。將無為推及於治國,就是"處無為之事,行不言之教",(第2章)使百姓自化、自正、自富、自樸,所謂"為無為,則無不治。"(第3章)治理大國如同煎烹小魚,為之過甚,則民性不得其全。在道家看來,治國之要,莫異於養生;養生之要,莫重於養性;養性之要,莫大於無為。"無為也,天德而已矣。"(《莊子·天地》)無為既是自然的本性,也是天人的完美結合。《莊子》說:

> "天無為以之清,地無為以之寧,故兩無為相合,萬物皆化。芒乎芴乎,而無從出乎!芴乎芒乎,而無有象乎!萬物職職,皆從無為殖。故曰天地無為也而無不為也。人也孰能得無為哉!"(《至樂》)

天地無為相偶而生殖萬物。那麼人呢?"聖人者,原天地之大美而達萬物之理,是故至人無為,大聖不作,觀於天地之謂也。"(《知北遊》)人也是無為的產物。人若性動,就會有為,有為就會出現勃志、謬心、累德、塞道等破壞人性的後果,"及至聖人,屈折禮樂以匡天下之形,縣跂仁義以慰天下之心,而民乃始踶跂好知,爭歸於利,不可止也。"(《馬蹄》)莊子把這種後果形象地比作"混沌之死"。人之本性被好知之心鑿壞,"上誠好知而天下大亂矣。"(《胠篋》)

道家的"無為",是指因自然之勢,不先於物而盲目去為。無為而治,則是"使各便其性,安其居,處其宜,為其所能,周其所適,施其所宜"(《文子·自然》),各遵本分而不相爭奪。這就叫"物必有自然而後人事有治也。"(同上)

道家以養生之道況喻治國的形象思維,强調了天人合一的一面,認同人即天地間之一物,所謂"人身小天地",這無疑具有合理性的一面;但對於人類社會作為自然界的異化現象,人類對於自然的相對獨立性一面卻認識不足,因而有意無意地抹煞了人對於自然的主體能動作用,盡管也看到了人天之别,卻難以解除"蔽於天而不知人"的片面性。

《易傳》在解經方面也披上了道家色彩。它正是通過易象關於自然的變化所比況的人事吉凶遭際,闡發道家治國基於修身的思想。如《易傳》説:

> "君子安其身而後動,易其心而後語,定其交而後求,君子修此三者,故全也。"(《繫辭下》)

即是説君子必須先穩固自身、平易其心纔能有所行動,發表議論,進而與有交誼之人求助,保全自己。所謂:

> "尺蠖之屈,以求信(伸)也;龍蛇之蟄,以存身也;精義入神,以致用也;利用安身,以崇德也。"(同上)

小至於昆蟲,大至於龍蛇,都能利用守柔持屈的道理去保全身體性命,何況於人!人的守柔持下,全身養生,其目的在於待時而動,崇德廣業。"是以身安而國家可保也。"(同上)這種形象比喻,是典型的道家思想的繼承和發揮。《易傳》認為,伏羲氏於冥冥之中選擇蓍草為卜筮工具,以偶奇之數指代陰陽而建立卦象系統,通過卦象之爻變去"窮理盡性而至於命",目的在於使聖人君子"順性命之理"(《說卦傳》),則天而動。"是故《易》者,象也。象也者,像也。"(《繫辭下》)《易》就是通過卦體所象徵的各類事物去進行形象思維,把握事物規律性的。

誠然,繼承了易文化傳統的儒學也運用形象思維去說明事理,這在《孟子》中所在多有。然而儒家形象思維所寓之理,就其理論層次而言,鮮有及於天道者,不似道家。而《易傳》之形象思維是建立在對《易》"其稱名也小,其取類也大;其旨遠,其辭文;其言曲而中。其事肆而隱。因貳以濟民行,以明得失之報"(《繫辭下》)的認識基礎之上的,其所喻天地之道,實受道家影響良多。

四

復次,從言意關係論看。《易傳》基於"(天)興神物以前民用"的徵兆迷信立場,倡言"言不盡意"論。如說:

> "書不盡言,言不盡意。然則聖人之意,其不可見乎?子曰:聖人立象以盡意,設卦以盡情偽,繫辭焉以盡其言,變而通之以盡利,鼓之舞之以盡神。"

正是因為文字不能完全表達心中的話,而語言也不能完全表達自己的思想,所以"聖人"建立了一套卦象和卦爻辭系統以及爻變規則,教人去領會聖人之意,從而決定自己的從違、取捨。

在"言"與"意"範疇之間,《易傳》引入了"象"範疇作為由言達意的橋梁,展現了形象思維與直覺思維的本質聯繫。這種借言觀象,而又不拘泥於言象,以得意為最終目的的直覺思維方式,是以

“窮神知化”、“極深研幾”為其理論基礎的。所謂窮神知化，是指窮究事物的玄妙，掌握它的變化規律。它認為，掌握了變化規律，就能知曉事物那種神妙的必然性之所以然。《易傳》説：

“《易》，無思也，無為也，寂然不動，感而遂通天下之故。非天下之至神，其孰能與於此？夫《易》，聖人之所以極深而研幾也。唯深也，故能通天下之志；唯幾也，故能成天下之務；唯神也，故不疾而速，不行而至。”(《繫辭上》)

《易傳》作者以為，易卦本身没有人格，並没有思想和作為，人們是從沉寂 的卦象中產生感應頓悟而通曉天下事物的所以然的。它的這種神妙莫測，有什麽可以與之相比？所以聖人正是通過易象去研析其中的奥旨的。惟其深，故能溝通天下人的思想；惟其“幾”，所以能成就天下事業；惟其神妙，所以能以静馭動，無為而無不為。《易傳》還説：

“蓍之德圓而神，卦之德方以知，六爻之義易以貢。聖人以此洗心，退藏於密，吉凶與民同患。神以知來，知以藏往。其孰能與於此哉！古之聰明睿知神武而不殺者夫！是以明於天之道而察於民之故，是興神物以前民用。聖人以此齊戒，以神明其德夫。”(同上)

這是説，蓍草狀圓而神奇，卦象狀方而睿智，卦象的含義通過爻畫的變易昭示於人。聖人正是通過這些條件和手段滌除物欲，静觀玄覽，與百姓共同憂慮其吉凶、禍福，過去與未來的命運都在卦象之中，其神奇的功用就是往古聰睿神武之人也莫與之比。天生神物就是為百姓預測吉凶的，聖人的職能是通過觀象直覺去揭示卦義，預測吉凶禍福，從而提高自身的德行。

《易傳》這種觀象預測的直覺思維方式與道家有直接關係。

《老子》開篇就提出了“道”不可以用名、言去表達，必須“無欲以觀其妙”的思想。所謂無欲以觀，就是“不出户”，“不窺牖”，“塞其兑，閉其門"，"和其光，同其塵"，與道"玄同"。(第47、56章)《老子》先於《易傳》提出了"象"範疇。"象"係指物象。《老子》認為，"大象無形"。(第41章)"大象"即指"道"而言。故"執大象，天下往"(第35章)，祇有守道，纔可令天下歸心會意。《莊子》更是明確地提出了"言不盡意"，"得意而忘言"的直覺思維論。如說：

"世之所貴道者，書也。書不過語，語有貴也。語之所貴者，意也，意有所隨。意之所隨者，不可以言傳也，而世因貴言傳書。"(《天道》)

"筌者所以在魚，得魚而忘筌；蹄者所以在兔，得兔而忘蹄；言者所以在意，得意而忘言。"(《外物》)

世人所珍貴的"道"，載之於書，故顯示了語言文字的價值。這種價值在於它包寓了確定的意蘊；而語言文字並不能把這種意蘊完全地表達出來。所以要透過語言文字去體認其深刻的意蘊，不可執着於語言文字。這種得意的方式，就是直覺思維。在莊子那裏，言與象是同一系列的範疇。這裏的"象"是語言文字所描述的寓言故事之形象，由此而激發靈感，直接覺悟。其思維路徑是心齋(瞑目踞梧，消心絶物)——坐忘(無彼無己)——朝徹而後見獨"(道)"。所謂"心齋"，就是"虚其心"、"滌除物欲"，亦即《易傳》之謂"聖人以此洗心，退藏於密"。"坐忘"，《老子》謂"絶聖去智"，"無知無欲"，"復歸於嬰兒"；《莊子》謂"墮肢體，黜聰明，離形去知，同於大通"；《易傳》謂"聖人以此齊戒，以神明其德"。所謂"朝徹"、"見獨"，《易傳》謂之"感而遂通天下之故"，或"知幾"。顯然，《易傳》與道家在直覺思維方式的特徵上是十分契合的。儒家孟子，提出了一條"盡心、知性、知天"的直覺主義認識路線，他過分地强調了"心之官"的"尊德性"作用，否認了現象的可靠性，認為"物交物"會引心入迷，影響良知、良能對先驗善性的體認，因此主張"思誠"以"求放心"，進而知性、知天。這種直覺思維與老莊相較是有所不同的。

毫無疑問,作為最為代表中國文化特色的四種類型的傳統思維方式,無論儒家之學或道家之學,都有着基本的共性。但是,就思維内容的傾向、思維的目的和對象而言卻又有着角度和層次的區别,從而顯現出同類之間的差異特性。尤其是從不同思維方式所規定的思維模式而言,儒家執着於注經,明顯地傾向於經學模式,而道家則傾向於陰陽五行模式。這種傾向形成了中華民族固有的認知方法論原則,它不僅規範了道家和道教諸流派,而且也深深地影響了儒家和名、法、兵、醫、農諸家,成為儒學道家化的一個重要標誌。《易傳》曾經就兩種思維模式進行過互補,所謂"百慮而一致"。但其在整合儒道思維方式的過程中所打下的道家烙印,更為突出一些,這是一個不容否認的事實。

作者簡介 羅熾,1940年生,湖北武漢人,現任湖北大學教授。著有《中國哲學簡史》、《易文化傳統與中國哲學》。

乾坤道論

趙建偉

内容提要 《周易·乾》卦的“乾”字本義指日的光氣上出，而《坤》卦卦名在帛書六十四卦中寫作“《川》”，“川”字本義指水的穿地而流。一說上出，一說下注，兩相為對，可見其本義與所謂的“天”、“地”無涉。《乾》卦的六龍本是指不同的日光氣象，《乾》卦爻辭本是古人筮占日氣的筮辭記録；而《川》卦爻辭本是說流通貿易之事，而流通運行亦恰是川水之性。《川》、《乾》兩卦開其他六十二卦兩相對待、述事筮象、通六通九之義例。《川》卦的卦名、卦次、卦義等均與道家學說的發生有一定聯繫。本文對乾坤卦解釋，打破舊說，從道家觀點以立新說。

第二部分為乾坤《彖》說，論證乾、坤《彖傳》的“元——乾元坤元——大和”屬道家宇宙論模式，老子的“觀復”、“觀妙”說直接影響了《彖傳》“資始——流形——首出”的始卒若環觀，其以陰陽解《易》為重要特徵，“尚陽”觀念也非常突出。第三部分為乾坤《象》說，詳細論證了“天行健”、“地勢坤”應本作“天行，《乾》”、“地執，《坤》”，它源於道家的“天動地靜”說，最後揭示了“天德不可為首”的盈悔說與古俗是互滲的關係。

一、乾 坤 經 説

(一)《乾》、《坤》本義

《乾》卦在通行本及馬王堆出土漢墓帛書本《周易》中均居六十四卦的首位。

《周易》六十四卦卦名為後人所追題,"筮辭在先,卦名在後"(高亨《周易古經今注》),而卦名的追題大部分都與其卦爻辭有内在聯繫,而有的則由於追題者理解上的差異以及年代的久遠,使我們今天已經看不出所追題的卦名與其卦爻辭的原始含義有何直接聯繫了。

"乾"字照《説文》的解釋是"上出也",即太陽上升;而"乾"字所從的"倝",《説文》解釋為"日始出光倝倝也"。日的升落表現為日出、日中、日昃,恰與六爻所取象的潛龍、飛龍、亢龍的運行軌迹相同;《乾·彖》所説的"大明(日)終始……時乘六龍"也是符合《乾》卦的原始含義的。

古人以日為陽精之氣所聚,而日光輝照下的雲氣又啓發古人創造了想象中的神物——龍;虹蜺也是雲氣之一種(其色鮮明者為陽為雄為虹,其色暗晦者為陰為雌為蜺),同時虹蜺也是龍之所創想的直接對象。

乾、龍、虹都是就日光之氣而言,而六爻的潛、現、躍、飛等也是就此而説。因此,《乾》卦本是根據日光氣的不同形狀亮度等來占筮吉凶的,它的筮辭可能即是古之巫史占筮日氣或曰雲氣的記録。

《周禮·春官·眂祲》有所謂"占煇"之説,鄭司農曰:"煇,謂日光氣也"(煇又作暈、暉,《説文》並訓為"光")。《未濟》卦六五爻辭説

“君子之光,有孚吉”,此“光”應即指所占之日氣,因為六五〈小象〉云“君子之光,其暉吉也”,正是以“暉”釋“光”。中骨卜辭中即有多處關於占雲的記載,《周禮·春官·保章氏》、《御覽·天部八》引《洞冥記》等均有以雲占卜吉凶的記録,《楚辭》洪興祖補注引《歸藏》説“豐隆筮雲氣”,這都可與《乾》卦爻辭相互印證。

通行本《坤》卦的“坤”字在帛書本中寫作“川”,這樣一來,就如同《乾》卦的卦名本與“天”無關,《川》卦卦名亦與“地”無涉。

“川”指水流,而考之《川》卦,亦正與出行涉水相關;其“直方無不利”也恰是經文中反復出現的“利涉大川”之謂;其“用六,利永貞”,“永”字本謂水流長遠,正好施之於《川》卦之用六,《説文》説“永,長也,象水巠理之長”,《益》卦虞注“坤(川)為永”,《爾雅·釋詁》説“永,遠也”。

流行是川水之性,《川》卦經文全説流通貿易之事,即是此理。

(二)《乾》、《坤》義例

《乾》、《坤》兩卦,為其他六十二卦之祖宗卦;故於《乾》、《坤》兩卦中,實開其他六十二卦之義例。

1.對待説　《周易》起首的兩卦後人追題為“乾”和“川”,這是有所考慮的。“乾”指日之“光氣上出”(《説文》),“川”謂水之“穿地而流”(《釋名》)。一説上出,一謂下注,正相為對。段玉裁《説文解字注》云“上出為乾,下注則為溼,故乾(gān)與溼相對”。上出之日氣與下注之川水為對,亦是此理。上出者積陽成天,下注者積陰為地,可見其後改變了卦序及卦名的“乾天”、“坤地”仍然是以兩兩相對為準則的。他卦如泰否、益損等等都是一仿“川乾”或“乾坤”二祖宗卦之義例而兩相對待的。

2.筮象與述事　六十四卦各爻的爻辭都包含兩部分內容,一部分為問卦者所得的筮數實相,另一部分則為占卦者的斷占之辭。

所謂筮數實相又分為兩類,一類是以筮象占其吉凶,另一類則是以述事占其吉凶。此義例亦由"川"、"乾"二卦所開。"乾"卦的筮象即是各種不同的日光氣象,《漸》、《剥》等卦即此之類。"川"卦的述事即是流通貿易,《訟》、《師》等卦即此之類。

3.用九與用六 《乾》、《坤》兩卦於六爻之外分别多出一爻,即"用九"、"用六",而帛書本分别作"迵九"、"迵六"。

有人以為"迵"為"用"之借字,或認為"迵"當釋為"同"。按:通行本"用九"、"用六"之"用"字帛書本皆作"迵",而經文"用"字、"同"字習見,帛書均如字作。由此可見,帛書之"迵"絶非"用"及"同"字之音假。

《太玄·摛》注:"迵,通也"。通即變、變通。"通九"、"通六"之"通"字包含兩層意思:

其一,從實際操作的角度説,演卦時,遇到通卦皆為可變的老陽、老陰時,則多設此一爻象,命其爻題為"通九"、"通六",操作時即占此爻。六十四卦唯《乾》、《坤》兩卦會出現這種情況,故唯《乾》、《坤》兩卦置"通九"、"通六"。

其二,從哲學内藴上看,這多出的一爻置於《乾》、《坤》上九、上六之上,包含着"《易》終則變,通則久"的哲學底藴。如《乾》卦"通九"的"羣龍無首",按照老子的話説即是"迎之不見其首,隨之不見其後"的"反者道之動";《坤》卦"通六"的"利永貞",依照老子的話説就是"大曰逝,逝曰遠,遠曰反"。

這兩點即是爻題創製者的用意所在,《易》的使用兩套語言,即筮法語言和哲學語言(朱伯崑先生説),此特點也在爻題"通九"、"通六"中鮮明地體現出來。

然而《易》六十四卦各卦皆為六爻,此《乾》、《坤》兩卦所多設置出的"通九"、"通六"為了稱呼方便,似可稱之為"閏爻",即"閏爻通九"、"閏爻通六"。另外,六十四卦每卦六爻爻辭均為韻文,而"通九”、“通六”却不入韻，則此二爻很有可能是六十四卦在後來的操作實踐中最後補入的，稱之為“閏爻”也是恰當的。

《乾》、《坤》兩卦之“通九”、“通六”也是在開其他六十二卦之義例，發其微旨，其他六十二卦至上爻時，皆需通變方可長久。如《中孚》卦上九的“翰音登於天貞凶”、《明夷》卦上六的“初登於天，後入於地”等，雖不標“通九”、“通六”，然而在觀照其上九、上六時皆當做此理解。

（三）《乾》、《坤》與《離》、《坎》

據説《歸藏易》是“坤乾”的次序，即《坤》卦置於首卦的位置。而我們前面説過“《坤》”本作“《川》”，指水之穿地而行，“乾”本是指日之光氣上出，這其中已經包含有樸素的矛盾對待觀；而兩者在其引申和分流的過程中，又恰恰呈現出完全相似的情形。

《川》卦的“川”字本指水流穿地而行，它又分別與月、與地、與閉闔等意象相吻合（如《論衡·説日》：“月者，水之精也”、《文選》注引《春秋感精符》：“月者，陰之精、地之理也”、《公羊傳·莊公二十五年》注：“月者，土地之精也”、《素問·陰陽應象大論》：“積陰為地”、《後漢書·楊震傳》：“地者陰精”）。其為水、為幽暗、為月等意象後來分流為《坎》卦，如《井》卦鄭注：“坎者，水也，正北方之卦也”、《困》卦初六象傳虞注：“坎，幽也”、《説卦》虞注：“坎為月”。而後來《川》變為《坤》，也同時專門承擔了其為地、為闔的意象。

《乾》卦的“乾”字本指日、日光氣，陽氣所積者為天，其為日則明，而明謂開闢，日與火又為同屬。其為日、為火、為明等意象後來分流為《離》卦，而《乾》卦本身則專門承擔其為天、為闢之意象。

日之由東向西做周天運行時，便同時具有了火、陽、明、開闢、南方等屬性；而與之相對應的則是另一個世界：水、陰、幽、閉闔、北方等屬性。

由於後來"天"、"地"的哲學與社會學的意義逐漸取得主導地位,而"日"與"月"的原始自然宗教意義退居次要地位,便使得"川"、"乾"的水月與火日的原始含義及定位關係變得模糊起來;相反地却使乾天坤地的意義及定位關係得以確定下來。

(四)《川》《乾》與《乾》《坤》次序排列的文化意涵

帛書六十四卦《川》卦雖不在首卦的位置,但由於"坤"字尚寫作"川",則仍然透露出本為"川乾"次序的《歸藏易》的信息。

《歸藏易》本是"川乾"的次序,《川》卦的"川"字變成了"坤"並降居第二位,其中就蘊含有文化觀念的轉換。而在這一轉換中進行深刻反思,並且從中獲得啓迪的便是老子。

《川》卦六爻加一閏爻"通六",其中各爻的爻辭都與川水及川水之流通運行相聯繫,而與"地"無明顯關涉,在《老子》中,"地"也並不佔重要位置,仍衹是較為一般的具體形下概念,次列於"天"之下。譬如"天地不仁"、"天地之間"、"是謂天地根"、"天長地久"、"天地所以能長且久"、"有物混成,先天地生"、"可以為天地母"、"道大,天大,地大"、"人法地,地法天,天法道"、"天地相合"、"天得一以清,地得一以寧"、"天無以清,地無以寧"等等。

"水"在老子的宇宙論和哲學本體論中占有極其特殊的位置,老子的最高哲學範疇"道"與"一"是"先天地生"、"為天地母"的,而這個"道"與"一"即是從"水"中抽象出的,所謂的"大"、"逝"、"遠"、"反"即是"水"之性。

老子應是崇尚"陰精"的南方道家的代表,而"水"又是最能代表"陰精"的。老子對"道"的描述都是取象於水的,如"衣養萬物而不為主"的"道"又表述為"善利物而不爭"的"水",又如"道之在天下,猶川谷之於江海"等等,此等例證,在《老子》中俯拾即是。那麼老子所習之《易》應即是《歸藏》,也即《川乾易》。《川》卦首云"利牝馬之貞"即與老子崇柔尚雌之思想發生有關,經文中"牝"字兩見,而皆云"利"云"吉",在《老子》中"牝"字五見,均為崇尚之對象,亦可見其思想之淵源。

老子之"玄牝"、"谷神"、"玄之又玄"等是就川谷、谿水而言,諸"玄"字亦是取象於水之色和水之深。同時,關於水與宇宙及人類誕生的大量南方神話傳說亦與老子"為天地母"的"道"存在着互滲關係。

水的"逝"、"反"與月的盈、虛,其規律是相似的,因此尚水的民族也同時是尚月的民族,而老子的"道"也常常是此兩者的混合提升,如《老子》的"周行而不殆"、"其精甚真,其中有信"與《黃帝四經》等道家著作中的"日月不處,啓然不怠"、"日月有常,信出信入"即很接近。又如《論衡·説日》云"月,水也"、"月者,水之精也",《周髀算經》注:"月者陰之精,譬猶水光",《莊子·外物》説"月固不勝火",亦是以"月"為"水之精"。蘇軾《赤壁賦》亦是以水與月之逝反盈虛為同一規律視之,這一領悟被表述為"客亦知夫水與月乎?逝者如斯而未嘗往也,盈虛者如彼而卒莫消長也"。

水與月皆被道家視為"陰精",其在《象傳》中被表述為"坤元",而因為"地"是"陰氣所積",所以卦名"川"便由水、月而逐漸發展成為了"坤地",如《管子·山權數》注:"墬,古地字",説明了水與地之關係;又如《淮南·原道》"土處下,不在高……水下流,不争先",這也是一種轉譯的關係。到了《象傳》的"地勢坤",則明確地表明了水、月之向地的轉化。隨着"天尊地卑"觀念的確立,《川》卦退居六十四卦亞次地位並且卦名也相應地固定為"坤"字也就是自然而然的事了。

先民們對水的崇拜是普遍的,林惠祥《文化人類學》説:"水這種奇異的物質是生物所不可少的東西,所以在原始人類看來是極有生命和精靈的,因此它的崇拜也廣佈於各處"。由對水的崇拜而發展為對井的崇拜，並虛構出井的發明者是黃帝(《世本·作篇》)。《白虎通·五祀》中記載古代的五種隆重的祭祀，其中之一即是井。後來的《易》學家所説的"地主藏養"，可能即是源於先民的"水主藏養"的觀念。比如《白虎通·五祀》説"井者，水之主藏在地中"，《易·井》卦為下巽上坎，鄭注説"坎者，水也"，《彖傳》説"井養而不窮"。《文子·道原》説"天下莫柔弱於水……富贍天下而不既，德施百姓而不費"，這與《易》學家的"地主藏養"、"厚德載物"等説法是一致的。尤其值得注意的是，《文子》贊"水"之"不既"、"不費"恰是老子對"道"的論贊。

總之，《川》卦的卦名、位次、卦義與道家學説之發生均有一定的聯繫。其中的"利牝馬之貞"、"先迷後得"、"含章"、"括囊"等具體含義均被後來的道家和《易》學家做了哲學上的抽象和引申；而卦名由"川"變"坤"，也可看出《易》的闡釋學在哲學和社會學上的發展軌迹。

"乾"字本謂日之上出光氣升騰，因為"天乃積諸陽氣而成"(《周易正義》)，又因"乾"、"天"音近，所以後來便有了"乾為天"的説法(《説卦》)；又因為太陽及陽氣所為之"龍"健行不息、周行環流，加之"乾"、"健"聲近，所以後來又有了"乾，健也"的説法(《説卦》)，並且有的本子如帛書本索性把《乾》卦的卦名寫成了"鍵"。

經文中的"乾川"從指日氣和水到《彖傳》中變為"乾元陽氣"、"坤元陰氣"，再到《象傳》等的"天地"，這個演變過程包含有豐富的人文内涵。

表示日龍的《乾》卦從亞居《川》後變為躍居《坤》前，其本身就包含有尚陽的文化觀念。這種變化與"乾"為日龍變為"乾為天"及"川"為水變為"坤為地"可能是同期發生的，它與周人的文化核心"天"取代商人的文化核心"帝"的文化轉換情形也有着内在聯繫。另外，這種變化可能也導致了六十四卦完全整齊的陰陽對待序次模式的產生。我們透過川水乾日到乾元坤元再到"天尊地卑"這一詞匯轉譯的表象,可以窺見到《易》的自然崇拜、哲學抽象、倫理滲透等文化思考重心轉移的大致情形。

二、乾坤《彖》説

《彖傳》的"元——乾元坤元——大和"屬道家宇宙論模式,其"資始——流形——首出"的"貞下起元"與老子"觀復"、"觀妙"説一致,其以陰陽解《易》的特徵及"尚陽"觀念很值得重視。

為論述方便,玆將《乾·彖》、《坤·彖》抄錄如次:

大哉乾元,萬物資始,乃統天。雲行雨施,品物流形;大明終始,六〈四〉位時成。時乘六龍以御天。乾道變化,各正性命;保合大和,乃利貞。首出庶物,萬國咸寧。(《乾·彖》)

至哉坤元,萬物資生,乃順承天。坤厚載物,德合無疆;含弘光大,品物咸亨。牝馬地類,行地無疆,柔順利貞。君子攸行,先迷失道,後順得常。西南得朋,乃與類行;東北喪朋,乃終有慶。安貞之吉,應地無疆。(《坤·彖》)

(一)元——乾元坤元——大和:道家宇宙模式

1."元"與"惚恍"、"混沌" "元"這個詞很早就有了,但真正把它移入哲學領域,作為宇宙本始的氣的概念,則似乎最早見諸《彖傳》;其後《文子·九守》的"氣者生之元也"、《吕氏春秋·應同》的"與元同氣",始見"氣"、"元"同文;《鶡冠子》及《淮南子》便出現了"元氣"一詞。

《彖傳》將"元"又分解為"乾元"、"坤元",而"乾元"、"坤元"即指"陽(氣)"、"陰(氣)",如《泰》、《否》兩卦的《彖傳》即將單卦的《乾》、《坤》説成是"陽"、"陰"。因此,"乾元"、"坤元"即如同老子"萬物負陰而抱陽"的"陽"、"陰",也即所謂的"二"。《彖傳》的"大和"即陰、陽之和,如同老子的"沖氣以為和",也即所謂的"三"(《老子·四十二章》云:"道生一,一生二,二生三,三生萬物。萬物負陰而抱陽,沖氣以為和")。由此可見,《彖傳》的"元"即相當於老子的"一"。

老子的"一"是什麼呢?就是"混而為一"的"惚恍"(《老子·十四章》"故混而為一……是謂無狀之狀,無物之象,是謂惚恍"),就是莊子的"混沌"及"混芒"、"忽芒",就是《黄帝四經》"未有陰陽"的"困"(按:"困"蓋為"混沌"之合音。《老子·十四章》"混而為一",帛書甲本"混"作"圂","圂"當即"困"字)。《莊子·應帝王》陸德明《釋文》引李注:"渾沌,清濁未分也",《知北游》篇則稱之為"一氣"。《至樂》篇也說"雜乎芒芴之間,變而有氣"。

老子的"一"由"恍"與"惚"構成,如《老子·二十一章》"道之為物,惟恍惟惚",這裏的"道"就是"一",《繫辭》"一陰一陽之謂道"實即本於此。"惚"又作"忽"、"沕"等,以音推之,皆取陰之忽晦、幽暗之義;"恍"又作"望"、"芒"等,皆取陽之明亮之義。《莊子·應帝王》云:"南海之帝為儵,北海之帝為忽,中央之帝為渾沌",成玄英疏云"南是顯明之方,北是幽暗之域",則此"儵"、"忽"即老子之"恍"、"惚",皆指陽與陰,而《彖傳》之"乾元"、"坤元"同此。

《老子·二十一章》云:"道之為物,惟恍惟惚。惚兮恍兮,其中有象;恍兮惚兮,其中有物"。"惚兮恍兮"、"恍兮惚兮"即形容陰陽沖會交融的動態,"其中有象"、"其中有物"即表示"萬物負陰而抱陽"的萬物生成過程。《莊子·至樂》"雜乎芒芴之間,變而有氣,氣變而有形,形變而有生"即本於此。《文子·九守》"……渾而為一……分而為陰陽……萬物乃生"表述的也是這樣一個生物的過程。

《彖傳》的萬物創生過程表述為"乾元資始,坤元資生"。"資始"之初,渾淪未辨,即老、莊所謂"有象"、"有形";"資生"之後,形質具備,即老、莊所謂"有物"、"有生"。

2.“乾元資始,坤元資生”與“道生之,德畜之”　老子關於萬物生成論有如下表述:

無,名天地之始;有,名萬物之母(一章)。

天下萬物生於有,有生於無(四十章)。

道生之,德畜之(五十一章)。

道生一,一生二,二生三,三生萬物。萬物負陰而抱陽,沖氣以為和(四十二章)。

惚兮恍兮,其中有象;恍兮惚兮,其中有物(二十一章)。

後兩條言陰、陽二氣創生萬物,但未對陰、陽二者在生物時異質功能的區分和不同層面的排序。前三條不言陰、陽,但有功能及層面的區分,即“道”為“無”形者,故“始”“生”萬物;“德”為“有”形者,故次列於“道”之下而養畜萬物。

《彖傳》則將老子的生成論有機地結合在一起。其乾元始生與坤元長養的萬物生成論,既承繼了老子萬物生於陰、陽二氣的觀點,又對二者做了異質功能的區分和不同層面的排序。這種排序是直接通過把老子的“道生之,德畜之”轉譯為“乾元生之,坤元畜之”來完成的;同時,於“乾元資始”說“統天”,於“坤元資生”說“順承天”,乾元的資始首倡,啟示聖人駕御自然(《列子·天瑞》“聖人因陰陽以統天地”即此“統天”之義);坤元繼之以長養,啟示聖人順承自然(《新語·道基》“聖人承天之明”即此“順承”之義)。萬物創生包含乾元資始與坤元資生兩個方面,聖人之於自然也有駕御與順承兩個方面,二者緊密聯繫。《文子·上德》在釋說《乾》、《坤》二卦時,更以“上德”與“下德”對乾元資始與坤元資生做排序,其文云:“天覆萬物,施其德而養之。與而不取,故精神歸焉;與而不取者,上德也;[上德不德],是以有德”、“地載萬物而長之,與而取之,故骨骸歸焉;與而取者,下德也;下德不失德,是以無德”。經過《文子》的過渡,則“道生之,德畜之”在被《彖傳》轉譯為“乾元生之,坤元畜之”後便成為“天生之,地養之”了,如《新語·道基》“傳曰:天生萬物,以地養之”。這便是道家萬物生成論的發展脈絡。

3.“大和”與“天和”、“人和”　“和”這個概念,在《老子》、《莊子·内篇》中就已有之(老子的“和”即指陰、陽沖和之氣),而《彖傳》、《文子》、《莊子》的外、雜篇中又有“大和”一詞。

“大和”即“至和”,指“乾元”與“坤元”之至和,即陰、陽之和。“大和”雖出現在《乾·彖》中,但從《坤·彖》的三個“順”字,即可看出“坤元”實依附在“乾元”之中(清陳夢雷《周易淺述》也説“大和,陰陽會合、沖和之氣也”)。在《文子》和《莊子》外、雜篇中,“大和”(又作“太和”)、“至和”、“陰陽之和”等出現頻率極高。

“和”的概念,更偏向關於萬物如何創生的溯源;而“大和”這一概念,實則更側重關於萬物創生後怎樣延續的探尋,這便是《乾·彖》所説的“保合大和,乃利貞”。

另一方面,“保合大和”也藴含着在萬物創生之後如何維持人與自然之宇宙總體和諧的問題,《莊子》外、雜篇提到的“天和人和”(也作“天合人合”)便是證明。

(二)資始——流形——首出:“貞下起元”與“觀復”説

《乾·彖》結尾的“首出”照應開篇的“資始”,“庶物”呼應起首的“萬物”。以萬物、品物、庶物貫穿始、中、終,其哲學義藴非常豐富。

“資始”之“萬物”是生物之肯定階段,“流形”之“品物”是成物之否定階段,“首出”之“庶物”則是再生物之否定之否定階段,它標誌着第一個循環期的結束和第二個循環期的開始。這個“資始萬物——流形品物——首出庶物”的始卒若環的運動規律,即是源於老子的“樸——琱琢——復樸”的“觀復”説。

《乾·彖》的這種“貞下起元”的運動過程是以“乾道變化”為基礎的,因此它所揭示的是“生生”和“日新”的不斷創造的宇宙規律。

而老子的"樸——琱琢——復樸"的"觀復"説正是《乾·彖》的直接來源。老子一方面説"觀復",而同時又啓發人們"觀妙"。"復"是就外在形式而説,"妙"是就內在變化而言。"觀復"是俯瞰,對"徼終反始"的"生生"不息的運動規律做總體把握;"觀妙"是側視,對變動不居、變化之極的進化法則做具體分析。

(三)陰陽解《易》及"尚大"説

《彖傳》以陰陽解《易》,綱領全篇,同時輔之以剛柔、健順。陰陽為體,剛柔、健順為陰陽之用。

《彖傳》以"剛"、"柔"稱爻,如"柔乘剛"之類;以"健"、"順"(及"陽"、"陰")稱內外單卦(如《泰》卦"內陽而外陰,內健而外順")。而《乾》、《坤》兩別卦為其他六十二別卦之祖宗卦,所以在《乾·彖》和《坤·彖》中表述為"乾元"、"坤元"。這不但在説明乾陽坤陰為生物之本,而且暗示其他六十二卦的《彖傳》亦是一仿《乾·彖》、《坤·彖》以陰陽説《易》為本色。

《彖傳》解《易》的以陰陽統攝剛柔、健順的特徵,表明作者是從陰陽對待流行的角度對《易》做觀照,是從哲學形上本體的層面把握《易》,它的道論是溶解在剛柔、健順等"道之用"當中的。

陰陽對待,但非陰陽對等,在《彖傳》中已流露出"尚陽"的意味。

以"乾元資始,坤元資生"轉譯老子的"道生之,德畜之"即潛含着作者的乾主陰輔的觀念,而一説"統天"、一説"順承天"則又推進一步,其於《乾·彖》中勾畫出"資始萬物——流形品物——首出庶物"這樣一個"貞下起元"的模式,而於《坤·彖》中却没有"首出庶物"這一環節,這是由於坤元的"柔順"之性決定了"順附健"的歸屬;在《彖傳》中便明確地提出了"以大終"的陰極返陽的界説。

《彖傳》中有"尚大"一詞。"大"指陽,如《泰·彖》及《否·彖》之"小往大來"和"大往小來"、《大壯·彖》之"大者壯也"、《大過·彖》之"大者過也"等諸"大"字均指陽，因此《豐·彖》之"王假之，尚大也"即是"尚陽"之義；《文子·上德》"王公尚陽道"則始見"尚陽"一詞。

"尚陽"觀念的產生可能主要有兩個原因。一個原因是戰國黃老道家作品經常以刑德、殺生與陰陽相比附,而黃老道家主張以德、生為主,以刑、殺為輔(《黃帝四經》多有此論)。可以說"尚陽"的第一個原因是由陰陽詞義的外延引發的。另一個原因是古人認為輕陽之氣上積為天,重陰之氣下積為地(《列子·天瑞》),比如《泰·象》和《否·象》就以"天"、"地"釋說單卦的《乾》、《坤》;而天之養物,與而不取,是為上德,地之長物,與而取之,是為下德(參《文子·上德》)。可以說"尚陽"的第二個原是由陰陽詞義的轉譯引發的。從這兩個角度去理解《彖傳》的"尚陽",較為恰當。

三、乾坤《象》說

(一)"天行,《乾》"、"地執,《坤》"與道家"天動地靜"說

《象傳》分為〈大象〉和〈小象〉兩部分,據卦象立說的為〈大象〉,據各爻爻象立說的稱〈小象〉。"天行健"、"地勢坤"是《乾》、《坤》兩卦的〈大象〉,關於這兩句話的標點、解釋,一直存在問題。要想正確理解這兩句的準確含義,應首先從六十四卦〈大象〉的義例入手分析。

六十四卦的〈大象〉一律分為兩部分,前一部分解釋卦象(即卦名的由來)並點出卦名,後一部分則是由卦象引發出對"君子"或"先王"在修身治國上的告誡和評說。六十四卦是由八經卦(即乾

☰坤☷震☳巽☴坎☵離☲艮☶兑☱八個單卦)依次重組而來,重組後的六十四卦稱為六十四别卦。〈大象〉在釋説上,是通過分析上下兩單卦相重後所組成的意象來點出卦名並引發出告誡和議論,比如《大畜》卦䷙,下乾上艮,内為乾天,外為艮山,所以〈大象〉説:"天在山中(解釋卦象,即卦名的由來),《大畜》(點出卦名)。君子以多識前言往行,以畜其德(引發出告誡和議論)"。

根據這個義例,則"天行健"、"地勢坤"就顯然應該標點為"天行,《健》"、"地勢,《坤》"。六龍運行、積陽為天,所以這裏説"天行",這是解釋卦象,即卦名的由來;"健"本當作"乾",這是點出卦名。水流穿地而行、水為陰、積陰為地、地方定寧,所以這裏説"地埶"("勢"當作"埶",義猶"處"),這是解釋卦象,即卦名的由來;"坤"是點出卦名。"天行,《乾》"、"地埶,《坤》"翻譯過來即是:"天體運動不止,這便是《乾》卦的意象"、"大地寧定静處,這便是《坤》卦的意象"。這兩句相對為文,這是非常明顯的。

"乾"字轉寫訛為"健",原因有二,其一,"乾"、"健"皆為羣母元部字,古音相同。《集韻》:"建、撁,覆也。《漢書》'居高屋之上建瓴水',或作撁"。其二,《乾》卦的卦義本就含有"大明終始"、"六龍御天"之健行不息的意思,所以戰國《易》説中以"健"字申説"乾"義也是很自然的事,如《泰》卦䷊的《彖傳》説"内陽而外陰,内健而外順"、《繫辭》"夫乾,天下之至健也"、《説卦》"乾,健也"、《易緯乾鑿度》"乾訓健,壯健不息是其義也"。由於這兩個原因,"天行,《乾》"的"乾"字抄訛成了"健"字也同樣是極自然的,甚至《乾》卦的卦名及九三爻辭的"乾乾"在帛書六十四卦中均抄訛為"鍵"、"鍵鍵"。"天行,《乾》"被抄訛並誤解作"天行健",則《坤·象》的"地埶,《坤》"也連帶着被抄訛並破讀為"地勢順"了。

"勢"字典籍中通常作"埶"(見《説文新附》),《漢書·敘傳》引《坤·象》作"地埶坤","埶"與"埶"形近,典籍中常常互訛。如《莊子·人間世》"吾食也執粗而不臧",《釋文》云:"執,簡文作熱"。朱駿聲《說文通訓定聲》云"埶,又為藝之誤字",帛書《黃帝四經》中的"毋故執"、"人執"、"不執偃兵"、《國語·越語下》"無執"等"執"字即訛為"埶"(見陳鼓應《黃帝四經今注今譯》)。"執"字,《禮記·樂記》鄭玄注說"猶處也"。"地執"即"地處"。

"天行"與"地執"均為"名詞加動詞"的主謂結構,《文子·上德》"地定寧"、《莊子·天道》"土寧"、《吕氏春秋·序意》"地曰固,固維寧"等皆是此"地執"之意。"天行"、"地執"也即古人的"天動地静"。

關於"天動地静"說,黃老道家均有論及。如《黃帝四經·十大經·果童》說"天作(運、動)地静"、《文子·道原》說"天運地滯"、《彖傳》說"天行地執"、《莊子·天運》說"天運地處"。《易傳》中動止、動静、行止等對舉例比比皆是,而《乾》、《坤》兩卦的〈大象〉則為之綱領。

《彖傳》是以"陰陽"統攝"天地"(如在首卦《乾·彖》中說以"乾元坤元"而在後面的《泰·彖》中說以"天地")而《象傳》則以"天地"統攝"陰陽"(如《乾》、《坤》的〈大象〉說以"天地"而〈小象〉則說以"陽在下"、"陰始凝"),前者側重於陰陽之對待流行,後者則偏重於天地之對立凝定;《繫辭》"天尊地卑,乾坤定矣"即由此發展而來;以《易》為載體闡說黃老道家關於社會規則、人員級差構建理論自《彖傳》至《繫辭》都有明確的體現。

(二)盈悔說與"天德不可為首"

《乾·象》說:"亢龍有悔,盈不可久也。通九,天德不可為首也"。

"盈"字在黃老道家中即是所謂的"過極失(佚)當"(《黃帝四經·經法·國次》),"亢龍有悔"即《經法·國次》的"過極失(佚)當,天將降殃”。“不可久”謂盈滿自驕，非天地久長之道，此即《老子·七章》所謂“天地所以能長且久者，以其不自生，故能長生”。“天德”即天道，“德”者“道之用也”（《老子》陸德明《釋文》），《象傳》更强調“道”的人事功用。天道運行無有端際（“為”猶“有”，見王引之《經傳釋詞》，《詩·瞻卬》“婦有長舌”，《大戴禮·本命》引作“婦為長舌”。“首”，端際），如此方為久長之道，此正是《文子·上德》所謂“天行不已，終而復始，故能長久”；葉適也説“知用九天德不可為首，而知始矣”（《習學記言序目》）。

檢之《易經》，凡言“有悔”者，皆在上爻和三爻，而三爻為下卦之終，上爻為全卦之終，這與作為月終和年終的“晦”的情況很相近，照傳統訓詁學的説法，便可以説“悔者，晦也”（《書·洪範》鄭注即云“悔之言晦也，晦猶終也”。清宋翔鳳《過庭録》也説“亢龍之悔也，天禄之終也”）。

亢龍盈極，所以有悔。古人本就有物老則成精的觀念，而時間到了一個單位的終極也同樣是不好的。月終之晦猶三爻之“小有悔”（《蠱》卦九三爻辭），年終之晦猶上爻之大悔。《左傳》和《公羊傳》説僖公十六年正月晦日“六鷁退飛過宋都”，“宋人以為災”，也是這個道理。古代道士有“晦歌朔哭”則減壽的説法（《抱朴子·微旨》），晦日惡鬼會羣出活動，因此晦日百官休息不可治事（《魏書·爾朱彦伯傳》），這也與道家“嬴（盈）極必静”（《黄帝四經·經法·亡論》）有一定的聯繫。

《黄帝四經》認為對待亢盈的有悔，應該是“盈極必静”，而《象傳》則更積極一些，認為應該以“通九天德不可為首”的“終則變，通則久”的變通之法促使其“悔亡”。古俗中月終、年終晦日的祓除和大儺，即是與這一哲學理解相互滲透的證明。

（本文寫作中多蒙陳鼓應先生指導，這篇文章是筆者將與陳先生合作撰寫《周易衍》的一個引子）

趙建偉　1957年生,北京人。1987年於北京大學中文系研究生畢業,獲文學碩士學位,現任中國戲曲學院社科部副教授。著有《中國古代禁忌》等。

《易經》咸卦卦爻辭新解

——論其與針灸醫術的關係

周策縱

《易經》的卦爻辭有好些是古代歷史和社會、經濟生活的紀錄。王國維在〈殷卜辭中所見先公先王考〉一文裏已開了一條好的先路。顧頡剛、余永梁、李鏡池等在《古史辨》一九三一年的第三册裏又陸續考定卦爻辭中記有殷商和周初的史事。我於一九六三年春天在美國威斯康辛大學講演,又指出從甲骨文和金文可證《易經》爻辭紀録古代有忌逆産而棄嬰和徒涉採貝幣的習俗。① 三年以後在西德和香港各大學講演, 又指出過“蠱”、“咸”、“恒”、“巽”諸卦爻辭可能與古代的巫醫有關。②現在進一步討論分析“咸”卦的卦名和卦爻辭所保存的針砭醫術史料。先從釐清“咸”字

---

① 這個看法我後來於 1965 年 7 月又在美國西北區十一間大學(包括威大、密西根大學、芝加哥大學)教研合作委員會(C. I. C., 即 Committee on Institutional Cooperation, Midwest Universities)主辦於俄亥俄州立大學的文化講座上作過專題講演。又於 1983 年 9 月香港中文大學召開的首屆國際古文字學研討會上宣讀論文〈如何從古文字與經典探索古代社會與思想史〉,摘要述及,刊於《明報月刊》, 216 期(1983 年 12 月),頁 94—96。

② 講稿發表在《清華學報》,新十二卷,一、二期合刊(臺灣新竹, 1979 年 12 月)(頁 7—59),題作〈中國古代的巫醫與祭祀、歷史、樂舞、及詩的關係〉;下篇載十三卷,一、二期合刊(1981 年 12 月),頁 1—25,題作〈古巫對樂舞及詩歌發展的貢獻〉。

的古代意義説起。

(一)"咸"即針刺之"針"字

我在《古巫醫與"六詩"考:中國浪漫文學探源》一書裏,已指出過古書所載醫的創作者巫咸之名的"咸"字,其實就是古"鍼"(針)字。[①] 還根據金文和甲骨文,論定了殷商的"殷"字和"醫"字本身都是從針砭的針而作。[②] 現在我要進一步指出:《易經》咸卦的"咸",也應作"鍼"(針)字讀。這裏且把關於此字以前説過的一些理由,略加補充整理,條列於下:

第一,現在通行的"針"字,古時也寫作"鍼"、"箴"、或"葴"。《説文解字》:"箴,綴衣箴也。"又説:"鍼,所以縫也。"段玉裁注已指出:古箴、鍼通用,《風俗通》曰:"衛大夫箴莊子,今《左傳》作鍼莊子。"又説:"以竹為之,僅可聯綴衣;以金為之,乃可縫衣。"[③] 其實這衹是用後世的情況來解釋古事,古人没有金屬所製之針以前,當然也可用竹木所做的針去縫綴粗服;而且竹木針或金針也不必衹為縫綴之用,也未嘗不可用作針灸醫療的工具。例如《山海經·東山經》:

> 高氏之山,其上多玉,其下多箴石。[④]

郭璞注:

---

① 見周策縱《古巫醫與"六詩"考:中國浪漫文學探源》(臺北:聯經出版事業公司,1986),章二,頁84—85:章六,頁145。

② 同上,章七,頁157—158。

③ 段玉裁《説文解字注》(四部善本新刊,斷句注音兩色套印影本,臺北:漢京文化事業公司,1980),五篇上,頁9,總頁713,"鍼"字。

④ 郝懿行《山海經箋疏》(臺北:藝文印書館,影阮氏[元]琅嬛僊館版,郝氏自序作於嘉慶9年,1804;阮元序作於14年,1809),卷四,頁2反,總頁158,袁珂《山海經校注》(上海古籍出版社,1980),頁103。

可以為砥針，治癰腫者。[1]

《禮記·文王世子》鄭玄注：

箴藥所勝。[2]

同篇下文"其刑罪則纖剸"，鄭玄亦注云：

纖讀為鍼。鍼，刺也。[3]

魏、張揖《廣雅·釋詁一》也說：

抵、……鍼，刺也。[4]

同篇又說：

刺……箴也。[5]

王念孫《廣雅疏證》在此條下注說：

鍼、針、並與箴同。[6]

又《文選》何晏〈景福殿賦〉"離朱"李善注：

《淮南子》曰："離朱之明，察箴末於百步之外。"箴，古針字。[7]

鍼、箴、鍼、針皆相同，乃是古今字，自無疑問。大約古人用樹木的刺作針，後又用竹刺、金屬作針，故分別加了草頭（指木）、竹頭、和金旁。在使用金屬之前，當亦用石針，故有砥、砭

---

① 郝懿行《山海經箋疏》（臺北：藝文印書館，影阮氏[元]琅嬛僊館版，郝氏自序作於嘉慶9年，1804；阮元序作於14年，1809），卷四，頁2反，總頁158，袁珂《山海經校注》（上海古籍出版社，1980），頁103。

② 孔穎達《禮記正義》（阮元刻《十三經注疏》本，上海：國學整理社出版，世界書局影印，1935），下册，卷二十，頁176，總頁1404上欄：並看黄坤堯、鄧仕樑新校索引通志堂本陸德明《經典釋文》（臺北：學海出版社，1988），上册，卷十二，頁3，總頁181上欄。

③ 同上阮元《十三經注疏》本下册《禮記正義》，卷二十，頁181，總頁1409上欄。原誤"鍼"作"殲"，據《釋文》改，校見頁184—185，總頁1412—1413。

④ 王念孫《廣雅疏證》（四部備要本），卷一上，頁21反。

⑤ 同上，卷二下，頁12反。

⑥ 同上。

⑦ 宋本六臣注《文選》（臺北：廣文書局，1973再版影印），卷十一，頁223上欄。

等字。

第二,更重要的,我們應了解"咸"就是古"鍼"、"葴"、"箴"、"針"字。這可從諸字通用來證明。例如《左傳》襄公二十四年(前549)冬,《春秋》經傳皆記載陳國有個人名"鍼宜咎"。《正義》説他是"陳鍼子八世孫。"① 《經典釋文》説:"鍼,其廉反。"② 這同一人"鍼宜咎"在《公羊傳》同年的經文裏則作"咸宜咎"。《釋文》在這裏説:"咸,本又作鍼,其廉反。"③ 又這同一人名在《左傳》昭公四年(前538)冬却記作"咸尹宜咎"。《釋文》云:"咸,之林反。"④ 阮元〈校勘記〉説:

> 淳熙本、纂圖本、毛本"咸"作"箴",亦非。石經、朱本、岳本、足利本作"葴",與《釋文》合。⑤

所謂"咸(鍼)尹",可能是官或巫醫官的名稱。還有《左傳》在定公四年(前506)十一月也記有一人名"鍼尹固"。《釋文》也説:"鍼,之林反。"⑥ 這同一人在同書哀公十六年(前479)則書作"箴尹固"。《釋文》在這裏也注道:"箴,之林反。"⑦ 凡此皆可證"咸"與"葴"、"箴"、"鍼"諸字古皆同用,即今語的"針"字。

---

① 《春秋左傳正義》(阮刻本)下册,卷三十五,頁277,278,總頁1979上欄,1980中欄:黄、鄧校《釋文》,上册,《春秋左氏音義》,卷四,頁8,總頁264下欄。

② 同上《左傳》,頁277,總頁1979上欄。

③ 同上《春秋公羊傳注疏》(阮刻本),下册,卷二十,頁115,總頁2309下欄。黄、鄧校《釋文》,上册,頁27反,總頁319上欄。

④ 同本頁注①《左傳》,卷四十二,頁334,總頁2036上欄:黄、鄧校《釋文》,上册,卷五,頁2反,總頁275下欄。

⑤ 同上《左傳》,頁337,總頁2039中欄。

⑥ 同上,頁434,總頁2136中欄:黄、鄧校《釋文》上册,頁8,總頁294下欄。

⑦ 同上,卷六十,頁476,總頁2178中欄。黄、鄧校卷六頁25,總頁303上欄。

第三,從古音方面說,"咸"與"箴"、"鍼"的上古音極相近似。朱駿聲《說文通訓定聲》把"咸"與"葴"、"箴"、"鍼"同列入"臨部第三"。[①] 高本漢(Bernhard Karlgren)重建"咸"的上古音為 g'ɛm,箴和鍼為 t̑i̯əm。[②]董同龢及周法高所注這三個字的元音則同為 əm。[③] 似更合於原貌。我在上面一則裏已引用到陸德明(556—627)《經典釋文》曾把"咸"字和"鍼"字都音注為"之林反"。可見至遲在隋代或以前早就有人已知道這兩個字有時讀音完全相同了。

第四,從字源和古義方面說,"咸"字在先秦時代有刺傷與調和兩種意義。《尚書·君奭》篇:"咸劉厥敵。"[④] 又《逸周書·世俘》篇:"咸劉商王紂。"[⑤]"咸"都是刺殺之意。《左傳》僖公二十四年(前636):"昔周公弔二叔之不咸。"鄭眾、賈逵皆訓"咸"為"和"。[⑥] 這是第二種意義。這兩種意義都和古代巫醫的工作有關,即針灸和烹調。"咸"字從口,當係指刺痛時的喊聲,或係指以口嘗味或詛咒之意,"咸"也是"喊"和"諴"的古字。惟字又從戌或戈,則原義亦標示刺傷用的工具。這在拙著《古巫醫與"六詩"考》裏已有說明,此

① 朱駿聲《說文通訓定聲》(臺北:藝文印書館,1974,據"本衙藏版"影印),"臨部第三",頁 40—42,總頁 155—156。朱氏自序作於道光十三年(1833)十二月。

② Bernhard Karlgren, *Grammata Serica Recensa*[新訂漢文典](Göteborg: Elanders Boktryckeri Aktiebolag, 1964 reprinted from Stockholm: The Museum of Far Eastern Antiquities, Bulletin No. 29, 1957), No. 671a, n and o, p. 178.

③ 周法高主編,張日昇、徐芷儀、林潔明編《漢字古今音彙》(香港:中文大學出版社,1974,1979 再版),頁 39,240,370。

④ 《尚書正義》(同 87 頁注②,阮刻本),卷十六,頁 112,總頁 224 下欄。鄭玄注以"咸劉"為"皆殺",屈萬里從之。惟朱駿聲則以為"咸"假借為"𢦏"(今作"戡",《說文》:"戡,刺也。"又"𢦏,殺也。")。看《定聲》,同本頁注①,"臨部第三",頁 40,總頁 155。

⑤ 朱右曾《逸周書集訓校釋》(臺北:藝文印書館影印原版,無年月,丁嘉葆書前題記作於道光二十二年,1842),卷四,頁 5 反,及 6,新頁 86—87。朱氏云:"咸讀為𢧵,絶也。"並引《說文》:"𢧵,古文,讀若咸。"

⑥ 《左傳》(同上頁注①),卷十五,頁 115,總頁 1817 中欄:參看劉文淇等《春秋左氏傳舊注疏證》(香港:太平書局,1966),上册,頁 378。

可不贅。① 朱駿聲在注釋"咸"字時説：

竊謂咸者，鹹字之古文，齧也。从口从戌，會意。戌，傷也。戊戌皆為干支借義所專，遂昧本訓；而咸義又為僉同借義所奪，莫識何从。當深思而釐正之矣。②

他這話一部分很有道理，"咸"本來應有刺傷之意；不過它的初義不是"鹹"，此字《説文》訓"齧"，乃後起字，祇因"咸"本是刺鍼，故齒齧之字乃從此而作。不過從這個字倒可逆推"咸"的確原有刺傷的意義。

第五，再從歷史記載方面説，巫咸的名字應該和針刺醫術有關，更是傳説中醫的創始者，我在前述拙著《古巫醫與"六詩"考》已有詳細討論。現略舉數種古代的記載於下。《山海經·大荒西經》説：

大荒之中……有靈山。巫咸、巫即、巫肦、巫彭、巫姑、巫真、巫禮、巫抵、巫謝、巫羅，十巫從此升降，百藥爰在。③

郭璞注説："羣巫上下此山採之'藥'也。"④ 這看法很對，可見巫咸是上靈山(按當即巫山)採藥。《玉海》六十三引《吕氏春秋》云：

巫咸初作醫⑤

原書在此句下用小字旁注説："《世本》、《説文》同。"今本《説文》五篇上"巫"字下云："古者巫咸初作醫。"《太平御覽》卷七百二十一也引《世本》説：

巫咸，堯臣也，以鴻術為帝堯醫。⑥

郭璞〈巫咸山賦序〉與此説同。《韓非子·説林下》説：

---

① 同 86 頁注①，周《古巫醫》，章七，頁 158—159。

② 同上頁注①，朱《定聲》，頁 40，總頁 155 下欄。

③ 同 86 頁注④，郝《山海經箋疏》，卷十六，頁 3，總頁 425—426：袁校，頁 396。

④ 同上，郝，頁 3 反，總頁 426：袁，頁 397。

⑤ 宋、王應麟《玉海》(臺北：華聯出版社影印元後至元三年，1337，慶元路儒學刊本，1964)，卷六十三，頁 5，總頁 1237 上欄。

⑥ 參看清·秦嘉謨等輯《世本八種》(上海：商務印書館，1957)，各家所輯中的〈作篇〉。

故諺曰:"巫咸雖善祝,不能自祓也。秦醫雖善除,不能自彈也。"[1]

這裏"巫咸"和"秦醫"並列,巫祝之術可以致人疾病也可以祓除疾病,和醫的功能相同。近人陳邦賢著《中國醫學史》,引《世本》云:

巫咸祝樹樹枯,祝鳥鳥墜。[2]

此說《世本》,現遍查其中不見。惟《論衡》〈言毒篇〉說過:

南郡極熱之地,其人祝樹樹枯,唾鳥鳥墜;巫咸能以祝延人之疾,愈人之禍者,生於江南,含烈氣也。[3]

皮錫瑞認為此巫咸即《尚書·君奭》篇[巫咸乂王家]的巫咸。但近人黃暉却把"咸能"連讀,"謂江南諸巫,皆能此術也。"[4] 兩說皆可通。不過這兒恰好"巫咸"連文,聯繫到上引《韓非子》說過"巫咸善祝"看來,恐怕還是以作人名為妥。《楚辭》中本來有多處就說到"巫咸"是在南方。枚乘〈七發〉說:

雖令扁鵲治內,巫咸治外,尚可及哉?[5]

這也可見古人相信巫咸是神醫,而所謂"治外",也許是暗示用針灸醫術治病罷,同篇下文提到"藥石、針刺、灸療",石、針、灸當即指此。如果巫咸是用鍼(針)刺治病,如上文所證,他的名字"咸"又和"鍼"字可以互換,則此"咸"即指針刺醫術的針,似乎相當明確可信。

還有,《左傳》莊公三十二年(前 662)記載魯莊公為了要毒死

---

① 陳奇猷校注《韓非子集釋》(北京:中華書局,1958),上册,卷八,頁 467。

② 陳邦賢《中國醫學史》(上海:商務印書館,1937,初版,1954 年 12 月修訂重版),篇一,章二,頁 9。[此處本應參考趙璞珊《中國古代醫藥》(北京:中華書局,1983),劉伯驥《中國醫學史》(臺灣陽明山:華岡出版部,1974),上官良甫《中國醫藥發展史》(香港:新力出版發行公司,1974)等,因手頭缺書,故未查考。]

③ 黃暉《論衡校釋》(臺北:商務,1964,影印胡適藏本),册三,卷二十三,〈言毒篇第六十六〉,頁 948。

④ 同上。

⑤ 《文選》,同 87 頁注⑦,卷三十四,頁 634 下欄。

僖叔，便派人(成季)命他待在一個名叫"鍼巫氏"的人之住所，使一個名叫"鍼季"的人用"酖"(毒酒)毒死他。原文是:

成季使以君"魯莊公"命命僖叔，待於鍼巫氏，使鍼季酖之。①

這裏值得注意的是:用"鍼巫"做"氏"名，"鍼巫"二字和"巫咸"二字頗相似;又"鍼季"人名上也冠上"鍼"字，他們都是巫醫。也可見"咸"字實即古針刺醫術的"針"字。

(二)《易經》"咸"卦卦爻辭新解

上面根據古文字的釋讀和聯繫，加上神話傳説，與一部分歷史紀實，構造成一種假設，就是:"咸"字古時有針刺醫術上的含義。現在就用這個假設來細讀《易經》裏"咸"卦的卦爻辭，恰好證明這些都是針灸醫術的紀録。

茲為討論方便起見，且先抄録咸卦的卦爻辭於下。

咸卦第三十一
䷞(艮下兑上)咸:亨。利貞。取女吉。
初六:咸其拇。
六二:咸其腓，凶，居吉。
九三:咸其股，執其隨，往吝。
九四:貞吉，悔亡。憧憧往來，朋從爾思。
九五:咸其脢，無悔。
上六:咸其輔、頰、舌。

可以看出，卦辭似乎衹作總括性敍述，爻辭却都具體而有一定的次序。本來大家都知道，依《易經》的慣例，每卦的六爻都是由下

① 《春秋左傳正義》，卷十，頁 82，總頁 1784 上欄。可參看拙著《古巫醫與"六詩"考》，頁 159—160 的解釋。

向上順數,一為初爻,六為上爻。而咸卦的爻辭,却更是先從人體的脚下開始,向上依次説到頭部。關於這一點,過去原已有人注意到。[①] 可是在這一點上都没有人把它和醫書傳統聯繫起來。其實這種由身體的下部向上順序數起,正是古代醫學的傳統。例如《黄帝内經·素問·骨空論篇第六十》描述督脈經過的路線,就是從陰部數到臀股,到脊膂,到目額,上達頭頂,由下而上地敍述。[②] 後世醫書記述某些經脈俞穴的也仍沿照這個傳統。

"咸"卦的卦辭只説"取[娶]女吉。"從來解説"咸"卦者都認為和婚娶有關,"咸"就是感動人的"感"。因為"咸"卦是"艮下兑上",艮是少男,兑是少女,男下女。古代婚禮即表現男卑屈以迎接女。《彖傳》釋此卦云:

> "咸",感也。柔上而剛下,二氣感應以相與,止而説"悦",男下女,是以"亨利貞,取女吉"也。[③]

《序卦》和《荀子·大略》篇更强調了"咸"卦卜問婚娶的重要性,等於是説,有了夫婦家庭,纔有國家社會,和秩序道德。後來程頤、朱熹等,莫不如此。[④] 這種解釋可能是對的,不過"咸"是否應訓"感",尚無確證。我看此卦既與巫咸同名,而傳説中"巫咸作筮",又"作醫",或"作巫",巫醫的工作之一可能與"高禖"求子祭有關。[⑤] 古人認定婚姻與生育乃人生大事,而巫醫本有助於此等事,難怪"咸"卦的卦辭就要説到"取女"的事情了。

---

① 如高亨《周易古經通説》(北京:中華書局,1953;香港:中華,1963),篇四,頁44;李鏡池《周易探源》(北京:中華書局,1978),頁198—200。

② 南京中醫學院醫經教研組《黄帝内經素問譯釋》(上海科學技術出版社,1959),頁364—366。

③ 《周易正義》(同87頁注②,阮刻《十三經注疏》本)卷四,頁34,總頁46下欄。

④ 同上,卷九,頁83,總頁95:又程頤《易傳》,卷四,頁135—136:朱熹《周易本義》,卷二,頁29。兩書皆臺北:世界書局,1979,影印本。

⑤ 參看同86頁注①,周書上篇及中篇,又拙作〈中國古代的巫醫與祭祀、歷史、樂舞、及詩的關係〉,載《清華學報》,新十二卷,一、二期合刊(臺灣新竹,1981,十二月)。

當然,"咸"卦保存古代針灸醫術的紀録,最具體的還在於這卦的爻辭。現在依序解釋如下:

(1)初爻從脚趾説起。"咸"卦初爻説:"咸其拇。""拇"字從手,原義是手的大拇指。《説文》:"拇,將指也。从手母聲。"我以前也誤以為"咸其拇"是砍傷手指之意。[①] 其實《經典釋文》已在"咸其拇"句下指出:

拇,茂後反。馬、鄭、薛云:"足大指也。"子夏作"䟦"。荀作"母"。云:陰位之尊。[②]

這個古代相傳的解釋非常正確。這證明一件很重要的事,就是讀書切忌望文生義,不顧作者當時實情和原文的本義。按《莊子·駢拇》篇説:

駢拇枝指,出乎性哉。……駢於足者,連無用之肉也:枝於手者,樹無用之指也。[③]

正是"拇"為足大指之證。

"咸"卦的初爻没有斷占之辭,這在《易經》裹本是常有的現象。在這裹則表示:若身體有了病痛,應該針刺大足趾上的穴位。這似乎是暗示也許會有效果,但好像不十分肯定。

(2)第二爻,向足趾上推,便説到"腓"。"咸"六二:"咸其腓,凶,居吉。""腓"是甚麽呢? 此爻下《經典釋文》説:

腓,房非反。鄭[玄]云:膞腸也。膞音市轡反。王廙云:腓,腓腸也。荀"爽"作肥,云:謂五也。尊甚故稱肥。[④]

黄焯《經典釋文彙校》在"謂五也"之下加注:

---

① 看拙文〈説"尤"與蚩尤〉,載《中國文字》(臺北:臺灣大學中國文學系,1973,六月),頁1—7,頁2引此語。但該文引"解"卦第四十:九四爻辭"解而拇",已足以作證。

② 同87頁注②,黄坤堯、鄧仕樑校《釋文》:《周易音義》,頁12反,總頁24下欄。

③ 錢穆《莊子纂箋》(香港:東南印務出版社,1951,1962,增訂四版),頁67。

④ 同87頁注②《經典釋文》。

惠"棟"云:《乾鑿度》云:咸於五。①

我手頭資料不足,不知"五"的確切部位,也許因為"五"是陽數、陽爻,這裏是指"足太陽膀胱經穴"吧,這條經脈是經過腓腸的。《說文》:

腓,脛腨也。从肉,非聲。

同書云:

腨,腓腸也。从肉,耑聲。

段玉裁注:

"咸"六二"咸其腓。"鄭[玄]曰:"腓,膞腸也。"按諸書或言膞腸,或言腓腸,謂脛[段於脛下注云:"厀下踝上曰脛。脛之言莖也,如莖之載物。]骨後之肉也。腓之言肥,似中有腸者然,故曰腓腸。荀爽《易》作肥,云:"謂五也。尊甚故稱肥。"此荀以意改字耳。②

朱熹《周易本義》注"咸"卦六二爻辭說:

腓,足肚也。③

朱駿聲則訓"腓"字云:

蘇俗謂之膀肚腸子。……在足之上。按字亦作膌。〈海外北經〉"無膌之國"注:"膌,肥腸也。"《廣雅·釋親》:"膌,腨也。"《莊子·養生主》:"技經肯綮之未嘗。"以綮為之。④

從這些說法看來,腓就是今語所謂"腿肚子",是在小腿後部的肌肉。"咸"卦在此爻辭後說:"凶,居吉。"這意思應該是:如果針刺過小腿後就出外去走動,那會有惡果的。(《說文》:"凶,惡也。")衹有居家休息纔會吉利。這上面一句是從"居吉"的反面推想得來,古

---

① 黄焯《經典釋文彙校》(北京:中華書局,1980),第二,頁16。

② 同86頁注③,四篇下,頁26,總頁172下欄。

③ 同93頁注④,朱熹,卷二,頁19。

④ 同89頁注①,履部第十二,頁13,總頁580上欄。

人行文簡省,故有此紀法。粗看起來,針刺過後走動不應有惡果,似反不如釋“咸”為砍傷的好。可是我們如果想到,若古時用的是石針或竹木粗針的話,那種針刺在小腿上,也許會很不便走動的罷。

(3)第三爻,“咸”卦的“九三:咸其股,執其隨,往吝。”說的正是“腓”以上的部位。“咸其股”的“股”即現在所謂大腿。《說文》:“股,髀也。”《說文通訓定聲》引此爻文云:崔注謂“次於腓上。”又引《太玄》“元數九體,三為股肱”注:“膝上為股。”而《山海經》及《淮南子·墜形訓》注則逕云:“脚也。”[①] 爻文“咸其股,執其隨,往吝。”按《詩》周頌〈執競〉(274)鄭玄箋云:“競,彊也。能持彊道者維有武王耳。”[②] 是訓“執”為“持”。持乃保持,持續之意。“執其隨”者,謂持續針刺於大腿,若時間太長,則出行將有“吝”,“吝”者“艱難”也。[③]

(4)“咸”卦第四爻“九四:貞吉,悔亡。憧憧往來,朋從爾思。”似乎没有直接提到針灸的事。“咸”卦其他爻辭都用“咸其”字樣起頭,此爻獨無。上一則六二爻辭既已說到“股”(大腿,也許還包括臀部),依例上推,則此爻應該說到腰部或稍上。按古“悔”字本亦作“痗”。《詩·衛風·伯兮》

使我心痗。[④]

《毛傳》於此句下云:

痗,病也。[⑤]

---

① 同 89 頁注①,需部第八,頁 27,總頁 397 上欄。

② 《毛詩正義》(阮刻本),卷十九之二,頁 321,總頁 589 下欄。

③ 同 93 頁注①,高書篇六,頁 103—104。

④ 《毛詩傳箋》(江南書局據金陵書局甘國有壬申,1872 年 9 月木刻本),第四册,卷三,頁 14 反。

⑤ 同上;又《爾雅·釋詁一》同。

《經典釋文》在這裏說：

痗，音每，又音悔，病也。①

又《詩·小雅·十月之交》

亦孔之痗。②

《釋文》更於此下說：

痗，莫背反。又音悔。本又作悔。病也。③

由此可見，“悔”、“痗”二字古可通用。〈伯兮〉詩說的“使我心痗”，則“痗”當是一種“心”病，所以字又從心作“悔”。近人余雲岫在《古代疾病名候疏義》裏說：

然則痗亦心憂傷之病，非疾病之專名也。吾鄉［縱按：指浙江鎮海縣］”有“痗心”之語，謂悲酸也，或即此字？④

我認為：“痗”、“悔”在古代是否曾被認為疾病之專名，恐怕還是個疑問。這兩字也許和“懣”、“悶”義相似，一聲之轉，音相近。現將高本漢所建此諸字的上古音列下，以資比較：⑤

痗 mwəg

悔 xmwəg

懣 mwən

悶 mwən

“悔亡”一辭，在卦、爻辭中常為表示休咎之慣用詞。悔字也許是由初義心不快引伸而來，衹表示輕微的不滿意。高亨解釋得不錯：

《說文》：“悔，恨也，从心，每聲。”《廣雅·釋詁》：“悔，恨

① 同87頁注②，《毛詩音義》，卷上《釋文》，頁20反，總頁62下欄。

② 同96頁注④，卷十二，頁7反。

③ 同本頁注①，卷中，頁21反，總頁81上欄。

④ 余巖（雲岫）《古代疾病名候疏義》（北京，人民衛生出版社，1953）。

⑤ 參看89頁注③，頁210，100，107。

也。"《詩·雲漢》:"宜無悔怒。"《毛傳》:"悔,恨也。"《論語·為政》篇"多見缺殆,慎行其餘,則寡悔,"皇疏:"悔,恨也。"按悔恨之情比悲痛為輕,悔恨之事不及咎凶之重。《周易》所謂"悔",其實不過困厄而已,《繫辭傳上》云:"悔吝者,憂虞之象也。"又云:"悔吝者,言乎其小疵也。"是其徵矣。[①]

此所謂"恨",當然是如"遺憾"的"恨",不是"仇恨"的"恨"。高又舉了《易經》卦爻辭裏上二十來個"悔亡"的例子,下結論說:"悔亡者,昔有悔而今其悔已去也。"[②]

"咸"卦第四爻中的"悔亡",到底是指普通的無"困厄"或"悔恨",還是指心理上的"小疵"或"憂虞之象"呢?我以為可能是指後者,"悔"(痗)的原義乃是一種輕微的憂鬱症。"悔亡"在別的爻辭中偶然也可能流露有疾病的含義,例如"睽"卦"六五:悔亡,厥宗噬膚,往何咎。"〈夬〉卦"九四:臀無膚,其行次且[趑趄],牽羊,悔亡。"當然,說成是"不再有困厄"也未為不可,也許要看用在甚麼地方,看上下文而定。

不過,"咸"卦第四爻的"悔亡"下文馬上就說:"憧憧往來,朋從爾思。"的確與心情不安有關。《釋文》云:"憧憧,昌容反。馬[融]云:行貌。王肅云:往來不絕貌。《廣雅》云:往來也。劉[表]云:意未定也。徐[邈]又音童,又音鍾。京[房]作憧。《字林》云:憧,遲也。丈冢反。"[③]《說文》:"憧,意不定也。"段注:"咸九四曰:憧憧往來。劉表《章句》曰:'憧憧,意未定也。'說與許同。"[④]照這樣看來,"憧憧往來"應該理解為"心裏不安定,走來走去","徘徊不安"

① 同93頁注①,高,第六篇〈吉吝厲悔咎凶解〉,頁105—106。

② 同上,頁106—107。

③ 同87頁注②,黃、鄧校《釋文》〈周易音義〉,頁12—13,總頁24—25。縱按《釋文》所引《廣雅》及〈釋訓〉文。

④ 同86頁注③,十篇下,頁40反,總頁514下欄。

的意思。《繫辭傳下》五,引孔子對此二句爻辭有長篇解釋:

> 《易》曰:"憧憧往來,朋從爾思。"子曰:"天下何思何慮!天下同歸而殊塗,一致而百慮,天下何思何慮!日往則月來,月往則日來,日月相推而明生焉。寒往則暑來,暑往則寒來,寒暑相推而歲成焉。往者屈也,來者信[本一作伸]也。屈信相感而利生焉。尺蠖之屈,以求信也。龍蛇之蟄,以存[本一作全]身也。精義入神,以致用也。利用安身,以崇德也。過此以往,未之或知也。窮神知化,德之盛也。"①

這當然是把"憧憧"不安看成是對世上事物有"往來"反覆而感覺不安。又說世上事物本來就有往有來,有夜有晝,有寒有暑,有屈有伸,何必為此而憂慮煩悶!這種借題發揮,確實很富哲理,却與原文的本義不見得全合。整個《易經》就是照這種方式發揮推演出來的。這代表一種特殊的推理過程。而卜筮本來是由於有疑問,有焦慮,纔來求神靈,問天機天意,希望得到對變化的瞭解,對吉凶的解答。正如〈繫辭傳〉說的:"作《易》者,其有憂患乎!"所以從《易經》發展出來的中國哲學思想,極富於"憂患意識"。而《易經》對中國傳統的哲學思想無比重要,往往是其源頭,正使中國人的思想常帶有這種意識。這條爻辭的解釋正是一個極好的例證,所以我全引在這裏。《繫辭傳》在這裏把一件心理上的消極事件推演成對宇宙人生的常理和做人態度的積極教誨,雖與原文本義有出入,卻看來也合於情理。而對我來說,我覺得它把"爾思"的"思"解釋為"思慮"("天下何思何慮!"),倒十分確切。我以為咸卦九四爻辭全文的本意應該是:

> 有利於卜筮貞問。輕微的憂鬱已消失。不過心裏還不安定,往來徘徊,使朋友也跟着你有些思慮。

---

① 同93頁注③,卷八《繫辭傳下》,頁75—76,總頁87—88。

(5)第五爻,"咸"卦"九五:咸其脢,無悔。"《經典釋文》說:

脢,武杯反。又音每。心之上,口之下也。鄭[玄]云:"背脊肉也。"《説文》同。王肅又音灰。《廣雅》云:胂謂之脢。胂音以人反。①

段注《説文》"脢"字下云:

"咸"九五:"咸其脢。"子夏《易傳》云:"在脊曰脢。"馬[融]云:"脢,背也。"鄭[玄]云:"脢,背脊肉也。"虞[翻]云:"夾脊肉也。"按諸家之言,不若許分析憭然。胂為迫吕之肉,脢為全背之肉也。《釋文》云:"《説文》同。""鄭作背脊肉。"未知其審。[《禮記》]〈內則〉[鄭玄]注:"脄,脊側肉也。""脄"即"脢"字。②

段以為"胂"是近"吕"(脊椎骨)之肉,這大概是對的,但他又說:"脢為全背之肉",若依馬融等人説法,"脢"就是"背",那當然適合。不過,鄭玄一方面説:"脢"是"背脊肉",一方面却又説"脄"是"脊側肉",如果照段説"脄即脢字",則"脢"應是"脊側肉"纔對。據《內則》篇原文是取牛羊等之肉以"擣珍",所以"必脄"。此字《釋文》云"音每",與"脢"同音。③ 二字相同有可能。"脊側肉"纔能說是"珍"羞,所以作這樣解釋也許較妥。恐不能說是"全背之肉"。所謂"夾脊肉",也應該瞭解作夾在脊椎兩側之肉。當然,古人有時注釋時不免混淆,也未嘗不可能。總之,"夤"是背部靠近脊椎兩旁的肉,"脢"是背部兩側之肉,大約離脊椎較遠。"每"字古文本象人的側面形,"夤"和"申"則從正中取象,這和原義也許不無關係。

(6)第六爻,"咸"卦"上六:咸其輔、頰、舌"《經典釋文》說:

輔,如字。馬[融]云:上頷也。虞[翻]作[酺]。云:"耳目

---

① 同87頁注②,黄、鄧校《釋文》《周易音義》,頁13,總頁25上欄。

② 同86頁注③,四篇下,頁24,總頁171下欄。

③ 同87頁注②,卷二十八,頁240,總頁1468中欄。

之間。"①

《說文》則云：

輔，《春秋》[左]傳[僖公五年]曰："輔車相依。"从車，輔聲。人頰車也。②

段注在此指出：《左傳》說的"輔"乃是車上的一部分，是其本義，許慎訓作人面之一部，實是借義。又《說文》："酺，頰也。"③ 又說："頰，面旁也。"④ 惠棟《周易述》云：

尋輔近口，在頰前。故《淮南子·說林訓》曰："靨輔在頰前則好"是也。[縱按今本無"前"字。]耳目之間為權，權在輔上。故曹植《洛神賦》云："靨輔承權。""夬""九三：壯於頄。""頄"即權也。頰所以含物，輔所以持口。輔、頰、舌，三者並言，明各為一物。是輔近頰而非頰。虞以權為輔，《說文》以輔為頰，皆非也。⑤

段玉裁在"頰"字下注道：

《易》"咸""上六：咸其輔、頰、舌。""輔"即"酺"之假借字也。凡言頰車者，今俗謂牙牀骨，牙所載也。與單言"頰"不同。⑥

又在"酺"字下注道：

頰者，面旁也。面旁者，顏前之兩旁。[《楚辭》]〈大招〉："靨輔奇牙，宜笑嫣只。"王"逸"注："言美頰有靨酺，口有奇牙，嗎然而笑，尤媚好也。"《淮南》書："奇牙出，靨輔搖。"高[誘]

---

① 同100頁注①。

② 同86頁注③，十四篇上，車部，頁50，總頁733下欄。

③ 同上，九篇上，面部，頁15反，總頁427上欄。

④ 同上，頁部，頁3反，總頁421上欄。

⑤ 惠棟《周易述》(四部備要本)，卷五，頁2。

⑥ 同101頁注④。

注:“靨輔,頰邊文,婦人之媚也。”又曰:“靨輔在頰則好,在顙則醜。”注:“靨酺者,頰上窐也。”由此言之,靨酺在頰,故酺與頰可互偁。古多借輔為酺。如《毛詩傳》曰:“倩,好口輔也。”此正謂靨酺。“咸”“上六:咸其輔、頰、舌。”“艮”“六五:艮其輔。”其字皆當作酺。蓋自外言,曰酺,曰頰,曰靨酺;自裏言,則上下持牙之骨,謂之酺車,亦謂牙車,亦謂頷車,亦謂頰車,亦謂𪖐車,亦謂之酺,亦謂之頰。許言“酺,頰也”者,言其外也。《易》言“酺、頰”,言“酺”,言其裏也。酺車非外之酺,頰車非外之頰,此名之當辨者也。①

從這些討論看來,“頰”是權骨下,耳朵前方的部分。輔(酺)則是牙車骨外頰下前方酒窩所在的肌肉,即通常所謂“腮幫子”。②

(本文節選自《〈易經〉裏的針灸醫術紀録考釋》,刊於香港浸會大學《人文中國學報》第一期。)

作者簡介 周策縱,湖南人,1916 年生。美國密西根大學哲學博士,美國威斯康辛大學東亞語言文學系教授,系主任,兼歷史系教授。主要著作有:《五四運動史》、《古巫醫與六詩考:中國浪漫文學探源》、《文林:中國人文研究》等。

---

① 同 101 頁注③。

② 同 93 頁注①,李書頁 199。

老子與周易古經之關係

李中華

内容提要 《周易》古經與《老子》歷來被看作是中國傳統哲學的兩大重要思想源頭。然而,《易》發生於殷周,《老》產生於春秋末季,按思想產生的一般規律,二者必有其內在的本質聯繫,以體現歷史與邏輯的統一。但由於長期以來,《易》被看作是儒家經典,而《老》又是道家之創始,儒道之間的隔閡,影響了《易》《老》之溝通。本文在充分吸收有關研究成果的基礎上,試圖從材料與學理兩個方面,對《易》《老》關係作系統的梳理,以探明《老子》哲學中的一些重要範疇及觀念與《周易》古經的聯繫。如《老子》貴柔守雌思想與《坤》卦的關係;《老子》"大象無形"與《周易》卦象的關係;《老子》軍事戰爭觀念與《師》、《晉》等卦的關係等等。本文的結構及基本觀點是:先明《易》非儒家之專有;中述《易》《老》之間的本質聯繫;後殿以實證,以探明《老》源於《易》。

作為中國傳統哲學兩大思想源頭的《周易》與《老子》,歷來被看作是中國傳統哲學與文化中充滿神祕色彩並具有東方智慧的兩部重要典籍。近年來,隨着易學和老學研究的深入,二者的關係越來越受到學者們的重視。但以往的研究多側重在《老子》與《易傳》的關係上,而對《老子》與《周易》古經的關係卻研究甚少。因此,對二者關係的重新探討,無論就中國哲學史來說,還是就中國文化史或中國思想史來説,都具有重要意義。

一

首先,《易》《老》問題的探討,有利於加深認識老子思想的淵源問題並由此拓展先秦道家研究的新方向。對老子思想的來源問題,歷史上與現代學者都作了不少可貴的研究,但大體上都停留在宏觀考察上。其中之一是從地域文化的角度來定位老子思想的淵源,認為老子思想來源於對陳楚文化的繼承,其重要表現是對"水"的崇尚等等。其二是從歷史文化的角度定位老子思想的淵源,認為老子作為史官,十分熟悉中國古代的各種文獻,因此其思想的重要來源,即是對殷周以來中國古代文化遺産的繼承。從總體意義上説,這些説法都有其合理性,但它還不能使人確切瞭解老子思想的淵源,因為上述推論都不免一般化或失之籠統。地域文化離不開歷史發展,而歷史文化亦是在特定地域中産生,二者似不能截然分開。一般化的推論,不僅適合老子,也同樣適合别的思想家,何以同樣熟悉中國古代典籍的孔子,在哲學或思想上,走的卻是一條與老子不同的道路?何以同樣生活在江南水鄉的屈原,未能成為創立自然哲學體系並具有豐富的辯證思維的哲學家?判别一位古代思想家或哲學家之所以具有某種特定的思想或哲學,其生活環境、地域文化、歷史背景等,固然可以作為考察該思想家思想成因的必要條件,但非充分條件。

第二,揭示《老子》與《周易》古經的淵源關係,有利於打破《周易》專為儒家經典的歷史成説,為從中國哲學的源頭上考察道家思想的發生、發展提供第一手的史料根據,或為"道家主干説"與"儒道互補"説提供新的論據。

《周易》包括"經"、"傳"兩部分。"經"的部分産生年代甚早,經近年學者的考證,它甚至可以上推至殷周以前,且在先秦典籍中,《易》同詩、書、禮、樂、春秋等均不稱"經",更談不上其為儒家經典之說。皮錫瑞在其《經學歷史》中,認為經學開闢時代斷自孔子删定六經為始,"孔子以前不得有經","周公舊典經孔子删定,始有六經之名"。此説雖以尊孔為前提,但却道明了一個基本事實:即在孔子前,詩、書、禮、樂、易、春秋等先秦舊典概不稱"經"。由此可以斷定,上述舊典决非儒家之專利。

實際上,即使在孔子後的相當長的一段時間内,"六經"之名亦不見稱。在先秦諸子的著作中,尤其在《論語》、《孟子》、《荀子》等重要儒家典籍中,"六經"的概念並没有提出。在孔、墨、孟、荀的書中,詩、書、禮、樂、易、春秋六典均分而稱之。最多是詩書、詩禮、詩樂、或詩書禮並言。況且在墨子、孟子書中均不談"易"。在《論語》中,關於"易"也僅有一見。這一情況説明,孔子之後,雖然創立了儒家學派,但在很長一段時間裏,"經"的觀念不但没有提出,更没有明確的把它們作為儒家經典,《易》則更不必説。至諸子百家興起之後,特别是戰國中後期,門户之見日嚴,各派之間的歧見也日深。故孟子闢楊墨,莊子斥儒法,荀子非十二子,以及韓非著五蠹等。但均未明言儒家以"六經"為經典,也未見詩、書、樂、易、春秋六者連稱。

六者連稱及"六經"一詞,從語源上説,最早却出現在《莊子》書中。《莊子·天運篇》説:"孔子謂老聃曰:'丘治《詩》、《書》、《禮》、《樂》、《易》、《春秋》六經……。'老子曰:'夫六經,先王之陳迹也。'"孔、墨、孟、荀、韓均無"經"之言,而獨莊子言之,足見其可疑。又《天道篇》説:"孔子西藏書於周室,子路謀曰:'由聞周之征藏史有老聃者,免而歸居,夫子欲藏書,則試往因焉。'孔子曰:'善'。往見老聃,而老聃不許,於是繙十二經以説。"這段話中亦有兩點可疑:其一,"孔子西藏書於周室",王先謙《集解》引諸家説:"司馬云藏其所著書也。姚云此亦漢人語,藏書者,謂聖人知有秦火而預藏之,所謂藏之名山。"其二,所謂"十二經",歷來有多種說法,陸德明《釋文》引說者云:"《詩》、《書》、《禮》、《樂》、《易》、《春秋》六經加六緯,合為十二經也";一說云:"《易》上下經並十翼為十二";或云:"春秋十二公經也"。這三種說法,無疑亦屬漢人語。由此亦可證明《莊子》"十二經"之說純屬來歷不明。

《莊子·天下》篇還有一段話,也提到類似上述的說法,但内容却與上述說法有別。其文說:"古之人其備乎!配神明,醇天地,育萬物,和天下,澤及百姓,明於本數,係於末度,六通四闢,小大精粗,其遠乎無不在。其明而在數度者,舊法世傳之史,尚多有之。其在於詩、書、禮、樂者,鄒魯之士搢紳先生,多能明之。《詩》以道志,《書》以道事,《禮》以道行,《樂》以道和,《易》以道陰陽,《春秋》以道名分。其數散於天下而設於中國者,百家之學時或稱而道之。"對於這段文字,馬敘倫以後的一些注家,多以"《詩》以道志"以下六句非莊子語,而是古注羼入正文。其所以懷疑非莊子語,其理由又多為"上文衹講《詩》、《書》、《禮》、《樂》,這裏忽然增加《易》、《春秋》合為六經,顯示後人增入"(張恒壽:論《莊子·天下篇》的作者和時代)。實際上,大可不必懷疑,因為《天下篇》本身即是晚出的作品,其"六經"的提法與《天運》、《天道》中如出一轍,這恰恰可以證明,以上三篇出於莊子後學之手蓋無疑問。因此,以上三篇對於詩、書、禮、樂、易、春秋六者連用及"六經"一詞,其出現時間最早不過漢初。

由上述可知,在先秦典籍中,除《莊子》外,均無"六經"一詞,而《莊子》中的《天運》、《天道》、《天下》諸篇,皆莊子後學之作,不能與莊子其人的生活年代相當。因此,"六經"一詞確為晚出。至漢代,司馬遷著《史記》、班固撰《漢書》,纔開始從莊子後學手中接過"六經"一詞,並成為儒家專有。對此,從上述所引《天下》篇的記載中亦可窺見一斑。《天下》篇雖屬晚出,但還多少保持着原來的歷史面目,認為作為儒家的"鄒魯之士搢紳先生",其在於《詩》、《書》、《禮》、《樂》者,"多能明之"。其中並未言《易》。《天下》篇的這一看法,是符合漢代以前儒家的實際情況的。

從漢代開始,"六經"正式成為儒家經典,並根據漢代統治者"獨尊儒術"的思想文化政策之需要,製造出許多關於孔子的神話,於是"六經"多與孔子和儒家發生聯繫。儒家學者也更加自覺地運用"六經"創造自己的思想文化體系,並製造了上推至孔子的六經傳授系統。司馬遷寫《史記》時,尚多稱"六藝",而"六經"一詞僅一見,且與陰陽、天地、鬼神、巡狩、封禪等觀念雜錯在一起。其文稱:"……五帝廟南臨渭,北穿蒲池溝水,權火舉而祠,若光輝然屬天焉。於是貴平上大夫,賜累千金。而使博士諸生刺六經中作王制,謀議巡狩封禪事。"(《史記·封禪書》)"使博士諸生刺六經中作王制"一語,正道出當時的統治者對"六經"的需要,以及儒家學者對"六經"自覺運用的開始。但此時把"六經"作為儒家經典的歷史性選擇還不甚明顯。一直到《漢書·藝文志》,始明確"六經"為儒家經典,稱"儒家者流,蓋出於司徒之官,助人君,順陰陽,明教化者也。游文於六經之中,留意於仁義之際,祖述堯舜,憲章文武,宗師仲尼以重其言。"據此,《漢書·藝文志》在其《六藝略》中,首列《易》為諸經之首,並把《論語》與《孝經》也作為經典。後又有大儒鄭玄遍注羣經,並專門著有《六藝論》,以論六經要旨及儒學宗歸。這些均可說明,六經作為儒家經典並系統化,乃漢代思想文化發展的產物。

至於《易傳》的著者問題,雖也衆說不一,但《史記》中孔子作十翼的說法,經過由宋至清,由清至現代的學術發展,史遷之說亦基本上被推翻。剩下的僅是"孔子晚年喜易,讀易韋編三絕"而已。但《論語》很少談《易》,《孟子》甚至隻字不提,至荀子始多注意。然荀子之《非相》、《大略》所談之《易》,也僅在就事取譬之範圍內,而非《易》之哲學也。

二

發揮《易》之哲學者，蓋非老子莫屬。從表面看，《老子》與《周易》古經没有太多的聯繫，《老子》一書亦同《墨子》、《孟子》一樣，對《易》隻字未提。但當我們判斷一位哲學家的思想淵源時，應捨棄表面上的聯繫而注重其內在的精神本質的聯繫。對於言必稱某某的哲學作品，其稱某某雖在表面上看，與某某有密切關係，但在精神實質上却未必與所稱之某某相同，有時甚至完全相反，乃至掛羊頭而賣狗肉。這一思想意識現象，常常被歷史的或現實的存在所證實。

老子作為一位有創見的哲學家，他提出以"道"為核心的哲學體系，並用"道"來説明宇宙萬物的本原與變化，使中國哲學首次突破了道德哲學和政治哲學的局限，為中國哲學的形上學奠定了基礎。但這一切並非突然發生的，它是經過相當長的思想演變及思想資料的積累，其中包括哲學概念的不斷抽象化與範疇化。而先秦，在哲學上可供老子吸收的資料，除《周易》古經外，其餘如《詩》、《書》、《禮》、《樂》等材料都與哲學思維相距較遠。

《周易》古經作為當時一部以占筮為主的文獻資料，其產生的本身，即是對宇宙天地及人生命運的一種終極關切。又由於它以占筮為功用，因此又具有象徵、隱晦、預測等特點，這就為後來的哲學思維留下了廣闊的空間。它雖然在形式上保留有殷周以來的神祕色彩，並以人的吉凶悔吝，福禍休咎為歸依，但它卻是從更高的角度，通過對自然、社會、人生的大量觀察，把自然與人類聯繫在一起。此即後人所概括的那樣：《易》的產生，乃是在"仰則觀象於天，俯則觀法於地，觀鳥獸之文與地之宜，近取諸身，遠取諸物"的基礎上,"始作八卦,以通神明之德,以類萬物之情"的。由此看來,八卦、六十四卦及其卦爻象、卦爻辭等《易》卦體系的產生,也決不是憑空出現的。它是古人積極探索宇宙事物及人生奧祕的理性思維的產物,同時也是對宇宙事物及社會、人生所存在的矛盾對立和運動變化的初步了解和初步認識。因此它不是單純的占筮吉凶的迷信巫術,相反,它是從中國早期的巫術迷信中脫胎出來的具有初步哲學思維和辯證思維的重要認識成果。從六十四卦的卦象及卦爻辭看,幾乎每一卦都含有一定的辯證因素。當然,由於它受到占筮體例的限制及其所由脫胎的巫術母體的"胎痕"的影響,它又不可避免地在某些方面,具有機械性和迷信成份。這些都被後來的《老子》所揚棄。

《周易》古經的樸素的辯證思維和老子哲學中的豐富的自覺的辯證思維,即是《老子》與《周易》的內在的精神本質的聯繫。我們在考察《老子》與《周易》的淵源關係時,對此不能忽視。

以前,我們總是把中國哲學史中的辯證法思想的來源,歸結為《易傳》與《老子》兩個源頭。這種看法其實是一種誤解。產生誤解的根本原因,即是割斷了《周易》古經——《老子》——《易傳》的真正源流關係,從而既排除了《老子》對《周易》古經的繼承;又忽視了《老子》對《易傳》的思想影響。其實,從《周易》古經至《老子》,再到《易傳》,恰恰反映了中國古代辯證思維發展的清晰線索,同時也體現了正——反——合的辯證思維發展的客觀規律性。這三個階段的辯證法思想的發展,有許多共同點,其所不同之處,主要在於儒道兩家對"易學"系統,其中包括對《周易》古經的不同闡釋和發揮。

老子是中國哲學史上第一位從哲學的高度對殷周以來的理論思維給予總結和發揮的人。他作為道家學派的創始人,與儒家的思想方法和思維路數大相徑庭。因此,他與《周易》古經的關係,同儒家與《周易》古經的關係,顯然是根據不同的方法,沿着不同的方向,給予不同的理解與發揮。可以說,易學哲學的發展,始終體現為"儒家易"與"道家易"兩條基本脈絡,至魏晉始趨向合流。如果說,以孔子為代表的儒家學派,多是從政治與道德意義上吸取《周易》古經的營養,並綜合其它思想原素,建立起豐富的道德哲學的話;那麼,以老子為代表的道家學派,則是從宇宙萬物的生成發展或事物矛盾對立統一的角度,吸收了《周易》古經的思想資源,從而建立起一套完整的宇宙論哲學或自然哲學的邏輯範疇體系。

三

《周易》古經是老子哲學的重要來源之一,這早已成為古今學者的共識。漢代揚雄說:"觀大易之損益兮,覽老氏之倚伏"(《太玄賦》)。魏晉時期的裴頠在其《崇有論》中亦說:"老子既著五千之文,表摭穢雜之弊,甄舉静一之義,有以令人釋然自夷,合於《易》之《損》、《謙》、《艮》、《節》之旨。"其實《易》之對《老子》的影響遠不止此。

《易》之六十四卦,觀其卦名,可構成六十四個基本概念。但在其卦爻辭中,由於其所用的方法,乃是繫辭以敍事,故卦爻辭之間似缺乏系統性和連貫性,有的甚至突如其來,與其卦名的含義並不相符。但仔細考察六十四卦卦名及其一卦所包含的義理,在多數情況下,仍不失其主旨。因此,若順着六十四卦之卦名所反映的思想,再加以提煉,便可構成六十四個基本概念,有的還可提升為哲學範疇。這一點,雖然《易》之作者沒有自覺,亦未完成,但它卻給後人以理論思維的啓發,因此它成為中國哲學的源頭之一,則是必然的。在這一點上,《老子》受《易》之啓示,也是明顯的。

其二,《易》之陰爻、陽爻的排列組合,構成《易》象系統的完整結構,並時時顯示出內在的規律性,這是離開繫辭語言的象數系統。《老子》書中屢稱"大象無形"、"執大象天下往"等等，其中"大象"的思維形式及"大象"的語源來歷，均不能與易象中之卦爻象脱離關係。所以，《周易》古經對《老子》的影響，大致可分為兩類：一類是如揚雄、裴頠所論，屬卦爻辭義理及字義的啓示；一類則屬前人未曾論及的卦爻象或易象的啓示。當然，在《老子》書中，此類影響是隱性的，魏晉時期的言意之辨、易象妙於見形與不妙於見形等問題的辯論，都與《老子》書中的"大象無形"論有關。在多數情況下，《易》對《老子》的影響，應是上述兩個方面的綜合。

就思想而論，《老子》直接吸收了《周易》古經中的辯證法思想，諸如事物内在矛盾的對立統一思想、關於事物發展變化的量變質變思想、關於矛盾轉化、物極必反思想等等。在《周易》古經中，這些思想多為一種不自覺地流露，而在《老子》則進一步用哲學語言加以概括，從而得出與《周易》古經相一致的結論。如乾、坤兩卦，在《周易》古經中，乾為純陽之卦，坤為純陰之卦。其卦象更是一種形象具體的表述：乾六陽䷀，坤六陰䷁。此為《周易》古經中絶無僅有的兩個具有統帥性質的卦。此外如五陰一陽的䷖剝、䷗復兩卦，或五陽一陰的䷪夬、䷫姤兩卦，四陰二陽的䷓觀、䷒臨，或四陽二陰的䷠遯、䷡大壯，三陰三陽的䷊泰、䷋否等等。這種形象具體的卦象，尤其是其中陰陽勢力的變化消長、卦爻在一卦中的排列秩序的變動、以及從形象上即可區分的兩極對立、矛盾統一等結構特點，正可反映宇宙事物的變易特性，不難給人以哲學的啓示。再如，從六十四卦陰陽兩爻排列秩序的結構變化中亦有規律可循。陽爻由多變少，陰爻即由少變多；反之亦然。這種變化在卦象中一目了然。如䷀䷫䷠䷋䷓䷖䷁，或者反過來䷁䷗䷒䷊䷡䷪䷀。這種有規律的結構變化，可以使人體會到事物發展除内在矛盾雙方的相互消長相互作用外，尚體現一個連續不斷的變化過程，這一過程隨着某種相同因素的增加或減少，不斷改變着自己本來的存在方式，最後達到根本性的變化。如由䷀到䷁,或由䷁到䷀,不是一下子發生突變的,它中間還有許多量變的積累過程。這也同樣可以給人以哲學的啟發。

《老子》拋開了《易》之有限的外在形式,不從爻象上推衍義理,而是直接以"大象無形"的哲學視野,吸收《易》之合理内核。如乾卦從初九的"潛龍勿用",一直到上九的"亢龍有悔";剥卦從初六的"剥床以足",一直到上九的"小人剥廬";復卦從初九的"不遠復",一直到上六的"迷復"等等,表述了事物發展由小到大、由低到高、由隱到顯、由量變到質變的發展過程。從自然宇宙,到社會人生,老子從《易》中受到啟發,看到了這種演變的不可抗拒性,特别是當事物發展到頂點時,就要從高處跌落下來。於是提出"兵强則滅"、"物壯則老"、"高以下為基"等哲學命題,均是對《易》之由"潛"到"亢"的哲學概括。《老子》也吸收了《易》中關於事物發展過程中的質量變化思想。如六十三章:"圖難於其易,為大於其細,天下難事,必作於易,天下大事,必作於細";六十四章:"合抱之木,生於毫末;九層之臺,起於累土;千里之行,始於足下"等等,都包含有事物變化的量變積累思想。這一思想的來源,雖不必盡歸於《易》,但其與《易》合,却是明顯的。

《易》之乾坤兩卦的本質屬性,至《易傳》始概括為陰陽、健順、闢闔、剛柔。《坤·文言》說:"坤至柔而動也剛,至静而德方,後得主而有常,含萬物而化光。坤道其順乎,承天而時行。"《繫辭上》說:"是故闔户謂之坤,闢户謂之乾。一闔一闢謂之變,往來不窮謂之通。"這些思想,其實都是經過《老子》對《周易》古經的吸收與闡發而後才有的。《坤》卦辭說:"坤,元亨。利牝馬之貞。君子有攸往,先迷後得主,利西南得朋,東北喪朋。安貞吉。"如果排除占筮的語言,此卦主題給人的啓發,衹是一個"牝"字。《老子》正是吸取了"牝"的觀念,在其五千文中大作文章。"谷神不死,是謂玄牝。玄牝之門，是謂天地根。緜緜若存，用之不勤"(六章)；"天門開闔，能為雌乎?"(十章)；"大邦者下流，天下之牝，天下之交也。牝常以静勝牡，以静為下"(六十一章)；"知其雄，守其雌，為天下谿，……為天下谿，常德不離，復歸於嬰兒。知其白，守其辱，為天下谷。為天下谷，常德乃足，復歸於樸；"(二十八章)"我獨異於人，而貴食母"(二十章)。由"牝"到"雌"，由"雌"到"母"，牝——雌——母三位一體的概念終於成為老子哲學的基石。

由牝、雌、母的象徵意義，必然引發出對牝、雌、母的本質屬性之追求。於是，老子沿着這一路向，在其哲學中抽象出屬於牝、雌、母本質屬性的"虛"、"静"、"柔"、"素"、"謙"、"儉"、"順"、"下"、"不争"、"生"等一系列重要哲學範疇，標誌《老子》哲學體系的完成。

"生"的觀念在《老子》哲學體系中佔有重要地位。它是老子哲學宇宙生成論的基礎。因為牝、雌、母的最本質屬性即是生。"道生一，一生二，二生三，三生萬物。萬物負陰而抱陽，沖氣以為和"(四十二章)；"道生之，德畜之，長之育之，成之熟之，養之覆之。生而不有，為而不恃，長而不宰。是謂玄德"(五十一章)；"天下有始，以為天下母。既得其母，以知其子；既得其子，復守其母，没身不殆"(五十二章)。舉凡天地萬物，常有、常無，有形、無形，有名、無名，都是"牝"的產物，因此她成為"玄之又玄"的"衆妙之門"。也即是説，"玄牝"乃萬物所必經的"門户"，此即"玄牝之門，是謂天地根"。

"牝""雌""母"除"生"的屬性外，還有"虛"、"隱"、"無"等屬性。"三十輻共一轂，當其無，有車之用；埏埴以為器，當其無，有器之用；鑿户牖以為室，當其無，有室之用。故有之以為利，無之以為用。"(十一章)可見，《老子》的宇宙本體論思想也是從"牝""母"觀念引發出來的。

我們説《老子》哲學中"牝"的觀念來源於《易》之《坤》卦，應有其邏輯上的根據。因為在《老子》以前的先秦典籍中,除《易》外,均很少談到"牝",即使談到,也僅是在諸如鳥獸的雌雄等一般意義上使用。而《易》把"牝"引進《坤》卦卦辭,而坤又與乾相對,從而使"牝"同天地的本性聯繫起來,使"牝"字獲得了初步的抽象意義。《老子》吸收了《易》對"牝"的初步抽象,並在這一基礎上規定了"牝"的"柔"、"静"、"順"、"下"等本質屬性,為自己的宇宙生成論或宇宙本體論哲學尋到了最具象徵意義的概念。這也即是由"易象"到"大象"的合乎邏輯的發展過程。

四

在《老子》五千文中,雖然無一處明稱引《易》,但仔細考察《老子》思想,幾乎處處與《易》有關。除上述論證外,我們還可從《周易》古經的卦名、卦爻辭及其所包含的義理考察《老子》與《周易》古經的聯繫。

(1)《坤》六四:"括囊,無咎無譽。"意謂人遇事要象束結囊口一樣,内無所出,外無所入,緘口不言,塞耳不聞。如此則可免除災咎和各種錯誤。當然也不會得到名譽或榮譽。《需》九二:"小有言,終吉。"(帛書本作"少有言")意謂少説話,可以免除口舌是非,終能得到好結果。《豫》六二:"介於石,不終日,貞吉。"介,借為砎,堅實貌。據高亨説:"人剛堅如石,則易折毁,若其剛堅不過終日之間,即轉為柔,則所占之事乃吉。"(《周易大傳今注》)以上三卦的部分爻辭,其中心思想是少説話,甚至不開口,以此保持戒慎之道與中正之德。此與《乾》之"君子終日乾乾,夕惕若厲,無咎"意同。

《老子》書中的戒慎、不言思想蓋源於此。《老子》二章:"是以聖人處無為之事,行不言之教;萬物作而弗始,生而弗有,為而弗恃,功成而弗居。"五章:"天地之間,其猶橐籥乎?虚而不屈,動而愈出,多言數窮,不如守中。"三十九章:"故貴以賤為本,高以下為基。是以侯王自稱孤、寡、不穀,此非以賤為本邪?非乎?故至譽無譽。是故不欲琭琭如玉,珞珞如石。"五十二章:"塞其兑,閉其門,終身不勤"(馬敘倫說:"勤"借為"瘽",病也)。這裏,老子與主張"處無為之事,行不言之教","多言數窮,不如守中"等思想,與上述《易》之坤、需、豫三卦的思想完全相合,甚至在用語上亦有沿襲的痕迹。如"無咎無譽"與"至譽無譽";"少有言"與"多言數窮";"介(砎)於石"與"珞珞如石"等。不僅用語相似,思想亦表現為由淺至深的發展。

(2)《屯》六二:"屯如邅如,乘馬班如。"九五:"屯其膏。"歷來解《易》者,對"屯"之卦名的含義解釋不一。《象》解"屯"為"聚",《彖》解"屯"為"難"。《彖》曰:"屯:剛柔始交而難生,……雷雨之動滿盈,天造草昧。"《序卦》承《彖》義,認為"有天地然後萬物生焉。盈天地之間者唯萬物,故受之以屯。屯者,盈也。屯者,物之始生也。"綜合《彖》辭與《序卦》之義,"屯"為萬物始生狀態。《老子》書中有"屯"字,其義指混沌未分之狀態。如二十章:"沌沌兮如嬰兒之未孩(咳)";五十八章:"其政悶悶,其民淳淳。"帛書乙本"淳淳"作"屯屯"。"沌"與"屯"互借,義同。均指嬰兒始生,不知咳笑,渾沌未分的狀態。可見,《彖》、《序卦》解"屯"均來源於《老子》。而《老子》之"屯",無論在義理上,還是在語源上,都與《易》之《屯》卦有關。

(3)《觀》卦主題,在於一個"觀"字。此是《易》之六十四卦中,從認識事物的角度,强調觀察、考察、省視的不同方法及其重要性的一卦。因此,其在《易》中,具有認識論的意義。

《觀》卦卦辭以祭祀為起筆,說明全面觀察的重要性。其卦辭說:"觀,盥而不薦,有孚顒若。"李鼎祚《集解》:"盥者,進爵灌地以降神也。"薦者,獻也,獻牲以祭也。孚,俘虜。顒,《說文》:"大頭也"。李鏡池《通義》謂:"顒若,頭大的樣子,指俘虜頭部被打得腫腫的。"卦辭的意思是說,祭祀這樣的大事,因為犧牲不完好(作人牲的俘虜被打傷),故灌灑而不獻牲,可見,觀察的重要性。接着,此卦從初六,至上九,分列六種不同的"觀",以明"觀"的不同角度、不同內容及其所帶來的不同效果。

初六:"童觀,小人無咎,君子吝。""童觀",謂愚昧幼稚的觀察。因其稚昧,故"觀"也浮淺,對於"小人"來說可能無所謂,但對於負有重任的"君子"來說,稚昧浮淺的觀察,必造成行事的困難,故曰:"君子吝"。

六二:"闚觀,利女貞。""闚"同"窺",所謂"闚觀",是說從縫隙或孔穴中觀物,必得一孔之見。此與"坐井觀天"、"以管窺豹"無異。此觀不能看到事物全貌,故其所得僅是"一點"或"一斑"而已。高亨說:"闚觀所見者極小,以此認識事物,在不出閨房,不與外物接觸之女子有所貞問則有利。"故占斷辭稱"利女貞"。

六三:"觀我生進退。"李鏡池說:"生,即姓"。指親族或家族。高亨說,古語亦稱百官為"生",亦稱庶民為"生"。此爻是說,國君考察自己的百官和庶民,則知用人施政之得失,從而對人有所進退,對事有所進止。

六四:"觀國之光,利用賓於王。"意謂以賓客的身份,觀察或考察別國之風俗政教,以為本國借鑒。李鏡池說:"上爻談國內,本爻談對外。對外要觀察那些國家比較光明,跟立結盟,擁護王室。"(《周易通義》)

九五:"觀我生,君子無咎。"體察或考察親族、百官、庶民,則用人施政得當。

上九:"觀其生,君子無咎。"李鏡池說:"其生",指疏族,其他部落氏族。高亨說:"其生",指他國之百官庶民。聯繫起來看,此爻是說,不僅要考察親族及本國的情況,還要觀察或考察疏族或他國百官庶民,從中得知其它氏族或他國用人施政之得失,從而對外方針政策得當,亦可避免犯錯誤。

再看《老子》書中的“觀”字,不僅句法相同,而且簡直是在模仿《周易》。《老子》五十四章說:

> 善建者不拔,善抱者不脫,子孫以祭祀不輟。修之於身其德乃真;修之於家,其德乃餘;修之於鄉,其德乃長;修之於國(據韓非及帛書甲乙本),其德乃豐;修之於天下,其德乃普。故以身觀身,以家觀家,以鄉觀鄉,以國觀國,以天下觀天下。吾何以知其然哉?以此。

與《周易》古經比較,《老子》談“觀”有三點值得注意:(一)《老子》此章開頭,與《觀》卦一樣,也是從祭祀講起。為甚麼二者講“觀”,都從祭祀講起,此問題有待進一步研究。(二)《老子》在此章中,明確提出以修德為祭祀的根本,“不拔”、“不脫”者,皆指修德而言。這是不是把《易》之外在的“觀”向內在的“修德”轉移?此正可與《節》之初九“不出户庭,無咎”與《老子》“不出户知天下”及《易》之“損”“益”思想與《老子》損益思想發生內在的聯繫。(三)修德必須從“修之於身”開始,並由此推廣開去,以至“修之於天下,其德乃普”。由“身”到“家”到“鄉”到“國”到“天下”,這一連串的遞進過程,顯然是得到《易》的啓示而後有。

從以上的敍述和分析中,我們可以看出,《老子》五十四章一連以五個“觀”字重復並發揮《觀》卦所提出的“觀”之內容,只是揚棄了“童觀”、“闚觀”兩種觀法,卻代之以“觀身”、“觀天下”,這樣除上述以“德”解“觀”,加深了《易》之“觀”的內涵外,同時也增加了“觀”的普遍性,這不能說是偶然的。尤其是五十四章以“子孫祭祀不輟”開頭,則更呼應了《觀》卦由祭祀而談“觀”的內容結構。如果把老子此章的句子分開,分列於《觀》之卦爻辭之後,決不失為一種老子《易傳》。

《老子》書中的“觀”字,其含義與《易》之“觀”雖相去不遠,但卻也有自己較大的發揮。如“故常無欲以觀其妙,常有欲以觀其徼”;“萬物並作,吾以觀復”等等。“常有”、“常無”(不與“欲”字連讀)在《老子》體系中是一個高度抽象的概念,其“妙”、其“徼”,更屬形上世界,是用肉眼觀察不到的。因此,老子所謂“觀”,比《易》之“觀”更具抽象性,它已接近“體”、“悟”等概念的內涵。所以後來的道家、道教、甚至佛教,都十分重視“觀”字,並把它發展為具有“外觀”與“內省”統一的修行法門。但溯其源,皆通過《老子》而源於《易》蓋無可疑。

以上僅從四個方面探討了《老子》思想與《易》之淵源關係。實際上,《老子》受《易》影響的痕迹,在《老子》一書中可謂比比皆是。《老子》對《易》六十四卦卦名、卦爻辭多有採擷並作新的發揮,除前面所談到的外,尚有訟、比、小畜、履、泰、否、豫、隨、蠱、臨、噬嗑、剥、復、無妄、大畜、大過、坎、離、恒、遯、大壯、蹇、損、益、明夷、困、革、艮、兑、渙、節等卦的名詞、概念乃至思想,均不同程度地被《老子》從正面或反面所吸收。因此,衹要對各卦與《老子》有關章節對比研究,便會發現其中的微妙關係。

如《訟》卦主題及《訟》上九“或錫之鞶帶終朝三褫之”,可與《老子》十三、二十三、四十四、七十九諸章對看;《噬嗑》卦可與《老子》十二章對看;《無妄》卦可與《老子》十六章對看;《節》卦主題及《節》之初九、九二,可與《老子》四十七章對看;《履》卦主題及其九二爻辭,可與《老子》四十八章對看等等。再如《遯》卦之隱遁思想,《蠱》卦之“不事王侯高尚其志”思想等等,都對《老子》有重要影響。除此之外,《老子》書中的一些用語、概念,甚至在語源上亦與《易》之卦名、卦爻辭及占斷辭有關,如吉、凶、災、咎、福、禍等皆源於《易》。因篇幅所限,不能一一贅述而已。

作者簡介 李中華，遼寧法庫人。1944年生。北京大學哲學系教授、中國文化書院副院長、北京大學中國哲學與文化研究所副所長。主要著作有《中國文化概論》、《緯書與漢代文化》等。

由帛書《易之義》看《易》《老》之關係

尹振環

内容提要　老子主要的政治思想，均能在《易》中找到它的雛形。《易》的變易觀對老子也深有影響。而《易》《老》的寫作目的、進言對象也有其相通點。新公佈的帛書《易之義》等，為剖析上述問題提供了新的證據。

孔子老而好《易》，"居則在席，行則在囊"。子貢感到困惑，責問孔子：您教導弟子，"德行亡者，神靈之趨；智謀遠者，卜筮之蔡(占卜)"，現在您何以老來好易？孔子回答的要點是：(1)"前祥而致者，弗祥而好也，察其要者，不詭其德"；(2)"《尚書》多閼矣，《周易》未失也，且有古之遺言"；(3)"求其德而已矣，吾與史筮同途而殊歸者"；(4)《易》"有君道焉"(見帛書《要》。《道家文化研究》第三輯。下同)。這與孔子"不語怪力亂神"的態度，以及《論語》《史記·孔子世家》的記載相吻合。也説明孔子在年老之前並不好《易》。老子也是位"不語怪力亂神"的，不信帝神創造説。但他不同於孔子的是他的史官身份。這決定了他必須研究了解《易》。因為史、卜、筮、祝這幾種人"每每是相兼相通的"(李學勤語)。甚至"《周易》這個典籍的編纂出於史官"(朱伯崑語)。而孔子所説的那幾條理由，無一不完全適用於老子。因此老子當比孔子更早更多地接觸與研究《易》，從中汲取營養。所以，早就有人指出："老子思想的淵源,有不少出於《易》"。拙文擬作一分析:《易經》可能在哪些方面影響到《老子》,以求教於方家學者。

一、《易》《老》的寫作目的

如果說《老子》是對君人者的進言,目的在無為而治,那麼《易》的對象及目的就寬得多:一切卜筮的人與事。但是《易》的重要對象、目的,依然是君人者與為治的。

《易》有 16 次提到"王",如"或從王事"、"王三錫命"、"王有三驅"、"王用亨於西山"……此在於强調王的重要性。有 3 次提到"大君":"大君有命"(《師》卦),"武人為於大君"(《履》卦)、"大君之宜"(《臨》卦),顯而易見"大君"與"王"同義。13 次提到"大人":"利見大人"、"用見大人"、"大人否"……在《易》,"大人"與"王"似乎同義,也是一種統治人民的人。除此而外,即是大量之"君子",這"君子"自然不是平常人,也是君人者甚至往往也指"王"。如果再加上以"龍"喻君之處,那就更多了。這些盡管不像《老子》中大量的"侯王"、"社稷主"、"天子"、"三公"、"聖人"那樣清楚,但考慮到《易》源於遠古,非出自一朝一代一人之手,且是一種筮史文化,它的對象要廣泛得多,所以就難免有這樣模糊的詞句。但是仍不難看出,它的寫作目的往往是針對王,從利於治出發的。如果說,《老子》乃"歷記成敗存亡禍福之道,然後知秉本執要,清虛以自守,卑弱以自持"的結果,那麼,《易》雖屬筮史文化,但在神祕色彩下,同樣溶化了各種各樣的吉、凶、得、失、祥、災、進、退、剛、柔的變易之道的。或者說,卦辭爻辭之中也包含着"成敗存亡禍福"之道的。

二、"潛龍勿用"與"無為"

《周易》的首卦是《乾》。卦名就是指天。其卦辭、爻辭,總共才七十餘字,幾乎都在説"龍":"潛龍勿用"、"見龍在田"、"或躍在淵"、"飛龍在天"、"亢龍有悔"、"見羣龍無首"……其他文字也大都關係到"龍"。那麼這"龍"究竟指喻什麼?難道它僅僅指一種神異的動物而没有隱喻什麼?顯然這是不可能的。

也許是知而不言,或不便、不能明言,《彖》《象》《文言》都含糊其詞。因此,聞一多認為"龍"是天上的"龍星"(《周易義證類纂》)。馬融曰:"借龍以喻天之陽氣也"(《周易集解》)。而更多的是不作伸引,龍即是龍。值得慶幸的是,帛書《易之義》《二三子問》……出土並公佈了。它也許可以使《彖》《象》《文言》《繫辭》中"龍"的含糊,變得清晰,即"龍"是喻君王的。而"潛龍勿用","或躍在淵"、"亢龍有悔",似乎是"無為"、"好靜"、"不爭"的雛形。下面我們將帛書及有關理解,分別抄録分析如後:

1."初九:潛龍勿用"

在帛書《二三子問》中,此作"寑龍勿用"。

"龍寑矣而不陽,時至矣而不出,可謂寑矣。大人安失(佚)矣而不朝,誩猷在廷,亦猶龍之寑矣,其行減不可用也。故曰寑龍勿用。"

改"潛"為"寑",似乎有其用意。"不朝","在廷",自然是指朝廷的"不朝","勿用",這是否有點"無為"的意思?帛書《易之義》對"潛龍勿用"有兩種解釋,其一是:"匿也"。其二是"言其過也"。看來之所以潛、匿,是容易產生過,即"龍"之用的過,比喻人君自用、有為之過。所以高亨説:"潛龍比喻人(君?)隱居不出,静處不動……不可有所作為”。這豈非“無為”的寫狀。

如此再看《文言》下面的論述，就清楚了：

“潛龍勿用，何謂也？子曰：龍，德而隱者也，不易世(不為世俗所轉移)，不成名，遁世無悶，樂而行之，憂則違之，確乎其不可拔，潛龍也。”

這不僅看清了“無為”的含義，而那“不成名”，“遁世無悶”，還是一種“無名”的思想哩。

2.**“見龍在田，利見大人”**

帛書《二三子問》：“卦曰：‘見龍在田，利見大人’。孔子曰：□□□□□□□□□□□嗛(謙)易告也，就民易遇也。聖人君子之貞也，度民宜之，故曰，利以見大人”。可惜有九字湮損，但仍可看出，龍與聖人、君子有關。雖說這是儒家思想。

帛書《易之義》：“‘見龍在田’，德也”。這與《象》所說的“德普施也”，意思相同，範圍有別罷了。而高亨的解釋就通俗了：“龍出現於田中，比喻王侯、大夫活動於民間……”在這裏，“龍”直接即是指王侯大夫了。

3.**“或躍在淵，無咎”**

《易之義》的解釋是：“隱〔而〕能静也”。

《象》則説：“‘或躍在淵’，進無咎也”。

“在淵”之龍，自然是隱静的。人君的隱與静，或在隱静中的“進”，當然也會無害。這岂不像老子的“好静”、“無事”？

4.**“亢龍有悔”**

《二三子問》：“易曰：‘抗(亢)龍有悔’。孔子曰：‘此言為上而驕下，驕下而不殆者，未之有也。聖人之立正也，若遁(循)木，愈高愈畏下,故曰:亢龍有悔"。這雖説是進行勿驕與謙下的説教,但可見"龍"已經是"為上"、"聖人"了。

《易之義》:"'亢龍有悔',高而争也"。此其一,其二,"'亢龍有悔',言其過也"。

《象》曰:"'亢龍有悔',盈不可久也"。

《文言》:"'亢龍有悔',窮之災也"。"亢之為言也,知進而不知退,知存而不知亡,知得而不知喪。其唯聖人乎! 知進退存亡而不失其正者,其唯聖人乎!"

這裏講"龍"用之害,講一當"龍"變得"亢"、"高而争",那麽其過錯,帶來的窮困、以及災害,還有認識上的片面性錯誤,接踵而至。

……

上述種種,不能不使人們想起老子之名言:"我無為而民自化,我好静而民自正,我無事而民自富,我無欲而民自樸"(五十七章)。它也許是在"龍"之"勿用"、"在淵"、"有悔"的基礎上發展起來的吧?

三、臨民之術:恩、威、慎、謙

老子雖説"處無為之事",但五千言《老子》,主要還是言治言臨民之術的。在這方面,同樣受到《易》的影響。

1. 如臨虎尾,小心再小心

為政臨民,如臨深淵,如履薄冰,這是老話題。《易》與《老》都用不同的語言比喻,告誡君人者。

《履》卦之"履",就是指行動、踐履、為政。如果每辦一件事,都像要踩到老虎尾巴那樣戰戰兢兢、小心謹慎,雖危無害("履虎尾,不咥人,亨")。而如果心襟坦白,無私無欲("素履往"),而又行為謹慎,考慮周詳,則大吉("履虎尾,愬愬終吉")。如果瞎了一隻眼,跛了一隻脚,還想走進老虎尾巴("眇能視、跛能履,履虎尾"),那非被虎咬不可:"咥人,終凶"。比如,"武人為於大君",就是這樣。老子的"古之善為道者",他們"豫呵! 其若冬涉水;猶呵,其若畏四鄰;渙呵,若冰將釋……",不也是一種"履虎尾"、臨淵履冰那樣的謹慎為政臨民的説教嗎?

2.謙以自牧,尊而光,萬民服

《謙》卦䷎,艮下坤上,"艮為山,坤為地,山體高,今在地下,其於人道,高能下,下謙之象"(《周易集解》)。所以卦辭是:"謙:亨。君子有終"。有終者,好結果也。而爻辭則統統是吉利的。無論是謙而又謙的君人者("謙謙君子"),還是有名望而謙("鳴謙");無論是有功而謙("勞謙"),還是明智而謙("執謙"),都是吉的。即便是用"謙"的態度進行"征伐","行師征邑國",也是"無不利"的。

《老子》一書雖找不出"謙"字,但謙下思想卻貫穿全書。從"不德"、"若缺"、"若盅"、"若詘"、"若訥"、"以下為基,以賤為本"。自稱孤、寡、不穀、不自伐、不自矜……到比較高深的"無為"、"不争"、"無名"、"絶聖棄智"、"絶仁棄義"……無不包含謙下的精神,老子的主旋律就是謙下,尤其是侯王的謙下。

可見,在臨民為政的最主要點上:慎、謙,《易》、《老》完全相通,而且《老》是受到《書》與《易》之影響的。

四、政治思想的明晰發展

《易》的許多政治思想,由於卦辭、爻辭的簡單,所以含糊不清,更何況還有神祕與迷信的掩蓋呢?《老子》使之明確了,並且大加深化和發展。

1.儉

老子三寶之一的"儉",其雛形也似乎在《易》。《節》卦卦辭曰:"節,亨。苦節,不可貞"。節,儉也。"苦節",以節儉為苦,所占之事不可行。而《彖》則加以發揮:"'苦節,不可貞',其道窮也。天地節而四時成,節以制度,不傷財、不害民"。節儉乃是防窮,不傷財、不害民之道的。因此:"六四,安節,吉;九五:甘節,吉"。那些安於節儉、視節儉為甘甜的,都是遵行不害民之道的,所以都是"吉"的。可見,很可能是由"節"進而到"三寶"中的第二寶"儉"的。

2."功成名遂身退"

老子這個倡導似乎也與《易·遁》有關。遁者,退也,隱也。看來這個卦是贊美某種退隱的,主張觀察時勢,及時退隱。"初六:遁尾厲"。即做退隱的尾巴,隱退得太遲,有危險。"九四:好遁,君子吉;九五:嘉遁,貞吉"。無論是功成名就之時的"好遁",還是受到嘉獎慶賀之時的"嘉退",都是"吉"的。而"上九:肥(飛)遁,無不利",即退隱一如鳥飛之速,見機而去,不俟終日,那是"無不利"的。老子是否用"功成身退,天之道",來概括發展了《易》的上述思想呢?

3."行不言之教"

《坤》卦卦名即"地"。地何言哉?"六四:括囊,無咎無譽"。札住口袋叫"括囊",喻不說話。不說話,自然無害的,也不會招來什麼贊譽。而《易之義》則有兩種不同的解釋:

"'括囊,無咎',語無聲也。"

"有口能歛之,無舌罪。言不當其時則閉慎而觀。易曰:

'括囊,無咎'。子曰,不言之謂也。"

顯然,這深化了《易》的思想。一是,都不再提"無譽"了,二是前者指言而無聲,後者則是不語。前者似乎是對君上而言,而後者所指對象似乎廣泛了。語而無聲是說,話不外揚,尤其是不成熟的話;而不言則是乾脆免開尊口,免得生出過錯。一般人用此護身處世,而對君人者則是告誡。由於《老子》是對侯王的說教,所以直接提出了"行不言之教"。因為對絕大多數侯王來說,生長於深宮,不知稼穡之難,小民之苦,見少識淺,最好是"不言",如此方能少出差錯。

4.損益之道

《損》卦是取損下益上之義,而《益》卦則說:筮遇此卦,"利有攸往,利涉大川"。有所往有利,渡大江大河有利。《易》的損益思想,可能也反映在《老子》七十七章中,它批判"損不足奉有餘",希望那有道的人,能"損有餘以奉不足於天下",並且這些有道的人,"為而弗有,功成而弗居也,若此,其不欲見賢也"。可見,這似乎補充了《易》的損益之道的。

5."同人"與"以百姓之心為心"

《同人》卦之卦名,即贊同應和他人。其卦辭曰:"同人於野,亨。利涉大川,利君子貞"。贊同應和的人一至於鄉野,自然是大大的亨利的。而其爻辭則比較了不同之"同":

"初九:同人於門,無咎。

六二,同人於宗,吝。

……

上九:同人於郊,無悔"。

同於門外之人,城郊之人,祇是無咎、無悔,而僅僅同於宗廟的人,就有困難了。這説明邦國大事衹靠宗族的力量是不成的,還要同邦國乃至天下人民的意志相通相同,纔是有利的。這似與老子"以百姓之心為心"意思相通。

五、通反、弱之變

孔穎達説:"《易》者變易之總名,改換之殊稱"。此乃至理。六十四卦,無不是動與變,對立的動與變。這些深深地影響老子的辯證思想。

《泰》卦:"無平不陂,無往不復"。宇宙間没有衹平不坡者,也没有衹往不復者。而《象》則補充道:這是天地之法則。這是否與老子强調事物"反"、"弱"的一面有關?

《否》卦:"九五:休否,大人吉。其亡其亡,繫於苞桑"。高亨訓"休"為"怵",或是"怵"之誤;"繫"借為"毄",堅固之意;苞、茂也。這段爻辭的意思是:常恐懼否運之到來,則能勤勉謹慎,君人者吉。那説我將亡我將亡的人,其人其國堅固一如茂桑。所以,《繫辭下》纔説:

> "危者,安其位者也;亡者,保其存者也;亂者,有其治者也。是故君子安而不忘危,存而不忘亡,治而不忘亂,是以身安國家可保也。《易》曰:'其亡其亡,繫於苞桑'。"

老子没有重複《易》的話,但却有許多類似的思想。"禍莫大於無敵"(非"輕敵"),也許是最好的概括。"天下皆知美為美,惡已;皆知善〔為善〕,斯不善已"。如果衹知美不知美中之不美,衹知其善而不知善中之不善,或可能向不美不善的轉化,那就不美不善了。衹知偉大而不知渺小,衹知勝利而不知失敗,衹知正確而不知錯誤,衹知光榮而不知恥辱,那麼偉大、勝利、正確、光榮,將會向反面轉化。

又如《蹇》卦。蹇,難也,跛足,難行,訓難。一方面正如《彖》所說的:"蹇,難也,險在前也,見險而能止,知矣哉!"但這祇是一方面。另一方面,"初六:往蹇來易",去時難來時易。"九五:大蹇朋來"。朋,錢幣也。極端困難之後,錢財來了。這又指出了先難而後獲,由難變易。老子的"難易之相成也",也許是在概括這種思想吧?

再看《困》卦,其卦辭曰:"亨。貞大人吉,無咎,有言不信"。即:通順。占問大人吉,無害。不過這個時候有話別人也不信。當然這"亨"是有條件的。《彖》曰:"險以說,困而不失其所,亨"。處險不懼反以喜悅待之,雖困却不失其所,故通順。不樂觀、又失其所,就難以"亨"了。而《象》又說:"澤無水,困。君子以致命遂志"。雖遇其困,但從困中看出它的通與變,捨命完成其志願,如此方"亨"方"吉"。

以上種種,對於老子的"反也者,道之動也;弱也者,道之用也"的思想形成,顯然是不無助益的吧?

作者簡介　尹振環,1934年生於河北滄州。安徽大學道家文化研究所兼職研究員。著有《帛書老子辨析與注譯——112章老子》。

《周易》與《道德經》在思維方式上的內在聯繫

王樹人　　喻柏林

就這一選題而言,至少要回答以下幾個問題。其一,如何看待思維方式。其二,《周易》思維方式的基本特徵如何。其三,《道德經》思維方式的特點及其對於《周易》的繼承與發展。這些問題,都是大問題。在一篇文章裏討論這些問題,衹能是極其概括的,難免掛一漏萬。因此,本文的目的主要在於對思維方式的本性發問,特別是對《周易》與《道德經》共有的"象思維"發問。

一、思維方式問題

"從思維方式上看",這是一種考察的角度。這裏的關鍵問題,無疑是如何理解思維方式。衹要思維,就處在某種思維方式之中。不過,在談到思維方式之前,似乎首先要發問:何謂思維?或者説,思維做什麼?思維,這裏指的是人的思維。我們知道,有些動物也有某種思維。作為人的思維,它總是一種能動的意識活動。就是説,它總是為了把握某種東西。在這一點上,它與人在行動中把握某種東西,具有同一性,即都是要把握某種東西。而要把握某種東西,作為能動的意識活動的思維,它決不是現成地把某種東西拿過來,而是要對之加工。現在要問:思維所要加工的對象是什麼?思維所要加工的對象,祇能是意識之内的東西。“思維之手”拿不動外在任何最輕的東西,哪怕是一根毫毛。現在,要繼續發問的是,這些思維所要加工的對象,又是如何產生的?一個完全不與外界接觸也無任何内心活動的人,例如一個植物人,在他或她那裏,就不可能有任何作為思維加工的意識之内的東西產生。因此,思維所要加工的對象,乃是人經受到外在與内在刺激而促發意識活動的產物。也許,這裏還有一個問題需要追問:既然思維與思維所要加工的對象都是意識活動,它們的加工與被加工的關係又是怎樣建立起來的?雖然兩者都是意識活動,但性質不同,思維所要加工的對象,對於思維來說,它們或者是已經發生並作為記憶的儲存,因此纔能為思維所加工。或者是,思維本身既是加工者又產生對象,從而思維活動表現為創造性的構成活動。而思維,作為一種能力則有先天的基礎又經後天的鍛鍊而成。

由此可知,思維方式,應指有其先天基礎又經後天鍛鍊的思維能力所採用的方式。問題是,思維能力採用的方式,又是由什麽決定?例如《周易》的思維方式,《道德經》的思維方式。又如古希臘,前蘇格拉底的思維方式,柏拉圖、亞里斯多德的思維方式。這也是非常複雜的問題。僅僅用“存在決定意識”的公式來解釋這個問題,雖然簡潔明快,但是,並不能真正解決問題。因為,人的思想,在社會發展中,不僅有超前也有滯後的問題,與生產方式同步發展的現象,是罕見的,幾乎是不存在的。思維,既然是人的思維,就必需從人本身的原因來考察其思維能力所可能採用的方式。談到人本身,它總是既有適應現實的方面,又有超越現實的方面。而且,就人的本性而言,它總是傾向於超越現實,總是把超越現實作為一種有樂趣的追求。尤其是對於思想家來說,這正是思想家之為思想家的特質。前面,我們談到人所受到的外在與内在的刺激。事實上,人祇要生活着,就不能不接受這種不間斷的内外刺激。這些刺激所引起的意識活動,產生了不斷積累的思維對象。思想家怎樣或採用何種方式加工這些思維對象,決不是單一的外在原因或內在原因,而是多種原因所促成。例如思想家的天賦、教養、時尚、特殊刺激(腐刑之於司馬遷、精神病之於尼采、失戀之於基爾凱郭爾)等等,都是形成思想家思維方式的因素。

同時,思維方式也不是一種呆板的平面結構,它是立體的全方位的。作為一種思維方式,它乃是對於來自各方面刺激的全面反應。例如思想家在創造新思想時,他對於接受各種刺激所產生的思維對象必然都要予以加工,作出超越的反應。在這裏,不難理解,這些思維對象,也在起到煅鑄思維方式的作用。我們在研討大思想家的思想時,都能發現,由他們的天賦和教養等所形成的思維方式,使他們要把這種思維方式貫徹到各個研究領域。但是,無論在哪個領域,在面對具體對象時,他們受對象特殊情況的影響,有時又常常不自覺的脱離其思維方式。例如黑格爾在具體闡述哲學史和社會歷史時,他就常常離開他的否定之否定(雖然辯證但又顯得僵化)的公式,而顯示出哲學史與社會歷史的發展的真實面貌。

在具體涉及《周易》和《道德經》的思維方式特點時,不能不對中西思維方式作一簡單比較。如果説西方自柏拉圖和亞里斯多德以來,其思維方式的基本特徵表現為語言中心主義或邏輯中心主義,即理性主義的概念思維,那麼,中國傳統思維方式的基本特徵,則表現為形象中心主義,即非理性主義的"象思維",或更恰當地説,非概念式的"象思維"。並且,這種"象思維"的思維方式,正是發端於《周易》,而在後來的道家和儒家那裏得到進一步的發展。《道德經》則是其典型的代表。

二、《周易》思維方式的基本特徵

探討《周易》思維方式的特徵,首先要明確《周易》一書的性質,還要進一步通過推論,大略地知道《周易》作者的情況。世所公認,《周易》是一部卜筮之書。其中,六十四卦,都是卜筮的記錄。當然,《周易》所作的卜筮記録,並不是全部卜筮記録,而是部分經過選擇的卜筮記録。在明確了《周易》作為卜筮之書的性質之後,我們就找到了分析《周易》思維方式的出發點,就是說,必需通過卜筮的過程來認識《周易》思維方式的特徵。談到《周易》的作者,則是一個難解的謎。所謂重八卦、演《周易》,無論是從伏羲、文王,一直到孔子的說法,都是不足信的。古代許多地位不高但天才極高的人,為了使自己的創造能够流傳而不至於被埋没,假託名氣大的先賢,這已成為一種風氣。何況,《周易》也許有一個形成的過程,作者並非祇是一人。但是,從《周易》作為卜筮記録匯編所顯示的創造性來看,不管是多少作者完成《周易》的創作。這些作者的天份都極高,都是曠世奇才。無論是六、九數符號的創造並藉以所表現的思想,還是陰陽爻的創造並藉以所表現的同一思想,即作為"二進制"推理的萌芽思想,即使今天看來也是非常傑出的。還有從八卦重合成《周易》的六十四卦,也表現出奇思妙想的大智。至於六十四卦的選擇和匠心獨運的排列以及由此所展現的天地人合德的偉大思想,更是曠古絶今。《周易》作者們的這種偉大創造,不僅表明他們的天賦極高,而且肯定也是在受到種種强烈刺激之後而徹悟的智慧顯示。

從古至今,《周易》顯示的魅力,在深層次上,可以說,就表現在它所創造的思維方式上。《周易》的思維方式與展現為概念和邏輯的理性思維方式,是很不同的。《周易》的思維方式,突出地表現為

"象思維"。如《繫辭》所言:"易者,象也"。這在我們今天大致可以推想的卜筮過程中,能够比較清楚地體會到。從現代的科學觀點來看,卜筮是一種巫術性的活動。其中包含有迷信成份,這是没有問題的。但是,在這種活動中所創造的思維方式,卻决不可以與迷信同日而語。在卜筮這種巫術性活動中,其特點是都從象出發,所謂"觀物取象"。其所取之象大體上有兩種,即實象與卦象。卜筮是向天或神求問的,而這種求問都是為現實中實實在在的事情而求的。例如戰争、婚配、農事、遠行等等。這就是實象。不難看出,這些實象雖然是卜筮的出發點和歸宿點,但在卜筮中是"隱含之象"。卜筮的實際過程的"觀物取象",首先是尋求卦象。然而,既然實象是卜筮的出發點,實際的思維過程,也必然是從實象出發的。在這裏,我們首先看到了"象思維"在卜筮過程中從實象到卦象這種"象的流動與轉换"。然而,一旦在卜筮中得到卦象,那麼,接着出現的,便是從卦象到卦象的流動與轉换。就是説,巫師在取得卦象之後,他自動地就要與他頭腦中有如康德《純粹理性批判》的範疇表的卦象體系相對照或聯想,從而纔能定吉凶。從卦象到卦象這種"象的流動與轉换",是《周易》"象思維"最關鍵的一環。因為"觀物取象"還不是目的。目的乃在於,"象以盡意",即定吉凶。但是,不難看出,"盡意"或定吉凶,衹有超越"象"纔能達到。那麼,這裏産生的問題就是,這種超越"象"以定吉凶的思維活動,是否還是"象思維"?我們認為,這種思維活動,即使包含有理性思維萌芽,但基本上仍然屬於"象思維"範疇。因為,巫師所"盡意"或所定之吉凶,並不是在概念、判斷、推理中完成的,相反,仍然是在"象的流動與轉换"中完成的。在這裏,運行的是活潑生動的"象"的聯想,也即"象的流動與轉换"。也許有人會問:既然這種思維一直在"象思維"中運行,它怎麼能超越於象呢?關於這個問題的討論,涉及到對於"象思維"理解的一個關節點。這就是,在"象的流動與轉換”中能超越象的奧祕何在？也就是，有如康德“範疇表”的卦象體系中的卦象，包括爻象，其吉凶是如何定出的？特別是在現代，這種作為“盡意”之意的抽象性的結論，通常認為衹有理性的概念思維纔能做到。由此，或者把《周易》得出吉凶結論歸之於理性思維參與，或者歸之於神祕而不可解釋。然而，事實上“象思維”在“象的流動與轉換”中，包含着不斷的“靈悟”或稱之為“直覺的中斷”。正是“象思維”的這種性質，使得超越象可以在“象思維”自身中完成。這種超越，在我們日常生活中，也是大量的、最為普遍的思維活動。例如很多事情，衹需看一眼，或者聽一聲，摸一下，聞聞氣味，就一清二楚。根本用不着繁瑣的概念分析。衹是在現代，“理性至上主義”或“理性萬能論”的理論偏見遮蔽了許多學者的正常理解力後，纔把原本正常視為不可理解的神祕了。

現在，讓我們再回到《周易》的“象思維”的討論。作為“象的流動與轉換”的“象思維”，當其得出吉凶結論時，似乎就告一段落，結束了。但是，作為整體的“象思維”，則没有結束，還在運行。因為，得出的結論，無論是吉還是凶，都必然要進一步聯繫到作為出發點和歸宿點的實象，即戰爭、農事、婚配、遠行等。可見，在關鍵的從卦象到卦象的流動與轉換之後，又有從卦象到實象的流動與轉換。我們前面，曾把實象作為《周易》“象思維”的隱含之象。在這裏，需要對於“隱含之象”作一些解釋。所謂“隱含”，指兩種情況。其一，在卜筮中雖然是取卦象，但這種卦象乃是為尚未展現之實象所取的。其二，這種作為出發點和歸宿點的實象雖然不在卜筮中出現，但在巫師的頭腦中卻是從始至終存在的。

從上述卜筮過程所顯示的《周易》“象思維”，至少可以看到這樣幾個特點：“象思維”源於“觀物取象”；而這種“取象”作為思維活動，乃是“象的流動與轉換”；這種“象的流動與轉換”又表現為從實象到卦象、從卦象到卦象、又從卦象到實象的過程;同時,"象的流動與轉換"不是機械的,而是包含"靈悟或稱直覺的中斷",從而能超越象,達到"象以盡意"的目的。不過,在這裏似乎能感受到,"觀物取象"的"觀",在《周易》的"象思維"裏,雖然實際起着重要作用,但在理論的體悟和表現上,衹是到了《道德經》的道家那裏纔得到彰顯。

三、《道德經》思維方式的特點

《周易》、《道德經》、《莊子》在歷史上被並稱為"三玄",這決不是偶然的。事實上,從思維方式上看,它們不僅有其共同點,而且有明顯的繼承關係。《道德經》亦稱《老子》,作為道家開山和奠基的著作,可以說,也是以"象思維"為其思維方式的基本特徵的。

《周易》的"觀物取象",其"觀",除了用肉眼看這層意義外,更重要的意義,已經是包含超越象的"觀"了。這後一種"觀",在老子《道德經》的開篇第一章就明確加以點出。

> 道可道,非常道,名可名,非常名。
>
> 無,名天地之始,有,名萬物之母。
>
> 故常無,欲以觀其妙,常有欲以觀其徼。
>
> 此兩者,同出而異名,同謂之玄,玄之又玄,衆妙之門。

從思維方式的角度看,這一章的重要內涵,是講如何體"道"的。而其中"觀"與"玄"兩個辭語,就是能够體"道"的關鍵詞。不難看出,作為"天地之始"的"常無",用肉眼是看不到的,同樣,作為萬物之母的"常有",也是用肉眼看不到的。因而,這裏所說的"觀",就不是用肉眼看,而是超越象的"靈悟或直覺的中斷"。所謂"觀其妙"和"觀其徼",就是與"道"一體溝通,或者說,"得道"。這種溝通,老子是用"玄"這個詞來表示的。這種得"道",顯然不可能通過一次性的"靈悟或直覺中斷"就能達到,而需要一個過程。因此纔有"玄之又玄"。那麽,這種"觀",又需要什麽條件?這在第十五章、第十六章有所交代。

> 古之為道者,微妙玄通,深不可識。(十五章)

何謂"微妙玄通"?老子所講的,實質上,是指為了與"道"溝通或體"道",首先必須具有的一種心態。這種心態由於"深不可識",老子用九句詩加以象徵,例如"豫兮若冬涉川","猶兮若畏四鄰","涣兮其若淩釋"……在這些詩句之後,老子把這種種心態概括為:"孰能濁以静之徐清,孰能安以動之徐生"。在這個概括中,我們看到,"微妙玄通"包括"静"與"動"兩個方面。"静"是為了達到"徐清","動"是為了達到"徐生"。從思維方式上看,"徐清"纔能從外觀轉到"靈悟","徐生"纔能由"靈悟"而與"道"相通。這樣一種心態,在十六章老子又作了進一步的概括:

> 致虚極,守静篤。
>
> 萬物並作,吾以觀其復。
>
> ……

在這裏,"觀其復",本意也是體"道"。然而,若能體"道",就必須"致虚極,守静篤"。也就是説,能够"觀"即"靈悟或直覺中斷",其條件是"致虚極,守静篤"。或者説,並不是想"觀"就能"觀"。應當説,提出"觀"的條件,這是老子對於"象思維"的重要發展。同時,在這裏,我們還看到老子"反者道之動"思想的生動體現。静與動是相反相成的,静極而動,動極而静。因此,在"象思維"運動中,"致虚極,守静篤",纔有"萬物並作"之動。那麽,又如何體會"萬物并作"?這顯然不是指外在事物,而是通過"象思維"運動在意識中生出的萬象。"吾以觀其復",其"觀",就是在這種萬象流動與轉換中,經過不斷地超越象的"靈悟或直覺中斷",而達到與"道"溝通。同時,這種"觀"所達到的"靈悟或直覺的中斷",也包括現代意義上的所謂意識的重新構成。

怎樣領會“致虛極,守靜篤”這種條件?或者說,“致虛極,守靜篤”何以能達到靈悟或直覺的中斷?老子在批判“禮樂文化”所產生的異化時,指出“為學日益,為道日損”。就是說,“禮樂文化”這種文明的發展,使人日益背離“道”即所謂“為道日損”。因此,“致虛極,守靜篤”的功夫,就是使作為“禮樂文化”的“學”能在這種功夫中消失,或者說,能够清除由於異化造成與“道”隔離的障礙。這似乎有點象氣功中,要求做功者首先要能“松”能“靜”以排除雜念一樣,也象“現象學還原”把“自然主義態度”下所承認的一切加以排除一樣,同樣,在這裏可以看到,所謂“禮樂文化”所造成的異化,也與後來各種異化一樣,就是人所造成的種種觀念成了統治或束縛自己的枷鎖,使人總是馳騁於外物而忘記或喪失人本身。如老子所指出的:“五色令人目盲;五音令人耳聾;五味令人口爽;馳騁畋獵,令人心發狂;難得之貨,令人行妨”。(第十二章)因此老子所倡導的這種功夫,從根本上說,就是使人能回到與“道”溝通或一體化的人本身,從而使人能從“禮樂文化”的異化中得到解放。由此可見,能够進入“靈悟或直覺中斷”這種“象思維”,決不是一件容易的事。這在古代,尚且如此,到了現代,其困難就更是可想而知了。並且,也正是在這裏,可以看到中西思想文化之不同。在中國的傳統文化裏,包含有西方文化的認知能力,但不限於此,而是更强調整體把握的體悟功夫。就是說,知識不是外在於人的東西,而是變成功夫,與人化為一體。

在《道德經》中,老子不僅突出了“象思維”的“靈悟或直覺中斷”的特徵和為能作這樣“象思維”所需要的條件,而且描述和强調了“象思維”整體性特徵。例如在第十四章所指出的:

視之不見,名曰夷;聽之不聞,名曰希;搏之不得,名曰微。此三者不可致詰,故混而為一。其上不徼,其下不昧,繩繩兮不可名,復歸於無物。是謂無狀之狀,無物之象,是謂惚恍,迎之不見其首,隨之不見其後。

從思維方式上看,這一章真可以說,是意味深長,奧妙無窮。首先在視、聽、搏均不着處,老子發現有"象",即名為"夷、希、微"。但是,這三者又"不可致詰",說不清楚。因此,對於這三者可不加分別,而將其視為一個整體,即所謂"混而為一"。既然視、聽、搏不着,又能發現有"象",這種"象思維",就祇能是前面指出的"觀"即"靈悟或直覺中斷"。顯然,這種"觀"在這裏,是不加分別的、作整體把握的一種"觀"。為什麼"觀"能體"道"呢?從這裏似乎可以找到答案。雖然老子講過域中有四大:天、地、道、人。但是,從"人法地,地法天,天法道,道法自然"這種程序來看,"道"與"道法自然"的"自然",不過是講"道"與道性,乃是為前三者天、地、人所遵循和效法的,或者說"道"乃是天、地、人的根基。這種"道"作為無所不在的整體,視、聽、搏等感官自然無從把握。但是,老子卻提出可以"觀其妙","觀其徼"。可見,這種"觀"並不是普通的直觀,而是整體直觀,也就是說,前面所說的"靈悟或直覺中斷",祇能是一種整體直觀。也正因為如此,這種"觀"纔能體"道"。

從《周易》到《道德經》,中國傳統思想文化在社會層面上發生很大變化。這個變化的主要標誌,就是從"神道"轉到"人道"。《周易》的巫術性,在老子思想裏已被拋棄。老子的"道"是處於神之上的,神若有靈,也需得"道"。實際上,老子象孔子一樣,其所關心的核心問題,是人世的問題。但是,這種變化,即拋棄《周易》的巫術性,並不意味拋棄《周易》的思維方式。雖然,在思維方式上,如上所述,《道德經》較之《周易》有所發展,但是,這種發展完全是在《周易》奠定的基礎之上,則是毫無疑問的。如果說,《道德經》在"觀"或整體直觀上深化了《周易》的創造,那麼,這種深化也並沒有離開"象的流動與轉換"這個"象思維"的基礎。就在上述第十四章,我們也不難看到這種“象的流動與轉換”。視、聽、搏本身,就是從實象出發。從實象轉到有如“卦象”的“夷、希、微”這種流動與轉換,是在視、聽、搏不着處。這種“夷、希、微”之象,由於“不可致詰”,“混而為一”,這又相當於從“卦象”到“卦象”的流動與轉換。這種“混而為一”之象,作為整體之象,“其上不徼,其下不昧,繩繩兮不可名,復歸於無物”。在這裏,“夷、希、微”“混而為一”之象,到“復歸於無物”,顯然,又是一種“象的流動與轉換”。“復歸於無物”,並不是絶對的否定,仍然有象出現。這就是所謂“無狀之狀,無物之象”。如果説《周易》在卜筮過程中,“象的流動與轉換”還是在比較具體的“象思維”層次上運行,那麽,在《道德經》這裏,這種“象思維”則是在更高的層次上運行。所謂更高層次,是指“象”得到不斷的升華,從而能更深刻地把握作為整體的“自然”之“道”。

至此,從《道德經》與《周易》在思維方式相關聯的角度看,《道德經》的特徵,大致可以歸結為這樣幾點。其一,它把《周易》“觀物取象”的“觀”作為“靈悟或直覺的中斷”,進一步具體化與深化了。就是説,通過“玄之又玄”,把這種“觀”之為“靈悟或直覺的中斷”,實際上當作一個過程。其二,特別重要的是,它提出和揭示了“觀”作為“靈悟或直覺的中斷”是有條件的,並且具體描述了這種條件,例如,對於“微妙玄通”、“致虚極,守静篤”等的描述。其三,它仍以《周易》“象思維”的基礎即“象的流動與轉換”,作為自己“象思維”的基礎。但是,它在這種“象的流動與轉換”中,使“象”能不斷升華到更高的層次,從而比《周易》在思想上更具有深度和廣度。

四、關於“象思維”的現代意義

為了説明“象思維”的意義,首先,對於“象思維”的本質,需要再説幾句。如果説“象思維”的基礎是“象的流動與轉換”,那麽,從這裏就可以看到,其第一級本質就是豐富的聯想性。無論從實象到如"卦象"的象徵之象,還是從象徵之象到象徵之象的流動與轉換,再由象徵之象到實象的流動與轉換,都顯示出"象思維"所具有的活躍的豐富的聯想性。從這種聯想性出發,《周易》和《道德經》的"象思維"所要把握的,乃是與整體的"易道"和"道"一體相通的對象,或者簡單地説,這種思維本質上就是要把握整體。因此,這種"象思維"的第二極本質,就體現為"觀"即"靈悟或直覺的中斷",也就是通過對於"聯想性"的升華,而達到與整體一體溝通或契合。

"象思維"的上述本質表明,它是人類最基本的、最普遍的、具有用之不竭的原創性的思維。聯想性和象徵性,是人類須臾不能離開的思維,也是藝術、科學等一切創造性的緣起。中國中古時期在前科學各個領域的輝煌創造,是與中國由來已久的"象思維"傳統密不可分的。有人把中國近現代的落後歸結為中國傳統思維方式的落後,這是缺乏具體分析的片面之論。中國傳統思維方式缺乏近現代科學和技術發展所需要理性思維,特別是工具理性思維,這是事實。但是,這並不意味中國傳統思維方式本身,特別是其"象思維",都注定要不得,而必須由理性思維和工具理性思維來取代。在"西方中心論"和現代的"科學主義"、"技術主義"思潮席捲中國大地的相當長的時間裏,確實存在着嚴重的取代論傾向,即以理性思維和工具理性思維取代"象思維"。其實,理性不是萬能的,科學技術也不是萬能的。而且,就理性的發展、科學技術的發明創造而言,其原創性的思維都衹能是"象思維"。因此,在我們補理性思維、工具理性思維不足這一課時,決不能丢棄博大精深的"象思維"這個傳統之寶。衹有這樣,我們纔能在發展理性思維和工具理性思維時,不致失去其發展的源頭活水。

現在的世界,正處在世紀交替之時。回顧 20 世紀,除了兩次世界大戰給人類帶來深重巨大的痛苦外,以工業化為主要內涵的現代化的直線發展所帶來的危機,包括環境污染、生態平衡的破壞等"現代化病",其危及人類本身的生存,已經鮮明地擺在我們面前。同時,由於在思維方式上"科學主義"與"技術主義"所顯示的理性萬能論,也使人本身越來越失去已有的對於自然和社會的詩情畫意,創作變成了"製作"。生活的平面化、機械化,使人越來越感到乏味。人在經歷了從中世紀"上帝"神權統治下解放出來以後,又有重新受到科技統治和奴役的危險。在這種形勢下,人類的社會到底應當朝怎樣的方向發展?人類應當怎樣面對自己的生存環境?怎樣醫治"現代化病"?人類應當怎樣塑造自身?怎樣解決在物質生活豐裕之後的精神空虛和危機?毫無疑問,解決這些問題,需要多方面的條件,是一個全球性的系統工程。但是,在這些條件中,思維方式這個條件,可以說是最為重要的。因為,人類的一切作為,都是在明確思想指導下作出來的。而這些思想的思維方式如何,就不能不具有關鍵意義。

從思維方式上看,上述人類發展中的危機和問題,可以說,就是由於片面强調理性即"理性萬能論"這種異化所造成的。西方從尼采以來的"非理性主義"思潮的興起,已經對於這種異化做了許多批判。但是,如何從正面的積極的意義上來解決這些危機和問題,還有待探索。我們認為,"象思維"由於它始終着眼於動態的整體,不僅具有原發的聯想的創造性,而且具有能在"靈悟或直覺的中斷"中與整體契合的特性,所以,對於"象思維"的深入探討,將會有助於克服上述在思維方式上所產生的異化。

1996年7月8日完稿於潘家園紫雲齋。

作者簡介　王樹人,1936年生,山東莒縣人。中國社會科學院哲學所研究員、教授。著有《思辨哲學新探》、《歷史的哲學反思》、《傳統智慧再發現》等。

《老子》的“道器論”

——基於馬王堆漢墓帛書本

［日］池田知久

內容提要 所謂“道器論”、論及“道”與“器”相互關係的儒家思想的一個部分。是解明有關哲學上的本體論等諸問題的一個內容。從宋代起，關於這個問題的深入的探討就開始了，直至近代這種研究和討論持續不斷，其經典文獻的根據是《周易·繫辭上傳》的“形而上者，謂之道。形而下者，謂之器。”

此道器論包含在道家的代表作《老子》一書中，這一點卻從來未曾予以注意。1973 年馬王堆漢墓帛書《老子》的出土為我們解明《老子》道器論的有無、其內容和特徵、與《周易》的關係等等提供了充分的資料。筆者利用帛書《老子》第五十一章等資料，對《老子》中本來包含的道器論進行探討和研究。

《老子》的“道器論”，原本是從道家最中心的思想“道物論”演變而來。後者即是比《老子》更早的《莊子》諸篇中的“道物論”，一般論及關於根源性的本體與存在者的相互關係。前者（“道器論”）是《老子》在後者的（“道物論”）的基礎上演變的一種新的理論。兩者大體上没有什麼不同。《莊子》諸篇中保存“樸”字的原義，又以“樸—器”具體比喻“道—物”，進而又用“殘樸以為器”來比喻“毀道德，以為仁義”。因此，他們認為從“樸”、“道德”產生了其外化形態的“器”和“仁義”，並且，褒揚“樸”、“道德”，而貶損“器”、“仁義”。

《老子》的"道器論"便是克服了這種外化論而形成的。沿着這一思路推演下去,儒家馬王堆帛書《周易·繫辭》(通行本《周易·繫辭上傳》)的"道器論"便產生了。

一

所謂"道器論",是闡述"道"與"器"之間相互關係的中國思想、特别是儒家思想的一個部分,是解明有關哲學上的本體論等諸問題的主要内容。從宋代起對這一問題深刻的思考和探索就開始了。直至近代這種研究和討論持續不斷。最具經典的文獻是古老的《周易·繫辭上傳》中的"形而上者,謂之道。形而下者,謂之器。"——以上所言,是衆所周知之事,不必贅述。

關於"道器論",與儒家相對立的道家,在其主要經典著作《老子》中也曾涉及到,但是,很久以來絲毫未曾注意到。直到 1973 年馬王堆漢墓帛書《老子》甲乙兩本的出土,為我們解明《老子》一書中"道器論"的有無、其内容和特徵、與《周易·繫辭上傳》的關係等等問題,提供了充分的資料。為此,筆者試圖利用馬王堆漢墓帛書《老子》甲乙兩本以及其他的資料,關於《老子》本來所包含的"道器論",就上述諸問題作一探討。

馬王堆帛書《老子》是現存最古老的抄本,當然是最珍貴的一個本子。那麽,這甲乙兩本究竟是何時被抄寫下來的呢?[①] ——筆者以為,甲本大約是高祖末年至景帝時期或者吕后時期的抄本,乙本是文帝前期的抄本。因此,可以確定這是前漢初期道家手中的一個《老子》的本子。一方面,根據種種情況來判斷,甲本的抄寫

---

① 關於馬王堆帛書《老子》兩本的抄寫年代及《老子》的成書年代,參照拙論《中國思想史中"自然"的誕生》(《中國——社會和文化》第 8 號所收,1993 年)。

大約稍稍早於公元前 200 年,也許成書於戰國末期到前漢初期。如果是那樣的話,馬王堆帛書《老子》甲本是在《老子》一書問世之後僅僅 10 年的時間裏出現的抄寫本。因此,馬王堆帛書《老子》甲乙本,不僅是前漢初期的一個本子,也是保存《老子》原型最多的一個抄本,是特別珍貴的本子。現在,我們能夠以此為基礎還《老子》思想的本來面目了。

二

要解明《老子》的“道器論”最重要的資料是第五十一章①:

> 道生之而德畜之,物刑(刑)之而器成之。是以萬物尊道而貴德。道之尊、德之貴也,夫莫之时(爵),而恒自然也。道生之畜之、長之遂之、亭之毒之、養之覆之。生而弗有也,為而弗寺(恃)也,長而弗宰也,此之謂玄德。

文中的“器”字在任何一個通行本中均作“勢”“埶”,作“器”的本子一個也不見。所以,我們一看到帛書《老子》甲乙兩本作“器”,就意識到此“器”正是與《老子》一書相符合②。

---

① 本稿採用的《老子》,是國家文物局古文獻研究室的《馬王堆漢墓帛書》〔壹〕(文物出版社,1980 年),以甲本為主,甲本殘缺處以乙本補之,甲乙兩本都缺處以通行本補。假借字、異體字及錯字保留原狀,假借字、異體字的則在此字下面的“( )”中以通行文字表示,錯字在其字的下面以“〈 〉”表示。

② 在《老子》第五十一章裏,認為作“器”優於作“勢”的有金谷治的《關於帛書〈老子〉——其資料的初步考察——》(木村英一博士頌壽記念事業會《中國哲學史的展開和探索》所收,創文社,1976 年)、張舜徽《老子疏證》(《周秦道論發微》所收,中華書局,1982 年)、許抗生《帛書老子注譯與研究》(增訂本)(浙江人民出版社,1985 年)、張松如《老子説解》(齊魯書社,1987 年)、黃釗《帛書老子校注析》(臺灣學生書局,1991 年)等等。這之中有關第五十一章的文章與筆者相同的祇有金谷治的《關於帛書〈老子〉——其資料的初步考察——》及許抗生的《帛書老子注譯與研究》(增訂本)。可是,後兩者也並没有把這個文字認為是“道器論”的。

以下,從筆者所感興趣的角度,來看《老子》第五十一章的核心思想。分而言之,根源性的"道"讓萬物存在,其機能性之"德"讓萬物生長。以"道"的這種主宰性為依據,一切的"物"是有"刑(刑)"地存在着的,而其機能性之"器"也被完成了出來。總而言之,"道"作為主宰者讓萬"物"(或者"器")存在,使之生長,使之完成,其結果是萬物被存在、被生長、被完成。——如果是那樣的話,在《老子》的這一部分中,闡述了如下的道器關係,即:物在有"刑(刑)"之前,衹有根源性的本體名叫"道",此"道"主宰着讓某物具有一定的形狀、而且作為"器"的狀態存在的這樣一個過程。以上所述的,與《周易·繫辭上傳》大體相同,《老子》中包含着"道器論",毫無疑問是相當明顯的[①]。此外,這種"道器論"或"道物論",對道家而言,不是罕見稀有的思想,也並非是受了其他學派的影響或從他學派那裏借用過來的思想,而是道家最原始、最主要的思想[②]。

但是,先秦時代的道家在很多場合,在論及根源性的本體與存在者的存在論(還有政治思想)的相互關係時,主要以"道"與"物"論,而不以"道"與"器"來論的。因此,首先來考察一下"器"。

經查,《老子》中所出現的"器"字,除第五十一章之外,象"器成"、"成器"、"為器"這一類詞彙共有五例,而且,都是與"道器論"有着相當密切關係的內容。比如,第四十一章:

① 一般在道家思想中,如果細而論之,則"道"與"德"是有區別的,若大而論之,"道"與"德"是相同的。"物"與"器"恐怕也有類似關係。因此,可以稱"道器論",也可以稱"道物論",其中幾乎没有差別。總之,"道德"與"物器"的相互關係,被認作是哲學上的一種本體論。而且,《老子》第五十一章中存在着"道器論"這一論述,最初被指出來的是陳鼓應的《〈易傳·繫辭〉所受老子思想的影響——兼論〈易傳〉乃道家系統之作》(《哲學研究》1989年第1期)。此外,也參看他的《〈繫辭傳〉的道論及太極、大恒說》(《道家文化研究》第3輯,上海古籍出版社,1993年)。

② 在道家思想中關於"道—物"的本體論的內容、地位、作用及其歷史的變遷,參看拙論《中國思想史中"自然"的誕生》。

是以建言有之曰:"……大器免(晚)成,大音希聲,天〈大〉象無刑(刑)。"道褒無名。夫唯道,善始且善成。

是"大器"的"道"不管經過多久,也不會被他物完"成",而正好與之相反,"道"之"始"和"道"之"成",却是作為"器"來完"成"的。這一段是作為"道器論"最明確的觀點。此外,第六十七章中:

我恒有三葆(寶),市(持)而琛(保)之。一曰茲(慈)、二曰檢(儉)、三曰不敢為天下先。……不敢為天下先,故能為成器長。

這裏講述了以下的思想:擬人化的"道"、或者掌握了"道"的、作為聖人的"我",是能成為"成器長"的[①]。最後一句,更有如下的涵義,即"道"本身或掌握了"道"的聖人,君臨天下,而成為所有"成器"者的主宰人。這應該是根據"道器論"而形成的一種政治思想吧。又,第十一章:

然(埏)埴為器,當其無,有埴器之用也。……故有之以為利,無之以為用。

"埴器"是有"無"的部分和"有"的部分所構成。這裏,關於"道"的同義語"無"的論述是這樣的:"埴器"的"無"的部分是有"用"的,這纔使"埴器"的"有"的部分能產生"利"。而且,在第二十八章中這樣說:

知其白,守其辱,為天下浴(谷)。為天下浴(谷),恒德乃足。恒德乃足,復歸於楃(樸)。……楃(樸)散則為器,聖人用則為官長。夫大制無割。

---

① 關於"成器長",根據帛書乙本及通行的諸本,是例外的。帛書甲本及《韓非子·解老》作"成事長",這大概是《老子》的原型。因此,從帛書甲本到乙本的展開過程即由"成事長"而變為"成器長"。

在講述了"道"的同義語"樨(樸)",散為各種各樣的"器"的"道器論"之後,又進一步闡明"聖人"沿用這個"樨(樸)"而成為"官長"的政治主張①。再更進一步,在第二十九章中説:

> 將欲取天下而為之,吾見其弗得已。夫天下神器也,非可為者也。為者敗之,執者失之。……是以聲(聖)人去甚、去大、去楮(奢)。

這裏有"為"(做)"天下"這個"神器"這一句話。關於此內容,乍一看好像是要否定"取"(也就是"執")和"為"這樣的方法。可是,引文末尾的"聲(聖)人去甚、去大、去楮(奢)",筆者認為這一點正是老子學派反話性的表述方法。實際上,掌握了"道"的"聲(聖)人",反"甚、大、楮(奢)",從"無為"而出發,反過來達到能够"為"(做)"天下"這個"神器"的目的②。

以上論述了在《老子》中比較頻繁出現的詞彙"器",其中"器成"、"成器"、"為器"的"器",都是論述根源性本體與存在者的存在論(以及政治思想)的相互關係的、作為"道器論"的"道—器"中的"器",和論述同樣相互關係、作為"道物論"的"道—物"的"物",兩者之間差不多没有區别。

三

其次,查閱《莊子》諸篇中出現的"器",發現《莊子》的"器"與《老子》書中"道器論"的"器"幾乎没有特别密切的關係。這個事實意味着:第一,與通常所説的不同,《莊子》諸篇中主要部分的成書

---

① 關於第二十八章的"官長"和第六十七章的"成器長"具有相同意義,參看加藤常賢《老子原義的研究》(明德出版社,1966年)。

② 參看第四十八章"將欲取天下也,恒無事。及其有事也,又不足以取天下矣。"、第五十七章"以正之(治)邦,以畸(奇)用兵、以無事取天下。"

年代比《老子》的成書年代還要早，也就是說，《老子》的成書比《莊子》諸篇主要部分的形成要晚[①]。因為根據通常的概念，如果《莊子》是《老子》之後祖述其思想而形成的話，那麽，《莊子》中應該是有與《老子》相同内容的"道器論"的。但是，事實並非如此。第二，《老子》的"道器論"是以先行的《莊子》諸篇的總論——"道物論"為依據而作成的，作為其後各分論的一個部分而出現的。因為，一方面，在更早的《莊子》諸篇中到處可見的，僅僅是對根源性的本體和存在者的關係即"道—物"的"道物論"的論述。而在這之後的《老子》中，對"道—器"的"道器論"和"道—物"的"道物論"，都有論述。

不過，在《莊子》諸篇出現的"器"中，也有二、三處是與《老子》的"器"有相當關係的。第一，是戰國末期的作品《馬蹄》：

> 故純樸不殘，孰為犧樽。白玉不毀，孰為珪璋。道德不廢，安取仁義。性情不離，安用禮樂。五色不亂，孰為文采。五聲不亂，孰應六律。夫殘樸以為器，工匠之罪也。毀道德以為仁義，聖人之過也。

其"殘樸以為器"，很明顯與《老子》第二十八章的"楃(樸)散則為器"有關。"樸"的原義正如《説文》中所説的："樸，木素也。"是未經人工雕刻的原木。《莊子》中保持"樸"的原義，用"殘樸→為器"來比喻"毀道德→為仁義"。與上文的"純樸不殘，孰為犧樽。"是同一層面的、更進一步具體的比喻。還有戰國末期的《人間世》中也有：

> 匠石之齊。至乎曲轅。見櫟社樹。……散木也。以為舟則沈、以為棺槨則速腐、以為器則速毀、以為門戶則液樠、以為

① 一般學者的看法是，"道家"這個思想學派原來是以老子為開山祖、從老子發源下來的，不過，這決不是歷史的事實。相反，那衹是後世形成的觀念而已。這種觀念什麽時候、為什麽、如何形成的等等諸問題，參看拙著《莊子》上卷·下卷中《〈莊子〉的著者莊周》及《道家的起源和先驅》(學習研究社，1983年、1986年)和拙著《老莊思想》(放送大學教育振興會，1996年)。

柱則蠹。是不材之木也。無所可用。故能若是之壽。

因為是"不材之木",所以,用其"為器"之事幾乎没有。以此"散木"對"道"的所謂"無用之用"的機能作了具體的比喻①。像這樣,《莊子》的"樸"和"器"是對"道"和其外化形態(就是根源性的本體與存在者的相互關係的一種)的具體的比喻,並且衹是停留在比喻的階段。但是,《老子》的"楃(樸)"和"器",已經超越了單純的具體的比喻階段,而達到了抽象化的階段,直接使用指向"道"和道的外化形態。除上述所舉"器"的例子之外,下引"楃(樸)"的例子。第三十二章:

道恆無名。楃(樸)唯(雖)小,而天下弗敢臣。侯王若能守之,萬物將自賓。天地相谷〈合〉,以俞甘洛(露)。民莫之令,而自均焉。

這個"楃(樸)"直接指"道"是了然明白的。又見第三十七章:

道恆無名。侯王若守之,萬物將自憄(為)。憄(為)而欲作,吾將闐(鎮)之以無名之楃(樸)。闐(鎮)之以無名之楃(樸),夫將不辱。不辱以情(靜),天地將自正。

這裏的"楃(樸)"也和第三十二章的一樣,直接指"道"。

即便有密切關係的地方很有限,但是《莊子》的"器"和《老子》的"器",假定以上的關係能成立的話,現在開始就《老子》"道器論"的成立過程進行探討不是不可能的。——也許,《莊子》諸篇的主要部分即戰國末年以前的道家,在講述根源性的本體和存在者的存在論的相互關係時,偶爾用"樸"和"器"作具體的比喻。到戰國末期至漢代初期,道家學派的《老子》一書在此基礎上將其抽象化,把"楃(樸)"作為"道"的同義語,"器"作為"物"的同義語。到這裏,

① 在《莊子》、《老子》的"樸"、"朴"中,所謂人類樸素的本性之意而使用的例子不少,本稿限於篇幅没有展開。

《老子》的"道器論"便形成。這也許是其形成的具體過程吧。

在《莊子》的"器"中,與《老子》有緊密關連的第二個例子是在《讓王》。

> 夫天下至重也,而不以害其生。又況他物乎。唯無以天下為者,可以託天下也。……故天下大器也,而不以易生。此有道者之所以異乎俗者也。

這一段的前半部分取自《吕氏春秋》的《貴生》的,後半部分則是漢初武帝前後形成的,而後者很明顯與《老子》第二十九章(上引)有聯繫。知道了《老子》的思想,即"天下神器"這個東西,通過"無為"而變成能够"為"的。《讓王》在《吕氏春秋》的基礎上,表述了差不多同樣的思想,就是"天下大器"這個東西,衹對"無以天下為者""可以託天下"這樣的思想。《讓王》把《吕氏春秋》的"唯不以天下害生者也"改為"唯無以天下為者"由此可見,《老子》"道器論"的影響之大了[①]。

《莊子》的"器"中與《老子》有緊密關係的第三例是戰國末期的作品《胠篋》。

> 故曰:"魚不可脱於淵,國之利器不可以示人"。彼聖人者,天下之利器也。非所以明天下也。

這又是與《老子》第三十六章的"魚不可脱於潚〈淵〉,邦利器不可以視人"相關。這"國之利器"的意思,與上引的《馬蹄》中"夫殘樸以為器"及《老子》第二十八章的"楃(樸)散則為器",大概同一。不

---

① 《淮南子·原道》中"故天下神器,〔不可執也,〕不可為也。為者敗之,執者失之。……",以及《文子·道德》中"天下大器,不可執也,不可為也。為者敗之,執者失之。……",不用説是根據《老子》第二十九章的"道器論"而寫的。一方面,《荀子·王霸》中有"國者,天下之大器也,重任也。……何法之道,誰子之與也。故道王者之法,與王者之人為之,則亦王。道霸者之法、與霸者之人為之,則亦霸。道亡國之法,與亡國之人為之,則亦亡。"。這不正是《吕氏春秋·貴生》、《老子》第二十九章和《莊子·讓王》的藍本嗎!

過,關於這個問題,本文尚未作更進一步的研究。

四

《老子》"道器論"的形成有一個前提,正如上面所論述的,即,《莊子》諸篇的主要部分,用"樸"和"器"兩個字具體比喻根源性的本體和存在者的相互關係,關於這個前提,假如筆者没有推測錯誤的話,那麽,《莊子》中"器"這個字表達了什麽意義呢?

最初的"器",按一般意義來説,據《説文》"器,皿也。"是人們日常生活中普遍使用的一種用具。更加具體地説是指上面引述的《莊子·馬蹄》中的"犧樽"。並與"珪璋"、"仁義"、"禮樂"、"文采"、"六律"等同屬一個層面。又,與上述引用的《人間世》中的"舟"、"棺槨"、"門户"、"柱"亦同屬一個層面,即人們所期待其"有所可用"。從以上的事實來判斷,筆者認為《莊子》所使用的"器"這個字,表示在存在者"物"的各個側面中,人們所使用的具有使用價值的那一面,或者説,從給人類帶來必要的功用這個觀點來看其存在者"物"的存在形式。因此,筆者剛剛已經論述過的,"道器論"是以先行的總論——"道物論"為依據而作成的,作為其後各分論的一個部分而出現的。

而且,在《莊子》的"樸"和"器"中賦與了相當明顯的特質,這是誰也不會看漏的。其特質是表現在:上面所引的《馬蹄》中,工匠"殘樸"之後,其結果是"為器",同樣地,聖人"毀道德"之後,其結果是"為仁義"。如上所述的那樣,從"樸"和"道德"之中產生了他們(指"樸"、"道德")外化形態的"器"和"仁義"。並且,褒揚了被比作"樸"的"道德",相反地貶損了被比作"器"的"仁義"。因此,關於"器"的價值、機能等等,盡管對於社會而言具有正面的、好的意義,而作者對此却衹持有負面的、否定的意味。而且,這也是《莊子》諸篇的主要部分中論及的"道物論"裏對"道"與"物"都賦與的明顯的特質①。

可是,到了《老子》的時代,與《莊子》的時代不同,是處於一個迎接新時代的大環境中,與《莊子》的時代相比,不能不更强調對於現實的肯定態度。因此,對於"𣝕(樸)"不用說還是相當多地予以褒揚,而對於"器",原先的貶損也完全消失了。例如,第三十二章中,正如上述所引用的,用"梙(樸)"比喻"無名"的"道":

> 道恆無名。梙(樸)唯(雖)小,而天下弗敢臣。侯王若能守之,萬物將自賓。天地相谷〈合〉,以俞甘洛(露)。民莫之令,而自均焉。

在此後又說:

> 始制有名。名亦既有,夫亦將知止。知止所以不殆。俾(譬)道之在天下也,猷(猶)小浴(谷)之與江海也。

此處繼續講述了"梙(樸)"的"無名"之"道","始制"之後產生了"有名"的"器"。這一章的末尾中,把由"道"而流出來的"天下"中所有的"器"這種狀況,用"小浴(谷)"流下來到巨大的"江海"作比喻。這裏可以看到《老子》對"梙(樸)"和"器"兩者都給予肯定的典型的例子。在《老子》中,繼續採納沿用《莊子》中對"器"的貶損態度的,衹有第二十八章的"梙(樸)散則為器"了。

如果,《老子》中對於"樸"和"器"的評價確是這樣的話,那麽,在《老子》以後,特别是受到《老子》一書强烈影響的文獻裏,在論及"道器論"的場合,往往也是沿用了從"道""樸"中產生的、並作為其外化形態的"物"和"器"這樣的理論。而且應該說這些後出的文獻

① 關於伴隨《莊子》的"道物論"的外化論,參看拙論《中國思想史中"自然"的誕生》、李澤厚、劉綱紀主編《中國美學史》第1卷(中國社會科學出版社,1984年)、李澤厚《莊玄禪宗漫述》(《中國古代思想史論》所收,人民出版社,1986年)、和拙著《老莊思想》。

中對於後者的貶損之意也是蕩然無存的。例如,《管子·五行》云:

一者本也。二者器也。三者充也。治者四也。教者五也。守者六也。立者七也。前者八也。終者九也。十者然後具。……天道以九制,地道以八制,人道以六制。以天為父,以地為母,以開乎萬物,以總一統,通乎九制六府三充,而為明天子。①

另外,還有《尹文子》的《大道上》:

大道無形,稱器有名。名也者,正形者也。形正由名,則名不可差。②

五

《周易·繫辭上傳》的"道器論",筆者亦認為是受到《老子》"道器論"的強烈影響並以此為依據而形成的③。因此,《周易·繫辭上傳》中對於"器"的評價,不但與《莊子》"道物論"中"物"及其所比喻的"器",完全不同,貶損的傾向幾乎没有,而且對於從根源性本體

① 關於《管子·五行》的成書,羅根澤《"管子"探源》(《諸子考索》,人民出版社,1958年)認為"戰國末陰陽家作"。關於其成書年代,在金谷治的《管子的研究》(岩波書店,1987年)中認為在"秦、漢以後,到漢初之時"。

② 陳鼓應《論〈繫辭傳〉是稷下道家之作——五論〈易傳〉非儒家典籍》(《道家文化研究》第2輯,上海古籍出版社,1992年)中認為這是戰國時代齊國稷下的尹文所作。但這有疑問,最可能的是漢代以後的作品。

③ 《周易》的《六十四卦》和《易傳》,保持漢初原型的、最古老的本子是從馬王堆漢墓出土的。據筆者研究,那都是文帝初年的抄寫本。當時《繫辭傳》尚未分上下,並相當於通行本《上傳》的那部分基本上已達到完成的狀態。相當於《下傳》的部分,祇不過還是草稿之類的東西,還在準備的階段。即作為整體的《繫辭傳》尚在形成過程中。這裏所引用的《繫辭上傳》,即帛書《周易·繫辭》的成書年代,大概在戰國最末期~漢初文帝初年。關於以上諸點的詳細論述參看拙論《〈馬王堆漢墓帛書周易〉要篇的研究》(《東京大學東洋文化研究所紀要》第百二十三册,1994年)。

的“道”產生的價值,及有用的“物”給予了極高的評價和肯定。例如,通行本《繫辭上傳》最古老的本子——馬王堆漢墓帛書《周易·繫辭》[①] (通行本《繫辭上傳》的第十章)中有:

> 是故閶(闔)戶,胃(謂)之川(坤)。辟(闢)門,胃(謂)之鍵(乾)。一閶(闔)一辟(闢),胃(謂)之變。往來不窮,胃(謂)之迵(通)。見之,胃(謂)之馬〈象〉。荆(刑),胃(謂)之器。〔制〕而用之,胃(謂)之法。利用出入,民一用之,胃(謂)之神。

另外,(通行本《繫辭上傳》的第十二章)有:

> 鍵(乾)川(坤),亓易之經與。……是故荆(刑)而上者,胃(謂)之道。荆(刑)而下者,胃(謂)之器。為而施之,胃(謂)之變。誰(推)而〔錯〕諸天下之民,胃(謂)之事業。

這兩段大體的意思是:鍵(乾)川(坤)是組成“荆(刑)而上”的“道”的要素,根據其變通的作用,從“道”中“荆(刑)而下”的“器”是“見”的。那個“器”通過人為的“變”而成為對“天下之民”有用的“法”和“事業”。在此,我們可以看到,帛書《繫辭》(通行本《繫辭上傳》)對“荆(刑)而下”的“器”在社會中的價值和作用有着積極的評價。更進一步,(通行本《繫辭上傳》的第十一章):

> 備物至(致)用,位成器以為天下利,莫大乎耶(聖)人。

在“耶(聖)人”發揮其主觀能動性的條件下,對“物”和“成器”帶來“天下利”這一點,作者給予如此高的、積極的評價。

如果從另一個角度來思考,要說最初的帛書《繫辭》(通行本《繫辭上傳》)是出自儒家之手[②],因此,必須對“物器”作否定的或

---

① 馬王堆帛書《周易·繫辭》,基本上使用傅舉有、陳松長《馬王堆漢墓文物》(湖南出版社,1992年)的本子,依據筆者手中的“照相版”改動的地方也是有的。

② 最近,陳鼓應就上述所引用的二論文相繼發表了不少精當的力作。他主張《繫辭傳》等《易傳》,有很多是戰國中、後期道家寫的作品。筆者認為,確實如陳鼓應所說,《繫辭傳》等受到了道家極大影響而形成的。可是,應該承認那些仍然是儒家的作品。

批判的評價，應該没有特別的理由。因此，我認為，關於帛書《繫辭》（《繫辭上傳》）中為什麽對"物器"持有這樣積極評價的"道器論"的問題，僅僅説是受到《老子》的强烈影響，還不够吧。除此之外，帛書《繫辭》（《繫辭上傳》）中論及"道器論"的内在理由是應該有的。——這究竟是什麽呀？

先秦時代，儒家的思想家們有一個不太擅長的思想領域，那不是别的，就是本體論。要是提起以孔子、孟子、荀子為代表的儒家思想家們創立了什麽樣的本體論（天論和道論等）是很容易得到贊同的。進入戰國後期，作為對立學派的道家在知識社會中登場，並初次用"道物論"的形式來論及本體論，探討根源性的本體與存在者的相互關係。而儒家由於過去衹是局限在倫理、政治等"物"的世界中探索，此時不得不選用其他的理論，重新完善自己的理論體系的基礎。而儒家選擇的便是道家創立的根源性本體的"道"的理論。所採用的文獻材料是到那時衹有占卜、筮卦，而與哲學、倫理、政治等等没有關係的《易》。這樣一來，從戰國末期或者秦代開始，在材料方面儒家把《易》拿起來，並作為自己的經典文獻之一予以重視，又對其中幾篇作了解釋、撰寫了《易傳》[①]。按照這個方法，把《易》當作居中媒介。在理論方面，吸收了道家中"道"的本體論，來豐富自己的理論體系。上述所見的帛書《繫辭》（《繫辭上傳》），正是這種思想性的運作中孕育下的産物。因此，帛書《繫辭》（《繫辭上傳》）論及"道器論"的内在原因，與其説是在"器"，毋寧説是在"道"。

作者簡介 池田知久，東京大學文學部中國思想文化學研究室。

（譯者吕静）

---

① 無可置疑，現存的《易傳》中最古老的本子、就是保留了漢初原型的馬王堆帛書《周易》中的《二三子問》、《繫辭》、《易之義》、《要》、《繆和》、《昭力》等六篇，關於這個問題的詳細論述，參看拙論《〈馬王堆漢墓帛書周易〉要篇的研究》和拙論《〈馬王堆漢墓帛書周易〉要篇的思想》（《東京大學東洋文化研究所紀要》第百二十六册，1995 年）。

《易傳》與西漢道家

鄭萬耕

内容提要 本文就《淮南子》和《老子指歸》所提供的材料，從《周易》的性質、一陰一陽之謂道、裁成輔相與無為新說、趨時說、物類相從、損益之道、崇聖尚賢、理想人格等八個方面，對《易傳》與西漢道家的關係進行剖析，釐清了其發展脈絡，認為《淮南子》和嚴君平深受《易傳》影響，都引述《易傳》思想，用來補充或改造道家學說。

在戰國時期學術思想大融合的風氣下產生的《易傳》，以其比較系統的哲學體系、獨特的思維方式和高超的政治智慧，發生着深刻的影響。到了漢代，由於統治者表彰儒學，提倡經學，《周易》被尊為六經之首，對《周易》的研究遂成為一種專門的學問，即易學。但是在西漢，研究《周易》的，不祇是儒家的經師，其它流派的思想家也探討《周易》的理論。如道家黃老之學對《周易》的解說。朱伯崑先生在其《易學哲學史》第一卷中，稱“將易學同黃老學說結合起來，講陰陽變易學説”為西漢三種解易傾向之一，並把《淮南子》、嚴君平及其弟子揚雄列為其主要代表。他們都不同程度地吸收了《易傳》的思想，深受《大易》之影響。

司馬談評論道家，“因陰陽之大順，採儒墨之善，撮名法之要”(《史記·太史公自序》)。在《黄老帛書》發現之前，馮友蘭先生認為，其具體内容系統地表現在《淮南子》中，視其為西漢道家的代表作[①]。其所明引《周易》經傳文句和直接評論《周易》的，就有十八處之多。嚴君平精通易理，深諳老莊，所著《老子指歸》，亦引《周易》經傳文意，解釋老子的《道德經》。西漢末年的揚雄，深受其師嚴君平影響，獨持道家的自然論[②]，曾説："觀大易之損益兮，覽老氏之倚伏；省憂喜之共門兮，察吉凶之同域"(《太玄賦》)。其所著《太玄》一書，即《大易》和老氏相結合的産物。

由於揚雄《太玄》乃模擬《周易》而作，從形式到内容比較全面地繼承和發揮了《周易》經傳的思想，本文僅就《淮南子》和《老子指歸》所提供的材料，對《易傳》與西漢道家的關係作一粗淺的剖析。

一、關於《周易》的性質

《易傳》繼承孔子强調人道教訓之義，不太迷信筮法的解易學風，視《周易》為講宇宙人生根本原理的書。在《易傳》作者看來，《周易》已不衹是占筮用的典籍，而且成了依據天道變化，處理生活得失、治理天下國家和進行道德修養的指南，即講聖人之道的典籍。此種對《周易》的理解，對西漢道家起了很大的影響。

首先，《周易》的本質屬性在於"窮道通意"。《易傳》認為，《周易》與天地相當，能够包容天地的法則。"《易》之為書也，廣大悉備，有天道焉，有人道焉，有地道焉。兼三材而兩之故六，六者非它也，三材之道也。"(《繫辭》)以"三材之道"概括《易》書及其一卦六爻，説明《周易》不是一般的著述，而是包容天人之道的典籍。因此，聖人依據《周易》就可以窮究事物幽深的道理，探求事物變化的

---

① 參見馮友蘭《中國哲學史新編》第二册，人民出版社，1964年。

② 參見張岱年《中國哲學大綱》，中國社會科學出版社，1982年。

徵兆,以此通曉天下人的志向,成就天下之事業,教化天下百姓。此即《繫辭》所說:"夫《易》,聖人之所以極深而研幾也。唯深也,故能通天下之志;唯幾也,故能成天下之務;唯神也,故不疾而速,不行而至。"照這種說法,《周易》又是聖人探求事物變化的方向,用來治理天下、教化百姓的典籍。

《淮南子》繼承了此種易學觀。它論述《周易》的性質說:"今《易》之乾坤,足以窮道通意也,八卦可以識吉凶知禍福矣。然而伏羲為之六十四變,周室增以六爻,所以原測淑清之道,而捃逐萬物之祖也。"(《要略》)這是說,《周易》的本質屬性在於考察宇宙的根本,探求萬物的本原,以達到窮究事物之道,通曉天下之意,預知未來事變,指導人們行為的目的。這裏所謂"窮道通意",也即《繫辭》所說"極深研幾"、"通天下之志";所謂"識吉凶知禍福",也即"唯幾也,故能成天下之務;唯神也,故不疾而速,不行而至"。二者是一脈相傳的。

其次,《周易》是進行道德修養,提高精神境界的典籍。孔子認為善於學易的人不必去占筮,而要觀其德義,這樣就可以"無大過",强調卦爻辭道德修養的意義。《易傳》發展了孔子的易說,認為爻象雖然變化無常,但其吉凶斷語有原則可尋,因此,《周易》可以使人明白憂患與事故,雖無師保,也如同父母親臨一樣告誡自己。强調人處於憂患之時,從《周易》中尋找教訓,最重要的是尋找道德教訓,以作為防止和解除憂患的依據。其三陳九卦的意義,就在於要人們於憂患之中提高道德修養的水平。所以,《易傳》把依據《周易》所講的道理,效法天地,提高自己的精神境界看作是聖人的事業。《繫辭》說:"《易》其至矣乎?夫《易》,聖人所以崇德而廣業也。知(智)崇禮卑,崇效天,卑法地。天地設位而《易》行乎其中矣。成性存存,道義之門。"聖人以《周易》所講的道理,成就自己的本性,使其存而又存,不致喪失,此即通往道義的門户。又說,聖人作《易》的最終目的就是:"和順於道德而理於義,窮理盡性以至於命"(《説卦》)。即是説,聖人依據《周易》的法則,遵循事物的準則,確定事物的分位,窮盡事物之理和所稟之性,以至於生命的終極。這樣,《周易》又被看成是認識事物本性及其變化規律,從而提高人的精神境界的學問。

《淮南子》論《易》,也吸收了此種觀點。《泰族訓》説:"六藝異科而皆同道:温惠柔良者,詩之風也。淳龐敦厚者,書之教也。清明條達者,易之義也。恭儉尊讓者,禮之為也。寬裕簡易者,樂之化也。刺幾辯義者,春秋之靡也。故易之失,鬼;樂之失,淫;詩之失,愚;書之失,拘;禮之失,忮;春秋之失,訾。"這是把《周易》視為六藝之一,認為《周易》的意義在於使人"清明條達",即使人心地清純,心思通達,既能窮理,又能盡性,行為做事皆合乎事物的規則和分位,亦即《易傳》所謂"和順於道德而理於義,窮理盡性以至於命",提高人的精神境界。

《禮記》中有一段話,與《淮南子》此段論述頗為相似。《經解》説:"孔子曰:入其國,其教可知也。其為人也,温柔敦厚,詩教也。疏通知遠,書教也。廣博易良,樂教也。絜静精微,易教也。恭儉莊敬,禮教也。屬辭比事,春秋教也。故詩之失,愚;書之失,誣;樂之失,奢;易之失,賊;禮之失,煩;春秋之失,亂。"朱伯崑先生評論説:此是把《周易》奉為六經之一,認為《周易》之教可以使人心地純静,心思精密,做事不害正道,即提高人的思想境界。此種易學觀,可以代表儒家正統派的觀點[①]。

《淮南子》所論,與儒家正統派的觀點如此相似,雖不能説一定來於儒家,但受《易傳》深刻影響,却是確定無疑的。

再次,《周易》預測未來,告人吉凶,主要不是靠鬼神的啓示,而

① 參見朱伯崑《易學哲學史》第一卷,華夏出版社,1995年。

是靠聖人的智慧依據"必然之道"進行推理。《易傳》認為,依據《周易》預測未來事變是聖人之道的內容之一。《周易》之所以能預知來事,推斷天下之疑惑,是由於蓍草的德行圓而神妙,能預知未來;卦象的德行方而智慧,能藏住已往的事情。聖人依據卦象、卦名、卦辭所藏過去之事的經驗,就可以推斷所占之事的前途,確定努力的方向。這也就是《繫辭》所說的"彰往而察來,顯微而闡幽"。照這種說法,《周易》作為聖人預知來事的工具,主要的不是依賴鬼神的啓示,而是依靠聖人的智慧,即依靠《周易》中的言辭及所表述的事件,進行推理。這就沖淡了《周易》和占筮的迷信成份。《淮南子》則進一步否定了《周易》占筮巫術的迷信成份。它明確指出:"《易》之失也,卦","《易》之失,鬼"(《泰族訓》)。認為離開了《周易》"窮道通意",提高精神境界的根本要義,而追求占筮卜問的神靈啓示,衹能引起混亂,並不能真正預知來事。"卜者操龜,筮者端策,以問於數,安所問之哉?"(《說林訓》)因此,它主張"不擇時日,不占卦兆"(《本經訓》),不用此種偶然應驗的數術,而依據"必然之道",即事物的本質和規律進行揆度、推斷。這是對《易傳》"彰往察來",不迷信占筮的易學觀的進一步闡發。

二、一陰一陽之謂道

《易傳》在哲學史上的主要貢獻,是以"陰陽"為範疇,說明卦象、爻象以及事物的根本性質,並且概括為"一陰一陽之謂道",作為易學哲學的基本原理,從而對《周易》的框架結構作出了全面的哲學解釋。

《易傳》通過對《周易》和筮法的解釋,以陰陽對待說明六十四卦的形成,以陰陽變易說明卦爻的變化,並且把陰陽對待和變易的法則稱之為形而上的"道",以至於將這種解釋推廣到自然界和人類的政治生活。在此基礎上它進一步概括說:"一陰一陽之謂道。繼之者善也,成之者性也。仁者見之謂之仁,知者見之謂之智,百姓日用而不知,君子之道鮮矣。""一陰一陽"就是又陰又陽,即有陰就有陽,有陽就有陰,陰可變為陽,陽可變為陰。"一陰一陽"就是兩個對立的方面既相互對待又相互流轉,這就是"道"。"道"表示事物的終極原因和最高法則。天地之間,凡是繼承這一法則的,就是完善的;凡是具備一陰一陽的,就完成其本性。可是一般人總是看不到陰陽兩個方面,或者見仁而不智,或者見智而不見仁,以自己所見的一面為"道",而普通的老百姓衹是於日常生活中運用此道,並不懂得這個道理。這樣,君子之道也就少了。

"一陰一陽之謂道"這一命題的提出,就把《周易》的基本原理、自然界和人類社會生活中的一切事物的性質及其變化的法則都概括起來了。它將西周末年以來的陰陽說,從對具體事物的論述,抽象為表述事物對立性的範疇,並把對立面的依存和轉化,概括為"一陰一陽",看成事物的本性及其變化的規律。這是《易傳》在古代哲學史上的一大貢獻。將"道"歸結為"一陰一陽",在先秦學術中,是《易傳》的專利。這表明,《易傳》的學術主旨就是"一陰一陽","一陰一陽"是《繫辭》的靈魂①。

"一陰一陽之謂道"這一辯證思維的命題,對後來易學和哲學的發展影響很大。西漢道家學說也不例外。嚴君平在《老子指歸》中說:"道德之化,天地之數,一陰一陽。"(《名身孰親篇》)"道德",指天地萬物化生的原初狀態和普遍遵循的法則。"數"是表示事物必然性的範疇,"天地之數"即指天地萬物變化的必然規律。這是以"一陰一陽"為天地萬物存在和變化的根本法則。所以《勇敢篇》更加

① 參見王德有《易儒道三家主旨辨》,載《國際易學研究》第一輯,華夏出版社,1995年。

明確地說:“夫天地之道,一陰一陽,分為四時,離為五行,流為萬物,精為三光;陽氣主德,陰氣主刑,覆載羣類,含吐無方。”《以正治國篇》也說:“天地之道,一陰一陽……陽終反陰,陰終反陽,陰陽相反,以至無窮。”“反”同“返”。“陰陽相反”即陽變為陰,陰變為陽。“天地之道,一陰一陽”,就是“一陰一陽之謂道”的翻版。其《用兵篇》又說:“夫陰而不陽,萬物不生;陽而不陰,萬物不成。由此觀之,有威無德,民不可治;有德無威,宗廟必傾;無德無威,謂之引殃,遭時之變,身死國亡。”這又將“一陰一陽”推廣到人類社會,認為“一陰一陽”也是治國教民所必須遵循的法則。

“一陰一陽之謂道”這一命題的涵義之一,指陰陽兩方面不可偏廢,和諧統一。陰陽兩個方面相互聯結、相互滲透、相互推移、互濟互補,和諧統一,纔是事物發展變化的規律,此即“一陰一陽之謂道”。“《易》道貴中和”(惠棟《易例》),是歷代易學家對《周易》的一個共識,也是“一陰一陽”題中應有之義。所謂“中”,就是不偏不倚,既不過分,又無不及,是結合兩個對立極端的最佳尺度,乃事物的最佳狀態。而“中”與“和”又是緊密相聯的,中是實現和的必要條件,祇有中纔能和。“和”就是和諧,最高的和諧《周易》稱之為“太和”。“太和”是《周易》所追求的最高價值理想。這與《中庸》所說“致中和,天地位焉,萬物育焉”是一致的。

此種觀點也極大地影響了西漢道家。《淮南子》說:“天地之氣,莫大於和。和者,陰陽調,日夜分而生物。春分而生,秋分而成。生之與成,必得和之精。故聖人之道寬而栗,嚴而温,柔而直,猛而仁。太剛則折,太柔則卷。聖人正在剛柔之間,乃得道之本。積陰則沉,積陽則飛,陰陽相接,乃能成和。”(《氾論訓》)這是從萬物的生成和聖人之道説明“中和”乃自然界與人類社會的普遍法則。陽過於陰不行,陰過於陽也不行,“太剛則折,太柔則卷”,祇有依據“中”的原則,使陰陽和洽,剛柔相濟,纔能保持事物的最佳狀態。

《老子指歸》也説:"一清一濁,清上濁下,和在中央。三者俱起,天地以成,陰陽以交,而萬物以生,失之者敗,得之者榮。夫和之於物也,剛而不折,柔而不卷,在天為繩,在地為準,在陽為規,在陰為矩;不行不止,不與不取,物以柔弱,氣以堅强,動無不制,静無不與。故和者,道德之用,神明之輔,天地之制,羣類所處,萬方之要,自然之府,百祥之門,萬福之户也。"這又是以"中和"的精神解釋其太和之氣的作用,視"太和"為天地、陰陽、萬物賴依生成和存在的根本因素和最佳狀態。此種崇尚中和的思維衹能來自《易傳》或儒家。

三、裁成輔相和無為新説

《易傳》認為人與天地是一個統一體,具有同樣的變化法則,人應效法天地,擇善而行,所謂"天地變化,聖人效之"(《繫辭》)。有人以為,這是道家"推天道以明人事"的思維方式。其實,《易傳》的天人學説與道家並不一致。在《易傳》看來,人道雖然效法天道,但並不是説,人在自然面前無所作為。人應發揮自己的主觀努力,剛健有為,自强不息,與天地相諧調,並協助自然界成就化育萬物的功能。此即"天地設位,聖人成能"(《繫辭》)。據此,又提出了"裁成輔相"説。《泰卦》《象傳》説:"天地交,泰。后以財成天地之道,輔相天地之宜,以左右民。""財"通"裁"。"財成"即加以裁製完成。"輔相"即遵循固有的規律而加以輔助。"裁成天地之道,輔相天地之宜",就是在遵循自然規律的基礎上,對自然物的變化加以輔助、節制或調整,以成就天地化育之功,使之更加符合人類生活的需要。此説不衹是順應自然,而是利用和控制自然為人類造福,所以又强調"制而用之謂之法"(《繫辭》)。衹有對自然加以調節控制,並有所利用,纔能稱得上對天地的效法。此種觀點,與老子所説"輔萬物之自然而不敢為”(六十四章),是不同的,可以說是“輔萬物之自然而有所為”,是與道家“蔽於天而不知人”的天人觀相反對的。

《淮南子》批駁老莊的“無為”說,而提出自己的“循理而舉事,因資而立功”的無為新說,與《易傳》的“裁成輔相”說和“制而用之”的思想不無關係。《修務訓》說:“或曰:無為者,寂然無聲,漠然不動,引之不來,推之不往,如此者,乃得道之像。吾以為不然。嘗試問之矣,若夫神農堯舜禹湯,可謂聖人乎?有論者必不能廢。以五聖觀之,則莫得無為明矣。”這是說,以神農、堯、舜、禹、湯等聖人的事迹來看,是不可實行老莊所說的“寂然不動”的“無為”的。接着,便引述五聖的事迹予以駁斥,最後得出結論說:“此五聖者,天下之盛主,勞形盡慮,為民興利除害而不懈,……夫聖人者,不恥身之賤,而愧道之不行;不憂命之短,而憂百姓之窮。是故禹之為水,以身解於陽盱之河,湯旱以身禱於桑山之林。聖人憂民如此其明也,而稱以無為,豈不悖哉!”“自天子以下至於庶人,四肢不動,思慮不用,事治求淡者,未之聞也。”在此基礎上,《淮南子》闡發了自己的“無為”觀:“若吾所謂無為者,私志不得入公道,嗜欲不得枉正術;循理而舉事,因資而立功;推自然之勢,而曲故不得容者;事成而身弗伐,功立而名弗有。”“循理而舉事”,“因資而立功”,也就是在遵循自然法則、依憑自然所提供的條件的前提下,發揮人的能動性,去完成調整自然的事業,建立人類的功勳。實際上,此種“無為”,完全是主張人應當有所作為,與《易傳》“裁成輔相”、“制而用之”的學說是一致的。這是用《易傳》的思想對道家“無為”學說的改造。

同樣,《老子指歸》也以《易傳》的思想闡發道家的無為學說。嚴君平極力主張道德、神明、太和、陰陽、天地無為,但對於人事,强調:侯王要“因道修德,順天之則;竭精盡神,趨時不息”;“各守其名,皆修其德”。臣下要“大通和正,直方不曲;忠信順從,奉其分職”。萬民要“小心敦樸,節儉強力;順天之時,盡地之力”;“日出而作,日入而息”(見《人之飢篇》)。總之,人道既要順天則,修道德,又要盡心竭力,盡職盡責,有所作為。實際上,這是主張天道無為而人道有為,是用儒家“盡人事”的學説補充道家思想。

四、趨時説

《易傳》十分推崇“時”,强調“與時偕行”。《周易》言“時”有六十次之多,對時間的知解、運用,及其意義與功能等方面都有論述、歸納和説明。在時間的知解方面,《周易》以為,由“觀天”始能“察時”,“觀乎天文,以察時變”(《賁卦·彖傳》);由“觀天察時”纔能够“明時”。在時間的運用方面,《周易》不把時間當作孤立的存在,常和天地、日月、人事合在一起論述,既要“奉天”、“承天”、“應天”,又要乘時“御天”。時機未到,要“待時”,以反身修德為主;時機到了,要“與時偕行”,包括“時發”、“時升”、“時育”、“時捨”等等,而以“時中”為原則;時機轉變,要“趨時”,不要“失時”①。“趨時”,可以説是《易傳》對其時觀的基本概括,“變通者,趨時者也”(《繫辭》)。不斷追隨時代,及時變通,“時止則止,時行則行,動靜不失其時”(《艮卦·彖傳》),纔能抓住機遇,取得事業的成功。因此,《彖傳》在豫、隨、大過、坎、革、艮等十二卦特別强調“時”的重要意義。

朱伯崑先生在其《易學哲學史》中指出:“在戰國時代,不僅儒家孟子講趨時,兵家、道家、法家都講趨時。如《管子·宙合》説:‘必周於德,審於時,時德之遇,事之會也’;‘時而動,不時則静’。《管子·白心》説:‘以時為寶’。《彖》、《象》以能否‘與時偕行’,説明卦爻辭的吉凶,也是同戰國時代流行的審時度勢思想相適應的。”陳

---

① 參見黄慶萱《周易縱横談》,東大圖書公司,1993年。

鼓應先生則將"時"與"動静"結合的思想淵源追溯到老子[①]。這都是十分精當的見解。但其它學派對"時"的論述,都遠遠没有像《易傳》這樣完備和系統。這説明,《易傳》是時代精神的産物,代表了戰國時期學術大融合的氣氛下出現的儒道互補的新型世界觀。

這種時代精神也强烈地影響着西漢道家。司馬談指出,西漢黄老道家的特點是"與時遷移,應物變化","時變是守"。《淮南子》一書確實體現了這一特色。《原道訓》提出"貴其周於數而合於時",贊揚"禹之趨時","非争其先也,而争其得時"。《繆稱訓》則稱許"君子時則進","不時則退";"聖人之舉事,進退不失時"。《泰族訓》則强調要"應時而變","乘時應變","隨時而動静,因資而立功"。更有意味的是,其《人間訓》也以"趨時"説解釋《乾卦》初九和九三爻辭:"故易曰潛龍勿用者,言時之不可以行也。故君子終日乾乾,夕惕若厲,無咎。終日乾乾,以陽動也。夕惕若厲,以陰息也。因時而動,因夜以息,唯有道者能之。"這是對《文言》所説"因時而惕"的進一步發揮。西漢後期的嚴君平,在《老子指歸》中也强調聖人"與時俯仰,因物變化"(《得一篇》);大丈夫要"因時應變","與時推移"(《上德不德篇》);侯王應該"趨時不息"(《人之飢篇》)。由此可見,"趨時"説影響之深遠。後來王弼、程頤解易,都特重"時",明代蔡清也説:"《易》道祇是時"。

五、物 類 相 從

《易傳》吸收戰國時代"同氣相應、同類相感"的思想,用來解釋卦爻辭,提出了"同氣相求"、"物類相從"的觀點。《文言》解釋乾卦

---

① 參見陳鼓應《彖傳的道家思維方式》,載《易傳與道家思想》,臺灣商務印書館,1994年。

九五爻辭説："飛龍在天，利見大人，何謂也？子曰：同聲相應，同氣相求，水流濕，火就燥，雲從龍，風從虎，聖人作而萬物覩。本乎天者親上，本乎地者親下，則各從其類也。"《繫辭上》解釋中孚卦九二爻辭説："'鳴鶴在陰，其子和之，我有好爵，吾與爾靡之'。子曰：君子居其室，其出言善，則千里之外應之，況其邇者乎？……言出乎身，加乎民；行發乎邇，見乎遠。言行君子之樞機，樞機之發，榮辱之主也。言行，君子之所以動天地也，可不慎乎！"這是認為，同類事物是可以相互貫通、相互感應的，君子的言行出乎近，可以應於遠，感動萬民，感動天地。

《淮南子》進一步發揮了這一思想。《泰族訓》説："天設日月，列星辰，調陰陽，張四時；日以暴之，夜以息之，見以乾之，雨露以濡之。……夫濕之至也，莫見其形而炭已重矣；風之至也，莫其象而木已動矣……故天之且風，草木未動而鳥已翔矣；其且雨也，陰曀未集而魚已噞矣。以陰陽之氣相動也。故寒暑燥濕，以類相從；聲響疾除，以音相應。故《易》曰：'鳴鶴在陰，其子和之'。"這是以《文言傳》"同聲相應，同氣相求，水流濕，火就燥"，"物類相從"的思想解説中孚卦九二爻辭，與《繫辭》的解説，其理論思維是一致的。所不同的是，《易傳》從人事方面解説，而《淮南子》則完全從天道加以説明。又其《繆稱訓》解釋乾卦上九爻辭説："聖人在上，民遷而化，情以先之也。動於上不應於下者，情與令殊也。故《易》曰：亢龍有悔。"此種解説也是吸取《文言傳》而來。《文言》説："亢龍有悔，何謂也？子曰：貴而無位，高而無民，賢人在下位而無輔，是以動而有悔也。"高高在上，而無民衆擁護、賢人輔佐，即無人與之相應和，故有悔。《淮南子》以"動於上不應於下"概括《文言》"高而無民，賢人在下"，可謂深得其義。

《老子指歸》也吸收《易傳》"物類相應"的觀點，用來論述其"天地人物，皆同元始，同一宗祖；六合之内，宇宙之表，連屬一體"的思想。《不出户篇》説:“人主動於邇,則人物應於遠;人物動於此,則天地應於彼。彼我相應,出入無門,往來無户。天地之間,虛廓之中,遼遠廣大,物類相應,不失毫釐者,同體故也。”由上述材料,我們可以清楚地看到,從《易傳》到《淮南子》,再到《老子指歸》的傳承脈絡。

六、損益之道

《老子》曾以天之道、人之道講損益:“天之道,損有餘而補不足。人之道則不然,損不足以奉有餘。”(七十七章)又説:“物或損之而益,或益之而損”(四十二章)。《易傳》解釋損益兩卦,則進一步將損益之道和陰陽學説聯繫起來。《彖傳》説:“損下益上,其道上行。……損剛益柔有時,損益盈虛,與時偕行。”“損上益下,民悦無疆,自上下下,其道大光。……凡益之道,與時偕行。”“盈虛”,指陰陽消長。“君子尚消息盈虛,天行也。”(《剥卦·彖傳》)書寫於漢文帝時代的帛書《易傳》更加推崇損益兩卦,提出了“損益之道,不可不察”的命題。《要》篇説:“孔子繇易至於損益一(二)卦,未尚(嘗)不廢書而莫(嘆),戒門人弟子曰:二三子! 損益之道,不可不審察也。吉凶之〔門〕也。益之為卦也,春以授夏之時也,萬勿(物)之所出也,長日之所至也,產之室也,故曰益。〔損〕者,秋之授冬之時也,萬勿(物)之所衰也,長〔夕之〕所至也,故曰產(損)。道窮焉而產(損),道□焉益。益之始也吉,亓(其)冬(終)也凶;損之始〔也〕凶,亓冬也吉。”這是以由春到夏,萬物生長解釋益卦,以由秋到冬,萬物衰老解釋損卦。由於此兩卦體現了一年四時的陰陽消長、萬物盛衰的變化過程,所以孔子每讀至此,“未嘗不廢書而嘆”,感慨系之。他以為,損益之道不可以不察,是因為它足以觀察天道之變,人事滄桑,這就是下文所説:“損益之道,足以觀天地之變而君老(者)之事已","損益之道,足以觀得失矣"。損益之道乃天地人事的普遍規律。

《淮南子》中也有類似的論述。《人間訓》説:"孔子讀易至于《損》《益》,未嘗不憤然而嘆曰:益損者,其王者之事與!事或欲以利之,適足以害之;或欲害之,乃反利之。利害之反,禍福之門户,不可不察也。"這與帛書所謂"損益之道"乃"君者之事","不可不察",如出一轍。《繆稱訓》則引《易傳·序卦》文,解説損益之道:"動而有益,則損隨之。故易曰:剥之不可遂盡也,故受之以復。"剥、復二卦屬于十二消息卦,剥表示陰氣盛長、陽氣將盡之時;復表示陰極陽生,陰氣開始消衰,陽氣開始增長之時。陰陽消長,循環往復,没有窮盡。這就是《剥卦》《彖傳》所講的"消息盈虚"的"天道"。此又是以一年四季陰陽二氣的消長過程説明損益之道,與《彖傳》以陰陽説講"損益盈虚,與時偕行",是一致的。由此可見,從《彖傳》到帛書《要》,再到《淮南子》,"損益之道"的發展綫索,《淮南子》繼承了《易傳》的思想是確定無疑的。

七、崇聖與尚賢

《易傳》推崇聖人,崇尚賢者。僅《繫辭》言"聖"就有二十七次之多,如"利成器以為天下利,莫大乎聖人";"天地設位,聖人成能"等等。《繫辭》也言"尚賢",如説:"天之所助者順也,人之所助者信也,履信思乎順,又以尚賢,是以自天祐之,吉無不利也。"推崇聖賢是儒家的一貫主張。孔孟不僅褒揚聖人,也都提倡尚賢。孟子於尚賢之外,又提出養賢説,所謂"悦賢而不能舉,又不能養,可謂悦賢乎?"(《孟子·萬章下》)悦賢就是既要舉賢,又要養賢。《易傳》繼承了這一思想,更主張養賢。《彖傳》釋《大畜》卦説:"大畜,剛健篤實輝光,日新其德,剛上而尚賢……不家食吉,養賢也。"釋《頤》卦説:

"天地養萬物,聖人養賢以及萬民,頤之時,大矣哉!"又釋《鼎》卦說:"以木巽火,亨,飪也。聖人亨以享上帝,而大亨以養聖賢。"在《易傳》看來,祇有尊重人才,任用賢才俊士以為輔佐,纔能容民蓄衆,身安國保,興天下之利,除天下之害,以成就其大業。而舉賢的前提是養賢,祇有以貴爵重禄養於賢者,給他們以優厚的物質待遇和高尚的精神安慰,纔能將天下賢能網羅在自己的周圍。

《淮南子》中崇尚聖賢的論述也很豐富,為了避免冗繁,僅舉一例。《泰族訓》說:"法雖在,必待聖而後治;律雖具,必待耳而後聽。故國之所以存者,非以有法也,以有賢人也;其所以亡者,非以無法也,以無賢人也。……故守不待渠塹而固,攻不待衝降而拔,得賢之與失賢也。故臧武仲以其智存魯,而天下莫能亡也;璩伯玉以其仁寧衛,而天下莫能危也。《易》曰:'豐其屋, 蔀其家, 窺其户,闃其無人。'無人者,非無衆庶也,言無聖人以統理之也。"此種崇聖尚賢的主張絶不屬於道家,因為前期道家是排斥聖賢的。慎到"笑天下之尚賢","而非天下之大聖", 曾明言"無用聖賢, 夫塊不失道"(《莊子·天下》)。老子也極力主張:"絶聖棄智,民利百倍;絶仁棄義,民復孝慈"(十九章);"不尚賢,使民不争"(三章)。此種學説,祇能來於儒家或者《易傳》。但從其引《易》而加以論述來看,則可以肯定,更直接地來源於《易傳》。祇不過,《淮南子》對於聖賢的論述,比起《易傳》來,更為具體而深刻。

《氾論訓》說:"自古及今,五帝三王,未有能全其行者也。故《易》曰:'小過,亨,利貞。'言人莫不有過,而不欲其大也。夫堯舜湯武,世主之隆也;齊桓晉文,五霸之豪英也。然堯有不慈之名,舜有卑父之謗,湯武有放弑之事,五伯有暴亂之謀。"金無足赤,人無完人。所以,對於賢者,不能求全責備於一人。"夫人之情莫不有所短,誠其大略是也,雖有小過,不足以為累;若其大略非也,雖有閭里之行,未足大舉"。如果"志人之所短,忘人之所長,而求得其賢於天下,則難矣"(同上)。以上之小惡掩其大美,哪裏還會有什麽聖賢呢? 這是對《易傳》崇聖尚賢説的進一步發展。

八、理想人格

《周易》崇聖尚賢,更提出了其心目中的聖人標準。《文言》傳説:"夫大人者,與天地合其德,與日月合其明,與四時合其序,與鬼神合其吉凶。先天而天弗違,後天而奉天時。天且弗違,而況於人乎? 況於鬼神乎?"所謂"先天",是説,先於天時到來而行動,即能預見天時的變化,而為天時變化的前導。所謂"後天",是説,天時到來之後又按照天時的變化行事,即從天而動,在自然變化既已發生之後,又注意適應。這是認為,人的修養境界應與天道自然相一致,即後來易學所説的"與天合一"。祇有這樣,纔能達到"窮神知化"的最高道德境界,所謂"窮神知化,德之盛也"(《繫辭》)。達到了此種精神境界,就可以"範圍天地之化而不過,曲成萬物而不遺,通乎晝夜之道而知","旁行而不流,樂天知命故不憂,安土敦乎仁故能愛"(同上)。這就為人類樹立了一種理想的人格標準,集中體現了《易傳》的價值理想和人文精神。

此種人格理想,對西漢道家的學説,起了深刻的影響。《淮南子》引用《易傳》"與天地合德"説,以論證其"總萬方之指而歸之一本,以經緯治道,紀綱王事"的"古今之道",視其為《淮南鴻烈》的根本要義,所謂:"德形於内,治之大本,此《鴻烈》之《泰族》也。"(《要略》)《泰族訓》説:"故大人者,與天地合德,日月合明,鬼神合靈,與四時合信。故聖人懷天氣,抱天心,執中含和,不下廟堂而衍四海,變習易俗,民化而遷善,若性諸己,能以神化也。"達到了"與天合一"的理想境界,其治國教民,易俗遷善也就臻於神化了。由此也可以看到,《淮南子》對《易傳》是何等的尊重與推崇。《易傳》對西漢道家的影響是不容忽視的。

作者簡介 鄭萬耕,1946年生,河北安平人。現任北京師範大學哲學系教授。主要著作有:《太玄校釋》、《易學名著博覽》、《易學基礎教程》等。

帛書《繫辭》的年代與道論[①]

王　博

内容提要　本文關於帛書《繫辭》的討論主要由兩個部分組成。第一部分是關於寫作年代的。本文認為,從文字及思想等方面來看,帛書《繫辭》受到了《莊子》外雜篇及《管子·內業》,甚至《荀子》等戰國後期作品的影響,其形成當更在其後。更進一步,與戰國時作品以取天下、統一天下為主題不同,帛書《繫辭》主要關心治天下、守天下的方法,與漢初的形勢相適應,應作於西漢初期。第二部分探討帛書《繫辭》的道論,認為其對易與乾、坤以及道、象與形的討論都受到了老子等的深刻影響。

所謂"十翼"之中,《繫辭》有"易大傳"之名,[②] 地位顯赫,倍受既往儒者之重視。近些年,由於七十年代發現的帛書《繫辭》釋文的公佈,它更成為學界關注的一個焦點。[③] 帛書《繫辭》與今本相比,有若干的不同,主要是缺少了部分章節。因此,關於二者間關

① 本文所引帛書《繫辭》文主要依據張政烺先生《馬王堆帛書〈周易·繫辭〉校讀》,見《道家文化研究》第三輯。

② 關於"易大傳"之所指,今人理解有異,高亨、張岱年先生等均以為包括整個"十翼",朱伯崑先生等以為祇指《繫辭》。後說符合歷來之說法,且使《繫辭》合乎"大傳"體例,故本文從之。

③ 僅《道家文化研究》第三輯就刊有關於帛書《繫辭》的十七篇文章。

係的探討,很能引起學者的興趣。大概言之,有三種基本的意見:第一種認為帛書《繫辭》從今本演化而來,是今本的一個抄本;第二種認為帛書《繫辭》乃是今本的主要底本,今本後於帛書,乃是綜合若干解易文獻而成;第三種主張今本與帛書是同時異地的傳本。[①] 筆者曾撰《從帛書〈易傳〉看今本〈繫辭〉的形成過程》一文,持的是第二種意見,至今仍是如此。

依我在《從帛書〈易傳〉看今本〈繫辭〉的形成過程》文中的看法,今本《繫辭》的編定,或在漢武帝時期。問題是,作為其主要底本的帛書《繫辭》,其撰成是在什麼時代,該文並無討論。另外,那篇文章中也没有談及帛書《繫辭》内容方面的問題。基於此種情形,本文即簡要討論帛書《繫辭》的撰作年代及其道論。

一、帛書《繫辭》的撰作年代

帛書《繫辭》與《易之義》、《要》、《繆和》、《昭力》等同抄於一張帛上,與抄於另帛上的《二三子問》一起,構成一組相關的解易文獻,被認為是代表了南方的易學傳統。[②] 從一些線索分析,《易之義》、《要》、《繆和》、《昭力》等篇,應是漢初的作品。[③] 那麼,帛書《繫辭》會不會也形成於漢初呢?

在討論此問題之前,我們可以簡單回顧一下目前學術界關於今本《繫辭》著作年代的諸種看法。據我所知,主要有以下四種。

---

① 以上諸說,包括下述筆者的文章在内,可參見《道家文化研究》第三輯。

② 參見李學勤《簡帛佚籍與學術史》,臺灣時報文化出版公司,1994 年,第 252—260 頁。

③ 參見我的《從帛書〈繆和篇〉到〈淮南子·繆稱訓〉》一文。

即(1)春秋末孔子作;(2)戰國早期;(3)戰國後期;(4)漢初。[1] 其中(2)、(3)兩説近些年影響較大,帛書《繫辭》的發現被認為是支持了這兩種意見。(1)也有人堅持,而(4)即漢初説則幾乎無人談起。我個人以為,漢初説其實是一個值得認真考慮的看法。

從思想概念的方面來考慮,《繫辭》在很多方面都受到了老子、《黄帝四經》、以及包括外雜篇在内的《莊子》的影響,陳鼓應先生對此多有討論。[2] 另外,像"精氣為物"中"精氣"的概念來於《管子·内業》,庖犧、神農、黄帝堯舜的次序來於《商君書·更法》等,朱伯崑先生亦曾指出。[3] 上述文獻中,似《莊子》外雜篇及《管子·内業》都是戰國後期的文獻,《繫辭》當更在其後。又《繫辭》中有云:

> "乾以易,坤以簡能。易則易知,簡則易從,易知則有親,易從則有功,有親則可久,有功則可大也。"

此似受《荀子》語啓發,[4]《正論》云:

> "上宣明則下治辨矣,上端誠則下願慤矣,上公正則下易直矣。治辨則易一,願慤則易使,易直則易知。易一則強,易使則功,易知則明……故上易知則下親上矣。"

目前所見文獻中最早引用《繫辭》文字的是陸賈《新語》。此書見載於《漢書·藝文志》,司馬遷《史記》以為著於高祖初定天下之時。此書《明誡》篇引"易曰:天垂象,見吉凶,聖人則之",文字見於

---

① 金景芳、吕紹綱等持(1)説;高亨、張岱年等持(2)説;朱伯崑等持(3)説;李鏡池、郭沫若等持(4)説。

② 陳説見其所著《易傳與道家思想》,臺灣商務印書館,1994年。

③ 《易學哲學史》,第一卷,華夏出版社,1995年,第52頁。

④ 劉大鈞先生曾據此材料説明《繫辭》早於《荀子》,見其《易大傳著作年代再考》,此論文收在黄壽祺、張善文編《周易研究論文集》第一輯,北京師範大學出版社,1987年,第475頁。

《繫辭》。很多學者引此為《繫辭》出於漢以前之證。[①] 但其引"易曰"文字,雖見於《繫辭》,却未必出於《繫辭》。之所以如此說,是因為《新語》中另有與《繫辭》文字相同或相似者,並未寫明是引"易",屬於此種情形的至少有如下幾處:

1.《新語·道基》云:"陽生雷電,陰生雪霜。養育羣生,一茂一亡,潤之以風雨,曝之以日光。"《繫辭》有"鼓之以雷霆,潤之以風雨"句,與之類似。

2.《新語·道基》云:"於是先聖乃仰觀天文,俯察地理。圖畫乾坤,以定人道……至於神農……乃求可食之物……教民食五穀。天下人民野居穴處,未有室屋,則與禽獸同域,於是黃帝乃伐木構材,築作宮室,上棟下宇,以避風雨。"後面又敍後稷、禹、奚仲、皋陶、中聖、後聖等。頗有次序,且自成系統。《繫辭》論聖人觀象製器,有部分文字與此相似,其云:

> "古者戲氏之王天下也,仰則觀象於天,俯則觀法於地,觀鳥獸之文與地之宜,近取諸身,遠取諸物,於是始作八卦……包戲氏没,神農氏作,斵木為耜,楺木為耒,梼梼木之利以教天下,蓋〖取〗諸益也……上古穴居而野處,後世聖人易之以宮室,上棟下楣,以待風雨,蓋取諸大壯也。"

兩相比較,《新語》與《繫辭》大同小異,若《新語》見《繫辭》,應引"易曰"。又《新語》論及諸多古帝王、聖人,自成系統,與《繫辭》亦不同。《新語》此部分文字當不出於《繫辭》。

3.《新語·慎微》言"河出圖,洛出書",亦見於《繫辭》。然《新語》亦不稱"易曰"。

凡此可知《新語》所引"易曰:天垂象,見吉凶,聖人則之"句未必出於《繫辭》,或許來自於他種解易文獻。漢初之時,解易作品甚

---

① 如朱伯崑先生《易學哲學史》,第一卷。

多,相當一部分都未能流傳下來。譬如曾被賈誼《新書》、《大戴禮記》、《禮記》、《史記》及《漢書》廣泛稱引的"易曰:正其本而萬物理。失之毫釐,差以千里",即不見於今存任何易學著作。《新語》所引也許出於已經失傳的材料中,亦未可知。

其實,從如上《新語》與《繫辭》的比較中,我們或許可以得出相反的結論。《繫辭》的撰成應該受到了《新語》的影響。且陸賈楚人,帛書《繫辭》也發現於楚地。

考慮《繫辭》以及其他古籍的年代,除了文字、思想外,還可注意其關心的主題為何。戰國與漢初,時異則事異,事異則文異。戰國之時,羣雄並立,富國强兵,統一天下乃人主所急。諸子立言皆以此為宗,獻平定統一天下之方。及至漢初,天下方定,海內一統,鞏固統治為時代課題。故時人多反思秦亡教訓,以獻治安策為主。戰國與漢初之異,即賈誼所謂攻守之勢的不同。從這個角度來看,帛書《繫辭》反映的乃是守勢而非攻勢,我們且看如下這段文字:

> "天地之大思曰生,聖人之大費曰位。何以守位曰人,何以聚人曰材。理材正辭,愛民安行曰義。"

讀罷會使人想起高祖劉邦的《大風歌》:"大風起兮雲飛揚,威加海內兮歸故鄉,安得猛士兮守四方。"特別是其中的"守"字,更惹人注目。《繫辭》之文顯然是針對已取得統治地位的君主講的,而且,此君主非戰國時之諸侯王,而是富有天下的"天子"。《繫辭》一篇中,"天下"一詞竟出現三十八次,而代表諸侯的"國"的概念一次也沒有出現。如果將此與戰國時期的著作比較,更可看出其不同所在。我們且舉作於戰國中期的《孟子》與作於戰國後期的《荀子》為例,來看一下其中"國"一詞出現的數字。約略的統計結果是,《孟子》中"國"字有一百多次,而《荀子》中更有四百多次。這與《繫辭》的情形顯然是不同的。

因此,《繫辭》其實是以解易的形式向當時天子提供的統治方略。作者贊美《周易》,以之為極深研幾,崇德廣業之書,並極力論說乾坤之易簡。都是為了讓天子接受其說,採納為統治方術。其追溯古帝王,並不關心他們如何取天下,而是重視其治理天下的方法及貢獻,如包戲作結繩而為罟,以田以漁,神農褥耒之利以教天下、日中為市等。而最具比較價值的是黃帝。《繫辭》對黃帝的描述是:

"黃帝堯舜垂衣裳而天下治……刳木為舟,剡木而為楫,濟不達,致遠以利天下……服牛乘馬,〖引〗重行遠以利天下……"

這完全是一個愛民如子的天子,與戰國時期主要以戰神的面貌出現截然不同。如竹簡《孫子》中有"黃帝伐赤帝"章,帛書《十六經》中描述黃帝勝蚩尤之故事等,皆以黃帝為以武力統一天下者。此與戰國形勢正合,也能投人主之所好。而《繫辭》中之黃帝也正合漢初之情形。

漢代初年,因情勢所迫,分封了許多諸侯王。使得權力相對分散,不利於天子統治。加之諸侯多有叛者,使得處理好與諸侯國之關係成為天子鞏固統治的重要方面。《繫辭》於此亦有反映,其文曰:

"乾德行恆易以知險,夫坤隤然,天下〖之至〗順也,德行恆簡以知〖阻〗。能說之心,能數諸侯之慮,〖定天下之吉凶,成天下之亹亹者,是故〗變化具為,吉事有祥,象事知器,□事知來……凡易之情,近而不相得則凶,或害之則悔且吝,將反則其辭亂,失其所守其辭屈。"

這是帛書《繫辭》的最後一段,其中心即是討論天子與諸侯之關係。於天子而言,險、阻主要來於諸侯。而運用周易乾坤之理便可測度出諸侯之心思("能數諸侯之慮"),從而定天下之吉凶,得到吉利之結果。“能數諸侯之慮”，今本作“能研諸侯之慮”，張載、朱熹等均以“侯之”為衍文（宋人膽大，經常改動經文，此其一例），將此句改為“能研諸慮”，今人有從之者，實則大誤，使該段主旨晦暗不明。《繫辭》此段還具體談及“數諸侯之慮”的方法，即“將反則其辭亂……失其所守其辭屈。”李道平《周易集解纂疏》① 云：

> “將叛者其辭慚也，非諸侯而何叛也……失其守者其辭屈也，非諸侯而何失守也?”

此結合前文，以“反（叛）”、“守”皆言諸侯，所說甚是。

二、帛書《繫辭》的基本内容

帛書《繫辭》，作為一篇通論《周易》大義的作品，享有“易大傳”之名。“大傳”的體裁，漢初比較流行，如伏生有《尚書大傳》、《禮記》中有《喪服大傳》等。我分析《繫辭》為漢初的文獻，與此是一致的。從内容上來看，《繫辭》主要包括如下幾方面：

1. 對《周易》一書性質的認識與評價。計有“易與天地順”、“夫易廣矣大矣”、“易甚至乎，夫易聖人之所崇德而廣業也”、“易有聖人之道四焉”、“易無思也，無為也”、“夫易，聖人之所以極深而研幾也”、“夫易，古物定命，樂天下之道”等段文句。《繫辭》於此部分强調《周易》是一部講“道”的著作，其中包括了天地之道。其中充滿對易的諸般贊美之辭，這些在先秦是找不到一絲蹤影的。《荀子》雖論及《周易》，但在他的心目中，《易》遠不能和《詩》、《書》、《禮》、《樂》相提並論。戰國

① 此據中華書局，1994 年版。

時期,《周易》主要還被視作占筮之書。此於汲冢竹書亦可得到證明。竹書發現於戰國中期魏襄王墓中, 其中有《周易》上下經等,《晉書·束晳傳》云:

“其《易經》二篇, 與《周易》上下經同。《易繇陰陽卦》二篇, 與《周易》略同, 繇辭則異。《卦下易經》一篇, 似《說卦》而異”。

《易經》與《易繇陰陽卦》本卜筮之書無疑, 似《說卦》的《卦下易經》也是卜筮的工具書。又據杜預《左傳集解後序》之說, 除上述書籍外, “又別有一卷, 純集疏《左氏傳》卜筮事, 上下次第及其文義, 皆與《左傳》同, 名曰《師春》。”此亦表明時人於《周易》之興趣主要是在卜筮的方面。其實一直到秦代,《周易》仍主要被視為卜筮之書, 因此未被禁止流傳。

我們可以比較《要》篇與《繫辭》對《周易》的態度。《要》篇極力强調其讀《易》與巫史的區別, 提出關於《周易》可以有占筮或德義兩種不同傾向的應用。顯示出儒者想利用《周易》發揮其思想的最初努力。而《繫辭》則完全借占筮、筮法以明德義, 顯得系統而成熟。兩相比較,《繫辭》應作於《要》篇之後。

2. 對乾、坤兩卦的解釋與說明。朱伯崑先生說《繫辭》“特別推崇乾坤兩卦, 認為是《周易》的淵源或基礎”,[①] 是很對的。《繫辭》對乾坤的解釋貫穿全篇, 而且可分出不同的角度。(詳後)實際上, 於《周易》中重乾坤也許是漢初的一種共同傾向, 如陸賈《新語·道基》談及《周易》時, 即云“乾坤以仁和合, 八卦以義升降。”《淮南子·要略》亦稱:“易之乾坤, 足以窮道通意。”

3. 對君臣之道的重視與發揮。

---

① 同176頁注③, 第50頁。

帛書《易傳》有一個共同的傾向，即重視君道。就《繫辭》而言，其贊美《周易》。論説乾坤，而卒歸於闡明君道。其中散見於全篇中的那些解釋卦爻辭的文字，看似雜亂無章，若從君道着眼，也可説"一以貫之"。在此方面，《繫辭》主要發揮的是儒家思想。道家的無為、法家的形名思想等都無明顯體現。相反，以仁義為主要内容的德的觀念得到了强調，通篇貫穿着德治的主張。有意思的是，帛書《繫辭》有這樣一句話："理材正辭，愛民安行曰義"，而今本《繫辭》則作"理財正辭，禁民為非曰義。"由"愛民安行"到"禁民為非"，顯然是有意的改動。兩相對照，前者更具德治的色彩，也許反映了經歷過暴秦統治之後的學者對君主行德治的期望。

《繫辭》中的聖人、君子，主要是指稱君主及處高位者。其釋卦爻辭，也向君臣之道這方面引申。如其釋"鳴鶴在陰，其子和之。我有好爵，吾與爾靡之"云：

"曰君子居其室，言善則千里之外應之，況乎其近者乎。出言而不善，則十里之外違之，況乎其近者乎。言出乎身加乎民，行發乎近見乎遠，言行君子之樞機，樞機之發，榮辱之門。言行君子之所以動天地也。"

此君子顯然指君主而言，强調言行之於君主的重要性。又其釋"勞謙，君子有終，吉"云：

"子曰：勞而不伐，有功而不德。厚之至也。語以其功下人者也。德言盛，禮言恭也。謙也者致恭以存其位者也。"

這似乎是講臣道。臣立功而不居功，方可存其位。又其釋"不出户牖，無咎"云：

"亂之所生，言語以為階。君不密則失臣，臣不密則失身。幾事不密則害盈，是以君子慎密而弗出也。"

亦從中引出君臣之道。其中"君子"指君臣而言。

三、易與乾坤

關於《繫辭》道論與道家思想的關係，以陳鼓應先生為代表，多位學者都有討論。① 本文從“易與乾坤”、“道、象與形”兩方面亦就此論題試作討論。下面先述“易與乾坤”之說與老子思想之關係。

《繫辭》論易，重視乾坤，此與《要》篇重損益二卦不同，而與《二三子問》、《易之義》相近。其云：

“乾坤其易之經與？乾坤〖成〗列，易位乎其中，乾坤毀則無以見易矣。易不可見則乾坤不可見，乾坤不可見則乾坤或幾乎息矣。”

乾坤與易，是一而二、二而一的關係，離了乾坤更無易。因此，乾坤的性質與作用，其實便是從兩個方面來論的易的性質與作用。易道即通過乾坤之德行而得以表現。《繫辭》對乾坤的論述，我們可以從如下幾方面去了解：

1．就其與萬物的關係而言，乾、坤不同，其云：

“乾知大始，坤作成物。”

“夫乾，其靜也圈，其動也榣，是以大生焉。夫坤，其靜也斂，其動也闢，是以廣生焉。”

《繫辭》的此種觀念，一般認為，與《彖傳》有關。《彖》在解釋乾坤時説：

“大哉乾元，萬物資始，乃統天。”

“至哉坤元，萬物資生，乃順承天。”

其實更進一步地追究，此種觀念可溯源到老子。《老子》第一章：

---

① 如許抗生、王葆玹先生等，其文章見《道家文化研究》第三輯。

“道可道，非常道。名可名，非常名。無名，萬物之始；有名，萬物之母。故常無欲也，以觀其妙；常有欲也，以觀其所徼。此兩者同出，異名同謂。玄之又玄，衆妙之門。”

對於老子而言，第一章乃是關於道與無有關係之集中表達，道包含了無名與有名兩個方面，缺一不可。而此無名、有名，於道而言有不同之價值。前者言“萬物之始”，後者明“萬物之母”。與《繫辭》比較即可發現，二者從結構到文字，都是非常相似的。

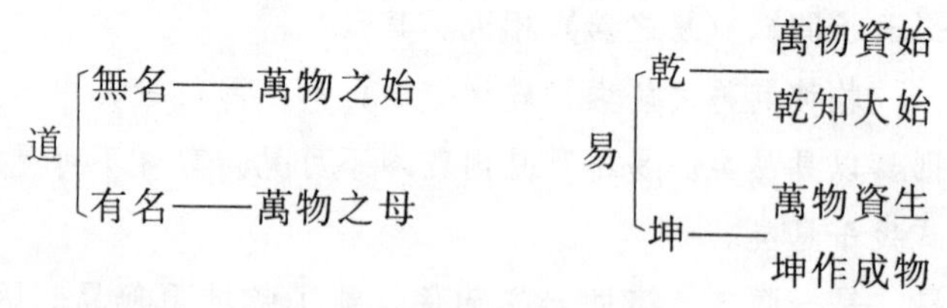

2. 就内聖外王而言，乾為内聖，坤為外王。此種認識是從《繫辭》對德、業的論述得出的。《繫辭》屢言德 、業，以易為聖人崇德廣業之書。具體地，其以乾為德，以坤為業，試觀下面諸句:

“乾以易，坤以簡能。易則易知，簡則易從。易知則有親，易從則有功。有親則可久，有功則可大也。可久則賢人之德〖也，可大則賢人之業〗也。”

此由乾易坤簡始，而以乾德坤業終。《繫辭》又説:

“盛德大業，至矣哉！富有之謂大業，日新之謂誠德。生之謂象，成象之謂乾，效法之謂坤。”

這是對德、業的進一步説明。日新是講變化，把握變化之理謂德。所以説“窮神知化，德之盛也。”僅有德還不行，更應用此變化之理去成就事業，富有天下。此即“化而施之謂之變，推而行之謂之通，舉諸天下之民謂之事業。”

《繫辭》以乾為德、坤為業的說法，與其言“乾知大始，坤作成物”是一致的。“大始”則幽而不顯，如德之未形；“成物”則功成名就，如業之彰著。此中包含了德本業末之義。蓋有德方有業，無德則業亦不能成。這與《大學》三綱領、八條目之思路一致。同時，與老子有、無之說亦同。

老子論有、無，言“有之以為利，無之以為用”。以無為有的基礎與前提。其論無名、有名，常無欲、常有欲，以妙、徼，微、明等形容之，義同幽明。蓋無名，常無欲隱而未行，有名，常有欲則顯而功成。但後者却以前者為根據。老子也稱前者為德，即“上德不德”中的上德。後者為得，即“是以有得”之得。可以看出，老子其實也是以無名等為內聖，有名等為外王，而道則兼具此兩方面。此種結構，與《繫辭》論乾、坤是一致的。

3.《繫辭》論乾坤，還有一個特點，便是貴乾賤坤，其云：“天尊地卑，乾坤定矣。卑高已陳，貴賤位矣”，又云：“崇效天，卑法地”，又云：“成象之謂乾，效法之謂坤”，皆是此義。其以坤為天下之至順，即是《彖傳》“乃順承天”的說法。此說認為，坤雖有成物之功業，但仍需順承乾之盛德，方保無虞，《繫辭》說：

> “子曰：勞而不伐，有功而不德，厚之至也。語以其功下人者也。德言盛，禮言恭也。謙也者致恭以存其位者也。”

此種思想，與老子亦一致。老子以功成而弗居，有名之後即返回到無名之根本，即知子而守母，功成名遂身退，如此方能長久。與易之貴乾賤坤相似，老子也貴無名而賤有名，以為“始制有名，名亦既有，夫亦將知止。知止可以無殆。”“知止”即是要有名順承無名。

綜合上述幾方面，可以看出，《繫辭》在論述易與乾坤時，深受老子有無之說的影響。大體而言，乾似無而坤似有，構成了《繫辭》所論易道的兩個主要方面。

四、道、象與形

最早明確地討論到道、象與形的哲人應該是老子。作為老子思想中最重要觀念的道。有時又被稱為“大象”(見於35章和41章)，而被認為是無形者。即41章所謂“大象無形”。張岱年先生曾就此發表了下面的評論：

> “看來老子分別了形與象，而道是有象而無形的。道是‘無狀之狀，無物之象’，道是無形的，却有象。老子認為道無形而有象，這是老子道論的一個特點。歷來關於老子道論的解釋多認為老子所謂道是無形無象的，實乃是一種誤解。”①

的確，老子所謂道並不是一個完全的虛無。“道之為物”，是“其中有象”，“其中有物”，“其中有精”的。老子有時用“物”來描述道，會給人造成某種誤解，因為一般而言，物應該是有形者，如“物形之”一語所示，但道這個“物”卻與一般之物不同，它是無形的。

道作為大象，是無形的，但一切有形之物都是從這裏生出。“天下萬物生於有，有生於無”，“無”便是無名、無形，又稱作“樸”。這就又涉及到另外一對詞：樸與器。28章說：

> “樸散則為器。”

器是從樸中分散出來的，器當然是有形的。在帛書《老子》中，器曾被與道同時提及：

---

① 見《道家文化研究》第四輯，第3頁。

"道生之，德畜之，物形之，而器成之。是以萬物莫不尊道而貴德。"

無論是樸與器，還是道與器，作為一個對子，都有無形之象與有形之物之義。可以說，在老子中，由道生萬物，而有無形之象生出有形之物的意思。更簡單地說，即是象生形。

此種觀念，在後來的道家文獻中亦有反映。如《淮南子·精神訓》說：

"古未有天地之時，惟象無形。窈窈冥冥，芒芠漠閔，澒蒙鴻洞，莫知其門。有二神混生，經天營地，孔乎莫知其所終極，滔乎莫知其所止息。於是乃別為陰陽，離為八極，剛柔相成，萬物乃形。"

由"惟象無形"經過若干階段，至於"萬物乃形"，與老子"象生形"的說法一致。

比較起來，莊子則不同。老子之道還顯得凝重，而莊子的道則顯得更加空靈、虛通。在莊子那裏，道不僅無形，而且無象，《刻意》云：

"精神四達並流，無所不極。上際於天，下蟠於地，化育萬物，不可為象，其名為同帝。"

《至樂》亦云：

"芒乎芴乎，而無從出乎。芴乎芒乎，而無有象乎。"

芴、芒即老子之惚、恍，但"其中有象"卻變成了"無有象"，之所以如此，似乎由於莊子更區分了道與象，而與形構成三個層次。莊子對此雖無直接的描述，但下面一段話可從此方面來理解。《秋水》說：

"河伯曰：世之議者，皆曰至精無形，至大不可圍，是信情乎？北海若曰：夫自細視大者不盡，自大視細者不明。夫精，小之微也。垺，大之殷也。故異便，此勢之有也。夫精粗者，期於有形者也，無形者，數之所不能分也。不可圍者，數之所不能窮也。可以言論者，物之粗也。可以意致者，物之精也。言之所不能論，意之所不能察致者，不期精粗焉。”

河伯提到的“至精無形”，乃是當時流行的說法。道家中的老子、《黃帝四經》、《管子》諸篇，均未能出此說法之外。老子以道“其中有精”，“其中有象”，精與象含義有共同處，都可以“無形”況之。《黃帝四經》論道虛無形，卻“精靜不熙”。《管子·內業》倡導精氣之説，以精為氣，說“天出其精”，與“地出其形”對言，似亦包含“精”者無形之義。但莊子却對此說提出質疑，以為衹是“自大視細者不明”而來的錯覺，精者一樣有形。這實際上把象最終歸入了形的範圍之內。雖說與形還有精粗之別，而道則是不期精粗，徹底脱離了形之界域。這樣，物之粗者即形，可以言論；物之精者乃象，可以意致。道則超出了精粗，同時亦為言，意所不能至者。

下面我們可以轉回到《繫辭》，看看它對象、形及道的討論。首先應該提出，《周易》與其他各種經典的一個重大區別，乃是在於它有“象”的內容。所以很早便有“易象”之稱。這無疑為《繫辭》的解釋系統提供了一個特別的素材。而《繫辭》也確實緊緊抓住了這一點，在其對《周易》的解釋中，極為强調“象”之作用。如說：“易者，象也”，視象為易之本質。其對於《周易》兩個主要內容的象與辭，雖都有闡釋，却表現出重象輕辭的傾向。其云：

“子曰：書不盡言，言不盡意。然則聖人之意，其義可見已乎？子曰：聖人之立象以盡意，設卦以盡情僞，繫辭焉以盡其〖言〗。”

這段話可能是受到了前引莊子《秋水》（及《天道》）文的影響，

而又有不同。其重點在强調（卦）象之價值在於表現聖人之意(即所謂道)，從而超越言辭之不足。這裏，意與象發生了密切的關係。意非象，但象可以盡意。

《繫辭》中用作名詞的“象”，主要指易之卦象、爻象等，有時也指天象，如“垂象著明莫大乎日月”中的“象”。一般而言，《繫辭》比較嚴格地區分了象與形。其云：

“在天成象，在地成形。”

此是以日、月、星辰等為在天之象，萬物在地為形。以天、地區分象、形，與《管子》“天出其精，地出其形”亦類似。《繫辭》有說：

“見乃謂之象，形乃謂之器。”

見，讀如現，謂日、月、星辰等有光可現。形、器可互訓，知象、形關係亦可轉為象、器關係。

上兩例中的象、形皆於普通意義上使用。就對《周易》之解釋而言。卦爻象等被稱為象，物象則稱形。《繫辭》說：

“是〖故〗夫象，聖人有以見天下之情，而不擬諸其形容，以象其物宜，是故謂之象。”

此象指卦象，形指天下萬物之形。此是說卦象乃是對天下萬物形狀之形容。因此，與形相比，象似具有某種普遍的意義，而成為一種抽象的法式或模型。正因為如此，《繫辭》纔有“以製器者尚其象”即“觀象製器”的說法。其云：

“戲氏……作結繩而為罟，以田以漁，蓋取諸離也。包戲氏沒，神農氏作，木為耜……蓋取諸益也……”

“觀象製器”之説不僅强調易卦的某種應用價值，更重要的，由於“形乃謂之器”，此觀念中包含了象之於形的基礎地位。形被看作是後於象並依據於象而出現者。由於象屬天，形屬地，這不禁使人想起至少在漢初就已有的"天先成而地後定"之說。[1] 同時，此說也認為天是氣之輕清者所化，而地則成於氣之重濁者，表現出貴天賤地之傾向。這與《繫辭》"天尊地卑，乾坤定矣"之說亦同。

在象與形之上,《繫辭》就還肯定有"道"之存在,其云:

"形而上者謂之道,形而下者謂之器。"

形而上指形以前,即無形。形而下指形以後,即有形。[2]《繫辭》肯定道無形,而器有形。這與老子及道家的說法是一致的。

問題是,道既無形,它又如何表現自己呢?這勢必要引出"象"的問題。我們且看《繫辭》如下一段話:

"乾坤〖成〗列,易位乎其中,乾坤毀則無以見易矣,易不可則見,則乾坤不可見,乾坤不可見則乾坤或幾乎息矣。"

這段話緊接在"形而上者謂之道"之前。而且,"形而上"之前有"是故"二字,顯示出它們間的內在聯繫。在《繫辭》中,"易"與"道"是同義詞,均指事物變化的最普遍法則。引文中"乾"、"坤"指二卦象,乾坤二卦象成列,易道即在其中,捨此二象,易道亦無法表現,《繫辭》還說:

"一陰一陽之謂道。"

一陰一陽,也可以說便是一乾一坤。《繫辭》論陰陽,主要是從卦象、爻象着眼的。如說"陽卦多陰,陰卦多陽"之類。這樣說來,"一陰一陽之謂道"與"乾坤〖成〗列,易位乎其中"意義相同。

如此,在道與器之間,便有了一個中介——"象"。[3] 象非器,

---

① 如《淮南子·天文訓》云:"道始於虛廓,虛廓生宇宙,宇宙生氣,氣有涯垠。清陽者薄靡而為天,重濁者凝滯而為地。清妙之合專易,重濁之凝結難。故天先成而地後定。"

② 此據朱伯崑先生《易學哲學史》,第一卷,第79頁。

③ 龐樸先生對此曾有討論,見其《陰陽:道器之間》文,刊於《道家文化研究》第五輯。

然觀象能够製器;象非道,然立象可以寓道。道、象、器,三者不同而又互相聯繫。前引"書不盡言,言不盡意"段,乃是對此三者關係的另種表述。意代表道,言代表器,而象則是其間的中介。

《繫辭》中如下一段話可以被看作是從另外一個角度對道、象、器關係的討論。其云:

> "是故易有大恆,是生兩儀,兩儀生四象,四象生八卦,八卦生吉凶,吉凶生大業。"

大恒指普遍而永恒的道,它生出兩儀、四象、八卦,這都是象,而大業可以理解為器。這樣,便有一個道生象生器的次序。這與前述以象為道器中介是一致的。

綜上所述,《繫辭》關於道(易)、象、器(形)的討論,固然得自於其特殊的經典素材,但無疑也接受了源於老子的關於象(道)與形(器)的分別,以及《莊子》一書所代表的"道——象——形"的結構。莊子批評了老子以道為象的說法,但有割裂道、象、形關係的傾向。而《繫辭》的處理則把道、象、器置於一個聯繫着的整體中。

作者簡介 王博,1967 年出生於內蒙赤峰,北京大學哲學博士,現任北京大學哲學系副教授,主要從事中國哲學史的教學與研究工作。

論《文子·上德》的易傳特色

陳鼓應

内容提要 《文子》書中保存着有關易説的材料,向未被學界注意。本文首次闡發《文子·上德》十六條有關易卦的解説,它與《彖》、《象》在立説形式和思想義涵上十分接近。《文子》這些珍貴材料的發現,給戰國後期道家易學研究提供了非常重要的文獻依據。

近期河北定縣八角廊出土的竹簡《文子》殘簡的公佈,給古代道家及《文子》的研究提供了不少珍貴的材料。可惜因竹簡殘損不堪,所以對古本《文子》的原貌仍難以窺知,而今本《文子》則可證實其經後人不少竄改。雖然如此,今本《文子》的主要部分的成書時間並不晚於漢代,它保留了許多戰國至秦漢間老、莊及黄老學派的材料。總體來説,它是一部漢以前黄老學派的作品。

雖有竹簡本的出土,但今本《文子》和《淮南子》之間過多的重複之處仍是研究者争論的一個焦點和難以解決的問題,學者多認為《文子》抄襲了《淮南子》,我們相信,隨着竹簡《文子》殘簡的公佈,關於今古本《文子》的成書年代、《文子》和《淮南子》的關係等有關的問題,將會有更加明朗化的看法。

歷來關於《文子》的討論,幾乎都集中在考據方面。而《文子》書中保存了不少解易的作品,向為學界所忽略。探討這些珍貴的易學資料,不僅可以看出《文子》與《易傳》的關係,還可以幫助瞭解漢代以前道家易的形成,同時也有助於解決《文子》、《淮南子》成書年代的一些疑問。

《文子》中對易學的論述,集中在《上德》篇中。《文子·上德》篇衍述了十六個《易》卦,即泰、否、離、坎、乾、坤、謙、豫、晉、明夷、家人、睽、損、咸、履、解;其文字與《彖傳》、《象傳》十分接近,通過對《上德》篇與《易傳》相關文字的研究,可以看出其黄老易學的特色。

一、《文子·上德》解易與《彖》、《象》傳的比較

將《上德》篇與《彖傳》、《象傳》相關的文字進行排比對照,可以看出其共同的黄老解易特色:

(1)泰卦☷下乾上坤

《彖傳》:天地交而萬物通也,上下交而其志同也。內陽而外陰,內健而外順,內君子而外小人。君子道長,小人道消也。

《象傳》:天地交,泰。后以財成天地之道,輔相天地之宜,以左右民。

《上德》:天氣下,地氣上,陰陽交通,萬物齊同。君子用事,小人消亡,天地之道也。

《上德》解釋《泰卦》,在思維方式上與《彖傳》相同,即以天道推衍人事,這是黄老道家所習用的思維方式。

"天氣下,地氣上",這明顯是説《泰》卦。《泰》卦是上坤下乾,乾表天,坤表地,可見《上德》"天氣下"、"地氣上"合於《泰》卦卦象。

"陰陽交通,萬物齊同",這和莊子思想相合。"陰陽交通",見於《莊子·田子方》,"萬物齊同"就是莊子齊物論的思想。

《上德》另有一處也是解釋《泰》卦:"陰難陽,萬物昌,陽復陰,萬物湛,物昌無不贍也,物湛無不樂也,物樂則無不治矣。"這很明

顯地表達了"尚陽"的思想,而與《彖傳》一致,《文子》的"尚陽"思想非常突出,尤其是《上德》篇,最顯著的話題是說:"陽滅陰,萬物肥,陰滅陽,萬物衰,故王公尚陽道則萬物昌,尚陰道則天下亡。"其實,這種"貴陽賤陰"的觀念正是黄老學派的特點,與老子迥異。"貴陽賤陰"的思想,最早見於馬王堆帛書《黄帝四經》的《稱》篇。此外,還見於稷下道家作品《管子》書中的《樞言》篇。

(2)否卦☷下坤上乾

《彖傳》:天地不交而萬物不通也,上下不交而天下無邦也。內陰而外陽,內柔而外剛,內小人而外君子。小人道長,君子道消也。

《象傳》:天地不交,否。君子以儉德避難,不可榮以祿。

《上德》:天氣不下,地氣不上,陰陽不通,萬物不昌。小人得勢,君子消亡,五穀不植,道德內藏。

《上德》篇對《泰》卦與《否》卦的解釋,在思想內容上與《彖傳》相一致。

《上德》另有一處解釋《否》卦:"陰害物,陽自屈,陰進陽退,小人得勢,君子避害,天道然也。"此處"避害"與《象傳》"避難"相應。

(3)謙卦☶下艮上坤

《彖傳》:天道下濟而光明,地道卑而上行。天道虧盈而益謙,地道變盈而充謙,鬼神害盈而福謙,人道惡盈而好謙。謙尊而光,卑而不可逾,君子之終也。

《象傳》:地中有山,謙。君子以裒多益寡,稱物平施。

《上德》:天之道裒多益寡,地之道損高益下,鬼神之道驕溢與下,人之道多者不與,聖人之道卑而不可上也。

《上德》與《彖傳》、《象傳》文字基本一致,《上德》則更以老義釋易。《老子》77章:"天之道,損有餘而補不足。人之道則不然,損不足以奉有餘。"這種"損多益寡"的思想為《彖傳》、《象傳》和《上德》之所本。而《文子》以“聖人之道”與“人道”對舉,這也合於《老子》的觀點。

在哲學史上,天、地、人整體性的思考方式始於老子。《老子》25章就表達了天、地、人統一於自然之道的思想。《易傳》的“三極之道”或“三才之道”淵源於老子,但它更可能是直接稟承於稷下道家。如稷下道家最重要的代表作《管子》的《内業》篇便説“天出其精,地出其形,合此以為人”,還説“天主正,地主平,人主安静”,這正是《易傳》的“三極之道”之所本。不過,《彖傳》和《上德》篇出現天、地、人、鬼神四者並舉,這是老莊及孔孟諸子所没有的,衹有在黄老學派中纔出現。稷下學派的《管子·樞言》中便有“天以時使,地以材使,人以德使,鬼神以祥使”之説,而它最早則見於帛書《黄帝四經》,如“聖【人】舉事也,合於天地,順於民,羊(祥)於鬼神”、“知此道,地且(宜)天,鬼且(宜)人”(《十大經·前道》),又説“天有恒干,地有恒常,與民共事,與神同【光】”(《十大經·行守》)。

(4)豫卦䷏下坤上震

《彖傳》:聖人以順動,則刑罰清而民服。

《象傳》:雷出地奮,豫。先王以作樂崇德。

《上德》:雷動地,萬物緩……大人去惡就善,民不遠徙;民不遠徙,故民有去就。

“雷動地”與《象傳》同,這是以卦象為説。《豫》卦是下坤上震之象,坤為地,震為雷,所以説“雷動地”。

“雷動地”意指春陽萌動,所以説“萬物緩”。“緩”可以有兩種解釋,一是蘇緩、復蘇,陽氣萌動而萬物復蘇;二是寬緩,順陽而動,故刑罰寬緩。“去惡就善”就是《彖》、《象》所説的“輕刑崇德”,故百姓歸服而不遠徙。

“民不遠徙”顯然是以老解易(《老子》81章:“使民重死而不遠徙”)。

《上德》還說:“陽氣動,萬物緩……是以聖人順陽道”,陰主殺罰,陽主生賞。坤為順,震為陽卦,為動。《彖》、《象》所說“以順動”、“刑罰清”、“作樂崇德”,均是《上德》“順陽道”的意思。

《彖傳》“聖人以順動,則刑罰清……”的思想和黄老學派有相承關係。帛書《黄帝四經》云:“順者,動也”(《經法·四度》)、“先德後刑,以順天”(《十大經·觀》),與《彖傳》同義。《十大經·觀》:“春夏為德,秋冬為刑,先德後刑以養生”,這與《彖傳》及《上德》的思想完全相合,由此也可見其以黄老釋易的傾向。而帛書《四經》這種陰陽刑德、“先德後刑”的思想觀念,在文化史上經《管子》、《吕氏春秋》及《春秋繁露》等重要著作的傳播,對秦漢以後的思想產生了極為深遠的影響。

(5)離卦☲下離上離

《彖傳》:日月麗乎天,百穀草木麗乎土。重明以麗乎正,乃化成天下。

《象傳》:明兩作,離。大人以繼明照於四方。

《上德》:天明日明,而後能照四方;君明臣明,域中乃安。域有四明,乃能長久。明其施明者,明其化也。

這是依《離》卦的卦象而立論的。《離》卦由上下兩卦的“離”組成,“離”表“明”,《象》說“重明”,《上德》與《彖傳》一樣主取象說。

《上德》“域有四明”,或許與《老子》“域中有四大”相聯繫。不過,這裏是企求君臣能效法天日之明,這仍屬黄老推天道以明人事的思維方式。“君明臣明”,是希望君臣能象天日一樣普照四方,政績清明,洞察民間疾苦,祇有政績清明纔能使百姓安寧(“域中乃安”)。

(6)坎卦☵下坎上坎

《彖傳》:習坎,重險也……水流而不盈……

《象傳》:水洊至,習坎。君子以常德行,習教事。

《上德》:天道為文,地道為理,一為之和,時為之使,以成萬物,命之曰道。大道坦坦,去身不遠。修之於身,其德乃真;修之於物,其德不絕。

這段文字是在說《坎》卦。《上德》所釋十餘卦基本是成對的,所以姑將之置於《離》卦下,以供參考。虞翻注《彖》"天險地險,故曰重險"(李鼎祚《周易集解》),《上德》也以天、地為說("天道為文,地道為理"),或有相聯處。《彖》釋"水流而不盈"合《老》義。《上德》"以成萬物"、"其德不絶"的"道",可能就是《老子》"善利萬物"之"水"。《上德》這裏可能以《坎》卦來闡説《老子》"修之於身,其德乃真"。

(7)乾卦䷀下乾上乾

《彖傳》:大哉乾元,萬物資始,乃統天。

《象傳》:天行健,君子以自強不息。

《上德》:天覆萬物,施其德而養之。與而不取,故精神歸焉;與而不取者,上德也;【上德不德】,是以有德。

《彖傳》將《乾》、《坤》兩卦釋為"萬物資始"、"萬物資生",其思想源於《老子》"道生之,德蓄之"。《上德》"天覆萬物,施其德而養之"合於老子的"德"義,為"道"之功能的體現。"予而不取"正是老子"給予"的道德精神(《老子》81章:"聖人不積,既以為人己愈有,既以與人己愈多")。"上德不德,是以有德",也是以老義釋易。

"精神歸焉"與下文釋《坤》:"故骨骸歸焉",兩見於《文子·九守》:"精神本乎天,骨骸根於地,精神入其門,骨骸反其根"、"夫精神者所受於天也,骨骸者所稟於地也"。

《象傳》此處以天行之健,推衍君子之自强不息。這也是黄老推天道以明人事的思維方式。"天行健"的概念或"自强不息"的精神,乃是《老子》"周行而不殆"(25章)、"建(健)德若偷"(42章)的變文。《十大經·正亂》有言:"夫天行正信,日月不處,啓然不台(怠),

以臨天下。"這種天行不息之作為聖人以臨天下的一種精神指向,與"天行健(鍵),君子以自强不息"文義相合。馬王堆帛書《周易》的乾卦《大象》讀為"天行,鍵,君子以自强不息","天行"為一個獨立的概念,它是先秦道家自然哲學的一個重要範疇,這個範疇幾乎全出現在黃老的作品中(如上引《十大經·正亂》,此外"天行"概念還出現在稷下道家作品《管子·白心》、《莊子·天道》、《刻意》中具有黃老思想色彩的段落中)。《文子》使用"天行"概念見於《上德》和《九守》。《上德》云:"天行不已,終而復始",與《彖·蠱》"終則有始,天行也"文義相同。

(8)坤卦☷下坤上坤

《彖傳》:至哉坤元,萬物資生,乃順承天。坤厚載物,德合無疆。含弘光大,品物咸亨。牝馬地類,行地無疆,柔順利貞。君子攸行,先迷失道,後順得常。西南得朋,乃與類行;東北喪朋,乃終有慶。安貞之吉,應地無疆。

《象傳》:地勢坤,君子以厚德載物。

《上德》:地載萬物而長之,與而取之,故骨骸歸焉;與而取者,下德也;下德不失德,是以無德。地承天故定寧。地定寧,萬物形。地廣厚,萬物聚。定寧無不載,廣厚無不容。地勢深厚,水泉入聚。地道方廣,故能長久。

《上德》承《彖》、《象》"厚載"之旨,並發揮定寧、寬容之義。

"下德不失德,是以無德"見於《老子》38 章,此為以老釋易。而"水泉入聚",則可能與《坤》卦最初寫作"川"有關。

(9)晉卦☲下坤上離

《彖傳》:晉,進也,明出地上。

《象傳》:明出地上,晉。君子以自昭明德。

《上德》:日出於地,萬物蕃息。王公居民上,以明道德。

《上德》此處釋易,與《彖》、《象》傳一致。"日出於地"象徵萬物蓬勃向上;居於上位的王公,當"明道德",這正是黃老所習用的由天道推衍人事的思維方式。

《上德》説"以明道德",這與《莊子》思想相合。《莊子·天道》云:"古之明道者,先明天而道德次之;道德已明,而仁義次之",《天地》云:"形非道不生,生非德不明。存形窮生,立德明道,非王德者邪。"這些文字當是屬於莊子學派中帶有黃老思想色彩的作者所為。

(10)明夷卦䷣下離上坤

《彖傳》:明入地中,明夷。內文明而外柔順,以蒙大難,文王以之。利艱貞,晦其明也。內難而外能正其志,箕子以之。

《象傳》:明入地中,明夷。君子以蒞衆,用晦而明。

《上德》:日入於地,萬物休息。小人居民上,萬物逃匿。

《上德》此處與《彖》、《象》相合。"日入於地"是以《明夷》卦的卦象為說。《明夷》卦是下離上坤,離表日,坤表地,所說"日入於地"。《上德》所謂"逃匿",即《彖》、《象》所言"蒙難"、"用晦"之意。

(11)家人卦䷤下離上巽

《彖傳》:家人,女正位乎內,男正位乎外,男女正,天地之大義也。家人有嚴君焉,父母之謂也。父父子子兄兄弟弟夫夫婦婦,而家道正,正家而天下定矣。

《象傳》:風自火出,家人。君子以言有物而行有恒。

《上德》:風不動,火不出;大人不言,小人無述。火之出也必待薪,大人之言必有信。有信而真,何往不成。

《上德》與《象傳》之取象説相同,《家人》卦是上巽下離,離為火,巽為風、為木,巽風動則離火出,離火出自巽木,所以《上德》説"風不動,火不出",又云"火之出也必待薪"。"大人不言"即"風不動","小人無述"即"火不出"。至於"言必有信",即《老子》8章"言善信";"有信而真","真"、"信"相聯見於《老子》21章。强調言論的真信，正是老學的特點。

(12)睽卦☲下兑上離

《彖傳》：火動而上，澤動而下……天地睽而其事同也，男女睽而其志通也，萬物睽而其事類也。睽之時用大矣哉。

《象傳》：上火下澤，睽。君子以同而異。

《上德》：火上炎，水下流，聖人之道，以類相求。聖人哀(依)陽天下和同，偯(依)陰天下溺沉。

《上德》與《彖》、《象》對卦象解釋一致。《睽》卦是上離下兑，離表火，兑表澤，所以《上德》說："火上炎，水下流。"在推衍卦象上，《彖》、《象》偏重在求同存異，而《上德》則偏重於尚陽。道家内部在陰陽的偏向上有着不同的着重點，老子在陰陽相濟中尚陰，稷下道家及其黄老學派則在陰陽相濟中尚陽。

(13)損卦☶下兑上艮

《彖傳》：損益盈虛，以時偕行。

《象傳》：山下有澤，損。君子以懲忿窒欲。

(14)咸卦☱下艮上兑

《彖傳》：聖人感人心而天下和平。

《象傳》：山上有澤，咸。君子以虛受人。

《上德》："河水深，壤在山；丘陵高，下入淵。陽氣盛，變為陰；陰氣盛，變為陽。故欲不可盈，樂不可極。忿無惡言，怒無作色。是謂計得。"

《上德》將《損》卦與《咸》卦並列解說，很有特點。

《上德》"河水深，壤在山"謂艮山居兑澤上，此說《損》卦；"丘陵高，下入淵"謂艮山由上居下，兑澤由下居上，此說《咸》卦。"陽氣盛，變為陰"，是說由《損》至《咸》、上九變為初六；"陰氣盛，變為陽"，是說由《咸》至《損》、上六變為初九。

《上德》通過《損》、《咸》二卦的相互轉换（即艮、兑的上下易位),說明陰陽消長、盈虛變化,指出人道不可盈欲極樂,需要與時偕行、和悦於心,應當懲止忿怒、遏阻貪欲。

(15)履卦☱下兑上乾

《彖傳》:履帝位而不疚,光明也。

《象傳》:上天上澤,履。君子以辨上下,定民志。

《上德》:高莫高於天也,下莫下於澤也。天高澤下,聖人法之,尊卑有序,天下定矣。

《上德》"天高澤下"與《象傳》同,這是以卦象為說。《履》卦是下兑上乾,兑表澤,乾表天,所以說"天高澤下"。《正義》說:"君子法此履卦之象,以分辨上下尊卑,以定正民之志意,使尊卑有序也",此解完全與《上德》一致。《上德》"天高澤下,聖人法之"正是黄老慣用的"推天道以明人事"的思維方式。"尊卑有序"亦正是黄老學派在社會立場上的特殊主張。"貴賤有序"的觀念屢見於帛書《黄帝四經》(如《經法·道法》宣稱:"貴賤有恆立(位)",《君正》强調:"貴賤有别",《十大經·果童》堅稱:"貴賤必諶")。

(16)解卦䷧下坎上震

《彖傳》:天地解而雷雨作,雷雨作而百果草木皆甲坼。解之時大矣哉。

《象傳》:雷雨作,解。君子以赦過宥罪。

《上德》:雷之動也萬物啓,雨之潤也萬物解。大人施行,有似於此。陰陽之動有常節,大人之動不極物。

《上德》與《彖》、《象》對卦象的解釋相同。《解》卦是下坎上震,坎表雨,震表雷,所以説"雷之動"、"雨之潤"。《上德》謂雷動物萌、雨潤物生,由此天道而推衍人事,謂"大人施行,有似於此"。下文相同,由陰陽之有常度而推衍"大人之動不極物",可見《文子》解易在思維方式上充分表現出黄老的特色。

二、《文子》解《易》的特點

從《文子·上德》的解《易》與《彖》、《象》對比觀照,可以明顯地看出《文子》易學具有如下特點:

(1)《上德》篇所論十六個卦,其中十四個卦都是成對地論述,這七對卦分為三種情況:一種是卦象相反,如《乾》與《坤》、《離》與《坎》;第二種是上下卦顛倒,如《泰》與《否》、《晉》與《明夷》、《損》與《咸》;第三種是卦爻翻覆,如《謙》與《豫》、《家人》與《睽》。這和通行本《易經》的卦次排列大抵一致,衹有《損》與《咸》不同,通行本是《損》與《益》、《咸》與《恆》為對,而《上德》則是《損》與《咸》為對。

(2)《上德》十六個《易》卦的論述和《彖傳》、《象傳》的釋說,都可一一對應。《彖傳》、《象傳》文字在《上德》易傳中往往兩者兼有之,其釋說亦較《彖》、《象》傳為細緻明晰,這顯示着《上德》易傳為《彖》、《象》一脈相承的發展。

(3)《上德》說《易》都是主"取象說",並由卦象入手而引出人道教訓。《上德》由卦象立說,而不釋卦辭、爻辭,這和《彖傳》、《象傳》立說風格相同,而與《繫辭》、《文言》、秦漢易說(如帛書《繆和》、《昭力》、《二三子問》、《易之義》、《要》等)及《淮南子》迥異。

(4)《上德》由陰陽入手分析卦象而引發義理,這和《彖傳》及戰國易說風格一致。《彖傳》亦兼釋卦辭、說以剛柔,《上德》則不然,但兩者的尚陽思想相同,而《上德》則更加突出。

(5)《上德》往往是以《易》證《老》,這和《戰國策》所記齊宣王時顏斶先引"易傳"(當時流行而今已散佚的一部"易傳")文句而後說《老》,完全一致。

三、《上德》解《易》與《繆稱》之異趣

將《文子·上德》與《淮南·繆稱》的易說作一比較,可以從它們的同異中看出一些頗有意義的問題。先讓我們看看兩者間的幾點相同之處:

(1)《文子·上德》與《淮南·繆稱》頗有一些相重合的文字,除個別字句外,整段相重者如《上德》開篇一段"主者,國之心也,心治即百節皆安……",與《繆稱》一樣;二者的"鳴鐸以聲自毀,膏燭以明自煎"以及"積薄成厚,積卑成高"兩段,文句都相同。

(2)《上德》與《繆稱》都有大量說《易》的文字,而《文子》與《淮南》二書說《易》的部分,幾乎都集中在這兩篇之中。

(3)《上德》在連續論述了十六個卦的卦象之後說"積薄成厚"云云,而《繆稱》在連續論述了五個卦的卦爻辭之後也說"積薄成厚"云云。

(4)《上德》"積薄成厚"云云以下不再論卦象,《繆稱》"積薄成厚"云云以下也不再論卦爻辭。

以上為兩者相同之處。然而當我們進一步考察時,便會發現《上德》全部論卦象的文字都不見於《繆稱》,而《繆稱》五處引證卦爻辭的文字也都不見於《上德》。這種特異的現象十分值得注意,我們且從以下四個方面來探討其差異所引發的重要意涵:

(1)《上德》袛說卦象,而不提及卦辭爻辭,其釋說卦象的文字與《彖傳》、《象傳》接近。《繆稱》袛詮釋卦辭爻辭,而不涉及卦象,其詮解卦爻辭的立說形式接近秦漢《易》說如帛書《二三子問》、《繆和》等。

(2)秦漢《易》說如《二三子問》等既詮釋卦爻辭,又有釋說卦象而與《彖傳》相合的文字,很像是介於《上德》和《繆稱》之間,換言

之,很像是戰國易説向漢代易説的過渡。

(3)《上德》釋説卦象之後常常是證説《老子》文句,這與《戰國策》所記顔斶先引"易傳"再引《老子》相同;而《繆稱》的五處詮解卦爻辭之後,均是無一例外地再引證《詩經》文句。《繆稱》的這種《易》、《詩》並列徵引詮釋的立説模式,在戰國的易傳中罕見。

(4)從漢代易學發展的情況來看,《彖》、《象》傳至漢初,已經取得了"經"的地位,因此,秦漢以後的各種易説在徵引《彖》、《象》傳時,幾乎與卦、爻辭同等看待,不敢輕易改字,如《二三子問》、《繆和》的徵引《謙·彖》的文字,幾乎是完全一樣的,至如王充《論衡·自然》徵引《乾·文言》已是一字不差的了;而且它們徵引卦爻辭及《易傳》,都統稱之"易曰",這也很能説明"傳"的地位。由此可見,認為《上德》的易傳是漢後人雜糅《彖》、《象》傳的産物,恐怕是難以成立的。

結　語

通過以上的列舉和論述,我們可以清楚地看到《文子·上德》與《彖傳》、《象傳》之間的思想聯繫,《上德》篇中的《易》説,不僅為我們提供了論證道家易學的形成,也有助於證實《文子》某些篇章的早出。

(1)《上德》解易與《彖》、《象》為同一思想脈絡的發展,三者同屬道家易學作品。《彖傳》成書於《孟》《莊》之後,《彖傳》並没有體現出儒家重視"仁學"、"禮學"的特點,相反的,《彖傳》為融合老學、莊學和黄老之學一部發揮易理的論著,稱得上是一部匯萃道家各派思想觀念的易學作品。例如《彖》釋《乾》《坤》二卦:"乾元,萬物資始"、"坤元,萬物資生",即老子萬物生成論"道生之,德蓄之"之發揮;釋《復》卦:"復,其見天地之心乎",即老子自然循環論("觀復")的引申。《彖傳》作者喜用"終則有始"、"消息盈虛"、"與時消息",這些概念都出於《莊子》。《彖傳》更繼承了道家黃老學派"推天道以明人事"的思維方式、時與動靜結合的觀念(《彖·艮》:"動靜不失其時")、尚陽思想以及"天行"、"文明"等重要概念。

《彖》、《象》與《文子·上德》易學,無論在思維方式、思想觀念以及重要語辭上,都可以見出它們同是道家易學的重要組成部分。

(2)《文子·上德》解易之作,如果屬於戰國後期作品,那就大大有助於我們對先秦道家易學的探討。如果它是屬於漢初的作品,也可證實道家易學流派之林立:除《文子》易學外,漢初的道家易尚存在着多種傳系,由史書及典籍可證,其一為淮南子學派的九師易(淮南《道訓》的易學著作,惜已亡佚),其二為司馬季主的易學,司馬季主為漢初融會易老莊三玄的一個重要易學家,司馬遷在《史記》中為不明顯,但由他的學生之為著名的黃老道家可以推知。楊何既是齊學的重要易學代表,則很可能是受稷下黃老學風的傳承影響。《文子·上德》易學的發現,則漢初易派的盛況更可想見。

(3)由上文論證《上德》解易早於《繆稱》解易來看,則所謂《文子》抄襲《淮南子》之說,未可遽下結論。

1996 年 5 月完稿

《韓詩外傳》的
黄老思想及其易説

周立昇

内容提要 韓嬰不僅以《詩》名家,還以《易》名家。《韓詩外傳》適應漢初社會政治的需要,將儒家思想、道家思想和黄老思想融匯其中,而尤其注重黄老思想。它的黄老思想,一方面來自於戰國時代的黄老著作,另方面則來自於稷下的荀學。在《韓詩外傳》中,韓嬰着重論述了他的"易道"觀,認為"謙"是《周易》的靈魂。將謙的價值定位於"大足以治天下,中足以安家國,小足以守其身",從而偏離了儒家視謙為崇高的道德情操的價值意向,凸顯了韓嬰的功利主義的價值取向。

《韓詩外傳》為韓嬰所作。韓嬰活動於文、景、武之世,約生於公元前 195 年,卒於前 120 年。《漢書·儒林傳》載:"韓嬰,燕人也,孝文時為博士,景帝時至常山太傅。""武帝時,嬰嘗與董仲舒論於上前,其人精悍,處事分明,仲舒不能難也。"韓嬰"推詩人之意而作内外傳數萬言",與齊《詩》、魯《詩》具立學官,然其語頗與齊、魯間殊,獨樹一派。《韓詩内傳》在兩宋間已亡佚,留存下來的祇有《韓詩外傳》。從現存的《外傳》看,其體例乃先講故事,然後引詩以證,而非闡述《詩經》之經義。因此《四庫提要》説:"王世貞稱《外傳》引《詩》以證事,非引事以明《詩》,其説至確。"

韓嬰除精於《詩》外，還精通《周易》。《儒林傳》云："韓生亦以《易》授人，推《易》意而為之傳。燕、趙間好《詩》，故其《易》微，惟韓氏自傳之。"宣帝時，其後裔涿郡韓生以《易》徵，曾説："所受《易》即先太傅所傳也。嘗受《韓詩》，不如韓氏《易》深，太傅故專傳之。"由此可見，韓氏《易》乃為家傳，未列於學官。《漢書·藝文志》之《易》類著録有《韓氏二篇》，但書早已亡佚。清臧庸在其《拜經日記》、近人尚秉和在其《易説平議》、黄壽祺在其《易學羣書平議》中均認為，《子夏易傳》即是《韓氏二篇》，根據是陸德明《經典釋文》於"《子夏易傳》"下引《七略》云："漢興，韓嬰傳。"又，《文苑英華》載唐司馬貞議云："王儉《七志》引劉向《七略》云：'《易傳》，子夏韓氏嬰也'。"由此斷定韓嬰字子夏，並非居西河作魏文侯師的孔子弟子卜商子夏。(清宋翔鳳在其《過庭録》中則定《子夏易傳》為韓嬰之孫韓商撰，證據不足。)臧、尚、黄所論，可備一説。然現存的《子夏易傳》乃偽中出偽，不足為據，故不取。

下面就《韓詩外傳》中保留的一些易説及其所透顯的黄老思想作一簡略的評述。

一

自戰國至秦朝滅亡，廣大民衆飽嘗了幾百年的戰亂之苦，普遍要求政治清明、社會穩定、生活安寧的統一局面。由於休養生息的迫切要求，漢初的政治家和思想家們在總結秦亡經驗的同時，把目光一致投向了道家"清静無為"的治國方略，出現了漢初運用黄老之術的文景之治。黄老之學在西漢前期的盛行，不僅是思想發展的邏輯展現，更重要的是歷史選擇的必然結果。

漢興，撥秦之亂以反正，除挾書律，大收篇籍，逐漸重視思想文化的建設。但由於歷史的原因，西漢前期文帝、景帝、竇太后及名臣諸竇均尊崇黄老,儒者不見重用,且鬥争至為激烈。史載,景帝時,竇太后喜好《老子》書,召問轅固,轅固回答説:"此家人言耳"。太后大怒,使固入圈擊彘,幸虧景帝借固以利器,不然則會喪命。武帝初立,郎中令王臧,御史大夫趙綰奏請立明堂以朝諸侯,但對明堂事不熟,於是推薦其師申公,此時申公已年邁,太皇竇太后得知後責讓武帝,於是武帝將王臧、趙綰下獄,臧、綰皆自殺。《史記·儒林傳序》説:"然孝文帝本好刑名之言,及至孝景不任儒者,而竇太后又好黄老之術,故諸博士具官待問,未有進者。"所謂"具官待問",即徒具形式,享有空名而已,没有一個是真正被重用的。有鑒於此,漢初的儒者如陸賈、賈誼,適應政治的需要,亦大談黄老之學。而韓嬰對黄老之學無論就其闡釋和理解而言,還是就其認同與應用而言,都要比陸賈和賈誼顯得深邃而全面。韓嬰將道家與儒家鎔為一爐而兼綜刑名,使他的思想帶有"雜"的特色,同時處處又凸顯着自身的個性。

韓嬰在論述孔子思想與道家思想的關係時説:

孔子抱聖人之心,彷徨乎道德之域,逍遥乎無形之鄉,倚天理,觀人情,明終始,知得失。故興仁義,厭勢力,以持養之。(《韓詩外傳》卷五,第二章。以下凡引該書,衹注卷數和章次。)

在韓嬰看來,儒道兩家並非勢不相容的冰炭,而是互濟互利、相生相長的。孔子提倡仁義,是倚立自然之理,體察人倫親情,揭示事物規律,曉喻得失利害的。仁義不僅適用一切領域,而且是由老子的"道德論"、莊子的"逍遥游"引發而來。原因是"仲尼學乎老聃",否則,孔子的"功業不能著乎天下,名號不能傳乎後世。"(卷五,二十八章)這豈不是玄學家所謂"聖人體無"的濫觴嗎?

那麽,何以説孔子的仁義是由《老子》引發的呢?對此,韓嬰作了回答。他説:

昔者不出户而知天下,不窺牖而見天道者,非目能視乎千里之前,非耳能聞乎千里之外,以己之度度之也,以己之情量之也。己惡飢寒焉,則知天下之欲衣食也。己惡勞苦焉,則知天下之欲安佚也。己惡衰乏焉,則知天下之欲富足也。知此三者,聖王之所以不降席而匡天下。故君子之道,忠恕而已矣。夫飢渴苦血氣,寒暑凍肌膚,此四者民之大害也。大害不除,未可教御也。四體不掩,則鮮仁人。五藏空虚,則無立士。"(卷三,三十八章)"夫百姓内不乏食,外不患寒,則可教御以禮義矣。《詩》曰:"蒸畀祖妣,以洽百禮"。百禮洽則百意遂,百意遂則陰陽調,陰陽調則寒暑均,寒暑均則三光清,三光清則風雨時,風雨時則羣生寧。如是而天道得矣。是以不出户而知天下,不窺牖而見天道。(卷五,二十三章)

這是説,忠恕之道亦非孔子的創見,也是由《道德經》引發所致。老子説:"不出户,知天下。不窺牖,見天道。"(《老子》四十七章)因此,聖人是"不行而知,不見而名,不為而成"的。韓嬰却由此引申為"以己之度度之,以己之情量之"。所謂"己之情、己之度",亦即由自我出發,推己及人。己之所欲,亦天下人之所欲;己所不欲,亦天下人之所惡。衣、食、住、行,是人之所需;飢、渴、寒、暑,是民之大害。衹有百姓内不乏食,外不患寒,方可教御以禮義。此即《管子》所謂"倉廪實則知禮節,衣食足則知榮辱"。可見,衹有"循情性之宜,順陰陽之序,通本末之理",纔會"合天人之際"(卷七,十九章),即實現天人合一的"太和"境界。

韓嬰很少論道,他所論之道乃具體之道,如天道、人道、政道、治道、生養之道、修身之道等。凡此,皆與黄老學派相通。韓嬰對德很推重,且作了專門的論述。他説:

德也者,包天地之大,配日月之明,立乎四時之周,臨乎陰陽之交。寒暑不能動也,四時不能化也。斂乎太陰而不濕,散乎太陽而不枯。鮮潔清明而備,嚴威毅疾而神。至精而妙乎

天地之間者，德也。（卷五，二十九章）

這樣的德，實是對道家所謂玄德的闡釋。老子說："道生之，德畜之，長之育之，亭之毒之，養之覆之。生而不有，為而不恃，長而不宰。是為玄德。"（《老子》五十一章）也是對《易傳》所謂"天地之德"的引發。《繫辭》云："廣大配天地，變通配四時，陰陽之義配日月，易簡之善配至德。"天地之德又稱神明之德，天地陰陽，交通成和，祇見其功，不見其形，廣澤萬物，以通神明，故韓嬰借《易傳》的話總結說："微聖人其孰能與於此矣！"顯然，這樣的德與孔、孟着重論述的人倫道德之德是根本不同的。

二

韓嬰繼承了黃老道家和稷下儒家關於天道無為、並不干預人事的思想，將《易傳》的天道觀亦會通其中，標明他是從黃老道家的角度來闡發《易傳》的。他說：

天不變經，地不易形，日月昭明，列宿有常。天施地化，陰陽和合，動以雷電，潤以風雨，節以山川，均其寒暑。萬民育生，各得其所，而制國用。（卷三，十九章）

這是對《繫辭傳》的通變與運用。《繫辭》云："天地絪緼，萬物化醇。""鼓之以雷霆，潤之以風雨，日月運行，一寒一暑"，"在天成象，在地成形"，"乾知太始，坤化成物"。由其引《易》來看，韓嬰是以《傳》解《經》的。同時，也與黃老道家說的"夫天行正信，日月不處。啓然不怠，以臨天下。"（《十大經·正亂》）"天制寒暑，地制高下，人制取予。取予當，立為[聖]王"的思想，若合符節。

把天道自然的思想推致於社會政治領域，韓嬰力倡"清靜無為"的黃老之治。他說：

治國者譬若乎張琴然，大絃急則小絃絕矣。故急轡銜者，

> 非千里之御也。有聲之聲不過百里,無聲之聲延及四海。……故惟其無為,能長生久視,而無累於物矣。(卷一,二十三章)

“清静無為”的反面是“貪欲妄為”,韓嬰指出,“在位者驕奢,不恤元元,税賦繁數,百姓困乏,耕桑失時”,(卷一,二十八章)上闇政險,社會混亂,民無寧日。祇有在位者不貪欲、不騷擾、不侈靡、不暴虐,清静無為,社會纔會安定,百姓纔得安寧。

在韓嬰看來,“水濁則魚喁,令苛見民亂,城峭則崩,岸峭則陂。”(卷一,二十三章)無為生福,多欲招禍。並借虞舜無為南面的故事,論述了黃老之治的理論根據。他説:

> 昔者舜甑盆無膻,而下不以餘獲罪。飯乎土簋,啜乎土型,而工不以巧獲罪。麑衣而盭領,而女不以侈獲罪。法下易由,事寡易為,而民不以政獲罪。故大道多容,大德多下,聖人寡為,故用物常壯也。傳曰:易簡而天下之理得矣。(卷三,一章)

大道無限,故無所不容;大德謙下,故物莫與之争;聖人無為而民自化,故用物常壯。這些都是老子思想的精髓。值得注意的是,韓嬰引用《繫辭傳》“易簡而天下之理得矣”作結論,照他的理解,“易簡”即是“無為”、“寡為”;所謂“天下之理得”,即天下之事理因應自然而無不得宜、無不得治。足見,韓嬰是將《易傳》視為道家系統的,或曰他乃是漢初以《老》解《易》的倡始者。

那麽,清静無為的黃老治術是什麽呢? 韓嬰用《文子》的話作了概括。他説:

> 原天命,治心術,理好惡,適情性,而治道畢矣。原天命則不惑禍福,不惑禍福則動静循理矣。治心術則不妄喜怒,不妄喜怒則賞罰不阿矣。理好惡則不貪無用,不貪無用則不以物害性矣。適情性則欲不過節,欲不過節則養性知足矣。(卷二,三十四章)

這段話,是《文子》旋律的變奏。《文子》曾被誤判為偽書,近年河北定縣出土了《文子》殘卷,偽書之説已被推翻。不過,《文子》的作者與時代,學界尚無定論。從其吸納和融會戰國諸家的思想如儒、墨、名、法、陰陽等來看,它形成於戰國中後期,略早於荀子,荀子從中吸取了不少黄老思想。韓嬰多次援引《文子》,説明他對《文子》的推崇與重視。

黄老道家與儒家對"天命"的理解是不同的。照黄老道家的理解,原天命即原察天道自然之理,掌握事物的發展規律,不為禍福所惑。人都是趨福而避禍的,但禍福不由天而由人,動静循理則致福,動静違理則招禍。"天地有合,則生氣有精矣。陰陽消息,則變化有時矣。時得則治,時失則亂。"(卷一,二十章)禍福不虚至,必有所致之由。在韓嬰看來,"福生於無為,而患生於多欲。"(卷五,二十七章)所謂"無為",並非不為,而是不妄為,即不違天,不悖道,不逆人,能隨天地之自然,事順時,治順理,則彈五絃之琴,歌南風之詩,閒居而樂,無為而治。

"治心術"作為黄老治術,是黄老道家的突出特色。所謂"治心術"即修養内心,保蓄精氣,持虚守静,排除嗜欲與成見,使賞罰不阿。韓嬰説:

> 凡治氣養心之術,莫徑由禮,莫優得師,莫慎一好。好一則摶,摶則精,精則神,神則化。(卷二,三十一章)

韓嬰關於治心術的言論多抄自荀子,而荀子則是承襲稷下道家的。《管子·内業》云:"摶氣如神,萬物備存"。"四體既正,血氣既静,一意摶心,耳目不淫,雖遠若近。"不過,荀子的治氣養心論偏重於修身並推其餘緒於認知;而黄老學派的心術論則側重於治道,以因應自然、無為而治為歸宿。韓嬰的論述即是隨從後者的。他還援引《周易》艮卦九三爻辭"艮其限,列其脢,厲薰心"以説明調和心志的重要。(卷二,七章)

關於理好惡的作用,韓嬰指出:"理好惡則不貪無用,不貪無用則不以物害性矣。"他認為,喜名者必多怨,貪貨者必多辱,賢士不以恥食,不以辱得。他引老子的話説:"名與身孰親?身與貨孰多?得與亡孰病?是故甚愛必大費,多藏必厚亡。知足不辱,知止不殆,可以長久。大成若缺,其用不敝。大盈若沖,其用不窮。大直若詘,大辯若訥,大巧若拙,其用不屈。罪莫大於多欲,禍莫大於不知足,咎莫憯於欲得。故知足之足常足矣。"(卷九,十六章)衹有"理好惡"纔能執一道而輕萬物,不求非其有,做到不以物害性。

最後,韓嬰指出"勞心苦思,從欲極好,靡財傷情"(卷五,十三章),是悖道喪德的,因此要適情性。"適情性則欲不過節,欲不過節則養性知足矣"。(卷二,三十四章)韓嬰以桀、紂使情厭性、使末逆本從而喪天下為例,告誡説:

> 貴爵而賤德者,雖為天子,不尊矣。貪物而不知止者,雖有天下,不富矣。夫土地之生物不益,山澤之出財有盡,懷不富之心而求不益之物,挾百倍之欲而求有盡之財,是桀紂之所以失其位也。(卷五,二十七章)

總之,善為政者,必須原天命,治心術,循情性之宜,順陰陽之序,通本末之理,方可不降席而匡天下,實現理想的"無為之治"。

三

韓嬰的理想社會是太平盛世,這種太平盛世並非難以企及的世外遐想,而是有其現實的根據的。他説:

> 夫賢君之治也,溫良而和,寬容而愛,刑清而省,喜賞而惡罰。移風崇教,生而不殺,布惠施恩,仁不偏與。不奪民力,役不踰時,百姓得耕,家有收聚,民無凍餒,食無腐敗。士不造無用,雕文不粥於肆。斧斤以時入山林。國無佚士,皆用於世。

> 黎庶歡樂衍盈,方外遠人歸義,重譯執贄,故得風雨不烈。以是知太平無飄風景雨明矣。

這裏,韓嬰為賢君治世設計了幾項原則,即:

(一)君道無為,臣道有為

"君道無為,臣道有為",是黃老政治的根本原則。無為並非不為,而是在尊天道、伸法度、因自然的基礎上"動靜循理",亦即不妄為。韓嬰說:

> 夫霜雪雨露,殺生萬物者也,天無事焉,猶之貴天也。執法厭文,治官治民者,有司也,君無事焉,猶之尊君也。夫闢土殖穀者後稷也,疏江疏河者禹也,聽獄執中者皋陶也。然而有聖名者堯也。故有道以御之,身雖無能也,必使能者為己用也。(卷三,十章)

關於君臣之道及其職分問題,《老子》没有論及。《莊子》對君臣之道作了界説,《天道》篇云:"夫虛静恬淡寂漠無為者,萬物之本也。明此以南向,堯之為君也;明此以北面,舜之為臣也"。並提出"上必無為而用天下,下必有為為天下用"乃恒常不易之道。慎到也説:"臣事事而君無事,君逸樂而臣任勞。臣盡智力以善其事,而君無與焉,仰成而已。"(《慎子·民雜》)韓嬰關於君臣職分的界説基本符合黃老道家"君無為而臣有為"的思想。不過他的"有道以御之,身雖無能必使能者為己用;無道以御之,彼雖多能猶將無益於存亡"的論點,顯示出更為濃重的法術味道,也更符合封建君主專制的現實需要。

(二)刑清而省,禮法並用

黃老學派為了維護社會的穩定和統一,給人們的社會政治生活提供客觀的依據和準則,因此對法制的作用比較重視,强調以法治國。《黃帝四經》說:"道生法。法者,引得失以繩,而明曲直者也。""故能自引以繩,然後見知天下而不惑矣。"(《經法·道法》)又說:"法度者,正之至也",(《君正》)"案法而治則不亂"。(《稱》)後來的《管子》、《慎子》、《尹文子》等均循着《黃帝四經》"以道詮法"的路線,形成黃老學派中具有獨創特色的道法思想。在稷下三為祭酒的荀子吸納了黃老道家的道法思想,又與儒家的"禮義"結合,從而創立了"禮法"概念,使"道法"的含義更為豐富和深化,也更為適應封建統治的需要。漢人常說,"孔子為漢立法",實際上真正為漢立法的是荀子。荀學不僅為漢初黃老之學的盛行鋪墊了進路,而且為嗣後實行"霸王道雜之"的漢家制度提供了理論根據。韓嬰正是接續着荀子以推重禮法之治的。他抄錄荀子的話說:

> 在天者莫明乎日月,在地者莫明於水火,在人者莫明乎禮義。故日月不高則所照不遠,水火不積則光炎不博,禮義不加乎國家則功名不白。故人之命在天,國之命在禮。君人者降禮尊賢而王,重法愛民而霸,好利多詐而危,權謀傾覆而亡。(卷一,五章)

禮、法並用是荀學的特色,但荀子所隆之禮,已不同於孔、孟的登降揖讓之禮,這個"禮"與"法"是很接近的,也可以說是法的延伸。對此,韓嬰有着清醒的認識。他說:"禮者則天地之體,因人之情而為之節文者也。"這與《管子》說的"禮者,因人之情,緣義之理,而為之節文者也。"(《心術上》)完全相同。韓嬰又說:"文禮謂之容。禮容之義生,以治為法。故其言可以為民道,民從是言也。行可以為民法,民從是行也。"(卷四,二十四章)法制的作用是禁姦止邪、折暴懲悍以明好惡的,因此必須執法不阿。正如韓嬰說的:"子為親隱,義不得正。君誅不義,仁不得愛。雖違仁害義,法在其中矣。"(卷四,十七章)祇有這樣,纔能"禮義節奏齊乎朝,法則度量正乎官,忠信愛利刑乎下。"(卷六,二十三章)

(三)陽德陰刑,施惠承天

黄老道家的刑德思想不同於法家的嚴刑峻法,它以道為根基,以陰陽消長為依據,將陰陽與刑德聯繫,認為刑德和陰陽一樣是支配萬物的基本力量。《黄帝四經》説:“天德皇皇,非刑不行。穆穆天刑,非德必傾。刑德相養,逆順若成。刑晦而德明,刑陰而德陽,刑微而德彰。其明者以為法,而微道是行。”(《十大經·姓争》)這段話,可謂極具代表性。《管子》、《慎子》、《文子》乃至荀子的刑德論,無不貫徹這一思想。黄老之學的陽德陰刑論,其主旨是先行德教後施刑罰,以便因應自然天道的春夏德養、秋冬刑殺的規律,因此它的刑德又被稱為“天刑”、“天德”。《四經》説:“先德後刑以養生”,“夫並(秉)時以養民功,先德後刑順於天。”(《十大經·觀》)《管子》也説:“不犯天時,不亂民功,秉時養人,先德後刑,順於天。”(《勢篇》)

韓嬰基本承襲這一路線而展開了他的刑德論。他説:

> 黄帝即位,施惠承天,一道修德,惟仁是行,宇內和平。(卷八,八章)

那麽,韓氏所謂的仁是什麽呢?他説:

> 用不靡財,足以養其生,而天下稱其仁也。(卷三,二十章)
>
> 四體不掩,則鮮仁人。五藏空虚,則無立士。(卷三,三十八章)

對百官,“不與争能而致用其功”;對百姓,“寬裕寡怨而不阿”。“血氣平和,志意廣大,行義塞天地,仁知之極也。”(卷四,十一章)由此他響亮地提出“子為親隱,義不得正。君誅不義,仁不得愛。雖違仁害義,法在其中矣。”(卷四,十七章)足見,這與孔孟儒家的仁義超越法度、拒斥法制的思想是根本不同的。為使統治者貫徹陽德陰刑、刑德並用的刑名法術,韓嬰還提出了一系列相應的政策,如:“主惠臣忠”,“等賦正事”,實施“井田”,“達公道、塞私門”,“移風崇教、布惠施恩”,“不奪民力、役不踰時”等。從内容看,這些政策與孔孟講的“德治”、“仁政”的主張似乎是相同的。然而孔孟的“德治”、“仁政”雖説也包含了民衆的物質利益,但其一以貫之的主旋律却是王者的惻隱和道德的教化。韓嬰則是從刑德結合、禮法並用的角度以立論的,因此二者是有差異的。正如韓嬰説的:“誠惡惡, 知刑之本; 誠善善, 知敬之本。……知刑敬之本, 則不怒而威, 不言而信。”(卷四,二十九章)所謂“不怒而威,不言而信”,乃是老子的“無為而治”,而非儒家的名教之治。

關於如何運用刑德的問題,韓嬰鑒於歷史的經驗也强調必須由君主獨專。他用司城子罕相宋,宋君失却刑柄,不到一年子罕遂劫宋君而專其政的故事,説明君王緊握刑德的重要。最後他歸結説:故老子曰:“魚不可脱於淵,國之利器不可以示人。”(卷七,十章)這與《黄帝四經》所謂“微道是行”及《尹文子》的“術者人君之所密用,羣下不可妄窺;勢者制法之利器,羣下不可妄為”的思想是一致的,而與韓非所宣揚的君主以權謀駕馭臣下的詭詐之術是有異的。

四

韓嬰的《易》學著作《韓氏易傳》二篇已亡佚。《子夏易傳》是否為韓嬰撰,難以定案,且其書也已亡佚。因此,研究韓嬰的易學思想,其難度可想而知。現存的《韓詩外傳》引《易》共計八條,其中引用卦、爻辭五條,《彖傳》一條,《繫辭》一條,《序卦》一條。單憑這幾條資料,很難探究韓氏易學的全貌,因此衹能就他特別推崇和極為重視的“易道”問題,概述如下。

(一)《易》有一道,謙之謂也

韓嬰在其《韓詩外傳》卷三的三十一章和卷八的三十一章,反復申述《謙》卦的主旨之後，概括説：

> 夫《易》有一道焉，大足以治天下，中足以安家國，近足以守其身者，其惟謙德乎！

關於“易道”問題，自《周易》面世以來，人們便從不同的角度對之進行着深入的探討和研究，從而形成了不同的“易道”觀，真所謂“仁者見仁，智者見智”。然而，將“易道”最終歸結為《周易》的思想精髓或曰其中内在精神，則是基本一致的。韓嬰把謙德視為《周易》的靈魂，可謂獨具慧眼。

謙(䷎)之卦象，上體為坤，下體為艮，象徵着高山謙卑地屈居於地下。《大象》曰：“地中有山，謙。君子以裒多益寡，稱物平施。”《釋文》云：“謙，卑退為義，屈己下物也。”孔穎達《正義》云：“謙者，屈躬下物，先人後己；以此待物，則所在皆通。”可見，謙之主旨，即褒揚謙虚之美德。就天道言，日月星辰，三光垂耀，謙虚降下，濟生萬物，萬物被其利，故天道是高者抑之，下者舉之，有餘者損之，不足者補之。就地道言，出甘泉，樹五穀，草木殖，鳥獸遂。“生則立焉，死則入焉，多功不言，賞世不絶。”(卷七，二十二章)故地道是厚德載物，覆育羣生而不為主。人應效法天地之謙道，屈己下物，先人後己，持守而勿失。故韓嬰引《謙·彖》曰：“天道虧盈而益謙，地道變盈而流謙，鬼神害盈而福謙，人道惡盈而好謙。”“謙者，抑事而損者也。……順之者吉，逆之者凶。”(卷八，三十一章)

儒道兩家對謙德都非常推崇，但兩家的旨趣却不同。儒家講“謙謙君子”，着眼於人的道德境界和行為範式，所謂謙尊而光、謙以制禮，側重於個體道德的培養和人格的塑造。道家講“謙而又謙”，居下不争，所謂“以其善下之，故幾於道”，則是要人守道抱德，虚己應物，實現無為之治。從《謙·彖》將“謙德”貫通於三極之道看來，《彖》的作者是傾向於道家的。韓嬰將“謙”視為“易道”，也凸顯了他的易説的道家色彩。

(二)持盈之道,抑而損之

如何踐履作為《易》道的謙德呢？韓嬰説:"持盈之道,抑而損之,此謙德之於行也。"(卷八,三十一章)抑損之道,在卷三第三十章中,韓嬰借孔子之口講過,在同卷三十一章中又以周公的名義講述,卷八第三十一章則為韓嬰自述之,他説:

> 德行寬容而守之以恭者榮,土地廣大而守之以儉者安,位尊祿重而守之以卑者貴,人衆兵強而守之以畏者勝,聰明睿智而守之以愚者哲,博聞強記而守之以淺者不隘。此六者皆謙德也。(卷八,三十一章)

所謂"守之以恭"、"守之以儉"、"守之以卑"等,即是抑損之道。不難看出,這抑損之道乃是對《老子》"知雄守雌"、"知白守黑"、"知榮守辱"的詮解和應用。老子思想的特點是"貴柔"、"守雌",在這"貴柔"、"守雌"裏已涵攝了"謙"的義蘊。

韓嬰把謙的價值定位於"大足以治天下,中足以安家國,小足以守其身。"説明韓嬰已偏離了儒家視謙為崇高的道德情操的價值意向,而與黄老學派的與民生息、建功立業的功利主義價值取向相一致。無論守身、治國還是安天下,一切均以功利作為取捨標準,因此"不尊無功,不官無德",使"朝無幸位","民無幸生"。(卷三,四章)

抑而損之,貴在守恒,立心無恒,則常於幾成而敗之。因此,韓嬰説:

> 官怠於有成,病加於小癒,禍生於懈惰,孝衰於妻子。察此四者,慎終如始。《易》曰:"小狐汔濟,濡其尾。"(卷八,二十二章)

"小狐汔濟,濡其尾"乃《未濟》卦辭,是説"未濟"雖有"可濟"之理,但若處事不謹慎,則如小狐涉水一般,事即將竟却濡濕其尾,必不能成濟而無所利。李光地説:"要之是戒人敬慎之意,自始濟以至於將濟,不可一息而忘敬慎也。"(《周易折中》)韓嬰引《易》,正是申説此意。韓嬰又説:

《易》曰:"謙亨,君子有終吉。"能以此終吉者,君子之道也。(卷八,三十一章)

當人處於卑微時,一般説來比較謙謹,因為此時尚不具備傲滿的條件,而當地位發生了變化,若仍能守謙,則是行君子之道了。故老子説:"慎終如始,則無敗事。"(《老子》六十四章)蓋此之謂也。

(三)禮賢下士,虛己以受人

韓嬰將謙德凝煉為"《易》道",其終極目的是要以"謙道"來治國安天下。而治國安天下的關鍵在於識賢、養賢和用賢。故韓嬰在總結歷史經驗的基礎上深刻地指出:

昔者禹以夏王,桀以夏亡。湯以殷王,紂以殷亡。故無常安之國,無恆治之民,得賢則昌,失賢則亡。自古及今,未有不然者也。(卷五,十九章)

賢者的作用,對國君來説是"以道覆君","以德調君","以是諫非"(卷四,三章);對政務來説,則是"省事輕刑","無使小民飢寒","無令財貨上流","無令倉廪積腐","無使羣下縱恣","法令奉行,無使下怨","無使下情不上通"。(卷三,九章)所以,衹有賢者纔可"止惡扶微,絀繆淪非,調和陰陽,順萬物之宜。"(卷五,九章)致天下太平。

然而,識賢與用賢並非易事,衹有君主賢明纔能踐行"易道",纔能禮賢下士,虛己以受人。所謂"同明相見,同音相聞,同志相從,非賢者莫能用賢。"(卷五,十八章)韓嬰還引用歷史上困而疾據賢從而成就霸業的故事,説明踐履"易道"的重要。他説:

《易》曰:"困於石,據於蒺藜,入於其宮,不見其妻,凶。"此言困而不見據賢人者也。昔者秦繆公困於殽,急據五羖大夫、蹇叔、公孫支而小霸。晉文公困於驪氏,疾據咎犯、趙衰、介子推而遂為君。越王勾踐困於會稽,疾據范蠡、大夫種而霸南國。齊桓公困於長勺,疾據管仲、寧戚、隰朋而匡天下。此皆困而知疾據賢人者也。夫困而不知疾據賢人而不亡者,未嘗有之也。(卷六,十三章)

《困》之六三爻辭,按照《繫辭》的解釋是,"非所困而困焉名必辱,非所據而據焉身必危。"而韓嬰却從知據賢必霸昌,不知據賢必危亡的視角予以通詮,可謂識見獨到。

據賢必以其道,否則賢者不至。周公"一沐三握髮,一飯三吐哺,猶恐失天下之士",(卷三,三十一章)況乎他人哉! 由此,韓嬰力倡賢者當為王者師的思想。他説:

智如泉源,行可以為表儀者,人師也。智可以砥礪,行可以為輔弼者,人友也。據法守職,而不敢為非者,人吏也。當前快意,一呼再喏者,人隸也。故上主以師為佐,中主以友為佐,下主以吏為佐,危亡之主以隸為佐。(卷五,十八章)

王者任人唯賢,能將賢士視為師友;而那些昏闇危亡之君,却任用"一呼再喏"的人隸,欲其不亡難矣乎! 這與《黄帝四經》説的"帝者臣,名臣,其實師也。王者臣,名臣,其實友也。霸者臣,名臣也,其實賓也。危者臣,名臣也,其實庸也"的思想完全一致。

統治者虛己以受人,對於招致賢士、推行清静無為的治道,是至為重要的。韓嬰説:

獨視不若與衆視之明也,獨聽不若與衆聽之聰也,獨慮不若與衆慮之工也。故明王使賢臣,輻湊並進,所以通中正而致隱居之士。(卷五,十五章)

天下治亂,國家興亡,與國君能否踐行"易道"延攬天下賢士關係很大。明主使賢,輻湊並進,使羣賢聚附於國君周圍猶如車輻拱聚於車轂一般。如此,國家機制方能運轉自如而國泰民安。此即《黄帝

四經》所謂的"主得位,臣輻屬者王。"(《經法·六分》)

總之,衹有踐行"易道",方能"賢者不待次而舉,不肖不待須而廢,元惡不待教而誅,中庸不待政而化",(卷五,三章)實現理想的王者之政。

上面,我們簡略地分析了《韓詩外傳》的黃老思想及其《易》說。不過,作為對儒家經典——《詩經》的理解,韓嬰還是竭力發揮自己的儒學觀點,然而這儒學並非孔孟一系,而是荀子一系。荀子曾三出三進於稷下,歷時數十載,並曾三為祭酒主持學宮的工作。他系統而全面地總結了先秦的百家之學尤其是稷下學,形成為有別於鄒魯儒學的稷下儒學。稷下儒學遠離了孔孟的傳統而帶有濃厚的黃老色彩。正由於此,所以歷代儒者纔那樣冷遇荀子,把他排除於儒家道統之外,甚至說他"才高學陋","不見聖賢"(程頤)。就連深受道家思想影響的蘇軾也說他"喜為異說而不讓,敢為高論而不顧。"(《荀卿論》)所謂"異說"即指荀子背離了孔孟儒學的真傳而走入異端他途;所謂"高論"即指他融會禮法,吸納黃老,綜合百家,創立自己的新學派。在荀子思想體系中,黃老之學是佔有突出地位的。我們不必將荀子改換門庭,但對其思想則要有全面而清醒的認識。

韓嬰之所以推重荀子,也是推崇他所闡發的黃老思想或曰滲透有黃老思想的儒學。據初步統計,《韓詩外傳》共徵引《荀》文五十四處,幾乎遍於《荀子》諸篇。這樣大量的旁徵博引《荀》文,在漢唐古籍中是絕無僅有的。《韓詩外傳》之引《荀子》,一者表明,孔孟儒學並不適應漢初的形勢,故儒者亦多說黃老;二者表明,黃老之學在漢初如日月中天,是歷史選擇的必然結果。

作者簡介 周立昇,1936年生,山東慶雲人。山東大學哲學系教授。著有《淮南子的易道觀》、《契數與周易》等論文,主編有《春秋哲學》。

嚴遵引易入道簡論

王德有

内容提要 嚴遵的《老子指歸》上承先秦老莊之學，下開魏晉玄學之風，是道家思想發展的重要環節。《老子指歸》將易與老莊融為一體，將仁義與自然融為一體，為魏晉玄學以"三玄"為經、以自然解名教開闢了道路。

嚴遵是漢代著名思想家。他的《老子指歸》上承先秦老莊之學，下開魏晉玄學之風，是道家思想發展史上的一個重要環節。其特點之一是引易入道。

魏晉玄學是道家思想發展史上的一個重要階段。之所以稱為玄學，與其以"三玄"為經有很大關係。所謂"三玄"，即是《老子》、《莊子》和《周易》。

老莊與易，本是先秦學術的兩個派別，何以到了魏晉却被糅在一起，鑄造了一個玄學？這與二者的内容及思想方法有關係，也與前人引易入道的學術實踐有關係。

就内容及思想方法而言，老莊既講宇宙，也講人事，而以宇宙統人事，按照老子的話説，則是"人法地，地法天，天法道，道法自然"(《老子》二十五章)。《周易》同樣既講宇宙，也講人事，同樣以宇宙統人事，按照它自身的話説，則是"立天之道曰陰與陽，立地之道曰柔與剛，立人之道曰仁與義。兼三才而兩之，故《易》六畫而成卦"

(《説卦傳》)。這個"兩"是什麽? 即是陰陽,即是柔剛,即是仁義,即是天地萬物的總法則,即是宇宙的總法則,即是道。所以它又説"一陰一陽之謂道"(《繫辭上》),"形而上者謂之道,形而下者謂之器"(同上)。由此可見,老莊與易,從學術内容上説,都在探究宇宙與人事之間的關係,從思想方法上説,都以宇宙統人事。這就是它們可以相通的橋梁,這就是後代的道家學者之所以能够引易入道的先决條件。

不過,易與老莊還不是一回事,否則也就不存在引易入道的問題了。它們的主要區别有兩點:一點是對宇宙的總體法則有不同的理解。老莊主自然,説"道法自然",而易主陰陽,説"一陰一陽之謂道"。另一點是對人道有不同的理解。老莊從人法道、道法自然的前提出發,主張人事隨自然,反對人為造作的仁義,從而與儒學對立,而易則認為一陰一陽之道體現在人事上就是一仁一義,因而主張立仁立義,從而與儒學融通。

正因為易與老莊有别, 所以在學術論争與交流中, 後代的道家學者纔感到有引易入道的必要性, 纔開出了以易補道的學術發展之路。正因為易與老莊有兩大區别, 所以後代道家學者在引易入道的學術實踐中往往帶有引陰陽入道、引仁義入道的特色。

一、嚴遵的生活實踐將三玄合為一體

嚴遵的生活靠什麽? 靠卜筮。所謂"筮",就是通過演繹《周易》來算卦。嚴遵的志趣是什麽? 是老莊,不但講授《老子》,而且還以老莊之旨著書立説。

《漢書·王貢兩龔鮑傳》有這樣一段記載:

"君平(嚴遵字——作者注)卜筮於成都市,以為'卜筮者賤業,而可以惠衆人。有邪惡非正之問,則依蓍龜為言利害。

與人子言依於孝,與人弟言依於順,與人臣言依於忠, 各因勢導之以善, 從吾言者已過半矣'。裁日閱數人, 得百錢足自養, 則閉肆下簾而授《老子》。博覽無不通,依老子、嚴周(莊周,因《漢書》避諱而改莊為嚴——作者注)之指著書十萬餘言。"

《華陽國志》也有類似的記載:

"嚴遵,字君平,成都人也。雅性淡泊,學業加妙,專精大《易》,耽於《老》、《莊》。常卜筮於市,假蓍龜以教。與人子卜,教以孝;與人弟卜,教以悌;與人臣卜,教以忠。於是風移俗易,上下慈和。日閱得百錢,則閉肆下簾,授《老》《莊》。著《指歸》,為道書之宗。"

這些記載,活脱脱地將嚴遵的生活特點描繪了出來:一方面是演易,即以卜筮為業;一方面是講授《老子》,並以老莊之旨著書立說。也就是說,他的生活主業是演易,他的學術主業是闡發老莊。這兩個主業通過嚴遵一個人的生活聯繫在了一起,因而兩業的思想内容和思想方法也就通過嚴遵一個人的頭腦交融在了一起。由此我們說,易與老莊在世人的眼中還是兩個思想體系的時候,在嚴遵的腦中已經融通無礙、合為一體了。

二、嚴遵以《周易》思維解說《老子》章次

《周易》思維有種種特色,其中非常突出的一點是觀象製《易》。所謂"觀象製《易》",是說《易經》是通過觀察天地萬物之象而創製出來的。

《易傳》多處言及《易經》的來源。

《繫辭下》說:

"古者包犧氏之王天下也,仰則觀象於天,俯則觀法於地,

觀鳥獸之文,與地之宜,近取諸身,遠取諸物,於是始作八卦,以通神明之德,以類萬物之情。"

《説卦傳》也説:

"昔者聖人之作《易》也,幽贊於神明而生蓍,參天兩地而倚數,觀變於陰陽而立卦,發揮於剛柔而生爻,和順於道德而理於義。窮理盡性以至於命。"

其意是説,聖人作《易》是有依據的,其依據就是天地萬物之象。伏羲首先根據天象、地法、人類及鳥獸之形態和紋理,畫出了八卦,後聖又借助神明而使用蓍草來占筮,根據天地之數、陰陽之變、剛柔之化創製了數及卦、爻,從而完成了《易》。在《易傳》看來,正因為《易經》是根據天地萬物之象而創製的,所以,天地萬物之道德性命全部蘊涵於其中,無所遺漏。正因為它囊括了天地萬物的道德性命,所以人們可以藉助於它洞察天地,解悟人事,原始返終,極深研幾。

所以《繫辭上》説:

"《易》與天地準, 故能彌綸天地之道。仰以觀於天文, 俯以察於地理, 是故知幽明之故。原始反終, 故知生死之説。"

"'夫《易》何為者也? 夫《易》, 開物成務, 冒天下之道, 如斯而已者也。'是故聖人以通天下之志,以定天下之業,以斷天下之疑。"

由此可以看出,《易傳》對《易經》的基本看法是:它由觀察天地萬物之象而來,囊括着天地萬物之理,可以用來斷定天地萬物之事。

嚴遵在《老子指歸》中完全按照《易傳》的這種思維方式看待《老子》的章次。認為《老子》的章次是宇宙道德、天地之象的集中反映,因此其中包括着天地萬物的基本道理。所以,僅其章次本身就有指導人們理解天道人事的奇妙功用。這反映在本書的《說二經目》中。

《說二經目》說:

> "昔者《老子》之作也,變化所由,道德為母,效經列首,天地為象。上經配天,下經配地。陰道八,陽道九,以陰行陽,故七十有二首。以陽行陰,故分為上下。以五行八,故上經四十而更始。以四行八,故下經三十有二而終矣。陽道奇,陰道偶,故上經先而下經後。陽道大,陰道小,故上經衆而下經寡。陽道左,陰道右,故上經覆來,下經反往。反覆相過,淪為一形。冥冥混沌,道為中主。重符列驗,以見端緒。下經為門,上經為户。智者見其經效,則通乎天地之數、陰陽之紀、夫婦之配、父子之親、君臣之儀,萬物敷矣。"

文中從"陰道八,陽道九"到"下經為門,上經為户",是具體解說《老子》是如何根據天地之數安排章次的,我們且把它留在後面分析。現就前兩句及最後一句來看,基本上是《易傳》看待《易經》時思維方式的再版,甚至一些行文形式都與之相似。

《易傳》說"昔者聖人之作《易》也",《說二經目》則說"昔者《老子》之作也";

《易傳》說"觀象於天,觀法於地","以通神明之德,以類萬物之情",《說二經目》則說"變化所以,道德為母,效經列首,天地為象","上經配天,下經配地";

《易傳》說"《易》與天地準,故能彌綸天地之道。仰以觀於天文,俯以察於地理,是故知幽明之故。原始反終,故知生死之說。""是故聖人以通天下之志,以定天下之業,以斷天下之疑。"《說二經目》則說"智者見其經效,則通乎天地之數、陰陽之紀、夫婦之配、父子之親、君臣之儀,萬物敷矣。"

從書的來由到書的内涵,再到書的功用,《說二經目》脱胎於

《易傳》。這是嚴遵引易入道的一大表現。

三、嚴遵以一陰一陽及天地之數解説《老子》章次

"一陰一陽之謂道",這是《易傳》的名句;以數配天地,以天為一、三、五、七、九,以地為二、四、六、八、十,這是《易傳》的杰作;以天為陽,以地為陰,以陽為奇,以陰為偶,這是易學之通例。以上這些思想是易之特色,其他學説或可借之,但它們源於易,别無二出,這是大白於天下的事。嚴遵正是用這樣的思想來解説《老子》篇章的具體安排方法的。

嚴遵的《説二經目》是在解説《老子》篇章的編排方法。從行文可知,他所使用的《老子》分上、下兩篇,德篇為上,道篇為下,上篇四十章,下篇三十二章,全書共七十二章。

嚴遵認為,《老子》的篇章是依據宇宙道德及天地之象編排的:

宇宙分為天地,天在上,地在下,所以《老子》分上下兩篇。由此《説二經目》説"上經配天,下經配地"。

地屬於陰,在《周易》中"八"為少陰;天屬於陽,在《周易》中"九"為老陽。在宇宙中,天地相交而生萬物,所以在《老子》中天地相交而生章數;地八、天九,相交而生七十二章。由此《説二經目》説"陰道八,陽道九,以陰行陽,故七十有二首"。

九是由五與四相加而成的。五是奇數,為天;四是偶數,為地。《老子》上篇配天,所以用五與八相交,得四十章;下篇配地,所以用四與八相交,得三十二章。由此《説二經目》説"以五行八,故上經四十而更始;以四行八,故下經三十有二而終矣"。

上篇為天,為陽,為奇,下篇為地,為陰,為偶。奇在先而偶在後,所以《説二經目》説"陽道奇,陰道偶,故上經先而下經後"。

上篇為天,為陽,為尊,下篇為地,為陰,為卑。尊者為大,卑者

為小,所以上篇章數多而下篇章數少。由此《說二經目》說"陽道大,陰道小,故上經衆而下經寡"。

按易有關卦位的學說,正東為陽卦,正西為陰卦。立北面南,則東為左而西為右,所以陽為左而陰為右。按易有關陰陽運轉的學說,陽氣由北沿東線向南行,越來越熱,陰氣由南沿西線向北行,越來越冷。立北面南,則陽是由此向彼運行,有開來之徵;陰是由彼向此運行,有繼往之徵。《老子》上篇為陽,所以主講開來,講人事;下篇為陰,所以主講繼往,講天道。由此《說二經目》說"陽道左,陰道右,故上經覆來,下經反往"。

也就是說,《老子》完全是按照《周易》所說的陰陽關係、天地之數來編排篇章、按排內容的。這是他引易入道的又一表現。

四、嚴遵將一陰一陽的思想融於老學

《老子指歸》是概括、闡發《老子》基本思想的著作,就其基本精神而言,没有離開《老子》大旨,主張自然,崇尚無為,但却特别引入了《周易》"一陰一陽之謂道"的思想,並將其貫於全文的始終,使之成為他所理解的老學的一個有機組成部分。

《老子》也講陰陽,如四十二章說:"萬物負陰抱陽,沖氣以為和。"認為萬物都有陰陽兩個方面。但老子並没有着意表術這種思想,涉及陰陽的文句也僅止一處。而嚴遵的《老子指歸》則不同,其中的陰陽思想不僅已成系統,而且已成全書整個思想體系的一根支柱。

1.天地未開,陰陽已藴

《老子指歸》將宇宙演化的過程分為兩大階段、四個時期。兩大階段是天地剖判之前的無形階段和天地開闢之後的有形階段。

四個時期是道德時期、神明時期、清濁太和時期、天地萬物時期;前三個時期屬第一階段,後一個時期屬第二階段。

《老子指歸》認為,天地未開,一片混沌。當此之時,既無天地,也無陰陽,但却内蘊着天地,内蘊着陰陽。

其中的《至柔篇》説:

"道德至靈而神明賓,神明至無而太和臣。清濁太和,至柔無形,包裹天地,含囊陰陽,經紀萬物,無不維綱。"

《上士聞道篇》説:

"大象無形,大狀無容。進而萬物存,退而萬物喪,天地與之俯仰,陰陽與之屈伸。"

這兩段都是描述天地未開之前的情景。前一段是説,天地未開的太和時期,陰陽未顯,但却蘊於宇内,藏於無形。後一段是説,隨着無形宇宙——大象的流轉、進退,陰陽也在伸縮、進退。大象進化,由無形化為有形,則天地開闢、萬物叢生,陰陽也隨之展現它的功能;大象回歸,由有形化為無形,則天地閉合、萬物泯滅,陰陽也就隨之隱匿、潛藏。也就是説,天地未開之時,宇宙之内並非全然没有陰陽的因素存在,僅因那時它處在隱含的狀態,所以不能顯現。

2.天地開闢,陰陽隨生

《老子指歸》認為,天地、陰陽都是從宇宙的清濁太和時期演化而來的。陰陽伴隨着天地的開闢而開始顯現出來。有了天地,也就有了陰陽。嚴遵有時候也把天地與陰陽的這種跟隨關係稱為"生",説陰陽是由天地産生的。

《天之道篇》説:

"天地未始,陰陽未萌,寒暑未兆,明晦未形,有三物立,一濁一清,清上濁下,和在中央。三物俱起,天地以成,陰陽以交,而萬物以生。”

《萬物之奧篇》說:

“華實生於有氣,有氣生於四時,四時生於陰陽,陰陽生於天地,天地生於無形。”

在《老子指歸》裏,陰陽的位置很清楚。它蘊含於無形的太和時期,始現於天地開闢之後、四時萬物出現之前。

3.天地之道,一陰一陽

《老子指歸》認為,陰陽與天地並非互不相干的兩種東西,一陰一陽是天地運行的根本法則。說它是根本法則並非是一句虛語,其中表明一陰一陽在萬物生化過程中的決定作用。在《老子指歸》那裏,萬物都是由天地產生的,而天地之所以產生了萬物,在於有其道,天地之所以能够產生萬物,也在於有其道。遵道則生,背道則亡,所以天地之道是萬物生死存亡的主宰。這個道不是别的什麽東西,就是一陰一陽。

《以正治國篇》說:

“故天地之道,一陰一陽。陽氣主德,陰氣主刑,刑德相反,和在中央。春生夏長,秋收冬藏,終而復始,廢而又興。陽終反陰,陰終反陽,陰陽相反,以至無窮。故王道人事,一柔一剛,一文一武,中正為經。剛柔相反,兵德相連;兵終反德,德終反兵,兵德相保,法在中央……”

其意是說,一陰一陽是天地的根本大法,天地之間,物類人事,都受着陰陽交替法則的支配,由此而四時更迭、萬物更生,無窮無盡地繁衍生化,由此而人世流轉,一文一武,一兵一德,治亂相沿。《大成若缺篇》對此做了一個概括,說:“天地之道,一進一退而萬物成遂,變化不可閉塞,屈伸不可障蔽。”

為了强調一陰一陽在萬物生化、人世流轉中的決定作用,《老子指歸》還特别從反面做了説明，認為獨陰不生，獨陽不成，陰陽缺一不可，衹有陰陽相迭、陰陽相配纔能成物成事。

《用兵篇》説：

“夫陰而不陽，萬物不生；陽而不陰，萬物不成。由此觀之，有威無德，民不可治；有德無威，宗廟必傾；無德無威，謂之引殃，遭運時變，身死國亡。”

《老子指歸》認為，實際上天地之間本來就不存在獨陰獨陽的情況。從有天地開始，陰陽就是結伴而行的。因此世上任何事物都有陰陽兩個方面，無一例外。

《大國篇》説：

“天地並起，陰陽俱生，四時共本，五行同根，憂喜共戶，禍福同門。故所以為寧者，所以為危者也；而所以為危者，所以為寧者也。所以為存者，所以為亡者也；而所以為亡者，所以為存者也。”

在《老子指歸》看來，有存就有亡，有興就有衰，任何事物都逃脱不了陰陽對立和陰陽交替的法則。衹有認識它，順應它，纔是正道。

4. 道統陰陽，自然陰陽

嚴遵不但將《周易》的陰陽思想引入了老子學説，而且將它與老子學説糅和在了一起，從而創造了一種道統陰陽、自然陰陽的和諧體系，由此産生了一種帶有易學色彩的道家學説。

在這個體系中，道與自然法則是最高層次，是宇宙的本始；陰陽是由道和自然法則派生出來的，是天地之道，是第二層次。一陰一陽遵循着宇宙之道，遵循着自然的法則，體現着宇宙之道，體現着自然法則，由此自然而然地推衍着物類與人事。

《以正治國篇》説：

"道德之情,正信為常,變化動靜,一有一亡;覆載天地,經緯陰陽,紀綱日月,育養羣生,逆之者死,順之者昌。故天地之道,一陰一陽……"

《勇敢篇》說:

"天地之道,一陰一陽,分為四時,離為五行,流為萬物,精為三光;陽氣主德,陰氣主刑,覆載羣類,含吐異方;玄默無私,正直以公,不以生為巧,不以殺為功;因應萬物,不敢獨行,吉之與吉,凶之與凶;損損益益,殺殺生生,為善者自賞,造惡者自刑。故無為而物自生,無為而揚自亡,影與之交,響與之通;不求而物自得,不拘而物自從,無察而物自顯,無問而物自情。"

由此可見,在嚴遵《老子指歸》的思想體系中,天地之道、一陰一陽是由宇宙之道自然而然地演化出來的,是"道德之情"的展現,是道德"經緯"的法則。也正因為如此,所以它的展現結果是"因應萬物",無為自生,不求自得,無察自顯,無問自情,一派自然而然的氣象。一陰一陽是自然而然的,自然而然也就是一陰一陽。在這裏,《周易》的一陰一陽完全融溶在了《老子》自然無為的學說之中。說明嚴遵成功地做了一次引易入道的移植手術。

五、嚴遵將仁義與自然融為一體

前面已經言及,老莊學說上半截是道法自然,下半截是人法自然,將自然與人為的仁義對立起來,從而與儒學對立;《周易》的上半截是天道陰陽,下半截是人道仁義,將人道視為天道的體現,將仁義視為陰陽的體現,從而與儒學融合。而嚴遵的《老子指歸》則將《周易》的下半截與老莊的下半截融為一體,將自然與仁義融為一體,我們給它起個名字,叫"自然仁義"。所謂"自然仁義",是說自然而然就行仁行義,行仁行義没有人為造作。

嚴遵是講究仁義忠孝的,前面已經言及,他在為人算卦的時候勸導人們孝悌忠上,在《老子指歸》中也到處可見慈善施惠的言詞。但是他所講的仁義與儒家所講的仁義有一個根本的區别,就是發於自然,不假人為。他把世間的仁義行為分為兩種類型:一種是人為的,稱為"術",稱為"事";另一種是自然的,稱為"體",稱為"襲"。

《天地不仁篇》説:

> "天地釋虛無而事愛利,則變化不通,物不盡生;聖人釋虛無而事愛利,則德澤不普,海內不並,恩不下究,事不盡成。何則? 仁愛之為術也有分,而物類之仰化也無窮,操有分之制以授無窮之勢,其不相贍,由川竭而益之以沍也。"

所謂"事",就是人為從事;所謂"術",就是作為一種技巧去行事。嚴遵認為,人的能力是有限的,天地物類是無窮的,把施愛行仁當成一種技巧,人為地去從事,那一定會事與願違。而衹有體認大道,因襲自然纔能收到仁義孝慈的效果。

《善建篇》説:

> "是以,聖人去力,去巧,去知,去賢;建道抱德,攝精畜神,體和襲弱,履地載天;空虛寂泊,若亡若存,中外俱默,變化於玄;無為無事,反樸歸真,無法無度,與變俱然……治之於家,則夫信婦貞,父慈子孝,兄順弟悌,九族和親……治之於鄉,則覘綱知紀,動合中和,名實正矣……治之於國,則主明臣忠,上下無怨,百官樂職,萬事自然,遠人懷慕,天下同風……"

所謂"體和襲弱",就是順應大道的自然柔和之性。嚴遵認為,衹要人們順應着大道的自然柔和之性行事,拋棄小聰明、小技巧,自然而然就會形成一種仁義忠信的和諧局面。因此,是不是真正行仁行義,關鍵在於是不是真正順應自然。

立足於此,嚴遵繼承了老子正統,拒不接受"禮"。在他看來,禮是人為造作的,是禍亂之所以發生的原由。說"禮之為事也,中外相違,華盛而實毁,末隆而本衰……禍亂之所由生,愚惑之所由作也"(《上德不德篇》)。

由此可見,嚴遵容納了《周易》中的仁義思想,把它改造成了自然仁義,融溶到了道家的學説之中。這與從儒家吸收仁義思想是兩回事,因為儒家的仁義是人為造作的產物,是禮教的產物,在儒家那裏,"克己復禮為仁",與《老子指歸》的仁義思想相左。而《周易》中却没有以禮制仁的傾向,與《老子指歸》相融。

嚴遵的《老子指歸》將易與老莊融為一體,將仁義與自然融為一體,為魏晉玄學以"三玄"為經、以自然解名教開闢了道路。

作者簡介 王德有,1944年生,河北人。中國大百科全書出版社副總編輯、編審。主要著作有《道旨論》、《老子演義》等。

《太玄》·黄老·蜀學

——讀《玄》札記之一

魏啟鵬

内容提要　本文認為《太玄》以黄老之學為宗旨,結合漢代天文律曆等自然科學成就,構建了宏大的世界圖式,以其理性之光閃現於西漢的黄昏。研究揚雄的學術淵源,應當重視巴蜀文化的哺育和深刻影響。特別是嚴遵的黄老哲學和道家易學,"為玄為默,與道同極",為《太玄》以清靜無為之治形成其根本特點奠定了理論基礎。揚雄思想中之最高範疇"玄",乃脱胎於《老子指歸》所論述的"太和"。

《太玄》擬《易》,自草成之日起,就開始其坎坷的命運。劉歆閲後,謂揚雄曰:"空自苦! 今學者有禄利,然尚不能明《易》,又如《玄》何? 吾恐後人用覆醬瓿也。"這頗有幾分現代人所謂"幽默感"的話,却不幸而言中,此書曾飽經塵世的冷落。知之者少,能讀之者更少,仍不免人間毁譽,如晁公武云,"而諸儒或以為猶吴楚僭王當誅絶之罪,或以為度越老子之書,大抵譽之者過其實,毁之者失其真,皆未可信。然譬夫聽訟,曾未究其意,烏能決其曲直哉? 今欲論《玄》之得失,必先窺其奥,然後可得而議也"。[①] 但《太玄》又

① 《郡齋讀書志》卷十。

是中國最難讀的典籍之一,古文奇字,道旨玄深,聰慧如司馬光者,亦嘆讀《玄》之難,初不可入,"乃研精易慮,屏人事,而細讀之數十過,參以首尾,稍得窺其梗概"。[1] 筆者知天命之年,始試讀《太玄》及諸家註本,深感古人所言不吾欺也。苦讀之中,亦札記之,所得猶小小竹頭木屑而已。忝為子雲鄉人,《方言》諸書常在案首,感佩先賢,僅就《太玄》與蜀學之淵源關係,略陳管見。

《太玄》的黄老學術淵源

《漢書·揚雄傳》述《太玄》云:"其用自天元推一晝一夜陰陽數度律曆之紀,九九大運,與天終始。故《玄》三方、九州、二十七部,八十一家、二百四十三表、七百二十九贊,分為三卷,曰一二三,與《泰初曆》相應,亦有顓頊之曆焉。揲之以三策,關之以休咎,絣之以象類,播之以人事,文之以五行,擬之以道德仁義禮知。"這是一個跨越空間、時間的宏大圖式,將陰陽、五行、天地人、世界上與人文社會相關的一切事物都聯綴羅絓起來,勾勒和描述了一幅世界紛紜複雜聯繫和運動變化的總體結構圖。

現代研究者指出,《太玄》包羅萬象的世界圖式,吸取了當時自然科學,尤其是天文曆法的重要成果;也吸取和改造了孟喜等人及《易緯》的卦氣説,《太玄》圖式的八十一首分配於一年四時之中,表述了陰陽二氣消長及萬物盛衰的周環運行過程。

《太玄圖》云:"陰質北斗,日月畛營,陰陽沈交,四時潛處,五行伏行。六合既混,七宿軫轉,馴幽推曆,六甲内馴。九九實有,律吕孔幽,曆數匿紀,圖象玄形,贊載成功。"揚子雲的夫子自道,這不啻坦然宣告《太玄》圖式是對秦漢以來天文學、律曆之學的概括和總

① 《太玄經集注·讀玄》。

結。馮芝生教授高度評價這個立足於漢代自然科學知識基礎上的世界圖式，是與官方的宗教神祕主義的目的論體系相對立的，表明世界不是按着“天”的意志而發展，而是取決於陰陽、五行等物質力量的對比變化[①]。

鄭萬耕先生在所撰《太玄校釋》前言中指出，《太玄》圖式是一個日月星辰運行、四時變化、萬物盛衰的有機結合體，構成了一個特殊的曆法。此說頗有見地。

如果從整個漢代學術史考察，《太玄》世界圖式的淵源仍來自黄老之學。王利器先生曾“通前後兩漢統計共得三十事”，“考見黄、老之學在兩漢之影響於政治生活和人民願望各方面”[②]。漢武帝“獨尊儒術”並未使黄老之學式微，而在自然觀、本體論方面，黄老道家有了更為深入的發展，為儒家經學所莫及。子雲接受黄老之學的巨大影響，體現於《太玄》，頭緒清楚，本源瞭然，乃題中應有之義，也不因他“竊自比於孟子”而淡化消失。試析證如後。

黄老之學的哲學思想和治國理論，從來重視將天地萬物作為一個有系統的整體，“王天下道，有天焉，有人焉，有地焉。三者參用之，故王而有天下矣。”(《經法·六分》)要求敬循天道，曆象日月星辰，法陰陽，順四時，掌握“人與天地相參”的規律和法式。“四時有度，天地之理也。日月星辰有數，天地之紀也。三時成功，一時刑殺，天地之道也。四時時而定，不爽不忒，常有法式，……一立一廢，一生一殺，四時代正，終而復始。”(《經法·論約》)黄老帛書提出的重要觀念，凡三光、四時、刑德、陰陽、五行等重要法式，都在《太玄》圖式中得到更為完整、系統、詳密的表述和運用，為把握“天地之理”、“天地之紀”、“天地之道”指出了機樞、途程和度數。

---

① 馮友蘭：《中國哲學史新編》第 3 册，第 224 頁，人民出版社，1985 年。

② 王利器：《新語校注》前言，第 11、13 頁，中華書局，1986 年。

秦漢道家曾對黃帝之治作過這樣的概括：

“昔黃帝之治天下，調日月之行；治陰陽之氣；節四時之度；正律曆之數；別男女、明上下。”(見《文子·精誠》。末一句《淮南子·覽冥訓》作“別男女，異雌雄，明上下，等貴賤。”)

這大概就是司馬遷《素王妙論》所說的“黃帝設五法布之天下，用之無窮”，總之，是黃老之學治理天下的大經或綱紀。而揚雄所撰解說《太玄》經義的傳文，作了反復的闡發申說：

“闔天謂之宇，闢宇謂之宙。日月往來，一寒一暑。律則成物，曆則編時，律曆交道，聖人以謀。晝以好之，夜以醜之。一晝一夜，陰陽分索。夜道極陰，晝道極陽。牝牡羣貞，以攡吉凶。則君臣、父子、夫婦之道辯矣。是故日動而東，天動而西，天日錯行，陰陽更巡。死生相摎，萬物乃纏，故《玄》聘取天下之合而連之者也。”(《玄攡》)

“圜方之相研，剛柔之相干，盛入衰，窮則更生，有實有虛，流止無常。夫天地設，故貴賤序；四時行，故父子繼；律曆陳，故君臣理。常變錯，故百事析。……故推之以刻，參之以晷；反覆其序，軫轉其道也。以見不見之形，抽不抽之緒，與萬類相連也。”(《玄攡》)

案：《淮南子·泰族訓》曾述五帝三王的“參五”之術，謂“澄列金火木火土之性，以立父子之親而成家；別清濁五音六律相生之數，以立君臣之義而成國；察四時季孟之序，以立長幼之禮而成官；此之謂參。制君臣之義，父子之親，夫婦之辨，長幼之序，朋友之際，此之謂五。”此術亦“仰取象於天，俯取度於地，中取法於人”，“以調陰陽之氣”，“以和四時之節”，其實亦黃帝五法之孳乳。而《太玄》後出轉精，子雲以黃老之學“仰天則常，窮神掘變，極物窮情”[①]，正

① 《太玄文》。

律曆,治陰陽,“皆引天道以為本統,而因附續萬類,王政、人事、法度”[1],其理論之深邃,圖式之周密,實已過越漢初淮南諸師,可謂黄老之學在西漢末年的絶唱。

這裏要特别指出,在古代東方農業文明中,天文曆法佔有重要的位置。漢代黄老學術,天文律曆之學是其不可或缺的組成部份,又是黄老哲學自然觀的基礎。司馬遷曰:“在旋璣玉衡以齊七政,即天地二十八宿。十母,十二子,鐘律調自上古,建律運曆造日度。合符節,通道德,即從斯之謂也。”[2]《史記·曆書》云:“蓋黄帝考定星曆,建立五行,起消息,正閏餘,於是有天地神祇物類之官,是謂五官,各司其序,不相亂也。民是以能有信,神是以能有明德。”漢武帝曾因“有司言曆未定,廣延宣問,以考星度,未能讎也”,没有精通黄帝律曆之術,而深感為難和遺憾[3]。律曆之學又對漢易象數之學的形成有巨大的作用,以黄老為代表的道家治《易》皆精於天文、律曆、物候之學,如文帝時有名的司馬季主深明先王龜策日月,正時日,治天下的道術,“分别天地之終始,日月星辰之紀,差次仁義之際,列吉凶之符,莫不順理”[4]。

桓譚《新論》載“揚子雲好天文,問之於黄門作渾天老工,曰:我少能作其事,但隨尺寸法度,殊不達其意,後稍有益喻。……”揚雄不僅深究天文學原理,而且注重實測天文律曆儀器的使用。祇要讀《太玄瑩》中的“玄術”十三節,不能不佩服子雲在自然科學技術方面學養的博大精深。《新論》稱子雲潭思玄天,“乃圖畫形體行度,參以四時曆數、昏明晝夜,欲為世人立紀律,以垂法後嗣”,為了

① 桓譚《新論》,孫馮翼輯本,問經堂叢書。
② 《史記·律書》。
③ 《漢書·律曆志上》。
④ 《史記·日者列傳》。

追求真知，毅然棄置了儒家的蓋天說。所以，《太玄》被視為黄老易學的奇葩，決不是偶然的。

朱熹稱"《太玄》中高處衹是黄老"，"其書亦挨旁陰陽消長來說道理"①，這是正確的。但朱子又說"揚雄也是學焦延壽推卦氣"，就不對了。焦贛及其弟子京房，濫用卦氣值日說，使象數之學流變為占候陰陽災異之術，乃揚雄之所不取，持貶抑態度，以至不承認他們是"守儒"，衹列入"災異"，有《法言·淵騫》可證。朱夫子未能深知揚雄的黄老學術師承。

揚子雲少師嚴遵。《華陽國志》稱君平"專精《大易》，躭於《老》、《莊》"，《三國志·蜀志·秦宓傳》又有"嚴君平見黄、老作《指歸》"的記載。嚴遵作為黄老道家易學大師，卜筮亦善用"治曆明時"之法。《抱朴子内篇·登涉》載：

> 抱朴子曰："天地之情狀，陰陽之吉凶，茫茫乎其亦難詳也，吾亦不必謂之有，又亦不敢保其無也。然黄帝、太公皆所信仗，近代達者嚴君平、司馬遷皆所據用，而經傳有'治曆明時'剛柔之日。古言曰，'吉日惟戊'，有自來矣。"

太公精通律曆之術，見《六韜·五音》、《史記·律書》，輔佐武王伐紂，大勝於牧野。"治曆明時"，語出《象傳·革卦》。《老子指歸》卷四〈以正治國〉篇云："挾黄帝、太公之慮。"嚴遵、司馬遷治《易》所用黄帝、太公律曆擇吉避凶之術，葛洪也指出肇源於太史之官。揚雄的天文律曆學識，最早當師承於嚴遵。子雲四十餘歲"自蜀來至游京師"，即以博學文雅聞名，永始三年(公元前 14 年)，漢成帝"召雄待語承明之庭"，其後又"除為郎，給事黄門，與王莽、劉歆並"，其辭賦更有盛譽，然淡於仕途，約五十歲左右即着手構思起草《太玄》，其理論體系已大體成熟。這期間有可能得覽焦、京的著述，但

① 《朱子語類》卷六十七。

要説是學焦、京而構《太玄》，是拉扯不上的[①]。《太玄》的黄老學術淵源，主要師資嚴遵，根在巴蜀。朱子也承認，"子雲所見多老氏者，往往蜀人有嚴君平源流"。

已故的四川大學教授蒙文通先生曾指出，"辭賦、黄老和卜筮、曆數纔是巴蜀古文化的特點"，"在兩漢時巴蜀頗以此見稱"。"落下閎是漢代巴蜀研究星曆最早最精的一個重要人物"。落下閎是渾天派，渾天思想本源於道家。"巴蜀很早就有天文曆數之學，並且屬於南方系統，同是渾天一派。此派傳授在巴蜀始終很盛。""辭賦、黄老、天文，可以説司馬相如、嚴君平、落下閎是這些文化的傑出代表。他們和秦的遷人、漢五經博士的學術是無甚關係的。"在思想系統和環境關係上，巴蜀文化"更接近於楚"。(説詳《巴蜀史的問題》，初刊於《四川大學學報》1959 年第 5 期，其後作者又兩次訂補，今收入《蒙文通文集》第 2 卷《古族甄微》集中。)

子雲先人由晉遷楚，由楚入蜀定居。揚雄本人正是在巴蜀土地上哺育成長的"妙極道術"之士，一位學究天人，識通今古的求索者。

就在今文經學神學化，讖緯思潮泛濫，符命鑼鼓開場的西漢末世，揚雄的《太玄》高揚黄老之學，以"道有因有革"的慧解，關注着社稷的命運："夫物不因不生，不革不成"，"革之匪時，物失其基；因之匪理，物喪其紀。因革乎因革，國家之矩範也！矩範之動，成敗之效也"[②]，可謂"西風殘照，漢家陵闕"時閃現出一束理性的輝光。《太玄》以擬《易》的形式，進行了艱苦而嚴肅的哲學思考，勇於衝擊今文經學神學化的體系，批判讖緯迷信，所以王充稱讚"子雲無世俗之論"[③]，是漢興以來出類拔萃的思想家。

---

① 此時距京房因妄説災異，歸惡帝王而被處死(公元前 37 年)，已有二十多年。

② 《太玄瑩》。

③ 《論衡·案書》。

“為玄為默，與道同極”

朱熹曰：“《太玄》亦自老、莊來，惟寂惟寞可見。”案《莊子·天道》嘗云：“夫虛静恬淡寂漠無為者，天地之平，而道德之至。”可是這裏，朱子所指當為子雲《解嘲》中對客人譏笑他草《玄》的回答：

“知玄知默，守道之極；爰清爰靜，游神之廷；惟寂惟寞，守道之宅。”

揚雄年少時即“默而好深湛之思，清静亡為，少耆欲，不汲汲於富貴，不戚戚於貧賤，不修廉隅以徼名當世”[1]，甘於寂寞，獨守大道，是其坦誠的自白。

而“知玄知默”更是子雲思想的一個重要觀念。揚雄曾作《長楊賦》諷諫漢成帝，謂“人君以玄默為神，澹泊為德，今樂遠出以露威靈，數摇動以罷車甲，本非人主之急務也，蒙竊或焉。”李周翰注：“玄默，無事也。”(見《六臣注文選》)《漢書·刑法志》：“及孝文即位，躬修玄默，勸趣農桑，減省租賦。”《舊唐書·劉蕡傳》：“朕聞古先哲王之理也，玄默無為，揣拱思道。”可見，沉静不語僅是“玄默”的表層意義[2]，更深刻的内涵是清静無為的道家哲理。

揚雄重“玄默”，乃直接師承於嚴君平。今存《老子指歸》中，論“為玄為默”不下十七處，為中國哲學古籍中論述最詳盡者。

就修身處世而言，《指歸》云：

“君子之立身也，如喑如聾，若樸若質，藏言於心，常處玄默。”(卷五萬物之奥篇)

得道之士“玄默託後，不為物先；合和順理，以應自然；動

---

① 《漢書·揚雄傳》。

② 見《淮南子·主術訓》：“天道玄默，無容無則。”

靜與衆反,出入異門戶;……故不怒而天下恐,……不施而天下往,……不言而天下長……"(卷五天下謂我篇)

"玄默無私,正直以公。"(卷六勇敢篇)

聖人"虛靜柔弱,玄默素真,隱知藏善,導以自然;……無為為之,與物俱然;畜之不盈,散之未既,包裹萬方,博者深思不見其緒,辯者遠慮不聞其端;施而不屈,變化不窮,終而覆始,大明若昏。"(卷七信言不美篇)

"玄默"可以達到包裹世界萬物,變化無窮,其神奥幽遠,以致博者智士試圖將"玄默"作為思考深究的對象,却不知頭緒,無比困難。

嚴遵把老子"處無為之事,行不言之教"作了極大的發揮,《指歸》的"玄默"觀念被推向本體論的高度,"道德無為而天地成,天地不言而四時行。凡此二者,神明之符,自然之驗也"(卷二至柔篇)。故云:

"我無言而天地無為,天地無為而道德無為。三者並興,總進相乘,和氣洋溢……。"(卷二至柔篇)

"玄玄默默,使化自得,上與神明同意,下與萬物同心。"(卷二不出户篇)

"為玄為默,與道同極;……浮德載和,無所不剋。"(卷三天下有始篇)

"語言默默,意氣玄玄,外似禽獸,中獨異焉;寂而不為,若無君臣,不為而治,……萬物相襲,與道德鄰。夫何故哉?主無教令而民無聞也。"(卷三為學日益篇)

上德之君可以達到玄默無為之治的最高境界:"身與道變,上下無窮,進退推移,常與化俱。故恬淡無為而德盈於玄域,玄默寂寥而化流於無極;恩不可量,厚不可測,兼包大營,澤及萬國,……天下咮咮喁喁皆蒙其化而被其和。"(卷一上德不德篇)

嚴君平更以玄默無為之説融通《易經》,開道家黄老易學之生面,諸如:

“天之性得一之清,而天之所為非清也。無心無意,無為無事,以順其性;玄玄默默,無容無式,以保其命。是以陰陽自起,變化自正。故能剛健運動以致其高,清明大通,皓白和正,純粹真茂,不與物糅。確然《大易》,乾乾光耀,萬物資始,雲蒸雨施,品物流形,元首性命,玄玄蒼蒼,無不盡覆。”(卷一得一篇)

揚雄擬《易》而重構《太玄》,在其宏大世界圖式中,以“知玄知默,守道之極”為南針,繼承和發展了嚴君平黄老易學的思想路綫。“玄”作為《太玄》的最高範疇,是世界萬物的初始和本源,又在無形幽窅之中支配着萬物的性能及運動方式,“玄”將萬物聯繫為一個統一整體,在其意義和性質上當然有別於“玄默”之玄,可是在揚雄構思和描述“玄”高深莫測的某些方面時,鮮明地留下了“玄默”觀念的影響和烙印:

“夫玄,晦其位而冥其畛,深其阜而眇其根,攘其功而幽其所以然者也。故玄卓然示人遠矣,曠然廓人大矣,淵然引人深矣,渺然絶人眇矣。嘿而該之者,玄也。”(《太玄攡》)

“嘿”古同“默”,此駢連數句,極言玄默之妙。幽晦深眇的“玄”在默默然中支配着、包容着世界的萬事萬物。“玄”自然無為,却給願意認知世界本體 的人們展示着一個高遠、壯闊、淵深而又微茫難求的境界。

“仰而視之在乎上,俯而窺之在乎下,企而望之在乎前,棄而望之在乎後,欲違則不能,嘿則得其所者玄也。”(《太玄攡》)

據説“君子日彊其所不足而拂其所有餘,則玄道幾矣”,可以接近玄之道。但“玄”總使人們不可企及也不能避開,它在沉默中自得其所,發揮作用,掌握並揭示萬物奥祕。揚雄《長楊賦》中“以玄默為神”的觀點,在《太玄》得到淋漓盡致的發揮和闡述。

嚴君平根據老子"反者道之動"的原理,提出要"審於反覆,歸於玄默,明於有無,反於太初"(卷一得一篇)。玄默作為一種高層次的哲學思維,反樸歸真,回歸太初虛無[①],首先要實現對感性表象的超越,思辨纔能"游無極之野"[②]。所以嚴遵又有"無為而然,玄默而信;窅然蕩蕩,昭曠獨存;髣髴輓逮,其事素真;其用不弊,莫之見聞,……未有形聲,變化其元"的論述(卷二大成若缺篇)。揚子雲熔鑄師說,在《太玄》中塑造了一個更為沉默寂寞的"玄",於無聲中囊括一切,實現了具象、感覺、存在的超越,莫之見聞而又無所不在,因更具有普遍性和包容一切的統一性。

"知玄知默,守道之極",體現着嚴遵、揚雄師生"皓然沉冥"[③],"不作苟見,不治苟得,久幽而不改其操"的思辨風格和學術品位[④],給魏晉玄學、道家易學留下了深遠的影響。

"玄"與"太和"

揚雄哲學體系的核心是"玄",桓譚《新論》最早指出:

> "揚雄作《玄》書,以為玄者,天也,道也。言聖賢制法作事,皆引天道以為本統,而因附續萬類、王政、人事、法度,故宓犧氏謂之易,老子謂之道,孔子謂之元,而揚雄謂之玄。"

其說對後世治《玄》者頗有影響。不少現代學者都認為"玄"的範疇來自《老子》第一章,强調"玄"是天地萬物的根本,在《太玄》中有至高無上的地位,相當於道家所說的"道"。或認為《太玄》中之"玄"與"太極"、"道"都無大區別,"玄"即"道"與"太極"之合成。

---

① 君平語本《莊子·天地》"泰初有無"章。
② 《莊子·在宥》。
③ 《華陽國志·蜀郡士女》。
④ 《漢書·王貢兩龔鮑傳》。

揚雄《太玄賦》自謂"觀《大易》之損益兮,覽老氏之倚伏",《太玄挩》亦有"五經括矩"天地、日月、五行、五嶽、四瀆之説,揚雄身上充滿着矛盾,其理論也充滿着矛盾,例如《太玄》傳中認為人道本於天道,在另外一些場合又倒過來説天道本於人道,不免在天人關係上出現混亂[①],故桓譚以宓、老、孔、揚駢比相通,不為無據。但此説的缺陷有二:一是未能注意到"玄"的兩重性或"兩套語言"。在其論天元陰陽曆數的一套語言中,《太玄》八十一首所反映的自然規律,子雲認為也是一種可以按圖索驥,加以推衍,在人文社會運用的萬能圖式運動,這就使"玄"平添了幾分滯重,而不免制約了"玄"更自在地發揮形而上的空靈。所以,兼天、地、人三道的"玄"難以與老子道論達到的思辨高度相比肩;其二是在關於本體論的一套語言中,則未免忽略了漢代道家十分重視對宇宙演化論連續不斷的探索,從淮南子到嚴遵的理論創獲,對揚雄有直接的傳授和巨大的啓迪。

桓譚的誤區在客觀上不利於研究者解決一些重要問題,例如"玄"與氣的關係如何?子雲屢用"元氣"一詞,《解嘲》明言《太玄》所論"深者入黄泉,高者出蒼天,大者含元氣,細者如無間",《覈靈賦》亦稱"自今推古,至於元氣始化",可是為什麽《太玄》中并無"元氣"一詞,《太玄》和《法言》中都没談到"玄"與元氣的關係呢[②]?

不妨先研讀一番嚴君平。

老子關於"一生二,二生三,三生萬物"的命題,在嚴遵《老子指歸》中,即是由虚無經過"虚而實,無而有",逐步向"氣化分離"、形巒聲色顯現過渡和演進的過程。這個過程的根據,即"天地所由,

---

① 説詳任繼愈主編《中國哲學發展史(秦漢)》,第402、409頁,人民出版社,1985年。

② 參看張岱年:《玄儒評林》第102頁,湖南人民出版社,1985年。

物類所以:道為之元,德為之始,神明為宗,太和為祖”(卷一上德不德篇)。換言之,“物有所宗,類有所祖;天地,物之大者,人次之矣。夫天人之生也:形因於氣,氣因於和,和因於神明,神明因於道德,道德因於自然”(卷二道生一篇)。天地萬物生成而分娩的一站是“太和”,《指歸》或稱之為“和”、“和氣”、“太和妙氣”。這妙氣使四方上下、宇宙内外、大小鉅細,連為一體,這個妙氣剖判為天地、五行,分化為萬物、人類[①]。故嚴遵又云:“天地生於太和,太和生於虛冥。”(卷一得一篇)我們認為,《太玄》之“玄”,即脱胎於、也相當於《指歸》之“太和”。聯繫比較嚴遵的宇宙生成論和本體論,有助於更貼切地理解揚雄的“太玄”範疇,以下從五個方面試加考索:

> ①“玄者,幽攡萬類而不見形者也,資陶虛無而生乎!規攔神明而定摹,通同古今以開類,攡措陰陽而發氣。一判一合,天地備矣。天日迴行,剛柔接矣。還復其所,終始定矣。一生一死,性命瑩矣。”

這是《太玄攡》中概括“玄”生成天地萬物過程的一段重要文字,探其要旨,實與嚴君平宇宙演化論相合。

“資陶虛無而生乎”:“玄”在幽冥中舒張展開了萬物,而不露形迹,這是創世的初始,“實生於虛,有生於無”,故云“資陶虛無”。前人已有從“生乎”下斷句之説,今從之。《指歸》卷二〈道生一篇〉曰:“萬物之生也,皆元於虛而始於無”,“虛無無形微寡柔弱者,天地之所由興,而萬物之所因生也。”嚴遵因而稱太和“字曰至柔,名曰無形”。揚雄在《太玄攡》中論“玄之用”,亦云“虛形萬物所道之謂道也”,其師承嚴遵,祖述黄老[②],赫然可見。

“規攔神明而定摹”:“規攔”及下二句的“通同”、“攡措”皆為聯

---

① 説詳王德有:《老子指歸》點校自序,第10頁,中華書局,1994年。

② 參看帛書《經法·道法》:“虛無形,其督冥冥,萬物之所從生。”《管子·心術上》:“虛無形謂之道。”

合型合成詞動詞,三句為排比行文。規攔,謂與神明相規導關聯。在嚴遵學説中,“生之為物,不陰不陽,不可揆度,……無有形聲,無狀無象”,及至“夫生之於形也,神為之蒂”(卷三出生入死篇)。而神明雖“因物變化,滑淖無形”,“包裹天地,莫覩其元”,但是萬類離不開它,神明“在物物存,去物物亡”(卷二道生一篇),故“太和之所以生而不死,始而不終,開導神明,為天地之根元”[①]。“規攔神明”與“開導神明”辭異而義同。“定摹”,猶言定數(見范望注),《太玄告》云:“玄一摹而得乎天,故謂之有天;再摹之而得乎地,故謂之有地;三摹而得乎人,故謂之有人”。此句言“玄”之資陶虛無而“生”,復又與“神明”交聯,始定天地人之數。

“通同古今以開類”:通同,貫通、渾同。范望注曰:“玄乃綿絡天地,通古今之器,開陰陽之氣,同萬物之類也。”范注未詳。此句乃言玄之動與神明交聯後,就形成了貫通古今之道紀[②],開啓並區分了萬類的尊卑貴賤。如《指歸》所云:“神明交,清濁分,太和行乎蕩蕩之野、纖妙之中,而萬物生焉。天圓地方,人縱獸横,草木種根,魚沉鳥翔,物以類别,類以羣分,尊卑定矣,而吉凶生焉。”(卷二不出户篇)

“攡措陰陽而發氣”:攡措,張開、設置。范望注云:“謂張設陰陽之道,以發休咎之氣也。”揚雄所論“玄”的這一功能,殆亦本於《指歸》的“太和”説,即太和之氣初行,“清濁以分,高卑以陳,陰陽始别”(卷二道生一篇),而陰陽發氣,化通萬類,“天地人物,若末若根,數者相隨,氣化連通,逆順昌衰,同於吉凶”(卷五善為道者篇)。陰陽二氣交互作用,“一判一合,天地備矣”。

②揚雄再三描述“玄”作為本體的幽深冥窅,神祕難測:

---

① 《指歸·谷神不死篇》佚文,見王德有輯本。

② 參看《老子》十四章“執古之道以御今之有,以知古始,是謂道紀。”帛書《道原》:“乃通天地之精,通同而無間,周襲而不盈。”

> “夫玄晦其位而冥其畛,深其阜而眇其根,攘其功而幽其所以然者也。……(《太玄攡》)

而《指歸》描述“一清一濁,與和俱行,天人所始”的太和出現時,亦是“渾渾茫茫,視之不見其形,聽之不聞其聲,搏之不得其緒,望之不覩其門;不可揆度,不可測量,冥冥窅窅,潢洋堂堂”。二者之玄奥難測形象,頗為相似。

③揚雄描述“玄”是“其上也縣天,下也淪淵;纖也入薉,廣也包畛”(《太玄攡》)。如明人葉子奇注云:“此極言玄之道上下大小無不包括,其大無外,其小無内也。”而在嚴遵看來,“萬物之所因生”者,都有“實生於虚,有生於無,小無不入,大無不包”的特長(卷二不出户篇)。“太和”就具有“或在宇外,或處天内,……毳(如毛之微細者也)不足以為號,弱不足以為名”的極鉅大或極細弱的不同狀態(卷二至柔篇)。

④揚雄强調,“玄”總括了天下萬事萬物的聯繫,《太玄攡》云:

> “故玄聘取天下之合而連之者也,綴之以其類,占之以其觚,曉天下之瞶瞶,瑩天下之晦晦者,其唯玄乎!”

而《指歸》稱太和“包裹天地,含囊陰陽,經紀萬物,無不維綱”(卷二至柔篇),具有聯繫天地萬物而綱紀之、管領之的特徵。揚雄認為“玄”揭示了萬物的奥祕,所以能够“曉天下之瞶瞶,瑩天下之晦晦”。而《指歸》則稱太和乃“道德之用,神明之輔,天地之制,羣生所處,萬方之要,自然之府,百祥之門,萬福之户”(卷七天之道篇),可見天下萬物對“太和”亦無奥祕可言,兩者何其相似乃爾。

⑤揚雄描述“玄”有度量衡似的作用,可以概括天下之道、陰陽之數,模擬和闡釋神明、陰陽的奥妙:

> “玄有一規、一矩、一繩、一準,以從横天地之道,馴陰陽之數,擬諸其神明,闡諸其幽昏,則八方平正之道可得而察也。”(《太玄圖》)

而嚴遵學説中的“太和”之用,亦有測天度地,規矩陰陽的功能，與物上下舒卷，剛柔、行止、取與、動静，無不適度：

"夫和之於物也，剛而不折，柔而不卷，在天為繩，在地為準，在陽為規，在陰為矩；不行不止，不與不取，物以柔弱，氣以堅強，動無不制，静無不與。"(卷七天之道篇)

揚雄又指出"玄"是平衡的準則：

"玄者以衡量者也，高者下之，卑者舉之；饒者取之，罄者與之；明者定之，疑者提之。……"(《太玄攡》)

而《指歸》已反復申説，"夫按舉下，損大益小，天地之道也"，要像製弓一樣，"上下相權，平正為主，調和為常"，順此平衡之理，纔能"與和常翔，與道終始"(卷七天之道篇)，太和要求人間保持平衡，達到"天人交順"。總之，《指歸》除了没有《太玄》的玄數(如所謂"三八為規，四九為矩，二七為繩，一六為準)，其他都為揚雄論"玄"導夫先路，故兩書相關内容如出一轍。

與其堅持以"玄"與《老子》之"道"比附，不如仔細研究《老子指歸》對《太玄》的影響。至於桓譚又將揚雄之"玄"與"孔子謂之元"類比同義，更為不妥。《論語》及其他先秦典籍未見孔子論述"元"，古人以"孔子作《春秋》"，當為漢代春秋公羊學派託孔子之旨為説[①]。始見於董仲舒《春秋繁露·玉英》："惟聖人能屬萬物於一，而繫之元也。終不及本所從來而承之，不能遂其功。是以《春秋》變一謂之元。元，猶原也，其義以隨天地終始也。……故元者為萬物之本。"《公羊傳·成公八年》何休註引孔子曰"皇象元，逍遥術無文字，德明謚"云云，竟同緯書之言，更不足信。

十分推崇揚雄及其《太玄》的大科學家張衡，在所撰《玄圖》中

---

① 疑桓譚此語當為"《春秋》謂之元"，參看阮籍《通老子論》曰："《易》謂之太極，《春秋》謂之元，《老子》謂之道也。"

認為“玄者無形之類，自然之根，作於太始，莫之與先”[①]。漢晉人以“太始者，形之始也”，而在《指歸》即“太和妙氣”出現時，萬物資始。“玄”的範疇脱胎於嚴遵的“太和”説，並没有貶低《太玄》的價值和份量，而是進一步肯定此書在古代思想史上出現的合理性，絶不是作者閉門苦作驚人異想的產物。

從嚴遵到揚雄，漢代道家哲學對宇宙的來源和本體的認識更深化更系統了。嚴遵强調“道體虚無”，“道以虚之虚，故能生一”，揚雄承繼嚴遵，賦予“玄”更豐富的本體論内含，在幽深渺冥中支配萬有，“少則治衆，無則治有”(《太玄瑩》)，實際上為以“有無”作辯論的中心課題，以探究世界本體為其哲學基本内容的魏晉玄學，作了較充分的思想準備。《太玄》是漢武以後黄老之學以非官方顯學的地位結出的思辨碩果，其承前啓後的作用，是不可磨滅的。

作者簡介 魏啟鵬，1944 年生，四川巴縣人，現為四川大學歷史系教授。著有《馬王堆帛書〈德行〉校釋》、《馬王堆漢墓醫書校釋》、《黄帝四經思想探原》等。

---

① 轉引自《太平御覽》卷一。

《太玄經》道家易札記

——讀《玄》札記之二

魏啟鵬

《太玄經》擬《周易》而作。《周易》以八卦相重而組合,共得六十四卦;《太玄》則以 –、--、---錯佈於方、州、部、家四重之中,共八十一首,與《易》六十四卦相當。又有《首傳》,相當於《周易》之《彖傳》,今本已散於各首之下。《周易》每卦六爻,六十四卦則總得三百八十四爻,爻有爻辭;《太玄》每首九贊,八十一首共為七百二十九贊,贊有贊辭,與《易》爻辭相當。《周易》有《象傳》説解爻辭,《太玄》亦有《測傳》説解贊辭,自晉人范望撰《太玄解贊》後,已將測辭分列於各贊之下。揚雄十分重視首辭、贊測辭的構思,而且對其中義蘊和思想境界自視甚高,他説:

> 故玄之辭也,沈以窮乎下,浮以際乎上;曲而端,散而聚;美也不盡於味,大也不盡其彙。上連下連,非一方也;遠近無常,以類行也;或多或寡,事適乎明也。(《太玄告》)

玄辭思路浩茫,窮下極上,用意高深而精微,包羅萬象而明通事理,大含細入,其旨淳美悠遠,發人深思。這與揚雄博覽華夏思想寶庫,特別注重汲取道家智慧擬《易》作《玄》是分不開的。筆者閱讀《太玄》諸家注本,就《太玄》辭中所見道家玄旨妙語,亦偶作箋識,於明人葉子奇、今人鄭萬耕注中獲益匪淺。鄭君專精中國哲學史,旁通當代研究中國古代科技之新知,故所撰校釋過越前賢者多矣。札記草稿成於95年暮春，次年初，大寒，擁氈寫定。是為記。

1.《玄首都序》："馴乎！玄，渾行無窮正象天。陰陽坒參，以一陽乘一統，萬物資形。"

案：范望注云"馴，順也。玄，天也。渾，渾天之儀，渾淪而行也。"馴借為順，"順"今文家亦作"循"。道家貴順，因循常道，范蠡已有"因陰陽之恒，順天地之常"的著名論點，《吕氏春秋·序意》闡述黄帝之法，亦謂"天曰順，順維生；地維固，固維寧；人曰信，信維聽。三者咸當，無為而行。行也者，行其數也"。數指陰陽數術之學，天文曆法是其中重要内容之一，揚雄自述"大潭思渾天"而作《太玄》，正是吸取秦漢以來天文曆法的自然科學知識，以渾天説為依據確定了《太玄》的基本框架①。而"渾天學説是淵源於老莊的'道'。渾天學説的發展除其它原因外和道家學説的發展分不開的。"説詳吕子方先生《中國科學技術史論文集》上册，第155頁至214頁，四川人民出版社，1983年版。

鄭萬耕君指出，《太玄》有兩套語言，其第二套講宇宙萬物的形成，講世界觀。"就第二義説，玄指陰陽二氣混而未分；言玄之特點是周行無窮，運動不息，象天圓轉一樣，循環無窮永無休止"。謹案：此非本於黄老"天道環周"論而何？

"陰陽坒參"。范望注云"參，三也。坒，比也。以陰陽相次而三。三相乘轉為九矣。"鄭君校釋："統，指天、地、人，説本《三統曆》，言一統而三統兼具。就世界觀説，此言陰陽相比相參，萬物由此而生。陰陽二氣消長運行，萬物盛衰，視陽而定，故言以一陽乘一統。"謹案：坒訓為比，而"比"有合義、比次而上之義。見《漢書·劉歆傳》："比意同力。"註："比，合也。"《太玄·密》："不密不比。"范註："比，比次而上也。"故知"陰陽坒參"，意為陰陽相合，比次而上，

① 四庫全書以《太玄》入子部數術類。

是生萬物，暗合老子"一生二，二生三，三生萬物"的宇宙生成圖式。戰國中葉楚人已明瞭這一圖式，見屈原《天問》："馮翼惟像，何以識之？（洪興祖曰："《淮南》言'天地未形，馮馮翼翼，洞洞灟灟，故曰大昭。'注云：'馮翼，無形之貌。'"）明明闇闇，惟時何為？（王逸曰："言純陰純陽，一晦一明，誰造為之乎？"）陰陽三合，何本合化？（曹耀湘曰："《老子》云：'道生一，一生二，二生三，三生萬物。萬物負陰而抱陽，沖氣以為和。'陰陽與沖氣，所謂三合也。陰陽為本體，三合為變化。"）"所謂"陰陽比參"與"陰陽三合"是一脈相承的，與《老子》"沖氣以為和"之說切近，亦合於《莊子·田子方》謂至陰、至陽，"兩者交通成和而物生焉"，《淮南子·天文訓》所謂"道始於一，一而不生，故分為陰陽，陰陽合和而萬物生"。揚雄的老師嚴君平，亦未能忘懷"陰陽三合"的命題，在《老子指歸》中進而以"三"為太和之氣而生萬物。又，鄭君注云"萬物盛衰，視陽而定"，甚確。《玄》辭非常重視陽氣之消長，以為決定陰陽二氣運行的樞紐，通貫終始。道家的陰陽說，從《老子》的"抱陽"到《文子》的"尚陽"，是一個重要的發展。《文子·上德》云："陰陽交通，萬物齊同。……天氣不下，地氣不上，陰陽不通，萬物不昌。……陽氣動，萬物緩而得其所，是以聖人順陽道。……陽滅陰，萬物肥；陰滅陽，萬物衰。故王公尚陽道則萬物昌，尚陰道則天下亡。……陽氣盛，變為陰；陰氣盛，變為陽。故欲不可盈，樂不可極。"揚雄以其天文律曆的深厚學養，對"尚陽"說有更深刻的理解，在《太玄》中作了更充分的發揮。

2.《中》初一，昆侖旁薄，幽。測曰，昆侖旁薄，思諸貞也。

案：昆侖，同"渾淪"，聯緜詞，廣大無垠貌。旁薄[①]，同"磅礴"，聯緜詞，混同也。故《太玄文》曰："昆侖旁薄，大容也。""昆侖旁薄，資懷無方。"又解贊辭曰："賢人天地，思而包羣類也。"范註："言賢

① 語出《莊子·逍遥遊》："將旁礴萬物以為一。"

人用思慮念養萬物羣生醜類,與天地同也。""思諸貞",貞訓為正,謂賢者懷中正之思也。《中》為八十一首之第一首,《中》之初一,冬至氣應,為一歲之始,"思諸貞",方能效天地而包容羣類衆庶。此亦發揮黄老道家以"正者,事之根也。執道循理,必從本始"之義(帛書《經法·四度》),蓋"明以正者,天之道也"(《經法·論》),亦如稷下道家所云"天曰信明,地曰信聖,四時曰正","中正無私,實輔四時"(《管子·四時》)。

3.《周》初一,還於天心,何德之僭,否。

案:漢人作《管子·版法解》,謂"天植者,心也。"其論與漢易家解《復卦》,以二至為"天地之心"同。《周》首之初一,日入牛宿五度,正為冬至之節,陰極陽生,復還其始。從世界觀而論,"天心"即反本之心,本心即人心也。《文子·上禮》:"聖人初作樂也,以歸神杜淫,反其天心",與《周》首義同,蓋古之樂理與曆數同律而相通。鄭君校釋:"此句意謂:陽氣復始於北,而閉塞不通,是什麼德性有差錯吧。"甚確,《左傳·僖公九年》:"不僭不賊。"《注》:"僭,過差也。"參看嚴遵《老子指歸》卷一:"取舍合乎天心。"

次二,植中樞,周無隅。測曰,植中樞,立督慮也。

案:此用莊子"道樞"之説。《齊物論》:"彼亦一是非,此亦一是非,果且有彼是乎哉?果且無彼是乎哉?彼是莫得其偶,謂之道樞。樞始得其環中,以應無窮。""周無隅",謂中樞立,以周運無窮之方也。督慮:范望註謂"慮,度也。督,正也。運以正度也。"

4.《少》次三,動韱其得,人主之式。測曰,韱得其人,謙貞也。

案:《集韻·鹽韻》:"纖,《説文》:'細也。'通作韱。"范望註:"韱,少也。"此首中"得"、"式"協職部韻。此用黄老君道清静無為,少勞去慮,"欲上民,必以言下之;欲先民,必以身後之。是以聖人處上而民不重,處前而民不害。是以天下樂推而不厭。以其不争,故天下莫能與争"之義(《老子》66章)。此不争之德,謙受益,動纖宜,故能得人也。《淮南子·主術訓》:人主“清明而不闇,虛心而弱志,是故羣臣輻湊並進,無愚智賢不肖,莫不盡其能。”

次六,少持滿,今盛後傾。測曰,少持滿,何足盛也。

案:語本《老子》9 章:“持而盈之,不如其已;揣而鋭之,不可常保。”范蠡謂“持盈者與天。(韋注:持,守也。盈,滿也。與天,法天也。)”“天道盈而不溢,盛而不驕,勞而不矜其功。”盛極而衰,滿者傾,驕者敗,此道家之所忌。俞樾謂“持疑恃字之誤,惟其以滿自恃,故今盛而後傾也”,亦通。

5.《戾》次二,正其腹,引其背,酋貞。測曰,正其腹,中心定也。次三,戾其腹,正其背。測曰,戾腹正背,中外爭也。

案:此本道家治心之術。參看《管子·内業》:“形不正,德不來。中不静,心不治。”“嚴容畏敬,精將至定。……正心在中,萬物得度。”又“能正能静,然後能定。定心在中,耳目聰明,四枝堅固,可以為精舍。”腹為陽,背為陰,此辭以陽為正,以陽為中、中心。

6.《童》次八,或擊之,或刺之,修其玄鑒,渝。測曰,繫之刺之,過以衰也。

案:刺原作“剌”,據鄭校改。語本《老子》10 章:“滌除玄覽,能無疵乎。”鄭君校釋:“此句意為:攻治其過,修除其心,使暗變明。”亦道家治心之論也。此辭“修其玄鑒”,與帛書《老子》乙本“脩其玄鑒”同。

7.《增》初一,聞貞增默,外人不得。測曰,聞貞增默,識内也。

案:語本《老子》5 章:“多言數窮,不如守中。”《莊子·在宥》:“天降朕以德,示朕以默。”葉子奇注:“一在《增》初,聞正道未以語人,益默以自守,外人不得而知也。若聞道而輒以語人,則道聽塗説,德之棄也。”

次五,澤庳其容,衆潤攸同。測曰,澤庳其容,謙虚大也。

案:鄭君校釋,意出《老子》66 章:“江海所以能為百谷王者,以其善下之。”

上九，崔嵬不崩，賴彼峡峰。測曰，崔嵬不崩，羣士擅擅也。

案：《集韻·陽韻》："擅，扶持貌。"此辭發揮《老子》39 章"故貴以賤為本，高以下為基"之義。

8.《銳》陽氣岑以銳，物之生也咸專一而不二。

次二，銳一，無不達。測曰，銳一之達，執道必也。次三，狂銳，盪。測曰，狂銳之盪，不能處一也。

案：銳，進也。《太玄錯》："《銳》，鏩鏩（同漸）。"《荀子·議兵》："是漸之也。"楊倞注："漸，進也。"《太玄·耎》："赤卉方銳。"范注："銳，進也。"此用道家執一之說，帛書《十六經·成法》："一者，道其本也，胡為而無長？□□所失，莫能守一。一之解，察於天地。一之理，施於四海。……夫唯一不失，一以騶化，少以知多。"《文子·道原》："道者一立而萬物生矣，故一之理施於四海，一之嘏察於天地。"

次四，銳於時，無不利。測曰，銳於時，得其適也。

案：道家之言："聖人不巧，時反是守。"貴守時、從時，乃黄老本色，如范蠡曰："臣聞從時者，猶救火、追亡人也，蹶而趨之，唯恐弗及。"（《國語·越語下》）此即該辭力主"銳於時，無不利"之所本。

9.《達》上九，達於咎，貞，終譽。測曰，達咎終譽，善以道退也。

案：鄭君校釋謂"通達之極，必有過失，然善以正道預防，終而有譽"。此辭亦發揮《老子》9 章所云"功成、名遂、身退，天之道也"。

10.《耎》陽氣能剛能柔，能作能休，見難而縮。次六，縮失時，或承之菑。測曰，縮失時，坐逋後也。

案：菑，同"災"。逋，亡也，此言亡失。此用道家"以退取先"之義，參看《文子·上德》："陰害物，陽自屈，陰進陽退，小人得勢，君子避害，天道然也。"又《符言》："君子逢時即進，得之以義，何幸之有！不時而退，讓之以禮，何不幸之有！"又《上仁》："進不敢行者，退而不敢先也。恐自傷者,守柔弱不敢矜也。……夫道,退故能先,守柔弱故能矜。"

上九,悔縮,往去來復。測曰,悔縮之復,得在後也。

案:悔,終也。《尚書·洪範》鄭玄注:"悔之言晦也,晦猶終也。"葉子奇云:"縮極將伸,故晦其縮而往來自得也。欲往則去,欲來則復,豈不自得乎?"

11.《夷》次三,柔,嬰兒於號,三日不(嗄)[嚘]。測曰,嬰兒於號,中心和也。鄭君校釋,《老子》55章:"含德之厚,比於赤子……終日號而不嗄,和之至也。"帛書甲本"嗄"作"㤅",當為"憂"之省字,讀為"嚘"。乙本作"嚘"。揚氏此條蓋本於此。鄭說是。柔、嚘幽部,號為宵部,幽宵合韻,《楚辭·九章·惜往日》有此韻例。

次七,榦柔榦弱,離木艾金,夷。測曰,榦柔艾金,弱勝彊也。

案:艾讀為刈,割斷也。語本道家"柔弱勝剛强"之義,《老子》78章:"柔之勝剛,弱之勝强,天下莫不知,莫能行。"

12.《爭》初一,爭不爭,隱冥。測曰,爭不爭,道之素也。

案:此用《老子》說,"上善若水,水善利萬物而不争。"(8章)"以其不争,故天下莫能與之争。"(66章)"善為士者不武,善戰者不怒,善勝敵者不争。……是謂不争之德。"(68章)道素,見帛書《道原》:"無為其素也。"《文子·道原》:"平易者,道之素也。……平者心無累也;嗜欲不載,虛之至也;無所好憎,平之至也。"争不争,即無為恬淡,非平而何?故云得道之素也。

13.《事》陽氣大勖昭職,物則信信,各致其力。次一,事無事,至無不事。測曰,事無事,以道行也。

案:勖,勉也。信,讀為伸。此首言陽氣勉力而昭明其職,萬物伸暢,人則各盡其事。贊辭有無為而無不為義,見《老子》3章"為無為,則無不治",63章"為無為,事無事,味無味"。

次五,事其事,王假之食。測曰,事其事,職所任也。

案:此本黄老“主逸臣勞”之義,“百官慎職,而莫敢愉綎[①];人事其事,以充其名。名實相保,之謂知道。”(《吕氏春秋·勿躬》)

次六,任大自事,方來不救。測曰,任大自事,奚可堪也。

案:《詞詮》卷一:“方,將也。表未來。”此言君臣易操,患則將生。“君也者,以無當為當,以無得為得者也。當與得不在於君,而在於臣。故善為君者無識,其次無事。有識則有不備矣,有事則有不恢矣。不備不恢,此官之所以疑,而邪之所從來也。(《吕氏春秋·君守》)參看《六家要指》:“主倡而臣和,主先而臣隨。如此,則主勞而臣逸。……形神騷動,欲與天長地久,非所聞也。”

14.《斷》陽氣彊內而剛外,動而能有斷決。

次五,大腹決,其股脱,君子有斷,小人以活。測曰:大腹決脱,斷得理也。

案:脱,舒也。《淮南子·精神訓》:“脱然而喜矣。”高注:“脱,舒也。”葉子奇注:“大腹決,是君能斷也。其股脱,是臣亦承君而能斷也。”“斷得理”,參看《文子·上德》:“循繩而斷即不過,縣衡而量即不差,縣古法以類,有時而遂。……是而行之,謂之斷;非而行之,謂之亂。”

次六,決不決,爾仇不闊,乃後有鉞。測曰,決不決,辜及身也。

案:鄭君校釋,“當斷不斷,怨敵不遠,必將受其傷害”。此乃發明道家之言“當斷不斷,反受其亂”(《十六經·觀》、《漢書·高五王傳》)。

15.《毅》陽氣方良,毅然敢行,物信其志。

初一,懷威滿虛。測曰,懷威滿虛,道德亡也。

案:葉子奇注,“初在陰家之陰,其治不任德,惟一任威刑,充塞宇宙之間,無所不至,如古之秦始皇也。”揚雄卓識,於“陽氣方良”時,指出已有可能迅速走向極陰的反面,即恃力而囊天下。自陸賈

---

① 愉,懈怠。綎,借為挺,緩也。

撰《新語·無為》以來,漢人皆視始皇暴政為清静無為之治的對立面,揚雄亦然,嘗云"惟虐惟殺,人其莫泰。殷以刑顛,秦以酷敗"(《廷尉箴》),"威侮者陷桀紂",嬴政乃步其後塵(《劇秦美新》)。

16.《密》初一,窺之無間,大幽之門。測曰,窺之無間,密無方也。

案:此辭殆喻無為之玄妙,見《老子》43 章"天下之至柔,馳騁天下之至堅。無有入於無間,吾是以知無為之有益。"

上九,密禍之比,先下後得其死。測曰,密禍之比,終不可奪也。

案:此用《老子》義,66 章"欲上民,必以言下之;欲先民,必以身後之。是以聖人處上而民不重,處前而民不害。是以天下樂推而不厭。"68 章"善用人者為之下。是謂不争之德,是謂用人之力,是謂配天,古之極。"《法言·寡見》:"惠以厚下,民忘其死;忠以衛上,君念其賞。自後者人先之,自下者人高之。誠哉是言也!"

17.《親》次六,厚厚,君子秉斗。測曰,厚厚君子,得人無疆。

案:司馬光註:"如斗居中央而衆星拱之也,故曰君子秉斗。"此辭發揮道家"得民"之說,參看《老子》38 章:"是以大丈夫處其厚,不處其薄;居其實,不居其華。故去彼取此。"《管子·形勢解》:"莅民如父母,則民親愛之。道之純厚,遇之有實,雖不言曰'吾親民',而民親矣。"

18.《彊》陽氣純剛乾乾,萬物莫不彊梁。

次五,君子彊梁以德,小人彊梁以力。測曰,小人彊梁,得位益尤也。

案:《老子》42 章謂"彊梁者不得其死,吾將以為教父"之說,此辭有所發揮,彊梁有君子小人之分。君子彊梁,似由《莊子·應帝王》中陽子居謂"有人於此,向疾彊梁,物徹疏明,學道不倦"化裁而出。小人彊梁,參看嚴遵《老子指歸》卷二《道生一篇》論衆人之教,化弱為强,“暴寵争逐,死於榮名”一節。

次六,克我彊梁,於天無疆。測曰,克我彊梁,大美無基也。

案:古文“基”通作“期”。此辭義,參看《文子·九守·守弱》:“柔弱微妙者見小也,儉嗇損缺者見少也,見小故能成其大,見少故能成其美。……聖人不敢行彊梁之氣,執雌牝,故能立其雄壯,不敢驕奢,故能長久。”

19.《盛》次二,作不恃,克大有。測曰,作不恃,稱玄德也。

案:此用《老子》10 章之義,“生而不有,為而不恃,長而不宰,是謂玄德。”

上九,極盛不救,禍降自天。測曰,極盛不救,天道反也。

案:此亦黄老之義,帛書《經法·四度》:“極而反,盛而衰,天地之道也,人之理也。”《老子》40 章:“反者道之動。”

20.《法》陽高縣厥法,物仰其墨,莫不被則。

案:范望注:“墨謂繩墨也,動以法則故謂之法。”

初一,造法不法。造法不法,不足用也。

次五,準繩規矩,莫違我施。測曰,準繩規矩,由身行也。

案:二辭亦黄老義,見《經法·道法》:“道生法。法者,引得失以繩,而明曲直者也。故執道者生法而弗敢犯也,法立而弗敢廢也。□能自引以繩,然後見知天下而不惑矣。”

21.《大》次三,大不大,利以成大。測曰,大不大,以小作基也。

案:此用《老子》63 章義:“為大於其細。天下難事,必作於易;天下大事,必作於細。是以聖人終不為大,故能成其大。”

22.《廓》次五,天門大開,恢堂之階,或生之差。測曰,天門大開,德不能滿堂也。

案:《老子》10 章:“滌除玄覽,能無疵乎?愛民治國,能無知乎?天門開闔,能為雌乎?”章末以“玄德”作答。此辭乃本其義,故范注云“唯德能居也。”

23.《常》陰以知臣,陽以知辟。君臣之道,萬世不易。

案:《爾雅·釋詁》:"辟,君也。"黃老帛書《稱》:"凡論必以陰陽明大義。天陽地陰。……主陽臣陰。上陽下陰。……諸陽者法天,……諸陰者法地……。"

初一,戴神墨,履靈式,以一耦萬,終不稷。

案:稷借為昃、側。葉子奇注:"其上所戴則得神之法,下所履則得靈之式,言其上下表裏,莫非此道之用,宜其以一理而貫萬事,是以自始至終無有傾昃之弊也。"此贊意本《老子》22章:"聖人抱一以為天下式。"《莊子·天地》:"通於一而萬事畢。"帛書《十六經·成法》:"萬物之多,皆閱一孔。"

24.《永》陰以武取,陽以文與,道可長久。

案:宋衷注:"陰者刑氣,故以武言;陽者德氣,故以文言。武以濟文,文以濟武,陰陽取與之道也,故其道可久長。"宋注揭示此辭乃本黃老刑德說,是也。參看《十六經·觀》:"正之以刑與德。春夏為德,秋冬為刑。先德後刑以養生。……刑德皇皇,日月相望,以明其當,而盈□無匡。"

次五,三綱得於中極,天永厥福。測曰,三綱之永,其道長也。

案:君臣、夫子、夫婦,董仲舒以為"王道之三綱,可求於天",但並非儒家所專有,黃老道家如文子早有論列,見其《精誠》、《上禮》諸篇。漢代道家亦以為人倫綱常。

25.《減》初一,善減不減,冥。測曰,善減不減,常自沖也。

案:此用《老子》義,42章"物或損之而益,或益之而損",45章"大盈若沖,其用不窮"。

次六,幽闡積,不減不施,石。測曰,幽闡不施,澤不平也。

案:《易·繫辭下》:"而微顯闡幽。"韓注:"闡,明也。"鄭君校釋:"今暗積明斂,斂不減損,積不施與,固若頑石,故曰恩澤不能均平。《老子》77章:'天之道,損有餘而補不足。人之道則不然,損不足以奉有餘。孰能有餘以奉天下？唯有道者。'"

26.《守》初一，閉朋牖，守元有。測曰，閉朋牖，善持有也。

案：朋牖，兩扇窗户。一本作"明牖"。司馬光注："一為思始而當晝，能閉外類之誘，守其始有之性也。"此亦本道家義，《老子》47章"不出户，知天下；不窺牖，見天道。其出彌遠，其知彌少。"《文子·上仁》："中欲不出謂之扃，外邪不入謂之閉。中扃外閉，何事不節；外閉中扃，何事不成。"帛書《稱》："時若可行，亟應勿言。【時】若未可，塗其門，毋見其端。"皆自老子"塞兑閉門"引申而出。

次六，車案軔，圭璧塵。測曰，車案軔，不接鄰也。

案：軔為礙車之木，圭璧為諸侯朝會祭祀所用之禮器。車按軔而不行，圭璧生塵而不用，似取《老子》80章"小國寡民"之義，"使有什伯之器而不用，使民重死而不遠徙。雖有舟輿，無所乘之；雖有甲兵，無所陳之……鄰國相望，鷄犬之聲相聞，民至老死不相往來。"

27.《積》次五，藏不滿，盜不贏。測曰，藏滿盜贏，還自損也。

案：義本《老子》44章，"甚愛必大費，多藏必厚亡。"帛書《稱》："毋藉賊兵，毋裹盜糧，藉賊兵，裹盜糧，短者長，弱者强。"

28.《飾》初一，言不言，不以言。測曰，言不言，默而信也。

案：語本《老子》2章："聖人處無為之事，行不言之教。"嚴遵《老子指歸》卷二《大成若缺篇》："無為而然，玄默而信。"

次五，下言如水，實以天牝。測曰，下言之水，能自沖也。

案：語本《老子》，61章"大國者下流，天下之交，天下之牝"，66章"江海所以能為百谷王者，以其善下之，故能為百谷王。是以欲上民，必以言下之……"，4章"道沖而用之，故不盈。"《文子·九守·守弱》謂"江海弗强，故能成其王，為天下牝，故能神不死。"

29.《視》初一，內其明，不用其光。測曰，內其明，自窺深也。次二，君子視內，小人視外。測曰，小人視外，不能見心也。"

案：語本《文子·上德》："夫道者内視而自反，故人不小覺，不大迷，不小慧，不大愚。"《史記·商君列傳》："趙良曰：'反聽之謂聰，内視之謂明，自勝之謂强。'"

30.《去》次二，去彼枯園，舍下靈淵。測曰，舍下靈淵，謙道光也。

案：《老子》8章："居善地，心善淵，與善仁，言善信，正善治，事善能，動善時。夫唯不争，故無尤。"乃此辭所本，靈淵者，水德所聚。參看《文子·九守·守弱》："聖人卑謙，清静辭讓者見下也，虚心無有者見不足也，見下故能致其高，見不足故能成其賢。"

31.《晦》初一，同冥獨見，幽貞。測曰，同冥獨見，中獨昭也。

案：語本《老子》41章："明道若昧。"《莊子·知北遊》："夫昭昭生於冥冥。"

次五，日正中，月正隆，君子自晦不入窮。測曰，日中月隆，明恐挫也。

案：君子自晦，善持滿也。此辭義本范蠡之言，"天道皇皇，日月以為常，明者以為法，微者則是行。陽至而陰，陰至而陽。日困而還，月盈而匡。……因天地之常，與之俱行。"(《越語下》)《管子·白心》："日極則仄，月滿則虧。極之徒仄，滿之徒虧，巨之徒滅。孰能已無已乎？效夫天地之紀。"

32.《割》次六，割之無創，飽於四方。測曰，割之無創，道可分也。

案：道體至大，其用無窮，割之無創，萬世不竭。意本《十六經·三禁》："天道壽壽，播於下土，施於九州。"《管子·内業》："道滿天下，普在民所。"

33.《馴》陰氣大順，渾沌無端，莫見其根。

次三，牝貞常慈，衛其根。測曰，牝貞常慈，不忘本也。

案：首辭語本《老子》16章："萬物並作，吾以觀復。夫物芸芸，各復歸其根。歸根曰静,是曰復命。復命曰常,知常曰明。"《莊子·則陽》:"萬物有乎生而莫見其根,有乎出而莫見其門。"次三之辭,語本《老子》67章:"我有三寶,持而保之:一曰慈,二曰儉,三曰不敢為天下先。……夫慈,以戰則勝,以守則固。天將救之,以慈衛之。"《莊子·天道》:"極物之真,能守其本。"

34.《將》次二,將無疵,元睟。測曰,將無疵,易為後也。

案:《説文》:"元,始也。"睟借為粹,范望注"睟,純也。"葉子奇注:"二得中逢陽,思而無邪,其意已誠,所以其德大純而無雜。"辭義本《老子》10章:"滌除玄覽,能無疵乎?"

35.《養》陰弸於野,陽蘁萬物,赤之於下。

初一,藏心於淵,美厥靈根。測曰,藏心於淵,神不外也。

案:弸,謂盛强之極,隨之而崩毁。蘁,同漚,漸漬、醖釀也,今蜀語猶存此義。赤之,范注謂"陽氣隱藏淵深,萬物之根荄使皆芽赤於地下,養長使出"。此辭之"神"、"靈"互訓,皆指陽氣。《大戴禮記·曾子天圓》:"陽之精氣曰神。"《易·繫辭上》鄭玄注:"精氣謂之神。"《晉書》引劉向《洪範五行傳》:"神,陽曰神。"《論衡·論死》:"陽氣導物而生故謂之神。"又,《尚書·泰誓上》:"人萬物之靈。"傳:"靈,神也。"《毛詩·靈臺》:"經始靈臺。"傳:"神之精明稱靈。"《太玄·迎》范注:"靈,神也。"故知鄭君校釋,謂"靈根,指陽氣(或精氣)。萬物皆由氣生,故稱靈根"是也。參看《管子·内業》:"靈氣在心,一來一逝,其細無内,其大無外。""精存自生,其外安榮;内藏以為泉原,浩然和平,以為氣淵。淵之不涸,四體乃固;泉之不竭,九竅遂通,乃能窮天地,被四海。"范望注謂"靈根,道德也",亦通。《莊子·天地》云:"夫道淵乎其居也,漻乎其清也。……立之本原,而知通於神。"《朱子語類》卷137:"《玄》中所説靈根之説云云,亦衹是《莊》《老》意思,止是説那養生底工夫爾。"

上九,星如歲如,復繼之初。測曰,星如歲如,終始養也。

案：司馬光注曰："《養》之上九，居首贊之末，日窮於次，月窮於紀，星回於天，歲將更始；以終養始，以初繼末，循環無端。此天道之所以無窮也。"《太玄》八十一首七百二十九贊當一歲三百六十四日半，依據黄老天道模式基本上完成了一個循環。參看《玉海》卷一《天文圖》引《范子計然》："日者寸也，月者尺也。尺者紀度而成數，寸者制萬物陰陽之短長。日行天，日一度，終而復始，如環無端。"《太玄》以三贊為一日，九贊為四日半，通過對一年中陰陽之短長盛衰的描述，傳達了揚雄對天地人事的哲學思考和價值判斷。

踦贊一，凍登赤天，晏入玄泉。測曰，凍登赤天，陰作首也。

嬴贊二，一虛一嬴，踦奇所生。測曰，虛嬴踦踦，禪無已也。

案：鄭君校釋，《太玄》七百二十九贊，合三百六十四日半，增《踦贊》之半日，尚不足歲之日，故稱為踦。尚餘四分日之一，以《嬴贊》補之，正滿一歲之數，故稱為嬴。欠餘相生，陰陽消息，禪代無窮，循環不已，則歲功成而律曆行。又，葉注《踦贊》云："凍，至寒之氣，謂陰。晏，至熱之氣，謂陽。言陰生於上，陽生於下也。老子云：'至陰肅肅，至陽赫赫。肅肅出乎天，赫赫出乎地。'揚子語本此。"所引老聃言，見《莊子·田子方》載其語孔子曰："至陰肅肅，至陽赫赫。肅肅出乎天，赫赫發乎地。兩者交通成和而物生焉，或為之紀而莫見其形。消息滿虛，一晦一明，日改月化，日有所為而莫見其功。生有所乎萌，死有所乎歸，始終相反乎無端，而莫知乎其所窮。非是也，且孰為之宗！"

從《漢書·藝文志》始，揚雄被歸於儒家。而朱熹別有慧見，指出"揚子說到深處，止是走入老莊窠窟裏去"，又說"《太玄》亦自莊老來"[①]。三十七年前，蒙文通教授撰《巴蜀史的問題》指出，直至西漢，"蜀人有自己的傳統文化，未能篤信儒家的學説"，特舉"揚子

① 《朱子語類》卷137、卷67。

雲是道家,子雲同時也長於辭賦"[①]。上述觀點或被忽略,或使某些文史專家困惑。筆者不揣淺陋讀《玄》,而試作札記,深感揚雄的道家思想及實踐,是值得研討的一個學術課題。

① 《古族甄微》,第256頁,巴蜀書社,1993年。

讖緯文獻與戰國秦漢間的道家

徐興無

內容提要　本文以戰國秦漢間的道家思想為參照，從思想結構、文獻面貌、師承傳說三個方面，鈎稽讖緯文獻中的道家學說，分析其淵源，認為讖緯的文獻傳統與道家學派關係密切，反映出道家思想在漢代的發展和對漢代文化的重大影響。

一、讖緯文獻中的道家思想

大概形成於西漢中後期並流行於東漢直至魏晉以降的讖緯文獻，除了《四庫全書》所收《永樂大典》中的《易緯》八種尚可算作完帙之外，其餘皆為斷簡殘編[①]。但其輯本仍向我們表明，讖緯文獻雖是漢代經學的附庸，其中仍包含了大量的經學和儒學之外的哲學思想、社會政治思想以及古史、天文、曆法、地理、占卜等知識體系，可謂"九流百家之說，交互錯出，靡不綜攬"(陳槃語)。從讖緯

① 日本學者安居香山與中村璋八於一九六四年編輯了《緯書集成》油印稿。此後又修訂為《重修緯書集成》，於一九七一年至一九八五年間陸續由明德出版社出版。該書備收明清以來中國的讖緯輯佚，並補充了遺漏的條目，特別是日本保存的資料。本文所引讖緯，皆據河北人民出版社 1994 年 12 月版《緯書集成》。

在東漢以降盛行一時,被帝王提倡[①],被視為"内學"和"孔丘祕經"[②],以及在諸如"白虎觀會議"上為經學家們援引等情況來看[③],其中所包含的非經學或非儒學的思想内容和知識體系對當時的思想文化有着相當大的影響。

學界一般認為,讖緯中非儒學的内容,無論多麽複雜,皆可歸至陰陽家的門下,顧頡剛、陳槃和通行的中國古代哲學史著作均持此論[④],進而認為讖緯是董仲舒學説的濫觴。不過,人們也清楚地看到,道家思想是讖緯文獻中不可忽視的思想内容。明代胡應麟首摘《易緯乾鑿度》中"太易"、"太初"、"太始"、"太素"之説,以為"全寫《列子·天瑞》一節"(《四部正譌·上》)[⑤]。清代學者全祖望指出:

---

① 《後漢書·張衡傳》:"初,光武善讖,及顯宗、肅宗因祖述焉。自中興之後,儒者争學圖緯,兼復附以妖言。"

② 《後漢書·方術傳序》:"後王莽矯用符命,及光武尤信讖言,士之赴趣時宜者,皆騁馳穿鑿,争談之也……自是習為内學。"《後漢書·蘇竟傳》:"孔丘祕經,為漢赤制。"

③ 莊述祖《白虎通義考序》:"六藝並録,傅以讖記,援緯證經。"《白虎通疏證》附録二,中華書局新編諸子集成本,1994年8月第一版。

④ 顧頡剛《秦漢的方士與儒生》第二十章,頁一二九。上海古籍出版社1978年2月新1版。陳槃在四九年以前以及八十年代的讖緯研究成果,已匯編為《古讖緯研討及其書録解題》,臺灣編譯館,1991年2月版。任繼愈主編《中國哲學發展史·秦漢卷》,頁四三九。人民出版社1985年2月第一版。

⑤ 本文同意陳鼓應《老子與先秦道家各流派》以及許抗生《列子考辨》中的觀點,認為《列子》為戰國後期陸續而成的道家文獻。陳文刊於《老莊新論》,上海古籍出版社1992年8月第一版。許文刊於《道家文化研究》第一輯。至於"太易"至"太素"一段,到底是《列子·天瑞》抄《易緯乾鑿度》,還是《易緯》抄《列子》,一直是争論《列子》真僞的焦點之一。本文持後一種意見,因為(1)胡應麟曰:"《列子》'重濁者下為地'之後,有'沖和氣者為人,故天地含精,萬物化生'三語,意乃完足。今剗去後三語,而以'物有始有壯有究,故三畫成乾'接之,文義頓斷缺可笑。"(2)《文子·道原》云:"平易者,道之素也","太易"之説當由此來。且戰國道家形道之容,多在"一"、"始"、"素"、"和"、"初"、"寧"、"清"之前加"太"字。(3)《乾鑿度》對《周易》之"易"有明確解説,即"易者以言其德也","變易者其氣也","不易也者其位也",皆為形而下的概念。而"太易"則為"視之不見,聽之不聞,循之不得"的形而上概念。(4)張湛注中説《列子》此段出自《乾鑿度》,漢、魏、晉之人,衹要不疑讖緯者,即如鄭玄之流,皆以讖緯出孔子之手,故張湛列《易緯》於《列子》之前。

"圖緯之學,皆以老莊為體。老莊之學,皆以圖緯為用。"(《鮚埼亭集·外編》卷三十八《三家易學同源論》)陳槃亦以為讖緯雖出方士之手,"然與道家之說,亦關係密切。"(《古讖緯書録解題(七)》)自《四庫全書總目提要》至現今的中國哲學史或讖緯論著之中,皆以《易緯乾鑿度》中的"太易"、"太初"、"太始"、"太素"出自道家(此段文字亦見於《孝經鉤命決》),並以此為讖緯文獻中最有價值的哲學表述。

其實,所謂讖緯文獻中的陰陽家思想,與戰國秦漢間的道家思潮有着直接的承繼關係,這一時期的道家,經過了稷下辯論,其包融諸子學說的範圍和氣魄,已經使它呈現出早期道家所沒有的複雜色彩,從《管子》到《吕氏春秋》,再到《淮南子》,其文獻愈加體系化並顯示出同構性,那就是司馬談所說的:以道家的"虚無為本",而以"因循為用"。所謂"因循為用",即"其為術也,因陰陽之大順,採儒墨之善,撮名法之要,與時遷移,應物變化,立俗施事,無所不宜。"(《史記·太史公自序》)這段話,無疑是説戰國秦漢間的道家與陰陽家的關係最為密切。從《漢志》的著録來看,道家的文獻面目和陰陽家以及數術方技的文獻面目最為接近。從《漢書·藝文志》的著録次序以及近年來的考古發現來看,戰國秦漢之間,蓍龜卜筮已經消沉,而與道家和陰陽五行家關係密切的星占、式占、形法等數術大為流行[1]。無論是《莊子》、《管子》、《易傳》、帛書《易傳》、《荀子》,還是《韓非子》、《吕氏春秋》、《淮南子》等,都表現出對鬼神卜筮的否定和對陰陽五行之術的贊美。如《管子·五行》云:"故通乎陽氣,所以事天也,經緯日月,用之於民;通乎陰氣,所以事地也,

---

① 參見李零《中國方術考》,中國人民出版社 1993 年 12 月第一版。我在《〈易緯〉的文本及源流研究》一文中,從文獻研究的角度得出的結論,可與李零的結論互補。見《中國古籍研究》第一卷,上海古籍出版社 1996 年 11 月版。

經緯星曆,以視其離(列)。通若道然後有行,然則神筴不靈,神龜不卜,黄帝參澤,治之至也。"這是因為舊的上帝鬼神和祖先崇拜已被道家提出的新天道觀替代,故而探知舊天意的舊占術,必然被推算新天道的新占術所替代。不僅如此,舊的占術,也以新占術的理論加以重新闡釋,如戰國道家思想對《周易》的闡説,《史記·龜策列傳》所載《記》中取名龜之法,直至《白虎通·蓍龜》中以龜、蓍分屬陰陽等,都體現了這種傾向。故而戰國秦漢間的道家著作大都把用陰陽五行理論構建起來的天文、地理、曆法、數術等知識體系納入其道論之中,並將其抬升為經天緯地治國之術。

讖緯文獻中的道家思想的哲學表述,除了"太易"至"太素"一段外,尚有如:

《河圖緯》:"皇辟出,承元訖。道無為,治率被。"

《春秋元命包》:"聖人一其德智者,循其轍,長視久生。"

《春秋命曆序》:"天地開闢,萬物渾渾,無知無識,陰陽所憑。"

《洛書靈準聽》:"太極具理氣之原,兩儀交而生四象,陰陽位別而定天地,其氣清者,乃上浮於天;其質濁者,乃下凝為地。"等等。

以上表述中,"太極具理氣之先"的觀念, 安居香山以為不是宋儒竄入, 而成於後漢[①],但没有提出證明。其實戰國道家已在《老子》的道論中發展出"理"的範疇。《黄帝四經》中, 道和理雖不連稱, 但已並舉。《經法·論約》:"始於文而卒於武,天地之道也;四時有度,天地之李(理)也。"《四度》:"〈失〉主道,離人理。"《論》:"物各【合於道者】,謂(謂)之理,理之所在謂之【順】。物有不合於道者,胃(謂)之失理。"《管子·四時》:"是故陰陽者,天地之大理也。"至《莊子》外篇、《荀子》、《韓非子》、《吕氏春秋》等文獻中,言理

---

① 安居香山、中村璋八《緯書の基礎的研究》第五章,第二節。國書刊行會昭和51年5月發行。

者更多。

至於充斥於讖緯中的天人感應、星曆占卜、災異瑞應等內容,皆為陰陽五行類的數術,也應聯繫以上所言道家思想與陰陽五行的關係來認識。《河圖稽命徵》有一段話,與戰國以降道家的占卜觀完全一致:"(黄帝)乃召史卜之,龜燋。史曰:'臣不能占也,其問之聖人。'帝曰:'問之天老、力牧、容成矣。'史北面再拜曰:'龜不違聖智,故燋也。'"

二、讖緯文獻面貌中的道家色彩

讖緯文獻面貌中的道家色彩,首先體現在題目上。讖緯文獻的題目除了少部分的雜讖之外,絕大多數皆在"河圖"、"洛書"、"易"、"詩"、"尚書"、"禮"、"樂"、"春秋"、"論語"、"孝經"之後,加三言或二言,而又以三言者居多。關於讖緯題目的含義,鄭玄的諸緯注釋、明清時的輯本解題、陳槃的《古讖緯書録解題》諸篇皆有闡發,但並不能説明"緯書的標題都是很奇怪的,令人很難索解"的原因[①]。《四庫全書總目提要》以讖緯多襲伏生和董仲舒的學説,故而認為《尚書大傳》和《春秋陰陽》"核其文體,即是緯書。"鍾肇鵬《讖緯論略》認為:"在《春秋繁露》中有些三個字的篇名,如《立元神》、《保權位》、《離合根》就頗似緯書的題目。"[②] 他看到了現象,但没有進一步解釋,其實,這三篇和以下的《考功名》、《通國身》二篇,正是《春秋繁露》中專論黄老刑名思想的部分。

在這一點上作出專門論述的是王利器,他在《讖緯五論》中,不

---

① 《中國哲學發展史·秦漢卷》,頁四三六。

② 《讖緯論略》第五章,頁一二一。遼寧教育出版社,1991 年 11 月第一版。

僅指出了讖緯文獻的題目多用三言是受了《莊子》篇目的影響,而且探討了戰國秦漢間以三言為星名和神名的現象,斷言以三言為名,是受了三楚文化的影響[①]。這與戰國秦漢間的道家思想以齊、楚文化為背景的事實相吻合。他還發現讖緯多以圖為名,如《河圖》、《稽覽圖》、《雌雄圖》等等,與《管子》和《漢志》所録兵家等文獻形式接近,這也從一個側面説明了讖緯文獻與齊、楚及道家文化的關係,現代或晚近出土的楚地帛書,如長沙子彈庫帛書、馬王堆天文氣象雜占和避兵圖等,也證明了這一關係。此外,安居香山和中村璋八還發現,漢代,特别是東漢時代的碑刻文字中多引讖緯語句,他們將這些漢碑的地點加以統計,再統計前、後《漢書》中精通讖緯者的籍貫,結果二者均以齊地最多[②]。

解釋讖諱題目,還可從道家的觀念入手。由於帛書《黄帝四經》在楚地出土,"使我們對先秦道家發展的脈絡有了一個新認識"[③],作為出現在"戰國中期之初或戰國初期之晚"的"現存最早的一部黄老之學著作",當中出現的一些黄老之學的詞語,與其他的道家文獻,特别是因它的出土而被證成為戰國黄老文獻的《鶡冠子》和《文子》等相互印證,對我們解釋讖緯的題目大有裨益,可略舉數條。

讖緯有《易緯稽覽圖》、《易緯稽命圖》、《禮緯稽命徵》、《禮緯稽耀嘉》、《河圖稽耀鉤》、《河圖稽命徵》、《洛書稽命耀》等,"稽"是道家很重要的參驗標準和手段[⑤]。《經法·道法》云:"無私者知(智),

---

① 《讖緯五論》載於《國學今論》,遼寧教育出版社,1991年12月第一版。

② 《緯書の基礎的研究》第二编、第一章、第五節。

③ ④ 陳鼓應《先秦道家研究的新方向——從馬王堆漢墓帛書〈黄帝四經〉説起》,刊於《道家文化研究》第六輯。

⑤ 饒宗頤認為《尚書·堯典》、《皋陶謨》以及《逸周書》中的"稽古",也"本諸道家"。參見其《楚帛書與〈道原篇〉》,刊於《道家文化研究》第三輯。

至知(智)者為天下稽。"[①]《四度》云:"周遷動作,天為之稽。""八度者,用之稽也。"《十大經·正亂》中又有名"太山稽"者。《道原》云:"是胃(謂)察稽知O極。"又《莊子·天下》云:"以參為驗,以稽為決。"《鶡冠子·著希》云:"道有稽,德有據。"《度萬》云:"天地陰陽,取稽於身。"《文子·精誠》云:"稽之不得,察之不虛。"

讖緯又有《河圖皇參持》、《尚書中候考河命》、《春秋考異郵》、《春秋考曜文》、《論語比考讖》、《論語撰考讖》、《孝經鉤命決》、《河圖考鉤》、《河圖考靈耀》等, "參"、"考"、"鉤"和"稽"一樣,也是很具有道家色彩的語匯。《經法·道法》云:"稱以權衡,參以天當,天下有事,必有巧(考)驗。"《經法·六分》云:"參之於天地,而兼復(覆)載而無私也。"《鶡冠子·天則》云:"與天人參相結連,鉤考之具不備故也。"深受稷下思想影響的《荀子》曰:"參稽治亂而通其度"(《解蔽》)《韓非子·顯學》云:"無參驗而必之者,愚也。"《淮南子·要略》云:"考驗乎老莊之術而以合得失之勢者也。"

讖緯又有《易緯通卦驗》、《尚書帝命驗》、《尚書帝驗期》、《尚書中候合符後》、《春秋感精符》、《春秋聖洽符》、《河圖紀命符》、《河圖會昌符》等,盡管學界一般都認為讖緯中的"符"、"驗"是陰陽家或方士的災異祥瑞之説,但這兩個字也淵源於道家。《十大經·名理》云:"以法為符。"《管子·宙合》云:"時德之遇,事之會也,若合符然。"《水地》云:"是以人主貴之,藏之以為寶,剖以為符瑞。"《鶡冠子·泰録》云:"聖原神文,有驗而不可見者也。"《天權》云:"兵有符而道有驗。"又云:"章以禍福,若合符節。"《道瑞》云:"上合其符,下稽其實。"《文子·下德》云:"審於符者,怪物不能惑也。"

讖緯還有《尚書刑德放》、《孝經雌雄圖》、《孝經中契》、《孝經左契》、《孝經右契》、《孝經左右握》、《河圖握矩起》等,"刑德"、"雌

---

① 本文所舉《黄帝四經》文字,皆依《經法》。文物出版社 1976 年版。

雄"、"中左右"、"規矩"等俱為黄老學説中的天道和陰陽的法則，"握"又是道家對道的掌握姿態。《十大經·觀》和《姓争》中，皆云"刑德皇皇，日月相望。"《十大經》中有《雌雄節》一篇，云："皇后屯磿(歷)吉凶之常，以辯(辨)雌雄之節。"《五政》云："後中實而外正，何【患】不定？左執規，右執柜(矩)，何患天下？"《稱》云："天地之道，有左有右，有牝有牡。"《鶡冠子·泰鴻》云："南面執政，以衛神明。左右前後，静待中央。"《道原》云："得道之本，握少以知多；得事之要，操正以政(正)畸(奇)。"

其餘如《春秋元命包》、《春秋感精符》、《易緯乾鑿度》等題目中的"元"、"包"、"精"、"度"等字，均是道家文獻中形容大道、元氣、精氣、度數的概念，兹不贅舉。

其次，讖緯文獻中的道家色彩體現在篇目上。在漢人的心目中，讖緯文獻可分為兩大部分，即《河圖》、《洛書》和六經(包括《論語》和《孝經》)之緯，而後者不僅寡於前者，且淵源於前者。

張衡《請禁絶圖讖疏》云："至於王莽篡位，漢世大禍，八十篇何為不戒？則知圖讖成於哀平之際也。且《河》、《洛》、六藝，篇録已定，後人皮傅，無所容篡。"(《後漢書·張衡傳》)其中"八十"當為"八十一"之誤，李賢注引《張衡集·上事》云："《河》、《洛》五九，六藝四九，謂八十一篇也。"此八十一篇就是光武建武三十二年封泰山刻石所云八十一卷(《後漢書·祭祀志》)，也可能是中元元年宣佈於天下的圖讖。荀悦《申鑒·俗嫌》也作此數。可見漢代讖緯的定本之中，《河圖》、《洛書》達四十五篇，而六藝之緯，即李尋所云"五經六緯"(《後漢書·李尋傳》)有三十六篇。此後《隋志》所録，也以此為數。王利器《讖緯五論》考察現今所存讖緯名目，與此數十分接近。漢魏人言讖緯，往往以《河》、《洛》與六藝(緯)或圖讖、圖緯、讖緯並舉，如《後漢書·樊英傳》云："《河》、《洛》、七緯"；《景鸞傳》云："《河》、《洛》、圖緯"；《三國志·蜀志·先主傳》云："《河》、《洛》、孔子讖記”,可見讖緯之中,以《河》、《洛》為文獻的重要組成。

又桓譚《新論·啓寤》曰:“讖出《河圖》、《洛書》,但有兆朕而不可知。後人妄復增加依託,稱是孔丘,誤之甚也。”從現存六經之緯的輯本看,如《尚書運期授》、《春秋感精符》、《說題辭》、《易緯乾鑿度》、《是類謀》之中,皆提及《河》、《洛》,而《河》、《洛》之中則不提及六經緯的篇目,可見讖緯文獻是從造作《河圖》、《洛書》濫觴而來的。

桓譚又曰:“今諸巧慧小才技數之人,增益《圖》、《書》,矯稱讖記。”(《後漢書·桓譚傳》)造作者“技數之人”,陳槃的研究將秦漢間造作《河》、《洛》符應和讖緯的方士皆歸之為戰國秦漢以降受鄒衍學說影響的方士、方術士、道術士等,此說失之偏頗。其實這類稱呼本源於黃老刑名之學。《管子·形勢解》云:“人主務學術數,務行正理。”《鶡冠子·天則》云:“聖王者有聽徵決疑之道……非君子術數之士,莫得當前。”鄒衍之流僅為受稷下思想影響的一個學派而已,從《吕氏春秋·應同》、《史記》的《孟荀列傳》、《曆書》、《封禪書》中對鄒衍遺說的記載來看,鄒衍好言五德終始、陰陽消息和符應,這些皆出自黃老道家的理論,陰陽、符應前已舉證,終始之說也出自道家,《老子》云:“天下有始,以為天下母。”《經法·道法》云:“密察於萬物之所終始。”《名理》云:“執道者之觀於天下□見正道循理,能與(舉)曲直,能與(舉)冬(終)始。”而《莊子》内外篇、《管子》、《鶡冠子》、《文子》之中亦有終始之說。且鄒衍獨到之處在於講五行相克說,為戰國以暴力稱霸尋找根據。故其徒由齊入秦,奏五德終始,始皇採之(《史記·封禪書》),而進奏《綠圖》(即《河圖》,詳下)的燕地方士盧生,却成亡命(《史記·秦始皇本記》)。考之《管子》、《吕氏春秋》、《淮南子》中的五行圖式以及《易·說卦》和孟京易學中八卦方位說以及讖緯文獻中的五行說,皆主五行相生,故相生說是黃老道家的五行説[①]。

讖緯以《河圖》、《洛書》冠於七經緯之前,這一結構的意義,在於完成自天道開啓人類文明,直至儒家所傳六藝的文獻體系,湊成九九之數,也明顯帶有道家色彩。《隋志》揭示了這一祕密,其云"有《河圖》九篇,《洛書》六篇,云自黄帝至周文王所受本文;又别有三十篇,云自初起至於孔子,九聖之所增演,以廣其意。又有七經緯三十六篇,並云孔子所作,並前合為八十一篇。"(《隋書》卷三十二)現存讖緯輯本之中,帝王遊於河洛,沈璧行禮,神龍玄龜負圖書出而授之之事,有伏羲、黄帝、倉頡、堯、舜、禹、湯、文王、武王、成王、秦始皇、漢高祖[②],而解釋和傳授者則是孔子。《孝經右契》載:"孔子作《春秋》、《孝經》既成,使七十二弟子向北辰磬折而立,使曾子抱《河》、《洛》事北向。孔子齋戒……向北辰而拜,告備於天";《尚書璇璣鈐》載孔子曰:"五帝出,受河圖。"可見讖緯的作者,甚至以《河》、《洛》作為孔門所傳文獻。

將儒家所傳授的以周禮為主體的文化體系,向前推至天地開闢、三皇五帝,這正是戰國秦漢間道家的所作所為。就構建六經文獻體系的形而上學來説,戰國秦漢間的道家已開其端。《莊子·天下》云:"古之人其備乎……明於本數,繫於末度……其明而在數度者,舊法世傳之史尚多有之。其在《詩》、《書》、《禮》、《樂》者,鄒魯之士搢紳先生多能明之。《詩》以道志,《書》以道事,《禮》以道行,《樂》以道和,《易》以道陰陽,《春秋》以道名分。"這説明,道家已將六藝納入了大道的數度之中。《經法·論約》云:"四時有度,天地之李(理)也;日月星辰有數,天地之紀也。"《鶡冠子·天則》云:"時有

---

① 參見徐興無《論讖緯文獻中的天道聖統》,刊於《中國典籍與文化論叢》第三輯。中華書局 1995 年 12 月版。

② 見陳槃《古讖緯書録解題(五)、(六)》。

分於數,數有分於度,度有分於一。"可見數度是大道所顯現的法則,此後,儒學内部也按道家的邏輯將六藝配以天道,如《荀子·儒效》以《詩》、《書》、《禮》、《樂》歸之天下之道;《禮記·王制》以《禮》、《樂》、《詩》、《書》配以春秋冬夏;《春秋繁露·玉杯》以《易》與《春秋》分屬天人;至《漢志》以《易》為陰陽,以其他五經配五行。《河圖》、《洛書》體現了另一種的努力,即按照道家由天道推及人事的邏輯構建出六經典籍的先天形式。

《河圖》和《洛書》的傳說,與儒道皆有關但與道家學說更為密切。《尚書·顧命》以河圖與大玉、夷玉、天球列於東序,後人考證,以為瑞玉或地圖。《論語·子罕》載子曰"鳳鳥不至,河不出圖";可見河圖當為古代太平祥瑞。先秦文獻中,言及江、河、水的崇拜,多以玉璧祀之,故河圖、洛書之屬當為瑞玉。值得注意的是,《論語》以鳳鳥與河圖並舉,《微子》又言楚狂接輿歌"鳳兮鳳兮"。按《微子》一篇中,多言孔子與道家隱士和逸民的關係,接輿之事,又為《莊子·人間世》所載,且孔子師事老聃,不為虚傳[①],而道家文獻中又喜言鳳凰、瑞玉之類的祥瑞。《十大經·成法》載力黑曰:"昔者皇天使馮(鳳)下道一言而止,五帝用之,以朳天地";《管子·水地》:"夫玉之所貴,九德出焉"。大概道家源出古之史卜之官,多言天人之際的符驗,孔子沿襲古説。而至戰國秦漢之際,言《河》、《洛》者悉為持道家學説者,且已據此傳説,增飾成書。

《管子·小匡》:"昔人之受命者,龍龜假,河出圖,洛出書,地出乘黄。"

《易·繫辭上》:"河出圖,洛出書,聖人則之。"

《莊子·天運》:"天有六極、五常,帝王順之則治,逆之則凶。九洛之事,治成德備,監照下土,天下戴之,此謂上皇。"

---

① 見陳鼓應《老學先於孔學》,刊於《老莊新論》。

《文子·道德》載老子曰:"至德之世……河出圖,洛出書。"

《隨巢子》:"姬氏之興,河出緑圖。""殷滅,周人受之,河出圓圖也。"

《吕氏春秋·觀表》曰:"人亦有徵,事與國皆亦有徵。聖人上知千歲,下知千歲,非意之也,蓋有自云也。緑圖幡薄,從此生矣。"

《淮南子·俶真》:"洛出丹書,河出緑圖。"《人間》:"秦皇挾緑圖,見其傳曰:亡秦者胡也。"

《史記·秦始皇本記》:"燕人盧生使入海還,以事鬼神,因奏《緑圖書》曰:亡秦者胡也。"

《隨巢子》是從《北堂書鈔》中輯出的文字,多言災異祥瑞。後墨中有流於方術之士而與道家、陰陽家合流者,《墨經》中如《迎敵祠》等已現其端。漢代流傳的《春秋元命包》中有墨子的記載(見張衡《請禁絶圖讖疏》),《抱朴子·遐覽》云漢末劉君安有《墨子五行記》,故《墨子·非攻》:"武王伐殷有國,河出緑圖"一句,當為後墨竄入。且秦漢之際,河圖多稱緑圖,洛書又稱丹書,陳槃考證緑圖幡簿為"有書有圖,赤文緑錯"的帛書("幡"從巾,布帛之物)和簡册,已非遠古玉瑞,而是秦漢間方士依託之作,當為不刊之論[1],《易緯是類謀》曰:"河出緑圖,洛出變書。"《尚書中候考河命》:"舜壇於河畔,沈璧,禮畢至於下稷,榮光休至,黄龍負卷舒圖,出水壇畔,赤文緑錯。"《春秋運斗樞》:"舜與三公大司空禹等三十人集,發圖,玄色而綈狀。可舒卷,長三十尺,廣九尺。"現今出土的楚地帛畫中亦多青赤之色。這説明,盡管讖緯文獻在西漢末年蜂湧而出,但戰國秦漢之間,造作《河圖》、《洛書》的運動已經開始。

讖緯《河圖》中的《龍魚河圖》還將《易·繫辭上》中"河出圖,洛出書,聖人則之"與《繫辭下》伏羲氏始作八卦聯繫起來:"伏犧氏王

① 見《古讖緯書録解題(五)》。

天下，有神龍負圖出於黄河，法而效之，始畫八卦，推陰陽之道，知吉凶所在，謂之河圖。" 這與劉歆以伏羲氏受河圖，則而畫八卦，禹治洪水受洛書，法而陳《洪範》，以及《尚書》起於《洛書》的説法接近(見《漢書·五行志》、《漢書·藝文志》)。可以説，出自道家傳説中的《河》、《洛》和文獻系統中的《河圖》、《洛書》是讖緯文獻最直接的來源和重要組成部分，建立了六經的先天形式，直至宋明理學，《河》、《洛》乃是儒家文獻中擺脱不了並且一再增飾的神祕經典。

三、讖緯文獻中的道家師承傳説

道家雖無儒家的六經學統，但却有自家的師承傳説，戰國秦漢間道家的學統傳説，除了《莊子》、《禮記》、《吕氏春秋》和《史記》等文獻中所説的孔子師承老子之外，主要是把君臣關係視為師友關係，實為黄老謙虚守柔的南面之術。

《稱》云："帝者臣，名臣，其實師也；王者臣，名臣，其實友也；朝(霸)者臣，名臣，其實【賓也；危者】臣，名臣也，其實庸也；亡者臣，名臣也，共實虜也。"《鶡冠子·博選》云："故帝者與師處，王者與友處，亡主與徒處。"

按：道家依照大道離散遞衰的過程，提出了"皇"、"帝"、"王"、"霸"的歷史觀念，反映了戰國黄老道家對現實中推行霸道的肯定和對皇、帝、王道理想的追求。《黄帝四經》中就以王霸並稱，如《經法·六分》："主執度，臣循理者，其國朝(霸)昌；主得臣□楅(輻)屬者，王。"《管子·乘馬》："無為者帝，而無以為者王，為而不貴者霸。"《幼官》有"則皇"、"則帝"、"則王"、"則霸"之説，《兵法》云："明一者皇，察道者帝，通德者王，謀兵者霸。"《文子·下德》："老子曰：帝者體太一，王者法陰陽，霸者則四時，君者用六律。"(此句又見《淮南子·本經》)《上仁》云："同氣者帝，同義者王，同功者霸。"(《吕氏春秋·應同》亦有此句意)這樣的句式,讖緯中多有出現。《孝經鈎命決》:"三皇步,五帝趨,五霸鶩。"(此條為《白虎通·號》所吸收)又曰:"三皇步,五帝驟,三王馳,五伯蹶,七雄强。"《孝經援神契》:"三皇無文,五帝畫像,三王明刑。"《禮緯斗威儀》:"太素冥莖,乃道之根也。帝者得其根荄,王者得其英華,伯者得其附枝。故帝道不行不能王,王道不行不能伯,伯道不行不能守其身。"

《十大經》中的篇章多黄帝君臣的問答,有黄帝問力黑(《觀》、《姓争》、《成法》、《順道》)、閹冉(《五政》)、果童(《果童》,按《莊子·徐無鬼》有黄帝問童子之事)等,又有力黑問太山稽(《正亂》)。力黑即流沙墜簡和讖緯中的"力墨"以及戰國秦漢文獻中出現的"力牧"。《吕氏春秋·尊師》出現了完整的道家學統:"神農師悉諸,黄帝師大撓,顓頊師伯夷父,帝嚳師伯招,帝堯師子州去父,帝舜師許由,禹師大成贄,湯師小臣,文王武王師吕望,孔子師老聃。"《韓詩外傳》卷五二十八章。也有接近的敍述。

讖緯之中,《論語比考讖》云:"五帝立師,三王制之。黄帝師力牧,帝顓頊師緑圖,帝嚳師赤松子,帝堯師務成子,帝舜師尹壽,禹師國先生,湯師伊尹,文王師吕望,武王師尚父,周公師虢叔,孔子師老聃。"(此段為《白虎通·辟雍》吸收)《論語摘輔象》言黄帝之臣,有風后、天老、五聖、知命、窺紀、地典、力墨、容光。《河圖》云:"黄帝云:'余夢見兩龍挺白圖,即帝以授余於河之都。'天老曰:'天其授帝圖乎,試齋以往視之。'"《龍魚河圖》云:"(黄)帝伐蚩尤,乃睡夢西王母遣道人,披玄狐之裘,以符授之,曰:'太乙在前,天乙備後,河出符信,戰則克矣。'黄帝寤思其符,不能悉悟,以告風后、力牧。風后、力牧曰:'此兵應也,戰必自勝。'"又前文所引《河圖稽命徵》言黄帝問於天老、力牧、容成。張良為漢初黄老道家中人物,故《詩緯》云:"風后,黄帝師,又化為老子,以書授張良。"《春秋保乾圖》云:"漢之一師為張良,生韓之陂,漢以興。"綜上可見,和董仲舒的今文經學不同的是,讖緯中强調道家的師承,而這些傳説以及黄帝君臣問答的形式,又與《黄帝四經》中的表述形式接近,説明讖緯和道家淵源甚深。

讖緯文獻與道家的關係尚有多方面的體現,如其中所强調的太平和天下為公的社會理想,再如其中將“孝”抬升到“元氣渾沌”的高度(見《孝經援神契》。按:漢儒從董仲舒起,逐漸完成了將仁義禮智信配五行的工作,而讖緯則將“孝”抬升到五行以上的高度。《孝經》出自曾子學派,而曾子學派與道家不無關聯,《大戴禮記·曾子天圓》的思想與《易傳》接近,《禮記·曾子問》多言孔子請教老子,而《吕氏春秋·孝行》又闡曾子之説,故讖緯中“孝”的觀念與道家關係甚密)等等,都值得學界進一步探討。

作者簡介 徐興無,1964年生,江蘇揚州人。南京大學文學博士,現任南京大學中文系副教授。著有《讖緯與經學》、《論讖緯文獻中的天道聖統》、《〈易緯〉的文本與源流研究》、《論趙岐〈孟子章句〉》等論文。

析鄭玄宇宙生成與衍化的象數模式

——兼談鄭注《乾鑿度》所透顯的道家思想

周立昇

内容提要 本文通過分析氣數與物類的關係及卦氣與時空的關係,論述了鄭玄的宇宙生成與衍化論的象數圖式。指出鄭玄以象數架設時空架構,以象數派生天地萬物,其第一因是形式因。他以易道無為和有生於無,論證宇宙的生成與衍化,其理論源頭是道家。當然,鄭玄是位著名的經學大師,他的思想屬於儒家而非道家。但他的經學對某些問題的探索及一定程度上對道家思想的運用,為魏晋玄學的產生提供了必要的前提條件,發揮了一定的催生作用。

鄭玄,字康成,北海高密人(今山東高密市)。生於東漢順帝永建二年(公元 127 年),卒於漢獻帝建安五年(公元 200 年)。他一生潛心注述,是東漢著名的經學大師,在經學史上,佔有十分重要的地位。

鄭玄自青年時代即開始了其學術生涯,先從第五元先學今文經學,後從馬融學古文經學,遂使他成為兼通今文和古文的經師。四十餘歲時,罹黨錮之禍,這是繼"焚書坑儒"之後的又一次文化浩劫。在禁錮期間,他杜門不出,隱修經業,"括囊大典,網羅衆家,删裁繁誣,刊改漏失",(《後漢書·鄭玄傳》)熔鑄今古兩派,創立鄭學,凡注述文字,百餘萬言。鄭玄在述其經歷時說:"吾家舊貧,不為父母羣弟所容,去廝役之吏,遊學周、秦之都,往來幽、并、袞、豫之域,獲覯乎在位通人、處逸大儒,得意者咸從捧手,有所受焉。遂博稽六藝,粗覽傳記,時覩秘書緯術之奥。年過四十,乃歸供養,假田播殖,以娛朝夕。遇閹尹擅勢,坐黨禁錮,十有四年"。"但念述先聖之元意,思整百家之不齊,亦庶幾以竭吾才。"(《後漢書·鄭玄傳》)黨禁解後,何進、袁紹曾多次征辟鄭玄,均被拒絕,有時不得已而詣之,則一夜逃去。表現出古代正直的知識分子的坦蕩胸懷和高風亮節。

本文不全面介紹鄭玄的易學思想,主要就其《易緯乾鑿度注》的宇宙論所透顯的道家思想,作一粗淺的論述。

一、易數與物類

先秦時代,哲學和自然科學是二而一的,没有獨立的自然科學門類。漢代則不然,哲學與自然科學已開始分化,但仍密切聯繫着。科學家和哲學家們對宇宙論問題極為關注,對宇宙的本原、演變與結構,提出了各自的假説,並進而將天人關係問題歸結為萬物與其本原的關係問題。鄭玄的象數架構之宇宙圖式即是其中之一。

(一)陰陽之數

鄭玄的宇宙論,是通過其象數易學而展現的。他以"數"的變化說明"氣"的運行和發展,陰陽二氣的流變實即陰陽之數的運轉。他注《乾鑿度》"太極分而為二"云:

> 七九,八六。(以下引文凡未注明出處者,均引自鄭氏《乾鑿度》注)

所謂"分而為二",即是《繫辭》說的"生兩儀"。"兩儀"或謂天地、或謂乾坤、或謂陰陽,天地言其體,乾坤言其義,陰陽言其性,三者異名而同旨。就鄭玄的注看,則是指陰陽。陽為奇數,陰為偶數,故七九為陽,八六為陰。事物的發展,都要經歷三個階段即:開始("始")、盛壯("壯")、終結("究")。三個階段就陰陽氣數而言,則相當於陽數發展的一、七、九,也相當於陰數發展的二、八、六。"一主北方,陽氣漸生之始;七主南方,陽氣壯盛之始;[九主]西方,陽氣所終究之始也。"陽動主進,陰動主退,此乃陰陽消息的表徵,因此鄭玄說:"陽動而進,變七之九,象其氣息也;陰動而退,變八之六,象其氣消也。"

陰陽氣數的交互作用,表現於三個方面:其一,相輔相成。一以六成之,二以七成之,三以八成之,四以九成之。"當陽用事之時,陰宜自損以奉陽者,所以戒陰道以執其順者也;當陰用事之時,陽宜自損以益陰者,所以戒陽道以弘其化也。"其二,相滅相生。陽息則陰消,陰息則陽消,陽盛極則生陰,陰盛極則生陽,用氣數表示則為:陽壯於七,則陰始於二;陰壯於六,則陽始於一。"夫物不可窮,理不可極,"極則反矣。其三,相合相化。陰陽二氣,絪縕交感,以成化生之功。就氣數說,"奇者為陽,偶者為陰,奇者得陰而合,偶者得陽而化,言數相偶乃為道也。"

《繫辭》云:"道有變動,故曰爻。"七九、八六之道即是陰陽之道。既然七九、八六可以表徵陰陽二氣的消息盈虛,那麼它也必然會呈現為爻象的變化,因此鄭玄說:

一變而為七是今陽爻之象,七變而為九是今陽爻之變。
二變而為六是今陰爻之變,六變而為八是今陰爻之象。

即是說,七八本其質性,故衹可表爻象;九六效其流動,故可以表爻動。《周易》以變為占,九六爻之變動者,故用九六而不用七八。

通過對陰陽之數的分析,可以發現數的變化不僅可以定陰陽之性,也可以定陰陽之象。數絶不是純粹表示數量的,而是通過運數以發揮其定性、定象之功能。

(二)五行之數

為了闡明萬物的生滅原理,鄭玄在陰陽之數的基礎上,又提出了“五行氣數說”。鄭玄云:

> 天地之氣各有五。五行之次,一曰水,天數也;二曰火,地數也;三曰木,天數也;四曰金,地數也;五曰土,天數也。此五者,陰無匹,陽無耦,故又合之。地六為天一匹也;天七為地二耦也;地八為天三匹也;天九為地四耦也;地十為天五匹也。二五陰陽各有合,然後氣相得,施化行也。(《左傳·昭九年正義》引)

五行之數即五行的序數,此序數最早見於《尚書·洪範》。《洪範》云:“五行:一曰水,二曰火,三曰木,四曰金,五曰土。”鄭玄認為,五行乃天地之陰陽所生,“天地氣合而化生五物(行)”,因此天地之數一至五就是五行的序數。《繫辭傳》云:“天一,地二,天三,地四,天五。”天地之數與五行之數相配即為:天一為水,地二為火,天三為木,地四為金,天五為土。由於獨陽不生,孤陰不化,因此陰陽需有合,即有陰必有陽合之,有陽必有陰合之。陰陽相合,即陰陽之數相合。“奇者為陽,偶者為陰,奇者得陰而合,偶者得陽而居,言數相偶乃為道也。”

然而,天數一、三、五所謂“叁天”者無偶;地數二、四所謂“兩地”則無匹,故當以天地之數的六至十合之。鄭玄說:

> 天一生水於北,地二生火於南,天三生木於東,地四生金於西,天五生土於中,陽無耦,陰無配,未得相成。地六成水於北,與天一併;天七成火於南,與地二併;地八成木於東,與天三併;天九成金於西,與地四併;地十成土於中,與天五併也。(《禮記·月令疏》引)

這樣,天地之數的六至十也具有了五行的含義。鄭玄以天地之數配五行,不祇是為了將天地之數化作五行,更重要的是將五行定位以配四方,以表徵陰陽二氣在四季中的消長變化。"天一生水於北",是説水位於北方,此時陰氣壯極而陽氣始生;"地二生火於南",是説火位於南方,此時陽氣壯極而陰氣始萌;"天三生木於東",則謂木位於東方,此時陽氣興旺而陰氣休囚;"地四生金於西",則謂金位於西方,此時陰氣興旺而陽氣休囚。土居中央,中央所以統四方,即分管四時也,四時之義皆繩之於中央。但是,祇有陽氣不生物,祇有陰氣不成物,所以地六必須與天一配,天七必須與地二配,地八必須與天三配,天九必須與地四配,地十必須與天五配。天數五,地數五,五位相配各有合,方能化生萬物。此即鄭玄所説的"二五陰陽各有合,然後氣相得,施化行也。"

經過鄭玄的發揮和創造,天地之數和五行之數不僅具有了空間方位,而且具備了時間維度,從而建構起數的時空框架。就空間説,它們分別居於東西南北中五方;就時間説,它們分別代表了春、夏、秋、冬四季。以圖示之如下:

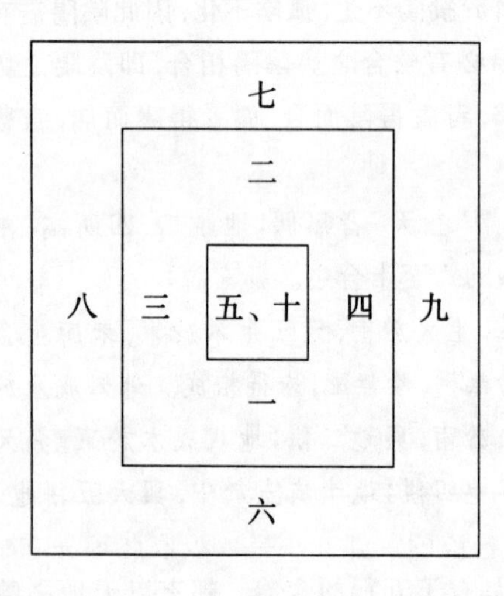

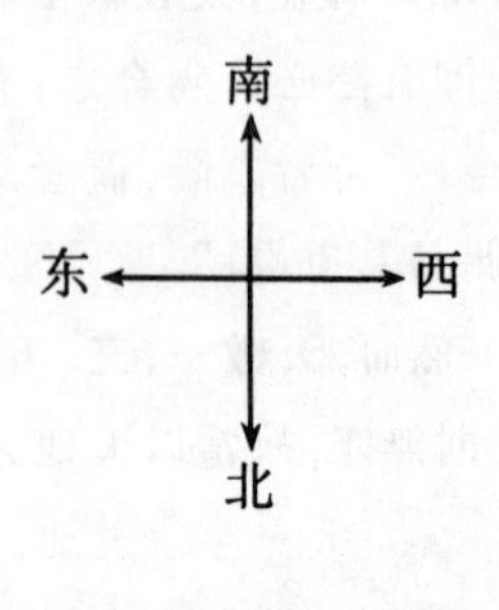

到了宋代,數字被黑白點所代替並繪成圖形,劉牧稱之為“洛書”,朱熹則稱之為“河圖”。

鄭玄的天地之數與五行之數的時空架構,是屬於他的宇宙論範疇的。在古人的心目中,天是圓的,地是方的。天圓在外,故稱天球;地方在內,故稱地體。他把天地之數分佈於四方,而四方之數的總和,正是一正方體在平面上投影的數字描繪。即:(1+2+3+4)+(6+7+8+9)=40。40乃四方形周邊之和,因此40÷4=10即其邊長。這是對地體為方的數字論證。因5、10在中央不在四方,所以在計算四方形之周長時,不應將5、10計算在內。朱熹將之稱為“河圖”並認為是圓的(見《易學啓蒙》),是不對的。

鄭玄關於天地之數的時空論是有所本的。在先秦和漢初的一些典籍,如《呂氏春秋·十二紀》、《禮記·月令》、《淮南子·時則訓》等著名的篇章中,即有天地之數、五行之義的空間方位及時間順序的論列,其理論淵源顯係道家和陰陽家。西漢末年,道家思想又一度成為時尚,嚴遵的“易老”合論,揚雄的《太玄》,魏伯陽的《參同契》即是著名的代表。尤其是《太玄》,在論及天地之數所含的五行之義時說:

> 三八為木,為東方,為春;……四九為金,為西方,為秋;……二七為火,為南方,為夏;……一六為水,為北方,為冬;……五五為土,為中央,為四維。”(《太玄·玄數》)

又說:

> 一與六共宗,二與七為朋,三與八成友,四與九同道,五與五相守。(《太玄·玄圖》)

《太玄》所包容的“渾天說”,含有天地生成的玄機;它所架構的五行、五方、萬物與四時相配的時空模式,含有“體自然”的精神,而所有這些,都是以道家思想為指導的。鄭玄正是以汲取此等先在的思想為前提,來豐富和完善自己的學說的。

(三)大衍之數

《繫辭》的"大衍之數"是專講以五十根蓍草揲筮成卦的方法的。但是後人對大衍之數的理解却見仁見智,形成了所謂"大衍義"。鄭玄立足於天地之數化五行的基礎上,對"大衍之數"提出了自己的見解。他說:

> 天地之數五十有五,以五行氣通,凡五行夬五,大衍又夬一,故四十九也。(《漢上叢說》引)

這是說,天數為二十五,地數為三十,二者之和為五十五。五行之氣布四方、通天地,因此在一至五和六至十的天地之數中,均含有五行之氣。不過六至十的五行之氣是由五行生數加五而來,即六之氣是由一加五而來,故六與一併成水於北;七之氣是由二加五而來,故七與二併成火於南;八之氣是由三加五而來,故三與八併成木於東;九之氣是由四加五而來,故九與四併成金於西;十之氣是由五加五而來,故十與五併成土於中。既然五行成數是由五行生數加五而來,因此必須減五,即他所謂的"五行各氣併,氣併而減五,惟有五十"。(《禮記·月令疏》引)

至於大衍為何又減一,鄭玄說:

> 以五十之數,不可以為七八九六卜筮之占以用之,故更減其一,故四十有九也。(《禮記·月令疏》引)

這是說,五十這個數經過運營,是不可能得出筮數七八九六的,無七八九六之筮數就不可能圖畫爻象,亦不可能成就卦體,所以要減一而用四十九。

鄭玄此論,比較樸實,没有迂曲神祕的意味。但問題的關鍵不在"減一",而在如何解析大衍的來歷及其形上義蘊。鄭玄認為,大衍之數來自天地之數,天地之數以五行氣通,故化為五行,因此大衍之數即是五行之數的總和。水之生數為一,成數為六;火之生數為二,成數為七;木之生數為三,成數為八;金之生數為四,成數為九;土之生數為五,成數為十。合水、火、木、金、土之數為五十有五,"因五行各氣併,氣併而減五,惟有五十,大衍又減一,故四十九也"。可見,大衍之數原本五十有五而祇取五十,此是由天地之數中的五行關係決定的。

《乾鑿度》中尚有一個大衍序列,它說:

> 五音六律七變,由此作焉。故大衍之數五十,所以成變化而行鬼神也。日十干者,五音也。辰十二者,六律也。星二十八者,七宿也。凡五十,所以大閡物而出之者也。

這是說,大衍之數五十是由日、月、星之數相加而來。五音配十干,其數為十。鄭玄云:"甲乙角也,丙丁征也,戊己宮也,庚辛商也,壬癸羽也。"六律(陽)益六呂(陰)配十二辰,其數為十二。七宿分居四方,四方七宿之和為二十八。10+12+28=50,此即大衍之數五十之來歷。《乾鑿度》的大衍序列與《繫辭傳》的大衍筮法是不同的,但經鄭玄詮解,二者之"生物"功能却趨於一致了。不過二者的側重面有異,前者凸顯的是其五行義,五行屬地,因此它所昭示的是"萬物資生";後者凸顯的是其天象義,日月麗天,故它所昭示的是"萬物資始"。鄭玄在詮釋《繫辭傳》的"精氣為物,遊魂為變"時,即重申其大衍五行義。他說:

> 精氣謂七八也,遊魂謂九六也。七八,木火之數;九六,金水之數。木火用事而物生,故精氣為物;金水用事而物變,故曰遊魂為變。精氣謂之神,遊魂謂之鬼。木火生物,金水終物,二物變化,其情與天地相似,故無所差違之也。(李鼎祚《周易集解》)

八木位於東方,東方震☳也,"萬物出乎震,雷發聲以生之也。"(《漢上易傳》引)七火位於南方,南方離☲也,"日照之使光大,萬物皆致養焉。"(同上)所以說木火用事而物生,故稱精氣為物。九金位於西方，西方兑☱也，“草木皆老，猶以澤氣説成之。”(同上)六水位於北方，北方坎☵也，“萬物之所歸也”。(同上)所以説金水用事而物變，故稱遊魂為變。木火金水循環往復，萬物則春生夏長秋收冬藏，成終而又成始，這即是大衍的功用，所謂“成變化而行鬼神(歸伸)也”。

這裏，鄭玄一方面肯定了七八、九六是五行氣數，七八為木火之數，木火發生作用而物生長，九六為金水之數，金水發生作用而物收藏，物的生滅同一年四季的變化是一致的。另一方面則强調了大衍之義乃在於法象天地，運數五行，從而成為化生萬物的法則，超越其自身的筮法義而具有了形上的哲學義。

鄭玄的“大衍義”，後來被稱為五行生成説，對中國易學、哲學的發展影響較大。魏關朗作《易傳·大衍義》即吸取了鄭玄的思想。他説：

> 蓍不衹法天地而已，必以五行運於中焉。

隋唐至宋代的易學圖，大都接受了鄭玄的觀點。如宋劉牧《易數鉤隱圖》之《洛書》，朱震《漢上易卦圖》之《五行數圖》均根據鄭玄的説法。而朱熹和蔡元定稱之為“河圖”者，也是根據鄭玄的五行之數圖畫而成，但與劉牧的“河圖”“洛書”之名稱相反。

二、卦氣與時空

卦氣説是漢易的中心内容，而其旨歸則是宇宙論。漢代的易學家認為，卦畫乃由陰陽爻構成，陰陽爻則為陰陽二氣的表徵，因此陰陽二氣在四季中的消長必然體現在卦爻體上。據此，他們將六十四卦三百八十四爻分主於一年的四時、十二月、二十四節氣、七十二候和三百六十五又四分之一日。卦氣説始於西漢的孟喜，孟氏以降,各家的卦氣說內容繁簡不一,但均是同中有異或異而趨同的。卦氣說的理論淵原是《呂氏春秋》的《十二紀》、《淮南子》的《天文訓》和《時則訓》、《禮記》的《月令》。《月令》是對《呂氏春秋·十二紀》的抄輯。對此鄭玄曾說:

> 名曰《月令》者,以其紀十二月政之所行也。本《呂氏春秋》十二月紀之首章也,以禮家好事抄合之,後人因題之名曰《禮記》。(《月令·正義》引)

陸德明也說:"此是《呂氏春秋》十二紀之首,後人刪合為此記。"(《經典釋文》)可見,它不屬於儒家作品。我們可以說,卦氣說是祖本於秦漢之際的道家的。卦氣說的核心內容,是以時空運轉對世界萬物的影響以及萬物在時空中的變化,說明萬物與其本原的關係,這與漢代哲學的中心議題是一致的,是在究天人之際。

鄭玄的卦氣說主要體現於兩個方面,一是對《乾鑿度》"天道左旋,地道右遷"的注解所形成的爻辰說;一是對《乾鑿度》"太一取其數以行九宮"的訓釋所形成的九宮時空說。

(一)爻辰說

《乾鑿度》的爻辰說,是承孟、京的卦氣說而來,而孟、京卦氣說之根基乃秦漢之際的道家,因此《乾鑿度》的爻辰說,其歷史淵原實為道家。不過,《乾鑿度》的爻辰說,自成體系,堪稱一家之言。鄭玄的爻辰說是從注釋《乾鑿度》而來,因此對《乾鑿度》的爻辰說,必須有所了解。《乾鑿度》說:

> 天道左旋,地道右遷。二卦十二爻而期一歲。乾陽也,坤陰也,並治而交錯行。乾貞於十一月子,左行陽時六;坤貞於六月未,右行陰時六,以奉順成其歲。歲終,次從於屯蒙。屯蒙主歲,屯為陽,貞於十二月丑,其爻左行,以間時而治六辰;蒙為陰,貞於正月寅,其爻右行,亦間時而治六辰。歲終,則從

其次卦。

很明顯,《乾鑿度》把《周易》六十四卦按通行本之卦序,兩卦組合一組,共分為三十二組。兩卦共計十二爻以配十二辰,則為一年。三十二組則配三十二年。三百八十四爻則值三十二年内的三百八十四個月。但是,每卦初爻所值之辰,是依孟喜卦氣説中六十四卦所對應的具體時節、月份而定。鄭玄通過對《乾鑿度》"爻辰説"的詮釋,建構起自己的自成體系的爻辰説。

《乾鑿度》所謂的"天道左旋,地道右遷"是漢人沿襲的古人觀念。漢人依據當時的天文知識,仍認為天自左向右旋轉,地自右向左移動。所謂"左旋"即天及日月星辰總是自東向西、自左向右運行;而所謂"右遷"則指大地是自西向東、自右向左運行。據此,乾䷀坤䷁所值之辰為:

乾爻辰圖	坤爻辰圖
九　月—左旋—戌	八　月—右　遷—酉
七　月———申	十　月— —亥
五　月———午	十二月— —丑
三　月———辰	二　月— —卯
正　月———寅	四　月— —巳
十一月———子	六　月— —未

鄭玄的詮釋則不同,按他的理解左右即前後之意。他説:"貞,正也。初爻以此為正,次爻左右者,各從次數之。"所謂"各從次數之",即各從其次爻間辰順數之。因此"乾貞於十一月子,左行陽時六,間辰而治六辰"即是:乾陽卦,其初爻值子,順旋間辰而行,二爻值寅,三爻值辰,四爻值午,五爻值申,上爻值戌。坤陰卦,追隨乾卦之後,其初爻值未,亦順旋間辰而行,二爻當值酉,三爻值亥,四爻值丑,五爻值卯,上爻值巳。以圖示之則為:

左行	右行
九 月——戌	四 月——巳
七 月——申	二 月——卯
五 月——午	十二月——丑
三 月——辰	十 月——亥
正 月——寅	八 月——酉
十一月——子	六 月——未
乾爻辰圖	坤爻辰圖

將《乾鑿度》的爻辰圖與鄭玄詮釋的爻辰圖作一比較,可以發現二者乾之爻辰圖相同,而坤之爻辰圖有異。原因在於,《乾鑿度》的坤爻辰圖為右遷即反旋,而鄭玄的坤爻辰圖為右行即順旋。在此基礎上,鄭玄從乾坤為陰陽之門户,衆卦之父母的視角出發,重新釐訂了另外六十二卦的爻辰。即凡陽爻所值之辰,同於乾卦該爻位之爻辰;凡陰爻所值之辰,則同於坤卦該爻位之爻辰。質言之,另外六十二卦,逢陽爻即從乾爻所值,逢陰爻則從坤爻所值。譬如困䷮,其六爻所值之辰為:初爻未,二爻寅,三爻亥,四爻午,五爻申,上爻巳。再如中孚䷼,其六爻所值之辰則為:初爻子,二爻寅,三爻亥,四爻丑,五爻申,上爻戌。

鄭玄的爻辰說所以這樣排列,是有原因的,它是以經驗作根據的,反映了人們對自然界順時變化的素樸認識。乾始於子,坤始於未,説明自然界陰陽二氣的產生與運行是與一年四季氣候的變化相一致的。陰陽二氣的消息盈虛,表現於十二辰均為順行,而非陽順陰逆。按照漢人對陰陽二氣產生的認識,陽氣產生於十一月,陰氣產生於六月。《漢書·律曆志》云:"十一月,乾之初九,陽氣伏於地下,始著為一,萬物萌動,……六月,坤之初六,陰氣受任於太陽,繼養化柔,萬物生長,茂之於未。"其實,按照古人的準確說法,陽氣生於子,陰氣生於午,所謂建子陽生,建午陰生。然而,陽統天功在資始,陰順地用以資生,陰不得與陽爭始,故立於其形成之月六月未。鄭玄説:"陽氣始於亥,生於子,形於丑,故乾位在西北。""陰氣始於巳,生於午,形於未,陰道卑順,不敢據始以敵,故立於正形之位。"若從生克制化之理言之,是因子午相沖,"若在沖也,陰則退一辰",故乾初爻始於子,坤初爻始於未而不始於午,乾坤兩體自初爻至上爻,分别表示陰陽二氣隨着月令的變化而出現的由開始到盛壯到結束的發展歷程。

鄭玄不僅以爻辰表時間,而且還以爻辰表空間,架設起爻辰的時空結構。他按照古天文學,將二十八宿與十二辰相配。十二辰所值之宿分别為:子值女、虚、危,丑值斗、牛,寅值尾、箕,卯值氐、房、心,辰值角、亢,巳值翼、軫,午值柳、星、張,未值井、鬼,申值觜、參,酉值胃、昴、畢,戌值奎、婁,亥值室、壁。

然後,鄭玄又以十二辰配十二律吕。律屬陽,以統氣類物,故六陽辰配六律:子配黄鐘,寅配太簇,辰配姑洗,午配蕤賓,申配夷則,戌配無射。吕屬陰,以旅陽宣氣,故六陰辰則配六吕:丑配大吕,卯配夾鐘,巳配仲吕,未配林鐘,酉配南吕,亥配應鐘。之所以如此相配,一方面是因為十二律吕與十二月内陰陽的消長密切相連,另一方面十二律吕之間也具有一種因應二氣的消長而産生的相生關係。鄭玄説:

> 黄鐘初九也,下生林鐘之初六。林鐘又上生太簇之九二。太簇又下生南吕之六二。南吕又上生姑洗之九三。姑洗又下生應鐘之六三。應鐘又上生蕤賓之九四。蕤賓又上生大吕之六四。大吕又下生夷則之九五。夷則又上生夾鐘之六五。夾鐘又下生無射之上九。無射又上生中吕之上六。(《周禮·太師》注)

將乾坤十二爻值以十二辰,配以十二律吕,再值以二十八宿,便形成了以爻辰為軸心的時空架構。它表明陰陽二氣在天地之間隨着一年四季、十二月的運轉而不停地消長變化、循環往復，而萬物亦遵從爻辰之架構春夏生長、秋冬收藏了。鄭玄之爻辰說，以圖示之如下：

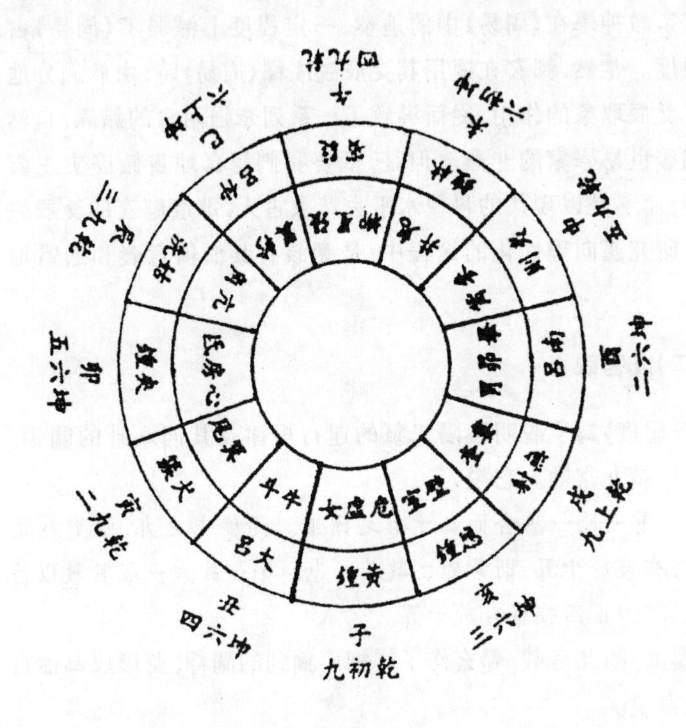

鄭玄正是以其爻辰說來詮釋《周易》的。如他注《比·初六》云："爻辰在未，上值東井。井之水，人所汲用缶。缶，汲器。"注《坎·六四》云："爻辰在丑，丑上值斗，可以斟之象。斗上有建星，建星之形似簋。建星上有弁星，弁星之形又如缶。"注《離·九三》云："艮爻也，位近丑，丑上值弁星，弁星似缶。"（以上引文見《詩·陳風·宛丘》之《正義》）再如，注《泰·六五》云："五爻辰在卯，春為陽中，萬物以生。生育者，嫁娶之貴。仲春之月嫁娶，男女之禮，福祿大吉。"（《周禮》疏）注《困·

九二》云:"二據初,辰在未,未為土,此二為大夫有地之象。未上值天廚,酒食象。困於酒食者,寀地薄,不足己用也。"(《儀禮》疏)

若客觀地加以審視,鄭玄的爻辰説乃是古代自然科學與易學相結合的産物。將自然科學知識如天文、曆法等用以注釋《周易》,縮小了宗教神學在《周易》中的地盤,一定程度上減弱了《周易》占筮的力度。當然,鄭玄在運用其爻辰説注釋《周易》時,由於過分地夸大了爻辰取象的作用,從而導致了一系列牽强附會的錯誤,自然要遭到後世易學家的非難。但是,衹要我們認真地貫徹歷史主義的原則,而不是以現代的科學水平去苛求古人,那麼鄭玄的爻辰説在易學研究邁向理性化的途程中,是應該有其價值意義和適當地位的。

(二)九宫説

《乾鑿度》為了説明陰陽二氣的運行規律及其同八卦的關係,提出了所謂九宫數。它説:

> 易一陰一陽合而為十五之謂道。陽變七之九,陰變八之六,亦合於十五,則彖變之數若一也。……故太一取其數以行九宫,四正四維皆合於十五。

對《乾鑿度》的九宫數,鄭玄作了詳細而獨到的闡釋,並形成為他自己的九宫説。

1.一陰一陽合而為十五之謂道

"易以道陰陽",此乃莊子的概括。"一陰一陽之謂道",則是《繫辭》的提升。但二者均為義理的沉思,而非象數之模式。鄭玄從象數學的角度,對"一陰一陽之道"作了全新的理解。他説:

> 五象天數,奇也;十象地之數,偶也。合天地之數乃謂之道。

一陰一陽之道，也就是陰陽運行之道，亦即是乾坤之道、天地之道。天數五，地數十，因此十五這個數就蘊涵了特殊的意義，它是天地的數化，也是天地之道的代稱。十五乃由七八相合、九六相合而來。因此筮數七八九六在天地之道中便有了特殊的義蘊和地位。筮數九六，其象為老陽、老陰，老陽、老陰在《周易》中為可變之爻，因此稱九六為變數；筮數七八，其象為少陽、少陰，少陽、少陰在《周易》中為不變之爻，因此稱七八為象數。鄭玄云：象"爻之不變動者。"可見，變與不變衹是就七八九六所成之爻象而言。就氣而言則是變的，陽變七之九，陰變八之六。陽主進，故變七之九，象其氣之息；陰主退，變八之六，象其氣之消。就陰陽之數説，陽七陰八，二氣相合為十五；陽九陰六，二氣相合亦為十五，這就是所謂"象變之數若一也"，亦即鄭玄所理解的"合天地之數乃謂之道。"其實，這個"道"不是別的，就是《繫辭》説的"一陰一陽之謂道"的那個"道"。不過，該"道"在這裏又被涂上了一層象數的油彩。

2.四正四維的八卦方位

《乾鑿度》説："太一取其數以行九宮，四正四維皆合於十五。"鄭玄注云：

> 太一者，北辰之神名也。居其所曰太一，常行於八卦日辰之間，曰天一，或曰太一。出入所遊息於紫宮之內外，其星因以為名焉。故《星經》曰："天一，太一，主氣之神。"

"太一"在先秦和漢初的著作，如《莊子·天下》、《吕氏春秋·大樂》、《禮記·禮運》、《淮南子·詮言》等篇中均指道。而在漢代的《周易》注中，有的稱太極為太一，如虞翻，有的稱太極為北辰，如馬融。鄭玄這裏認為，太一就是北辰，又名天一。它出入於紫宫内外，紫宫即紫微宫，又名紫微垣，其界域為北天極附近的天區，大體相當於拱極星區。古人認為北辰是主宰天體的天皇大帝，如《春秋緯·合誠圖》說："天皇大帝，北辰星也，含元秉陽，舒精吐光，居紫宮中，制禦四方。"又《春秋緯·文耀鈎》說："中宮大帝，其精北極星，含元出氣，流精生物也。"又云："中宮大帝，其北極星下一明者，為太一之光，含元氣以斗布常。"古人奉北極星為至上神，有下列原因：其一，認為北極主宰一年的氣候變化，因此根據二十八宿距離北極星的位置，可以測定二十四節氣的變化情況；其二，作為萬物始基的元氣，是由北辰吐出的，並且流佈四方而化生萬物；其三，將皇天大帝——北辰搬入人間，以安定封建社會之秩序，所謂"天一下行，猶天子出巡狩省方岳之事。"

那麼，太一如何行九宮呢？鄭玄說：

> 四正四維，以八卦神所居，故亦名之曰宮。……太一下行八卦之宮，每四乃還於中央。中央者，北神之所居，故因為之九宮。天數大分，以陽出，以陰入，陽起於子，陰起於午，是以太一下九宮，從坎宮始，坎中男。始亦言無適也。自此而從於坤宮，坤母也。又自此而從震宮，震長男也。又自此而從巽宮，巽長女也。所行者半矣，還息於中央之宮。既又自此而從乾宮，乾父也。自此而從兌宮，兌少女也。又自此從於艮宮，艮少男也。又自此從於離宮，離中女也，行則周矣。

鄭玄的詮釋，通過太一行九宮，揭示了後天八卦的方位與卦數。所謂四正四維，即指八卦的方位。四正，即南、北、東、西四方；四維，為東南、西北、西南、東北四隅。南北又稱經，東西又稱緯。所以鄭玄說："坎離為經，震兌為緯。此四正之卦為四仲之次序也。"就是說，坎配北方，為仲冬月；離配南方，為仲夏月；震配東方，為仲春月；兌配西方，為仲秋月。乾坤，雖是陰陽之主，六卦之父母，但不在四正，而在四維（四隅）。據鄭玄的解釋，是因為"陽氣始於亥，生於子，形於丑，故乾位在西北也。”“陰氣始於巳，生於午，形於未。陰道卑順，不敢據始以敵，故立於正形之位。”所謂“正形之位”即形成的方位，形成的方位為未，故坤位在西南。

太一行九宮及四正四維的八卦方位，圖示如下：

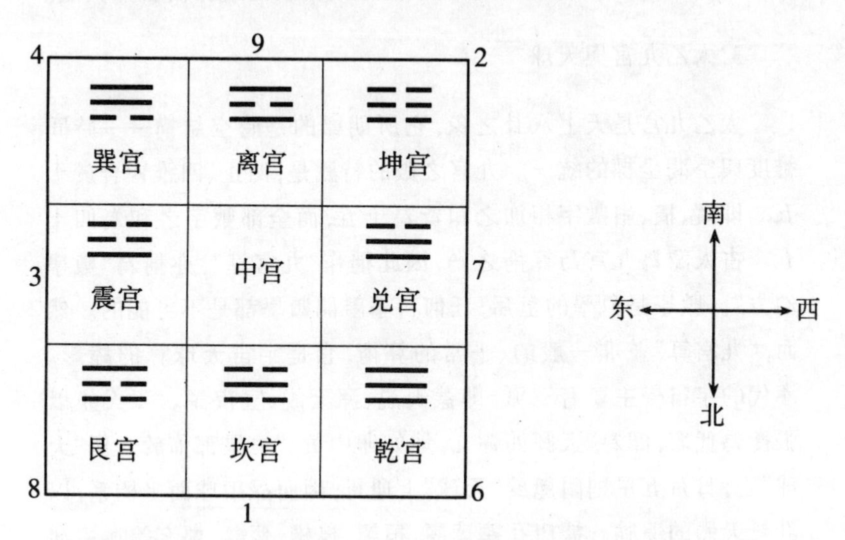

鄭玄説："四維四正，時之紀。"就是説，八卦是四時、十二月、二十四節氣的綱紀。震位二月，生物於東方；巽位四月，散物於東南；離位五月，長物於南方；坤位六月，養物於西南；兑位八月，收物於西方；乾位十月，剥物於西北；坎位十一月，藏物於北方；艮位十二月，終始萬物於東北方。《乾鑿度》説："八卦之氣終，則四正四維之分明，生長收藏之道備，陰陽之體定，神明之德通，而萬物各以其類成矣。"鄭玄注云：

> 萬物是八卦之象，定其位則不遷其性，不淫其德矣，故各得自成者也。

這是説，八卦的方位及卦氣是固定的，其象數結構也是固定的。天地及其氣象變化由此結構決定，萬物的生長收藏也由此結構決定，而且社會政治、人倫道德亦由此種結構決定。八卦的象數結構,使萬物確定了各自的與八卦相應的地位,並賦予和塑造了某物之為某物的德性(物性)。物性是不遷(移)、不淫(亂)的,從而各得自成也。所謂"各得自成",亦即事物按照陰陽消長的規律而自然天成。

3.太乙九宮與天球

太乙九宮是天上八卦之象,它所朗顯的是時空結構——時間維度與空間坐標的統一。九宮之數的特點是,四正、四維皆合於十五。即縱、橫、斜數字相加之和皆為十五,而全部數字之和為四十五。古人認為九宮乃算術之一,因此稱作"九宮算",亦稱為"數學幻方"。數學是科學的皇后,任何科學離開數學都是不可能的。然而,"九宮算"並非一般的、平常的算術,它是宇宙天球算的縮影。漢代的宇宙學主要有三派,即蓋天説、渾天説、宣夜説。渾天説以張衡為代表,認為"天圓如彈丸,地如卵中黃。"恒星都佈於一個"天球"上,日月五星則附麗於"天球"上運行,因而採用球面坐標系,以計量天體的運動。據唐孔穎達説,桓譚、揚雄、蔡邕、鄭玄等並主渾天説(參見《禮記·月令》疏)。八卦九宮數所表明的,正是一直徑為十五的球體(天球)投射於平面的數字佈局。球在平面的投影為圓,圓動則成球。八卦九宮數之總和為四十五,此乃圓周長度,四正四維皆合於十五則是直徑長度。按古人周三徑一的説法,十五而三之則為四十五。可見,九宮算是天球計量的縮影。宋代易學中的圖書學派,或視九宮數為河圖數如劉牧,或視九宮數為洛書數如朱熹和蔡元定。河洛之辯,在兩宋時期愈演愈烈,甚至不可收拾,且帶有濃厚的神學色彩,遺憾的是他們都没著意從河、洛所蘊涵的宇宙論的角度立論。應當特別指出的是,由蔡元定起稿、朱熹改定並以朱熹名義發表的《易學啟蒙》一書,將九宮數亦即他們所説的"洛書"理解成方的,説"方者,土也。方者洛書之文"則是錯誤的,因為九宮數是天球在平面的投影,是圓的而非方的。

十五這個數不僅體現了天體是圓的,而且體現了宇宙的和諧與統一,體現了天地人為宇宙的有機統一體。儘管這種思維路數是極其樸素的,但九宮數的宇宙學意義仍有其自身的價值。現代天文學仍然重視宇宙和諧論,並從天文學上幾個大數值的一致如狄拉克的大數假設,來印證天體的運行與和諧。而現代宇宙論則是在古代樸素宇宙學說的基礎上發展而來的,因此我們不可低估鄭玄九宮說的宇宙學價值。

三、宇宙與自然

無論是卦爻架設的卦氣結構,還是易數架設的九宮結構,其中都是氣(陰陽之氣、五行之氣)在永恒的運行和流轉着。那麼,氣究竟從何而來呢?天地又是怎樣產生的?這些問題不僅是漢代自然科學家所積極窮究的,也是哲學家和易學家熱衷於探討和求索的。

(一)道家宇宙論的再版

《乾鑿度》在探討宇宙的生成和演化方面,提出了比較系統的理論,認為宇宙是從無來的,天地是從氣來的。它說:

> 夫有形生於無形,乾坤安從生?故曰有太易、有太初、有太始、有太素也。太易者,未見氣也。太初者,氣之始也。太始者,形之始也。太素者,質之始也。氣形質具而未離,故曰渾淪。渾淪者,言萬物相渾成而未相離。視之不見,聽之不聞,循之不得,故曰易也。易無形畔。易變而為一,一變而為七,七變而為九。九者氣變之究也,乃復變而為一。一者形變之始,清輕者上為天,重濁者下為地。

這是一幅宇宙生成和衍化的模型,鄭玄把它詮釋為氣的產生及其流行和運轉的過程。鄭玄的理解是正確的。

天地之氣,必有終始。氣究竟從何而來?《乾鑿度》認為是從“無”而來。無即太易,故云“太易者,未見氣也。”鄭玄説:

> 以其寂然無物,故名之為太易。太易之始,漠然無氣可見者。

漠然無氣,則寂然無物。無物則無象可視,無聲可聞,無形可觸。因此它“視之不見,聽之不聞,循之不得”。太初,“元氣之所本始,寒温始生也。”太初產生了元氣,元氣包含陰陽,出現寒温之别。陰陽聚合成形,則“有兆始萌”,此謂太始。形性不離,質物不分,有物形之兆萌,必有質性之含合,此謂太素。宇宙的產生可分兩大時期,四個階段。第一時期為太易時期,第二時期為太初至太素時期。二期四段以氣數表示則為:

太易→一→七→九

鄭玄説:

> 易,太易也。太易之始,漠然無氣可見者。太易變而為一,謂變為太初也。一變而為七,謂變為太始也。七變而為九,謂變為太素也。
>
> 一主北方,氣漸生之始,此則太初氣之所生也。七主南方,陽氣壯盛之始也,萬物皆形見焉,此則太始氣之所生者也。[九主]西方,陽氣所終究之始也,此則太素氣之所生也。

從鄭玄的論述可以看出,宇宙在太易時期是“無”,在太初至太素時期是“有”,有之所以為有在於氣化,故太初、太始、太素是由於氣的內動,從而周流於不同的時間和不同空間方位所具有的不同性能。奇數為陽,偶數為陰,數相偶乃為道。故鄭玄説:

> 太易之變不惟是而已,乃復變而為二,亦謂變而為太初也。二變為六,亦謂變而為太始也。六變為八,亦謂變而為太素也。九陽數也,言氣變之終,二陰數也,言形變之始,則氣與

形相隨。

太易三變而氣形質具,但孤陽不生,獨陰不成。一、七、九必待二、六、八耦之乃為道。故從太易到太素,若以陰數表示則為:

太易→二→六→八

由此可見,太易化氣時,既化出了一七九的陽氣,亦化出了二六八的陰氣。由於時空不同,故陰陽的呈現也不同,陰陽二氣在不同時空所呈現的不同性能,纔使物成為此物而非它物,纔具有此物的氣形質。氣數是萬物形成的原因,萬物是氣數運轉的結果,無氣數則無萬物。此即鄭玄詮釋的宇宙生成與衍化的概貌。

《乾鑿度》的太易,就其產生與衍化萬物說,乃是世界的本原、本根,就其與衆有、現象對待說,則是宇宙本體。太易生天地,天地衍萬物,實是從無入有。《乾坤鑿度》云:"太易始著太極成,太極成,乾坤形。"注云:"太易,無也。太極,有也。太易從無入有,聖人知太易有理未形,故曰太易。"[①] 注"生復體"云:"生與性,天道精。還復歸本體,亦是從無入有。"將宇宙的生成與衍化,歸結為從無入有,實乃脱胎於先秦的老子,而又啓迪了魏晉貴無論玄學的理性精神。"太易"肖似老子的道,但與道不同。老子的道作為存在論範疇,有其客觀性;"太易"作為存在論範疇則是主觀設定的。這就決定了二者具有不同的價值和不同的命運。道成了中國哲學的重要範疇且其慧命常青,而後者則成為閃現即逝的没有客觀依據的虚假概念。"太易"未見於先秦著作,《列子·天瑞》篇述及"太易"的一段話,與《乾鑿度》雷同,若《列子》確係先秦著作,則《乾鑿度》之"太易"説顯係抄自《列子》,若《列子》為魏晉人所著,自然是《列子》抄襲《乾鑿度》了。

---

① 《乾坤鑿度》非鄭玄所注,但其思想與鄭注《乾鑿度》基本一致。為説明問題,故在此一併引用。

關於"太初",《莊子·天地》篇有所論述。它說:

> 太初有無,無有無名;一之所起,有一而未形。物得以生謂之德;未形者有分,且然無間,謂之命;留動而生物,物成生理,謂之形;形體保神,各有儀則,謂之性。

莊子認為宇宙的始基是"太初",這個"太初"也就是無。無者,言其無形、無象、無名、無為,此亦即道。由於道的活動,太初呈現為混一(渾淪)狀態,從而產生一;有一卻没有形體,但有陰陽之分;陰陽通過動静交感便產生了物,物各自呈現為自身的樣態即為形;形體與質性合一即是性,性使物具有了質的規定性。莊子關於宇宙生成和衍化的序列,可以表述為:

太初→一→物→性
(無→氣→形→質)

不難發現,《乾鑿度》的宇宙生成圖式,實是對《莊子·天地》篇修正後的翻版。

漢代的科學家和哲學家,普遍接受了先秦道家的宇宙論。即使不同哲學傾向或不同學派的哲學家也都深受其影響。鄭玄生活在這樣的學術氛圍中,自然也要受到影響並會吸取與他同時代的宇宙學説一些内容。其中,張衡的渾天説對他影響最大。張衡説:

> 太素之前,幽清玄静,寂寞冥默,不可為象。厥中惟虚,厥外惟無。如是者永久焉,是為溟涬,蓋乃道之根也。道根既建,自無生有,太素始萌,萌而未兆,並氣同色,渾沌不分。故道志之言云:"有物渾成,先天地生。"其氣體固未可得而形,其遲速固未可得而紀也。如是者又永久焉,斯謂龐鴻,蓋乃道之干也。道干既育,有物成體,於是元氣剖判,剛柔始分,清濁異位。天成於外,地定於内。天體於陽,故圓以動;地體於陰,故平以静。動以行施,静以合化。堙鬱構精,時育庶類,斯謂太元,蓋乃道之實也。(《後漢書·天文志》注)

張衡的宇宙演生序列,可表述為:

{溟涬→龐鴻→太元
道根→道干→道實

溟涬,《莊子·在宥》作涬溟,成玄英疏云:"自然氣也"。龐鴻,作鴻蒙,指統一的元氣。"太元",一作"天元",即天的原始。先秦時期,没有元氣之名,元氣是漢代的概念。《淮南子·天文訓》說:

> 道始於虛霩,虛霩生宇宙,宇宙生元氣,元氣有涯垠,清陽者薄靡而為天,重濁者凝滯而為地。

這說明,在漢初元氣已被認為是天地由以產生的根原和根據了。張衡正是直接繼承這種思想以建立其"渾天說"的宇宙學的。

張衡的宇宙論是元氣自然論,元氣是構成宇宙的質料,故其第一因為質料因。元氣發展的三階段,從道的角度說則相當於道根、道干和道實。將根、干、實予以變通而言之,則為始、壯、究。可見,鄭玄解釋一、七、九是與張衡的"根、干、實"論,有着密切關係的。但是,應當指出,鄭玄的宇宙論是象數結構論,認為陰陽之氣和天地萬物是從象數派生的,象數結構是宇宙的根據,故其第一因是形式因。

(二)對道家思想的運用

東漢後期,許多著名的經學家都兼治《老》、《莊》、《淮南》、《太玄》等。如馬融即有《老子注》和《淮南子注》,他著的《忠經》在《廣至理章》即專以道家的自然無為闡釋儒家的名教。鄭玄遊關西,曾從馬融學古文,其思想受馬融影響是很自然的。據《南齊書·王僧虔傳》推測,鄭玄可能也有《老子注》或關於《老子》的論著。[①] 王僧虔在《誡子書》中說:"汝開《老子》卷頭五尺許,未知輔嗣何所道,平

① 參見王利器:《鄭康成年譜》,齊魯書社,1983年版。

叔何所說,馬鄭何所異。"馬鄭即馬融與鄭玄。故鄭玄以老子思想注《乾鑿度》不僅是時代風尚所使然,而且也是思維自身合乎邏輯的發展。

鄭玄在《乾鑿度注》中所透顯的道家思想,歸納起來,有以下要點:

1. 自無入有,有生於無

鄭玄認為,宇宙是從無來的。在"無"的時期,因其"寂然無物,故名之為太易。"無如何生有? 鄭玄說,它是"忽然而自生。"既是忽然而自生,當然就没有什麼主宰者,也没有什麼神意的目的。元氣自起,陰陽自生,消息自變,萬物自通。因此他歸結說,天地本無形而得有形,則無形生於有形矣。"無形指無象、無狀,老子稱為"惚恍",鄭玄名為"渾淪",渾淪即混然一體之氣。他引老子的話說:"雖捨此三始(指氣、形、質之氣),而猶未有分判。老子曰:'有物混成,先天地生'。"老子的話是在《道德經》二十五章,該章是專門論述道的。"有物混成"是說道體是混樸狀態的,它混成無形,無名、無聲,是不可視、聽、觸的。"先天地生"是說道在時序上先於天地而存在,也可以說天地及萬物是由它所產生的。鄭玄的引用,是企圖說明太初、太始和太素是未有分判的渾淪物,雖然蘊含着氣、形、質的因子,但並未顯現。一旦顯現,便有了分判,天地由之以成、由之以立。可見天地也是氣化的結果,是從無形混成的"渾淪"來的。總之,鄭玄認為宇宙從無入有,有形生於無形,所貫穿的是老子的思想。

2. 自然無為,物性自得

自然是《老子》的重要範疇,也是老子基本精神的體現,所謂自然即自然而然,無任何的執著與心識而順其天然。自然的本質規定即是無為,祇有無為纔能自然,也祇有以自然為法纔能無為。在這一意義上可以說,無為也就是自然。鄭玄在《乾鑿度注》中所說的無為,基本與此相通。他說:易道無為,故天地萬物各得以自通也。所謂易道無為,也即是易道體自然,它不有意生天地,而天地自生;他不著意為萬物,而萬物自成,故云"天地萬物各得以自通"。通也者,得也,即《莊子》所謂"道通為一"的通。萬物自通則各得其性,因此物類由此而形成。人是萬物中之佼佼者,他能製造物,亦能利用物,但從其本原考察,與物無異。因天地人均為禀氣而生,由氣化成,理應效其本原,行、事自然。故鄭玄又說:

> 天地氣淳,人物恬粹,同於自得,故不相殊別。人雖有此(衣食器用之利)以用之,故行而無迹,事而勿傳也。

不惟如是,物之運動亦是發自物內,即發自物之自身。陰陽合化,是其自合自化,消長盈虛是其自消自盈,並沒有甚麼第一發動者。他說:

> 惟虛無也,故能感天下之動;惟清靜也,故能炤天下之明。天確爾至誠,故物得以自動;寂然皆專密,故物得以自專也。

虛無與清靜是老子思想的核心,它是道體自然無為的表現。老子曾說:"天地之間,其猶橐籥乎! 虛而不屈,動而愈出。"(《老子》第五章)太空是虛無狀的,而它的作用卻是不窮竭的,作用的根本表現就是虛中蘊動,動而愈出。因其虛,故不屈,故動;因其動,故生物,故化。由此,宇宙萬物當然就生化不竭了。這就是鄭玄所謂的"惟虛無,故能感天下之動"的根據。關於清靜,老子說:"清靜可以為天下正。"(《老子》四十五章)"不欲以靜,天下將自正"。(三十七章)清靜的作用,在於使物自正、使民自定。不煩不擾,淡泊不失,無為無欲,順物自然,如此則萬物和諧,光明四通。這即是鄭玄所謂的"惟清靜,故能炤天下之明"的根據。

總之,易道無為,而萬物"自生"、"自動"、"自得"、"自成"。王者也應"則天而行,與時消息,不可安而忘危,存而忘亡。"故鄭玄說:"效易無為,故天下之性莫不自得也。效易者,寂然無為之謂也。"

3.綱常名教,本於自然

《乾鑿度》認為,"易者,所以經天地,理人倫而明王道。"因此,它以八卦配五常。說:

> 八卦之氣成立,則五氣變形,故人生而應八卦之體,得五氣以為五常,仁義禮智信是也。

《乾鑿度》將八卦及五行之氣按其方位與五常相配,即震為木,據東方,配仁;離為火,據南方,配禮;兑為金,據西方,配義;坎為水,據北方,配信;中央為土,配智。所謂"道興於仁,立於禮,理於義,定於信,成於聖。五者道德之分,天人之際也。聖人所以通天意,理人倫,而明至道也。"

以五行配五常是漢代官方哲學的一貫思想,董仲舒即以五常解釋五行,將主管四季變化的五行說成體現了君臣、父子、夫婦之道,講甚麼"王道之三綱可通於天",宣揚神學目的論。鄭玄則力圖將五行自然化,認為綱常名教本於自然。他也論證"王道繼天地而已",提出"天地陰陽尚有尊卑先後之序,而況人道乎"的問題,但他的立足點和歸宿不是神學,不同於董仲舒的官方哲學。在鄭玄看來,所謂人倫、名教,不過是因順自然之序而為之,是本於自然的。他在注《乾鑿度》"於是人民乃治,君親以尊,臣子以順,羣生和洽,各安其性"時說:

> 順其度而導之,因其宜而制之,則天下之志通,萬類之情得也。
>
> 時有不贍,因製器以宜之。夫何為哉?亦順其自通而已耳。

這種思想，在《忠經·廣至理章》的注中，表現得尤為突出和明顯。譬如，他說：

順物之情，不任已欲。

用天下之視聽，則無不見聞也。

不疑於物，物亦信焉。不私於物，物亦公焉。

貪由有寶，寶去貪息。儉消於侈，侈除儉生。

見實知偽之惡，見遜知爭之失。

化行心易，咸服其淳。氣得天和，咸無夭折。

上述引文，無須多作解釋，便能感悟到鄭玄對道家特別是對老子思想的研究是深刻的，理解是精到的，運用也是純熟得當的。鄭玄之所以用老子思想疏解經義，一方面反映了當時的經學為了自身的生存和發展，正在向融會和綜合道家的方向發展。另一方面則是東漢末年的社會現實迫使經學家不得不沖破原有的教條，對一些問題重新進行思考。東漢王朝從和安之世就開始走下坡路了，宦官、外戚輪流擅權，他們採取極為卑劣的手段爭權奪利；使整個社會動蕩不安。降至桓靈之世，社會更其黑暗和混亂，經學所維護的綱常名教，被腐朽的統治集團踐踏殆盡，名教的聲譽，一落千丈。兩次黨錮之禍，將一大批高士名儒或殺戮或流廢，然而一些耿介之士和心存忠信的儒者，仍然幻想王朝中興，他們並不想在政治上與東漢王朝徹底決裂而推翻之，而是表現為與當政者不合作，希望革新吏治，重整綱常名教。鄭玄正是以這樣的心態，站在這樣的立場上來闡發他的名教本於自然的。不過，這和後來的玄學家所論述的同一命題，無論就政治的力度還是從思維的深度看，都是不可同日而語的。因為鄭玄是儒家不是道家，是經學家而非玄學家。

魏晉玄學的誕生，標誌着兩漢經學的終結。然而玄學所討論的一系列問題，實際上在東漢末年已由不同的哲學家和經學家，從不同的角度和不同的層面提出來了。祇是這些問題顯得零碎雜亂,不成體系,更不可能以一種嶄新的哲學形態出現。但是,漢末經學在魏晉玄學誕生過程中所提供的前提條件及其所起的某種催生作用,是不可忽視且應深入予以研究的。

虞翻的易説與老學

周立昇

内容提要　虞翻是漢易的集大成者，他不僅引用《老子》詮釋《周易》，而且運用老子的思想創立新説、抒發新義。他的“旁通説”、“伏爻説”等，即是以老子的辯證否定原理作為理論基礎的。虞翻的易説，折射出漢末學術界所湧動的一股崇尚道家的新風尚，這股風尚乃是魏晉玄學的濫觴。

虞翻（公元170—239年），字仲翔，會稽餘姚人。初在會稽太守王朗手下任功曹，孫策征會稽，王朗敗績，虞翻歸順孫策，復被命為功曹，後出任富春長，屢拒漢室征辟。孫權時，以為騎都尉。因虞翻秉性耿直，敢於犯顔直諫，常激怒孫權，故被貶謫，流放交州。在流放期間，仍講學不倦，門徒常數百人。

虞翻的著作有《周易注》、《老子注》、《論語注》、《國語注》，此外還有《周易參同契注》、《太玄注》及《明楊》、《釋宋》等文。《三國志·虞翻傳》載：“翻與少府孔融書，並示以所著《易注》。融答書曰：‘聞延陵之理樂，覩吾子之治《易》，乃知東南之美者，非徒會稽之竹箭也。又觀象雲物，察應寒温，原其禍福，與神合契，可謂探賾窮通者也’。”虞氏《易注》，影響很大，形成所謂虞氏易學。虞翻雖標榜為“蒙先師之説，依經立注”（《三國志》注引《翻别傳》），以象解經。然而他的《易注》却明顯地帶有道家色彩，即他不僅援引《老子》注《易》，而且運用老子思想創立了“旁通説”和“伏藏説”,企圖融《易》《老》於一爐,使儒道相契而通。可惜的是,虞翻的《老子注》早已亡佚,無法窺視其本貌,衹好就其《周易注》與老學之關係予以論説了。

一、援引《老子》注釋《周易》

虞翻的《周易注》被公認為“儒門正宗”,然而在其《易注》中也透露出一種新的風尚,即以道家思想釋《易》,這種新風尚正是魏晉玄學的濫觴。東漢時期,一些象數易家多是以《傳》解《經》,視《傳》為“聖典”,力主注不破《傳》的,虞翻即是如此。當我們將《易傳》與《老子》的思想作一比較,就會發現《易傳》的思想明顯地繼承了道家的思想並有所發展。當然,《易傳》也吸納了儒家和陰陽家的思想,但是從《易傳》的思想架構及其展開來看,顯然道家思想居於支配地位。拿天人關係來説,儒家的孔子講天人之學,是讓天屈尊於人,使天道服務於人道,從而賦予天以道德屬性。道家的老子講天人之學,則是崇尚天道,使人道順任天道,效法自然,從而突出“惟道是從”的思想。《易傳》的天人之學,明顯地接續着道家思想的脈絡。《説卦》云:“立天之道曰陰與陽, 立地之道曰柔與剛, 立人之道曰仁與義。” 這個囊括天地人的三才之道是以 “一陰一陽之謂道” 為道的。人要效天地, 法自然, 即或聖人也不例外, “天地變化, 聖人效之。” (《繫辭上》)因為衹有“明於天之道”, 纔能 “察於民之故”。(同上)可見,《易傳》不是按照人道來塑造天道,而是援引天道以論證人道,把天道的自然之則看作是人道的合理性之根據,這當然與儒家相悖而與道家會通了。現捃拾虞翻引老注《易》之文字並予以通詮如下。

(一)《乾·象傳》:“天行健,君子以自強不息。”虞氏注云:

君子謂三,乾健故強。天一日一夜過周一度,故自強不息。老子曰:“自勝者強”。

九陽性,三陽位,陽爻居陽位為得位,君子之象。三於三才之道為人道,人道應效法天道。周天為三百六十五又四分之一度,地球繞太陽旋轉,一日一夜過周近於一度。天地的旋轉,並非有甚麼主宰,而是其自身使然。地球之所以動行不休,是因為它無為自在,精健自勝,故能周行而不殆,獨立而不改。因此他引老子的話說“自勝者强”,老子的話是在《道德經》三十三章,其意為,衹有具備充沛的內在動力者,纔能自勝,也纔能剛强。虞翻的引用是符合老子原意的。

(二)《坤·象傳》:“地勢坤,君子以厚德載物。”虞翻注云:

勢,力也。君子為乾,陽為德,動在坤下。君子之德車,故厚德載物。老子曰:“勝人者有力也”。

“陰陽會通”是虞翻易學的根本觀念。坤為地、為陰,故會陽。坤旁通乾,故云乾為君子,陽為德。初陽生於下為震,震,動也,故稱動在坤下。《說卦》曰:“坤為大輿”。天覆地載,地載萬物故為大輿。君子應法天效地,法天之自强,效地之載物。自强要行健不息,載物須厚德有力,故虞翻引老子的話說,“勝人者有力也”。(引文見老子《道德經》三十三章)然而,老子並非主張“勝人”,而是崇尚“自勝”。虞翻的引用,衹是取其“有力”而已,因為無力則不能載物,故爾他訓勢為力,並以老子的話作為佐證。

(三)《繫辭下》:“子曰:顏氏之子,其殆庶幾乎!有不善未嘗不知,知之未嘗復行也。”虞翻注云:

復以自知。老子曰:“自知者明”。謂顏回不遷怒,不貳過,克己復理,天下歸仁。

復為息卦,陽息陰。陽長為善,陰積不善。《復·彖》云:“復亨,剛反動而以順行”。此謂陽剛窮乎上而反於下,亦即知不善而反於善之意。所以初九《象》曰:“不遠之復,以修身也”。虞氏遺象,坤為自、為身。復之初爻為乾陽，乾為知，陽為德。故云復為自知。並引老子的話説，“自知者明”。

一般認為，顔氏之子蓋指顔回，虞翻亦主此説。顔回是孔子的得意高足，正是這位“簞食、瓢飲”，“不遷怒、不二過”，“聞一知十”的顔回，最能體認老子的思想。曾參説：“以能問於不能，以多問於寡；有若無，實若虛，犯而不校——昔者吾友嘗從事於斯矣。”(《論語·泰伯》)吾友即顔回。所謂“有若無”、“實若虛”、“犯而不校”，正是老學的要義。虞翻此處援引老子的“自知者明”(《道德經》三十二章)以注《易》，卻是恰到好處。又，復之初爻與四爻相應，六四爻辭云：“中行獨復”。“《象》曰：中行獨復，以從道也。”中謂初，獨謂己，從道即復道。因此虞翻説：“克己復理，天下歸仁”。他把“禮”訓作“理”，理即是道。克己復道，天下歸仁，這雖有悖孔學要旨，却符合老學要義，由此可見，虞翻也是在努力會通儒道。盡管他解《傳》文曲以成説，但他對老子思想的理解以及對易老契合的運用，却未曾歪曲。

(四)、《震·象傳》：“洊雷震，君子以恐懼修省”。虞翻注云：

> 君子謂臨二。二出之坤，四體以修身，坤為身。二之四，以陽照坤，故以恐懼修省。老子曰：“修之身，德乃真也。”

洊，再。震卦，上下體皆為震，震為雷，故云洊雷震。震為二陽四陰卦，自臨來，臨二之四即為震。陽為君子，故云君子為臨二。二出之坤，即臨二之上體坤初，則四體亦為震。四應初，但失位，初命四變以應己則為《復》。《復》之初爻《象》曰：“不遠之復，以修身也。”故云四體以修身。陽為德，坤為身，二之四乃以善德照自身。但四失位又多懼(《繫辭下》“二多譽四多懼。”)故云以恐懼修省。隨之，虞氏即援引老子的話作結語説：“修之身，德乃真也。”(引文見《道德經》五十四章)這兒，虞翻注《震》卦之《象》，並非單注《震》之《象》，而是從總體上以老子思想通解《震》卦。《震》為諸侯卦，徵之《左傳》“畢萬筮仕於晉,遇屯之比。辛廖占之曰:'吉。屯固比入,吉孰大焉。……公侯之卦也'。"(《左傳·閔公元年》)及逸《禮·王度記》"諸侯封不過百里,象雷震百里"。(轉引自李道平《周易集解纂疏·屯》)故爾虞氏注《屯》卦辭,亦援引了《老子》。

(五)"屯,元亨,利貞。勿用有攸往,利建侯。"虞氏釋"利建侯"云:

震為侯。初剛難拔,故利以建侯。老子曰:"善建者,不拔也。"

屯之上體為坎,下體為震。震,剛柔始交,初爻陽剛在下,猶似乾之初爻。《乾·文言》曰:"確乎其不可拔,潛龍也。"故云初剛難拔,並引老子的話說,善於建樹的,不可能被拔除。(原文見《道德經》五十四章)《震》卦辭曰"震驚百里,不喪匕鬯。"此即老子所謂"善抱者不脫"。《震·象》曰"出可以守宗廟社稷,以為祭主也"。此乃老子所謂"子孫以祭祀不輟"。如此說來,虞翻何以祇引"修之身德乃真"而不引其他話語呢?這是因為修身乃鞏固根基,祇有根深柢固,纔能不拔、不脫和不輟,說明虞翻是熟諳《老子》的。他是在融會貫通老子思想的基礎上援引《老子》注釋《周易》的。

二、運用老學標立新説

虞氏易學集漢易之大成,對後世影響很大。尤其他所創立的一些新說,更是漢易發展到頂顛的標誌。然而,人們對虞氏創立的新說,往往將關注的重點置於其外在形態上,去摹略其然,而很少追尋其內在根據,探究其所以然。對其新說的理論根據,更是鮮為人所涉足了。我們在研究虞氏《易注》的過程中,發現虞翻之所以能够創製新說,推出新論,是因為他將道家特别是老子思想作為理論基礎,並能予以靈活運用的結果。

(一)旁通說與"正言若反"

旁通說,在《周易》經文中並不存在,傳文中雖有:"六爻發揮旁通情"(《乾·文言》)和"旁行而不流"(《繫辭上》)的話語,但那並非作為筮占的原則或體例而出現,也不具有陰陽對待的含義。因此,旁通說實為虞翻的發明和創造。所謂旁通,就卦體而言,即兩卦的六爻畫皆相反,因其相反,故爾旁通。如乾與坤、屯與鼎、需與晉、師與同人等。就爻而言,陰爻與陽爻旁通。但在虞氏易例中,凡爻之旁通及經卦之旁通者,一般不稱旁通而稱之為"伏",因此我們將之標識為"伏藏",以便與旁通分立,以示區別。下面,先講旁通,並以實例進行評說。譬如,

虞翻注《小畜》"九三,車說輹"云:

> 豫坤為車、為輹,至三成乾,坤象不見,故車說輹。馬君及俗儒皆以乾為車,非也。

小畜☴,上巽下乾,車、輹之象不見,故虞氏以小畜之旁通卦豫☳作解。豫之下體為坤,《說卦》"坤為大輿,為腹"。大輿即車,腹通輹,故云"豫坤為車、為輹"。復息至三則成乾,乾成則坤象不見。二至四互兑,兑為毀折(見《說卦》)。坤車没滅,車、輹毀折,故爻辭云"車說輹"。馬君指馬融,此為虞翻對馬融及俗儒的非議。又如,

虞翻注履卦辭"履虎尾,不咥人,亨,利貞"云:

> 謂變訟初為兑也。與謙旁通。以坤履乾,以柔履剛。謙坤為虎,艮為尾。乾為人,乾兑乘謙,震足蹈艮,故履虎尾。兑悦而應,虎口與上絕,故不咥人。剛當位,故通。俗儒皆以兑為虎,乾履兑,非也。兑剛鹵,非柔也。

履為一陰五陽之卦,按卦變之正例,凡一陰五陽之卦,皆從夬、姤來,因虞氏無此易例,故注為"變訟初為兑也"。訟☰,初爻變,則下體為兑,上乾下兑即為履☰。虞翻認為,履卦既無虎象,亦無尾象,

故爾"履虎尾"便無着落。為使卦辭與卦象呼應,虞氏即用履之旁通卦謙來作解。就爻畫言,履䷉與謙䷎為對立卦。所謂對立,即兩卦之爻畫皆相反。謙之上體為坤,其下體為艮。坤為虎。《乾·文言》"風從虎",虞翻曰:'坤為虎,風生地,故從虎也"。《說卦》云,"艮為狗,為黔喙之屬"。黔喙之屬即虎狼之類。艮二陰爻在下,象四足;一陽爻在後,象尾巴。故云艮為尾。履之上體乾為人,三至五爻互巽,巽伏震,震為足。履之下體為兑,兑伏艮,故云"震足蹈艮"。這樣,履卦便蘊含了"人用脚踩着老虎尾巴"之意。《說卦》"兑為悦,為口",且與上九相應,故云"兑悦而應"。但中有二陽爻隔絶,其應受阻,故云"不咥人"。虞翻還批評了俗儒以兑為虎及以乾履兑説的錯誤。不過,虞翻的説解,同樣也遭到了後世易家的非議,因為虞翻明顯地是曲以成説。然而,他的"曲以成説"之象數論,却蘊涵着深沉的形上哲思,這便是老子的"正言若反"原理。

"正言若反"是老子對辯證否定原理的簡明概括。這種思維方式是通過對否定方面的肯定實現對肯定的肯定,或者説是由肯定"負"的方面從而保存"正"的方面。從認識論的維度審視,則是借助自身的對立面以認識自身。黑格爾説:"理性在他物中認識到此物",(《哲學史講演録》第1卷,第300頁)所謂"在他物中認識到此物"。亦即通過對自身對立物的認識以反觀自身,從而加深對此物(自身)的理解,以便更準確地把握此物。老子説:

> 明道若昧,進道若退,夷道若纇,上德若谷,大白若辱,廣德若不足,建德若偷,質真若渝。(《道德經》四十一章)

又説:

> 大成若缺,其用不弊。大盈若沖,其用不窮。大直若屈,大巧若拙,大辯若訥。(同上,四十五章)

凡此,均屬"正言若反"的論斷,即借助與此物對立的他物以認識此物。可見,肯定與否定之間,並非絶然對立的,而是相互依存、相互轉化的。把握了否定方面的内涵,更能顯現其肯定方面的義藴。質言之,從事物的否定方面來了解其肯定方面,比從肯定的方面來了解自身更為深刻、更加全面。因為肯定的東西潛伏着自身否定的因素,正是這否定的因素纔代表了該事物的發展方向。

虞翻的旁通説,正是從某卦的否定方面亦即從其旁通之卦來解釋和説明某卦的。例如,我們上面分析的《小畜》與《豫》及《履》與《謙》之旁通關係,即其印證。準此,則虞氏凡言旁通者,無不體現着老子"正言若反"的思想要義。

(二)伏藏説與"福兮禍所伏"

伏藏,實即旁通,或曰旁通之變例。不過在虞翻那兒,旁通衹就六爻皆相錯的别卦而言,而伏藏則就八經卦或某爻的相錯而言。

1.爻的伏藏

爻的伏藏有兩種情況,一為陽伏陰下,一為陰伏陽下。虞翻對前者運用較多,而對後者則鮮為涉及。如:

他注《觀》"初六,童觀,小人無咎,君子吝"云:

> 艮為童,陰小人,陽君子,初位賤。以小人乘君子,故無咎。陽伏陰下,故君子吝矣。

觀䷓,初四相應,四體艮(亦即三至五互艮),艮為少男,為童。陰喻小人,陽喻君子。陰卑賤,初低下,故稱"初位賤"。初六,以陰爻居陽位,故云"以小人乘君子"。初雖為陰,但陰中潛陽,陰陽會通,故云"陽伏陰下"。觀為消卦,陰得勢,陽失勢,有小人道長、君子道消之象,故稱君子吝。再如:

虞氏注《解》"上六,公用射隼於高庸之上,獲之無不利"。云:

> 上應在三,公謂三,伏陽也。離為隼。三失位,動出成乾。貫隼,入大過死象。故公用射隼於高庸之上,獲之無不利也。

解䷧,上六與六三相應,六三為陰,而陰者陽之所伏。伏陽動出則成乾,亦即六三動出則二至四體乾。乾為賢人,賢人即公,故稱"公為三"。但三為陰,陰喻小人,與"公"不符。如何解決這一矛盾呢?祇好以陰之對立面作解,此即虞氏所謂"三伏陽也"。對此,虞氏在解《繫辭下》"子曰:隼者禽也,弓矢者器也,射之者人也"時,說得更為清楚。彼云:

人,賢人也,謂乾。三伏陽,出而成乾,故曰射之者人。人則公。三應上,故上令三出,而射隼也。

2.經卦之倚伏

關於經卦的倚伏,虞翻明言者祇三處。現舉二例解讀如下:

其一,《蒙》"九二,包蒙吉,納婦吉,子克家。"虞氏注云:

坤為包,應五據初,初與三、四同體,包養四陰,故包蒙吉。震剛為夫,伏巽為婦,二以剛接柔,故納婦吉。二稱家,震長子,主器者,納婦成初,故有子克家也。

蒙䷃,上體為艮,下體為坎。三至五互坤,坤為母、為布(見《說卦》),母、布均有包養之意,故云坤為包。九二,上應六五,下據初六。初六與三、四均為陰體,故稱同體。一陽包養四陰,故云"包蒙吉"。二至四互震,震屬陽卦為剛,震為長男、為夫。震之伏為巽,巽為長女、為婦,九二以震剛接巽柔,即以長男接長女,故云"納婦吉",初爻為元士,二爻為大夫,大夫稱家,又在內卦,故云"二稱家"。震為長子,乃承續和能治家業者,納婦成家則家道正乎內,因此初、二當易位,易位得正,則下體變為震,故有子治家之象。很明顯,此處虞翻是以"經卦之倚伏"以作解的。

其二,《否·象傳》曰:"天地不交否,君子以儉德辟難,不可營以祿。"虞氏注云:

君子謂乾。坤為營,乾為祿,難謂坤,為弒君,故以儉德辟難。巽為入，伏乾為遠，艮為山，體遯象，謂辟難遠遁入山，故不可營以禄。

否☰☷，上體為乾，下體為坤。乾為賢人、為君子。營指暗裏私營，坤為陰、為暗（見《説卦》），故坤為營。乾為陽、為大明，禄是明的，故稱乾為禄。否為消卦，坤陰為奸，乾為君，陰消陽，故云"難謂坤、為弑君"。二至四互艮，艮為慎，乾為敬。處此境遇下，乾君祗好以敬慎儉約之德以避難。三至五互巽，巽為入。下體坤之伏為乾，乾為天，天道遠，故云"伏乾為遠"。二至上，五爻連互體遯，《遯·象》曰"君子以遠小人，不惡而嚴"。意謂當此之時，君子應遠遁山中以避小人發難，而不可營以禄。況且坤消乾禄，焉有禄哉？顯然，虞翻在此是用"伏乾"以作解的。

老子説："禍兮，福之所倚；福兮，禍之所伏"。（《道德經》五十八章）這裏，老子以通俗而形象的語言，揭示了辯證法的一條根本原理，即對立的兩極是互相倚伏的。所謂倚伏，不僅指對立的雙方相互依存，不可分離，而且表現着對立面之間互相聯結、相互滲透，你中有我、我中有你的兩極互生態勢。所謂互生，即指任何事物無不包含着自身對立面的種子，正因如此，對立之兩極纔能互相轉化。故爾，老子總是從無中看到有，從弱中看到强，從虚中看到盈，從禍中看到福，以及對立面之間的相互轉化。黑格爾在評論赫拉克利特的辯證法思想時説："理性在他物中認識到此物，認識到在此物中包含着此物的對方。"（《哲學史講演録》第1卷，第300頁）所謂"認識到在此物中包含着此物的對方"，也就是認識到在肯定的事物中包含着否定的因素，包含着自身對立面的種子。

虞翻的"伏藏説"，正是以此作為理論根據的。在他看來，陰陽兩極不僅對立而且統一，陰中伏陽，陽中伏陰，陰陽互伏，故可會通。虞翻説："陰極陽生，乾流坤形"。（《坤》卦辭注）他對某爻、某卦（此指經卦）的詮釋，並不局限於某爻或某卦自身，而是用其伏爻或伏卦予以闡釋。充分體現了老子的對立兩極互相倚伏的思想。

三、並非結論的結論

漢代的易學實為兩派,一為道家系,一為儒家系。屬道家系者如司馬季主、《淮南道論》、授予孟喜和焦贛《易》的隱士、嚴遵及嚴遵的學生揚雄擬《易》所作之《太玄》等。屬儒家系者,因人員殊多,兹不具列。東漢末年,由於諸種原因的交織,特別是由於社會、政治的原因,促使思想文化領域發生着巨大的變化。一些著名的思想家、經學家逐漸傾向道家、吸納道家,兼習《老》《莊》。如享有很高聲譽的經學大儒馬融,就有《老子》、《莊子》和《淮南子》注,其高足著名的經學大師鄭玄則以道家思想注《易緯》。另有荆州學派的主帥宋衷為《太玄》作訓注;還有道教人物魏伯陽援《易》入丹道著有《周易參同契》等等。正是在這種學術氛圍的薰染下,纔有虞翻援《老》引《契》以注《易》的虞氏象數學。關於虞翻運用《參同契》注解《周易》的問題,限於篇幅,兹不贅説,筆者將以專文論述。盡管虞翻的《周易注》明顯地承襲了《易》《老》會通的思想,並在自己的《易》注中予以靈活運用。不過,作為經學象數易的最後一位大師,虞翻的思想從總體來看並不屬於道家,而仍然歸屬於儒家的行列。這裏的問題不在於虞翻屬於何家何派,引起我們重視的是漢末思想界所湧動的一股學術思潮和風尚,它力圖使易老契合、儒道會通。降至魏晉,玄學家所煽起的易學玄風,不正是漢末這種學術風尚合乎邏輯的發展嗎?

論王弼易學之時代精神與歷史意義

張善文

內容提要 任何一位富有時代精神,站在時代思想前列的哲人,其所創立的學說必然具有不可抹煞的歷史意義;而任何在歷史上產生經久不衰的學術影響的卓越學者,其學說也必然展示着時代的精神本質,其人甚或是主導時代精神的學術領袖。

三國時期的一代英才王弼,正是這樣一位非凡的哲學大師。他的治《易》成果在中國《易》學史上的劃時代貢獻,是他獨具創造性的思想精華之閃光所在。

王弼(226—249),三國魏山陽(今河南焦作東)人,字輔嗣。作為建安七子之一王粲的侄孫,或許因遺傳與家學的交相作用,他少年時即聰慧異常,十餘歲便喜好《老子》,通辯能言。當時的著名學者何晏任吏部尚書,十分驚奇王弼的才華,常引為座上客,讚歎曰:"仲尼稱後生可畏,若斯人者,可與言天人之際乎!"王弼以精通玄理聞名於世,對《周易》研治尤深。正始十年(249)秋,染疾身亡,年僅二十四歲。令人驚歎的是,這位僅度過二十四個春秋的青年學者,却奇迹般地留下了《周易注》、《周易略例》、《老子注》、《周易大衍論》、《老子指略》、《論語釋疑》等多種著作,在中國《易》學史,乃至整個中國哲學史上產生了十分深遠的影響。無怪乎《三國志·魏志》注引何劭《王弼傳》對其有"天才卓出"之評。

王弼的《易》學,是他全部哲學思想的核心,最集中反映了他所處的時代精神,最具有深遠的歷史意義,也最牽動着歷代學者的學術心弦。

中國《易》學發展到魏晉時期,發生了一次根本性的轉變。轉變的主要標誌,便是王弼以玄理解《易》為宗旨的《周易》學說的崛起。這位年輕的傑出《易》家所創之説,以振聾發聵的氣勢衝垮了兩漢《易》家沿襲了四百多年的"象數"學積弊,獨標新幟,改變了一代學術風氣,開闢了宋代《周易》義理學之先河,並影響了中國此後一千多年《易》學發展的歷史。

魏晉風度,玄學至尚,士大夫者流,言必稱《易》、《老》、《莊》,行必追清虛自然。王弼生活於魏正始間,正是清玄之風大暢之時,而以自然高拔的玄學造詣特出於衆多名士之上,這從當時名宿何晏與王弼交往的故事中可以得到頗為生動的印證。《世説新語·文學》載:

> 何晏為吏部尚書,有位望,時談客盈坐,王弼未弱冠往見之。晏聞弼名,因條向者勝理語弼曰:"此理僕以為極,可得復難不?"弼便作難,一坐人便以為屈。於是弼自為客主數番,皆一坐所不及。

面對舉坐清談之客,"未弱冠"的王弼居然將何晏自命為"勝理"的精論質難得羣士啞口無言而"以為屈";更有甚者,他又能自設難自答辯,"自為客主數番",把何晏的"勝理"反復論説得精微透徹,"皆一坐所不及"。由此足見王弼的思辨能力之超羣絶倫。《世説新語·文學》又有兩處關於何、王注《老子》的類似記載:

> 何平叔注《老子》,始成,詣王輔嗣,見王注精奇,乃神伏曰:"若斯人,可與論天人之際矣!"因以所注為《道德二論》。

> 何晏注《老子》未畢,見王弼自説注《老子》旨。何意多所

短,不復得作聲,但應諾諾。遂不復注,因作《道德論》。
這兩處記載大致類同,而情節可以互補。前者記何晏以孔子之語稱許王弼,後者描述何晏對王弼之説"諾諾"連聲,嘆服不已。其結局皆言何晏見王弼之《老子注》乃放棄已注,改作《道德論》。可見何晏對這位"後生"學養之心服口服,到了無以復加的程度。

至於王弼在《易》學上超越前人、獨步千古的非凡建樹,更是提取了時代精神之本質,充分發揮《老子》、《莊子》思想的精華,以玄學闡釋《易》理,援老、莊理論以融合於儒學,創立了一套富有生命力的面貌一新而義理深邃的《易》學體系。就其最突出的角度觀之,王弼《易》學精粹之處在於它的不朽的時代精神與永恒的歷史意義。為了更明確地論述這一問題,本文擬從王弼《易》學的世界觀、行為論、思辨性、影響度等四方面試為剖析。

一、王弼《易》學的世界觀:
推尚自然,崇本息末。

魏正始間,文人學者所追慕嚮往的至高境界,無非自然之道,舉世紛紛以自然為本,以形飾為末,相互推許,蔚為一代盛行之風。王弼的世界觀、認識論也不外乎此,但所不同於俗的是,他把這種發端於老、莊的觀點,加以發揮升華,與儒家學說相融不悖,並以之闡説《易》理,成為他獨標於世的《易》學理論體系的一個重要核心。

《老子》二十五章有一節名言:"人法地,地法天,天法道,道法自然。"這是把包括天、地、人在內的萬物之本,皆歸宗於"自然",為後世治玄學者所反復取法。王弼《老子注》對此作過精辟的論析:

> 法,謂法則也。人不違地,乃得全安,法地也。地不違天,乃得全載,法天也。天不違道,乃得其性,法自然也。法自然者,在方而法方,在圓而法圓,於自然無所違也。自然者,無稱

之言,窮極之辭也。用智不及無知,而形魄不及精象,精象不及無形,有儀不及無儀,故轉相法也。道法自然,天故資焉。天法於道,地故則焉。地法於天,人故象焉。(按,本文所引王弼之說,皆採自樓宇烈《王弼集校釋》,下倣此。)

何謂"自然",據王弼的解說,其為無形無質而又隨處皆在的事物發展的"規律",所謂"無稱之言,窮極之辭",故萬物皆當沿其道而發展,"在方而法方,在圓而法圓",纔能順合事物之本然規律,"於自然無所違也"。在這一問題上,王弼將形魄、精象推本到"無形",將"有儀"推本到"無儀",也就是强調"自然"之本——無。《周易》的《繫辭上傳》稱"形乃謂之器,見乃謂之象",又曰"《易》有太極,是生兩儀",一切形、象、儀皆為萬物之外表存在,而"太極"(或謂"無")則為"自然"之本體。於是,王弼所言"用智不及無知,而形魄不及精象,精象不及無形,有儀不及無儀",正是萬物均當取法於"自然"之所以然。換言之,任何事物在發展過程中,皆不可偏離自然之本,或時時需要返本歸真。

王弼在注解《周易》的《復》卦《彖傳》"復其見天地之心"時指出:

復者,返本之謂也。天地以本為心者也。凡動息則靜,靜非對動者也;語息則默,默非對語者也。然則天地雖大,富有萬物,雷動風行,運化萬變,寂然至无,是其本矣。故動息地中,乃天地之心見也。若其以有為心,則異類未獲具存矣。

《復》卦象徵事物被消剥削落之後,一元之氣復蘇,又重新回復其本有之陽剛正氣,返本而歸元,故王弼逕言"復者,反本之謂也"。謂之正氣、本氣者,實即萬物最初自然之氣,是事物賴以生存的根本——亦稱元氣。正如嚴冬過後,天地萬物之元氣回復,重萌生機,一切生命力又展現出欣欣向榮的景象。可見,無形無質的"自然"之氣,是萬物生命之源、發展之本,於是王弼反復揭明"天地以本為心”,“天地雖大,富有萬物”而“寂然至无是其本”。如此闡述,便將《彖傳》所言“復其天地之心乎”的本質内涵揭示得透徹無疑。同時,《復》卦的《大象傳》又稱:“雷在地中,復;先王以至日閉關,商旅不行,後不省方。”意思是:震雷在地中微動,象徵陽氣回復;先代帝王因此在陰陽之氣初動的冬至、夏至兩天閉關静養,商賈旅客不外出遠行,君主也不省巡四方。古人以為,冬至一陽初萌而陰氣歸復於静,夏至一陰初萌而陽氣歸復於静,這兩天從君主到百姓皆配合天地自然之氣的轉化而静居涵養。王弼對此也分析說:

> 冬至,陰之復也;夏至,陽之復也。故為復,則至於寂然大静。先王則天地而行者也,動復則静,行復則止,事復則無事也。

必須注意的是,王弼把《復》卦的本旨歸結為“至於寂然大静”——這便是他所經常强調的“本”,即“自然”之道的本體、本根,天地的運行變化不能違此,人類社會的發展也同樣不能違此。這也是他在注解《老子》“道法自然”中所説的“於自然無所違也”。顯然,《老子》提倡的“自然”,在王弼的發揮下,已昇華為一種理論色彩更為濃厚的不囿於一家一派的世界觀或認識論。

人們常謂王弼援引老、莊玄理以解《易》,殊不知他也常常引《易》以解《老》。在闡説《老子》三十八章“上德不德,是以有德”諸句時,他就融入了《周易》的《復》卦之旨:

> 是以天地雖廣,以無為心;聖王雖大,以虚為主。故曰以“復”而視,則天地之心見;至日而思之,則先王之至覩也。故滅其私而無其身,則四海莫不瞻,遠近莫不至;殊其己而有其心,則一體不能自全,肌骨不能相容。是以上德之人,唯道是用,不德其德,無執無用,故能有德而無不為。不求而得,不為而成,故雖有德而無德名也。

這裏把自然虚無視為天地之心,視為“上德”之德,與《復》卦所明

“復其天地之心”的旨趣全然契合，而王弼所欲闡發的“自然”之道在此又一次得以弘揚。

《周易》的《乾》卦《文言傳》提出“閑邪存其誠”的命題，認為防止邪惡(閑邪)必須以存誠守正為本，即守住自然本有的無邪之心，纔能真正達到“閑邪”的目的。這一點，與王弼推尚自然，崇本息末之説也至為合拍。再看《訟》卦《大象傳》曰：“君子以作事謀始”，表明“君子”對爭訟現象的看法，於置身諸事之前先謀劃其始，以止訟於未萌，防訟於未然，這種主張，儼然也是推始其本而止息其末的具體表現。因此，王弼指出：

> “聽訟，吾猶人也，必也使無訟乎！”无訟在於謀始，謀始在於作制。契之不明，訟之所以生也。物有其分，職不相濫，爭何由生？訟之所以起，契之過也。故有德司契而不責於人。

這段論述，先引用孔子的話：“子曰：聽訟，吾猶人也，必也使無訟乎！”(《論語·顏淵》)可謂一語點明要旨：凡事以“無訟”為根本之道。那如何作到“無訟”呢？在於“謀始”，在於“作制”，即於最初先明確制度、契約，而“有司”執此，則其本已治，訟無由生矣。故《老子》七十九章云“聖人執左契，而不責於人”，王弼注曰：“有德之人，念思其契，不令怨生而後責於人也。”其説正與《訟》卦《大象傳》之注相照應。

在《老子指略》中，王弼更進一步提出“崇本息末”的觀點，並結合《乾》卦《文言傳》“閑邪存誠”及《訟》卦《大象傳》“止訟免爭”之旨以立其説：

> 《老子》之書，其幾乎可一言而蔽之。噫！崇本息末而已矣。……嘗試論之曰：夫邪之興也，豈邪者之所為乎？淫之所起也，豈淫之所造乎？故閑邪在乎存誠，不在善察；息淫在乎去華，不在兹章；絕盗在乎去欲，不在嚴刑；止訟存乎不尚，不在善聽。故不攻其為也，使其無心於為也；不害其欲也，使其

無心於欲也。謀之於未兆,為之於未始,如斯而已矣。……故見素樸以絕聖智,寡私欲以棄巧利,皆崇本以息末之謂也。

"崇本息末",關鍵在於明確何為本、何為末。本之所在,存乎無形、存乎自然、存乎素樸、存乎初始,反之皆為其末。因而王弼認為"閑邪"之本在存誠持正,"止訟"之本在不尚爭訟,此均《易》理之所既有,其餘"息淫在去華"、"絶盜在去欲"無不與之同理,都在於表明回歸本始、返推於自然的重要性,於是乎所謂"崇本息末"之道豁然大白而無礙。

既然推尚自然、崇本息末是王弼《易》學的世界觀之重要體現,那麽,又如何用最淺顯明白的實例來論證這種自然之道、萬物之本呢? 在解説《周易》的《損》卦《彖傳》"損益盈虚,與時偕行"之義時,王弼用最通俗的例子説道:

> 自然之質,各定其分,短者不為不足,長者不為有餘,損益將何加焉? 非道之常,必與時偕行也。

"短者"、"長者",指鳧鳥腿短、鶴鳥腿長,皆禀自然之質,不待絲毫損益。此典出自《莊子·駢拇》:"彼至正者,不失其性命之情。故合者不為駢,而枝者不為歧;長者不為有餘,短者不為不足。是故鳧脛雖短,續之則憂;鶴脛雖長,斷之則悲。故性長非所斷,性短非所續,無所去憂也。"凡有所為皆當順其本性,不可違逆自然之道。王弼轉引其例,説明事物皆有"自然之質",一切損益之舉也應當順沿"自然"的規律,"與時偕行",而不可反其道而行之。有趣的是,王弼不但在説《易》時引用《莊子》此典,在解《老》時也予以引用。《老子》二十章"唯之與阿,相去幾何"數句王弼注曰:

> 夫燕雀有匹,鳩鴿有仇;寒鄉之民,必知旃裘。自然已足,益之則憂。故續鳧之足,何異截鶴之脛?

這裏也是説明事物之間善惡長短之分,當以順合自然之理對待之,纔能不失其本,樂而無憂。其中所用"續鳧足"、"截鶴脛"的典故亦取自《莊子》。與前引王弼說《損》卦旨趣相對照,則《易》、《老》、《莊》之理在此貫通一體,均呈現出"自然"之道的本質作用。

《易》之為書,立足於變化,立足於陰陽之道,所蘊含的大旨無非宇宙、大自然、人類社會萬事萬物的發展規律。這一切,事實上與《老》、《莊》提倡的"自然"之理密相契合。從上文論述可知,王弼《易》學思想中所表露的推尚自然、崇本息末的世界觀,既頗有取資於《老》、《莊》哲學,又深符《周易》的內在哲理,更是站在他所處時代思想的制高點上以深刻闡發他的哲學精神。這無疑是王弼《易》學足以左右歷史學術風氣的一個重要原因。

二、王弼《易》學的行為論:
清静無為,沖和守謙。

宋儒張載曾曰:"《易》為君子謀,不為小人謀。"(《張子正蒙·大易篇》)認為《周易》所揭示的哲理,是為"君子"立身處世著想,這是從宏觀角度揭明《周易》示教於天下後世的"行為論"。王弼《易》學也同樣在解《易》過程中流露出一種頗為明顯的與當時的時代精神相合拍的行為論——清静無為,沖和守謙。

這種行為論,與王弼《易》學的世界觀是相一致的,或者說是以其世界觀(認識論)為基點而作出的進一步衍申,同時也與老、莊的"無為"、"守謙"思想相互溝通。

《老子》十一章曾云:"三十輻共一轂,當其無,有車之用。"這是十分形象的"無為而無不為"思想的體現。王弼對此注曰:"轂,所以能統三十輻者,無也。以其無能受物之故,故能以寡統衆也。"(按,寡字,依樓宇烈校釋,據陶鴻慶說改。)所謂"以寡統衆",即是宗主"無為"之旨,這是王弼學說的一個重要觀點。他在《周易略例·明象》中也指出:

> 夫衆不能治衆，治衆者，至寡者也。夫動不能制動，制天下之動者，貞夫一者也。故衆之所以得咸存者，主必致一也；動之所以得咸運者，原必无二也。

這裏所闡明的，是《周易》六十四卦的卦象之理，認為諸卦六爻，必有為主的一爻，唯此一爻可以統治衆爻，以至寡而主導至衆，成為事物運動變化的根本因素，其理顯然是發端於《老子》的"無為"思想。故邢璹《周易略例注》曰："萬物是衆，一是寡。衆不能理衆，理衆者，至少以理之也。"因此，王弼在《明象》篇下文又反復强調"約以存博，簡以濟衆"，均是這一思想的發揮拓展。

依照王弼的學說，"一"、"寡"、"無為"皆是至為通同的概念。《老子》三十九章又謂"天得一以清，地得一以寧，神得一以靈，谷得一以盈，萬物得一以生，侯王得一以為天下貞"，王弼注曰："各以其一，致此清、寧、靈、盈、生、貞。"這裏的"一"，正是前引《周易略例》所言"貞夫一者也"之"一"，寓涵著事物以"無為"為本的哲理意義。王弼甚至在《論語釋疑》中解釋孔子"吾道一以貫之"之語時也說道：

> 貫，猶統也。夫事有歸，理有會。故得其歸，事雖殷大，可以一名舉；總其會，理雖博，可以至約窮也。譬猶以君禦民，執一統衆之道也。

謂之"執一統衆"，與王弼注《老》所言"以寡統衆"，及解《易》所言"治衆者至寡"諸說，其辭氣思路何其相似乃爾！在這裏，孔子的"道"與老子的"道"，經過王弼的協調闡述，又何其融洽地殊塗而同歸了！王弼的援道入儒、引儒說道的思想傾向於此亦可略窺其端倪。

《三國志·魏志》注引何劭《王弼傳》曾記載潁川人荀融質難王弼《大衍義》之事，王弼曾答其意，作書以戲之曰：

> 夫明足以尋極幽微，而不能去自然之性。顏子之量，孔父之所預在，然遇之不能無樂，喪之不能無哀。又常狹斯人，以

為未能以情從理者也，而今乃知自然之不可革。足下之量，雖已定乎胸懷之內，然而隔踰旬朔，何其相思之多乎？故知尼父之於顏子，可以無大過矣。

這番討論的緣起，始於王弼不同意何晏的“聖人無喜怒哀樂”論，認為聖人的高明之處在於“能體沖和以通無”，其喜怒哀樂之情則與凡人皆同(見何劭《王弼傳》)，故在答荀融書中他又舉孔子與顏回的例子，說明像孔子這樣的聖人，遇顏回之賢“不能無樂”，遭顏回之喪“不能無哀”，此亦“自然之性”所致。這種“自然之性”，實即“沖和以通無”思想的自然流露，也是“無為”之道的本質所在。王弼居然引用孔、顏之例以答荀融的質難，又一次證明了他力欲融通儒道的本願。至於荀融所質難的《大衍義》，似已亡佚，唯韓康伯《繫辭注》中有引王弼一段解說“大衍之數五十，其用四十有九”之義云：

演天地之數，所賴者五十也。其用四十有九，則其一不用也。不用而用以之通，非數而數以之成，斯《易》之太極也。四十有九，數之極也。夫無不可以無明，必因於有，故常於有物之極，而必明其所由之宗也。

“大衍之數”，指《周易》用以占卦揲算的蓍策之數，總數五十，所用四十九，虛一不用。王弼以為其中不用的一策正是“太極”的象徵，代表萬物“無為”之本；恰恰這種“不用”的無為之理，決定了無所不用之道。於是，不用之用，又深刻印證了王弼《易》學中處處强調的“得一”、“守一”、“用一”的無為思想。

王弼《易》學的行為論中所反映的“無為”宗旨，往往在他解說諸卦時作出具體的闡發。如解說《蒙》卦的卦辭“利貞”時，他指出：

蒙之所利，乃利正也。夫明莫若聖，昧莫若蒙，蒙以養正，乃聖功也。然則養正以明，失其道矣。

《蒙》卦大旨，是揭示事物於幼稺之時，如何啓蒙發智的道理。而聖人之智，實於純正無邪的境界中涵養而成，適如《孟子》所云“善養吾浩然之氣"，"不失其赤子之心"。故王弼謂"蒙之所利，在利正"、"蒙以養正，乃聖功"，亦即指明君子當以恬澹無為的心境修養其純正之智，這纔是"入聖"之功。這一點，與他論述《明夷》卦《大象傳》"君子以莅衆，用晦而明"之義相一致：

> 莅衆顯明，蔽偽百姓者也。故以蒙養正，以明夷莅衆。藏明於內，乃得明也；顯明於外，巧所辟也。

《明夷》卦命名"明夷"，意為"光明殞傷"（夷者，傷也），其象徵主旨在於表明"天下"昏暗之時，"君子"晦明不用，"艱貞"守志。《大象傳》則從君子"莅衆"的角度，引申出"晦明"施治、其明益顯的普遍意義。這一意義，與《老子》"無為而無不為"的思想至相契合，王弼所論"藏明於內，乃得明也；顯明於外，巧所辟也"，正是道出其旨。《老子》十八章"慧智出，有大偽"，王弼注曰："行術用明，以察奸偽，趣覩形見，物知避之。故智慧出則大偽生也。"四十九章"聖人皆孩之"王弼注亦謂聖人"冕旒充目"、"黈纊塞耳"，不須聰明、不用智慧以治百姓之理，並曰："無所察焉，百姓何避？無所求焉，百姓何應？無避無應，則莫不用其情矣。"這些論説，與他注《易》的思想可以互為發明，故孔穎達《周易注疏》於《明夷》卦逕引王弼解《老》之話為説："冕旒垂目，黈纊塞耳，無為清静，民化不欺。若運其聰明，顯其智慧，民即逃其密網，奸詐愈生。豈非藏明用晦，反得其明也？故曰君子以莅衆，用晦而明也。"

就"無為"這一行為典範言之，其表現形式往往離不開"清静"之情操。《周易》中的《艮》卦，即言自然静止、摒棄邪欲之理。王弼對《艮》卦的卦辭"艮其背，不獲其身，行其庭，不見其人，无咎"分析道：

> 凡物對面而不相通，否之道也。艮者，止而不相交通之卦也。各止而不相與，何得无咎？唯不相見乃可也。施止於背，不隔物欲，得其所止也。背者，无見之物也。无見則自然静

> 止，靜止而无見，則不獲其身矣。相背者，雖近而不相見，故“行其庭，不見其人”也。夫施止不於无見，令物自然而止，而強止之，則奸邪並興。近而不相得，則凶。其得无咎，“艮其背不獲其身，行其庭不見其人”故也。

《艮》卦取山為象，義為靜止，象徵抑止邪欲。王弼對卦辭的解說，集中於闡釋“艮其背”的內蘊，認為於“相背”而不見邪欲的狀態下止邪，則止欲於未萌，止得其所，纔是“自然靜止”之道。這一觀點，既是解釋卦辭，又是發揮《老子》“清靜”則無為、則無邪的哲理。故孔穎達《周易注疏》承王弼之意曰：“艮，止也，靜止之義。此是象山之卦，其以‘艮’為名，施之於人，則是止物之情，防其動欲，故謂之止。‘艮其背’者，此明施止之所也。施止得所，則其道易成；施止不得其所，則其功難成。故《老子》曰：‘不見可欲，使心不亂’也。”所謂“不見可欲，使心不亂”，事實上正是清靜無為、不生邪念的翻版，也是王弼《易》學行為論的一個關鍵所在。

靜與躁，又是相對而並存的行為概念，唯靜可以制躁，唯不躁則可端正行為而守恒勿失。於是王弼在《恒》卦上六爻解“振恒，凶”注曰：

> 夫靜為躁君，安為動主。故安者，上之所處也；靜者，可久之道也。處卦之上，居動之極，以此為恒，无施而得也。

上六居上卦震動之極，恒道窮盡而躁心頻生，爻辭遂有“凶”象。王弼之注，乃指明“靜”為其本，棄本趨末，凶所由生也。這一宗旨，使我們想起他注《老子》十六章“歸根曰靜”數語曰：“歸根則靜，故曰靜；靜則復命，故曰復命也。復命則得性命之常，故曰常也。”以及注二十六章“重為輕根，靜為躁君”兩句曰：“凡物，輕不能載重，小不能鎮大。不行者使行，不動者制動。是以重必為輕根，靜必為躁君。”兩相比較，在清靜與動躁問題上，王弼以《老》、《易》相互溝通是至為明顯的，而他由此而闡發出的清靜無為的行為論也更具哲學思辨的色彩。

既然要清靜無為,那在人生行為的具體體現上,"守謙"則是十分重要的。王弼針對《周易》中《謙》卦上六爻辭作了這樣一番論述:

> 夫吉凶悔吝,生乎動者也。動之所起,興於利者也。故飲食必有訟,訟必有衆起。未有居衆人之所惡,而為動者所害;處不競之地,而為爭者所奪。是以六爻雖有失位、无應、乘剛,而皆无凶咎悔吝者,以謙為主也。"謙尊而光,卑而不可踰",信矣哉!

《謙》卦之所以六爻皆吉,正在於其體現的行為本質肯定了甘居人所嫌惡的"卑下"之處,自避於衆人"不競"之地。這是王弼著重揭示的"沖和守謙"之道。於《乾》卦用九爻辭"見羣龍无首吉",王弼又揭出其中所蘊含的"守謙"之旨:

> 九,天之德也。能用天德,乃見羣龍之義焉。夫以剛健而居人之首,則物之所不與也;以柔順而為不正,則佞邪之道也。故《乾》吉在无首,《坤》利在永貞。

"用九",指《乾》卦所展示的運用陽剛之理(九為陽之極數);但此卦又表明事物愈是陽剛,愈當退柔。以人為喻,越是剛健,越有地位,越要不為物先,此為《乾》卦"見羣龍无首"的根本哲理。王弼釋"用九",認為"以剛健而居人之首,則物之所不與",正是直接應用《老子》"後其身而身先"及"貴以賤為本"的觀點,故其注《老子》二十八章"知其雄,守其雌"諸句時也說:"知為天下之先者,必後也。是以聖人後其身而身先也。"這些思想,實與《易》理之言"謙"者密合無間。

《周易》六十四卦三百八十四爻,於陰爻陽爻、陰位陽位的象徵體系中,往往喻示著沖和守謙之旨,王弼之注也往往予以深刻闡發。如《履》卦九四以陽爻居陰位,有謙和之象,爻辭稱"終吉",王弼注曰:"以陽居陰,以謙為本,雖處危懼,終獲其志,故'終吉'也。"又如《困》卦九二,也是以陽爻居於陰位,且處下卦中爻,爻辭謂"困于酒食",言雖在"困"時,卻不失"酒食"之豐美,王弼注曰:"以陽居陰,尚謙者也。居困之時,處得其中,體夫剛質,而用中履謙,應不在一,心无所私,盛莫先焉。夫謙以待物,物之所歸;剛以處險,難之所濟;履中則不失其宜,无應則心无私恃,以斯處困,物莫不至,不勝豐衍,故曰'困于酒食',美之至矣。"至於《損》卦六五爻辭"或益之十朋之龜,弗克違,元吉",王弼的注文更是援引《老子》的謙柔思想為說:

> 以柔居尊,而為損道,江海處下,百谷歸之。履尊以損,則或益之矣。……陰非先唱,柔非自任,尊以自居,損以守之。故人用其力,事竭其功,智者慮能,明者慮策,弗能違也,則衆才之用盡矣。獲益而得十朋之龜,足以盡天人之助也。

六五處"損"之時,虛中居尊,有謙柔之象,雖自損而不自益,而天下卻紛紛益之,乃至受益"十朋之龜"(猶言至高無上的"天人之助"),故獲"元吉"。王弼在注中强調此爻的"謙柔"主旨,其所言"江海處下,百谷歸之",即本《老子》之説。在《老子》三十二章"譬道之在天下,猶川谷之於江海"注中,王弼亦曰:"川谷之於江海,非江海召之,不召不求而自歸者也。行道於天下者,不令而自均,不求而自得,故曰'猶川谷之與江海'也。"又在六十一章"大國者下流"注中,王弼指出:"江海居大而處下,則百川流之;大國居大而處下,則天下流之,故曰'大國者下流'也。"

王弼《易》學之行為論中,以清靜無為、沖和守謙組合成一個頗為明晰的基調。這一基調,既是建立在他的世界觀——推尚自然、崇本息末的基點上,又綜合體現了魏晉之際舉世嚮往《易》、《老》、《莊》"三玄"的時代精神。這也是今天我們研究王弼哲學思想的一個值得重視的角度。

三、王弼《易》學的思辨性：得象忘言，得意忘象。

人類哲學的精髓在於奇奧深邃的思辨特色，這是古今中外哲學史上的一個共同現象。中國的魏晉時期，學人於著書立說、論道談玄之際，其思辨色彩之濃，也是冠絶一時的。這一點，我們在研討王弼的《易》學思想時，不難獲得至為突出的印證。

毋庸置疑，在王弼論《易》的所有著述中，我們隨處均可感受到他才華橫溢的思辨力至强的論説。然而，最足以代表他的精神實質，最富有創見的學説，顯然是他卓然崛起的嶄新的《易》學理論——“得象忘言，得意忘象”之説。

站在《易》學發展史的角度分析，王弼“得意忘象”的提出，正與兩漢以來充斥於學術界的言《易》必拘泥象數，刻意求象，反使《周易》本旨隱晦的積弊針鋒相對。他的主旨是强調把握《周易》象徵哲學中的内在意義，而不是機械地處處尋討一字一詞的卦象依據。其説略見於他的《周易略例·明象》：

> 夫象者，出意者也。言者，明象者也。盡意莫若象，盡象莫若言。言生於象，故可尋言以觀象；象生於意，故可尋象以觀意。意以象盡，象以言著。故言者所以明象，得象而忘言；象者所以存意，得意而忘象。猶蹄者所以在兔，得兔而忘蹄；筌者所以在魚，得魚而忘筌也。然則，言者，象之蹄也；象者，意之筌也。是故，存言者，非得象者也；存象者，非得意者也。象生於意而存象焉，則所存者乃非其象也；言生於象而存言焉，則所存者乃非其言也。然則，忘象者，乃得意者也；忘言者，乃得象者也。得意在忘象，得象在忘言。故立象以盡意，而象可忘也；重畫以盡情，而畫可忘也。

這段洋洋大論,反映了王弼"得象忘言,得意忘象"說的基本內涵,其反復衍說、再三推證,至為典型地展示出作者哲理思辨之雄厚實力。根據王弼的認識,《周易》的"象"(即卦畫、爻畫)是用來"出意",《周易》的"言"(即卦辭、爻辭)是用來"明象"。因此,可以"尋言以觀象"、"尋象以觀意";得其象則"言"可忘,得其意則"象"可忘。譬如《乾》卦初九之"言"(爻辭)為"潛龍勿用",若知此爻之"象"為該卦下乾初畫(即卦下第一條陽爻"—"),則"潛龍勿用"這句比喻性之"言"可忘;若知此爻之"意"指富有開創性的剛健元素初萌待發的情狀,則借以表明此意的卦象(☰)、爻象(—)亦並可忘。

顯然,王弼主張"忘言"、"忘象"的目的,並非根本否定卦爻辭(言)及卦象爻象(象)的應有作用,而是强調從整體上領會《易》旨的一種研《易》方法。即通過卦爻辭的喻指以理解卦畫、爻畫之象,又通過卦象、爻象的暗示以領悟某卦某爻內在的象徵旨趣——這就是王弼"得象忘言,得意忘象"說的最終歸宿。因此,"忘言"實非"遺言","忘象"亦非"遺象"。考察王弼《周易注》一書,對六十四卦三百八十四爻的注釋,正是充分建立在細密分析卦象、爻象及卦辭、爻辭的基礎上,把一卦一爻的象徵意蘊揭示得至為明徹。如《損》卦六三爻辭曰:"三人行,則損一人;一人行,則得其友。"王弼注曰:

> 損之為道,損下益上,其道上行。三人,謂六三以上三陰也。三陰並行,以承於上,則上失其友,內无其主,名之曰益,其實乃損。故天地相應,乃得化醇;男女匹配,乃得化生。陰陽不對,可得生乎? 故六三獨行,乃得其友;二陰俱行,則必疑也。

這裏,指出六三當"損"之時,居下卦兑之極,應於上九,悦而求之,但此時若偕六四、六五兩陰並行以求,則有違陰陽對應之道,必損上九一陽；若六三一人獨往，則與上九陰陽專情和合，故得其友朋。注文詳細剖析了六三的爻象及爻辭喻意，使人明確《損》卦之“時”雖以“損下益上”為主，但不適當的“益上”，反而是“損上”之舉。此即該卦《彖傳》所謂“損益盈虛，與時偕行”之理。可見，王弼決非“遺言”、“遺象”以解《易》，而是從本質上挖掘“言”與“象”的内涵義旨，以達到渾然“忘象”而能“得意”的至高境界。

王弼極力提倡“忘言”以“得象”，“忘象”以“得意”，是基於對《周易》的形式與内容作了全面深入的思索與考辨的前提下，把《周易》視為以“假象寓意”為特色的象徵哲學，從而能够透過《周易》外在的喻象，揭明其内在的義旨。因此，他又對“得意忘象”説進一步總結曰：

> 是故觸類可為其象，合義可為其徵。義苟在健，何必馬乎？類苟在順，何必牛乎？爻苟合順，何必坤乃為牛？義苟應健，何必乾乃為馬？而或者定馬於乾，案文責卦，有馬无乾，則僞説滋漫，難可紀矣。互體不足，遂及卦變；變又不足，推致五行。一失其原，巧愈彌甚。從復或值，而義无所取。蓋存象忘意之由也。忘象以求其意，義斯見矣。（《周易略例·明象》）

文中所論，約含兩端：一是，揭明在《周易》哲學中發揮重大作用的八卦之象可以博取衆物，而八卦的象徵意義則是特定不變的。如乾為健、坤為順，其義不可改移。但乾既可象天，又可象馬、君、首等；坤既可象地，又可象牛、臣、腹等。祇要符合“健”、“順”之義，乾、坤之象不妨觸類而擬取。其它諸卦亦然。那麽，研討八卦之象在《周易》六十四卦、三百八十四爻中的體現，自當把握其内涵的象徵意義，不可機械地執定其外象而捨本求末。這就是王弼再三强調“義苟合順，何必坤乃為牛；義苟應健，何必乾乃為馬”之所以然。二是，指摘兩漢以來《易》家拘泥“象數”之學，强求卦象以牽合傅會於《周易》經義的流弊，認為出現此弊的根源是《易》家“存象忘意”

所致。遂從反面推證:唯須"忘象以求其意",纔能闡明《周易》的本質義蘊。

值得注意的是,王弼在這裏提出了"觸類可為其象,合義可為其徵"的命題,無意中與我們今天所用的"象徵"(Symbol)概念不謀而合。由此,我們不禁記起德國哲學家黑格爾(G. W. F. Hegel, 1770—1831)在《美學》中論及"象徵藝術"時,對"象徵"含義所作的闡析:

> 象徵一般是直接呈現於感性觀照的一種現成的外在事物,對這種外在事物並不直接就它本身來看,而是就它所暗示的一種較廣泛較普遍的意義來看。因此,我們在象徵裏應分出兩個因素,第一是意義,其次是這意義的表現。意義就是一種觀念或對象,不管它的內容是什麼;表現是一種感性存在或一種形象。(朱光潛譯黑格爾《美學》第二卷,商務印書館 1979 年版)

黑格爾此說的可取之處在於,把"象徵"剖析為"表現"和"意義"兩個因素,並明確表示:象徵所"表現"的外在效果是可感知的"形象";而這一"表現"的內在目的,卻不停留於形象"本身",乃在於"較廣泛較普遍的意義",即其本旨在於暗示形象之外的象徵意義——這就是"象徵"藝術所內涵的基本特質。無獨有偶,早於黑格爾一千六百年的王弼,站在《易》學的角度提出"得意忘象"說,把《易》"象"的最終落實點歸結於"意",深刻觸及到《周易》象徵的主要特色;尤其是"觸類可為其象,合義可為其徵"(著重號引者加)二句,不僅切中《周易》象徵意義的廣泛性,而且把"象"與"徵"二字對舉——儘管王弼時代不可能有今天的"象徵"概念,卻已經不期然而然地把《周易》理解為一部"象徵"性的哲學作品了。這也是王弼"得意忘象"說至為寶貴的一方面精到之處。

依照前文所引王弼的"象"、"意"之論,我們既可看到他的最終目的是主張"忘言"、"忘象"以明"意",故其說的重心是寄託在"得意忘象"之上;同時又可以感受到他這一學說充滿了十分濃厚而精微的思辨色彩，把言、象、意的多層關係闡述得淋灕而盡致。魏晉時期文人之談玄論道，往往帶有不少思辨氣息，而王弼在解《易》過程中則將之作了大幅度的有機的發揮，遂形成了他《易》學理論上強烈的思辨性特色。

然而，若針對王弼思辨性極强的"得意忘象"説探討其學術淵源，固然應當承認其受到《繫辭上傳》"聖人立象以盡意"論的啓發，但更直接地影響王弼此説的，當推莊子的"得意忘言"論。《莊子·天道篇》曰：

> 世之所貴道者書也，書不過語，語有貴也。語之所貴者意也，意有所隨。意之所隨者，不可以言傳也，而世因貴言傳書。世雖貴之，我猶不足貴也，為其貴非其貴也。故視而可見者，形與色也；聽而可聞者，名與聲也。悲夫，世人以形色名聲為足以得彼之情！夫形色名聲果不足以得彼之情，則知者不言，言者不知，而世豈識之哉！

莊子認為，"意"不可言傳，故世間一切書籍正同"形色名聲"一樣皆為虛妄而不足貴。於是下文又敘及"輪扁論書"的寓言，直斥凡傳世之書皆"古人之糟魄"。其《外物篇》更進一步指出：

> 筌者所以在魚，得魚而忘筌；蹄者所以在兔，得兔而忘蹄；言者所以在意，得意而忘言。

筌為捕魚竹網，蹄為捕兔器具。莊子取此為喻，指明語言是表"意"的工具，既得其"意"，則其"言"無妨忘卻。再對照王弼的"得意忘象"説，不難看出是全然脱胎於《莊子》的"得意忘言"；甚至援引的"得兔忘蹄"、"得魚忘筌"之喻，也直接採用《莊子·外物篇》之説。當然，王弼的"得意忘象"與莊子的"得意忘言"又有本質的區别：其一，王弼之説是從《易》學角度揭示治《易》的方法，故其所得之"意"，乃專指《周易》的象徵意義；而莊子之論則是繼承發揮老子"絶聖棄智"的虛無思想，其所謂"得意"者，乃指悟得"有生於無"的道家玄理。其二,王弼的"象",指《周易》的卦象、爻象,他雖主張"忘象",卻未曾否定"象"的具體存在和前提作用;莊子的"言",則泛指外在的語言形式,屬於被否定的整個客觀世界之一例。括而言之,王弼的"得意忘象"説,是富有理性韻味的反映著清新深邃的思維活力的《易》學方法論;莊子的"得意忘言"説,是充滿神秘色彩的萬物否定論的從屬概念,與其"坐忘"、"心齋"之説正相應合。因此,王弼此説雖與莊子的論調有直接的沿承關係,但兩者卻不可渾同等視,更不可簡單地認為王弼是毫無抉擇地機械地援引老莊玄學以入《易》。

王弼《易》學的思辨性,在他的治《易》方法論——"得象忘言,得意忘象"説中得到全面而深刻的反映,同時也常常體現於他闡解《周易》經傳的諸多論説之中,這在本文前兩章的證例中已頗有涉及。另一方面,我們還應當重視的是,王弼《易》學的思辨性,正是他所處的時代學術之思辨風氣的典型反映,換言之——生當玄風盛行之際,王弼的玄學造詣,無疑直接檢驗了他雄視一代的思辨能力。《三國志·魏志》注引何劭《王弼傳》稱其論道"天才卓出,當其所得,莫能奪也",謂其談玄"自然有所拔得",尤勝其時之名流何晏,又記載"弼與鍾會善,會論議以校練為家,然每服弼之高致"。這些,都側面展示出王弼思辨水平之高,實是冠居時代之前列。因此,從王弼《易》學的思辨色彩中,我們又儼然感受到一千七百多年前活躍於中國思想界的一種生機勃勃的時代精神!

四、王弼《易》學的影響度:超乎時代,啓迪來哲。

站在我們今天的時代,要全面了解、評述王弼的《易》學創獲,至為關鍵的問題是務必要挖掘他所創立的學説的影響度——在當時及後世發生過哪些反響?產生何種歷史意義?

但凡一種嶄新學說的興起,均不可能一帆風順,不可能為所有的人所接受。愈是出類拔萃的學說,所遇到的阻力愈大,甚或跨越許多時代還仍然要遭受到各種角度的非議、指摘。王弼《易》學的崛起,以及經歷一千多年的發展歷程,亦難免乎此。

王弼《易》學最根本的活力,在於排擊兩漢以來延續數百年的"象數"之學,獨樹以"忘象"、"闡理"為主的《易》學體系,並且有機地援道入儒,參合老、莊的思想精髓以解《易》。這一點,即使在玄風熾盛的魏晉時期,也並不獲得那些"純儒"之士所首肯。《晉書·范寧傳》曾記載東晉范寧對何晏、王弼提倡玄學的一番攻駁:

> 時以浮虛相扇,儒雅日替,寧以為其源始於王弼、何晏,二人之罪深於桀、紂。乃著論曰:……王、何蔑棄典文,不遵禮度,遊遊辭浮說,波蕩後生,飾華言以翳實,騁繁文以惑世。搢紳之徒,翻然改轍,洙泗之風,湎焉將墜。遂令仁義幽淪,儒雅蒙塵,禮壞樂崩,中原傾覆。古之所謂言偽而辨,行僻而堅者,其斯人之徒歟?

此類攻擊,可謂嚴厲矣。我們姑不論何晏是否"蔑棄典文","洙泗之風"是否"將墜",僅從王弼論《易》的著述中即可看到他不但不曾使"儒雅蒙塵",相反是在極力弘揚儒家經典《周易》的內在哲理,縱然援引老莊之說以解《易》,亦多為切合《易》旨,且力欲協調儒道二家之論,以正世風,其功不可沒,又豈能以"言偽而辨,行僻而堅"一概抹煞之呢?

比范寧稍早些的孫盛,則直接針對王弼的《易》學進行抨擊,他說:

> 《易》之為書,窮神知化,非天下之至精,其孰能與於此?世之注解,殆皆妄也。況弼以傅會之辨而欲籠統玄旨者乎?故其敘浮義則麗辭溢目,造陰陽則妙賾無間,至於六爻變化,

羣象所效，日時歲月，五氣相推，弼皆擯落，多所不關。雖有可觀者焉，恐將泥夫大道。(《三國志·魏志·鍾會傳》注引)

孫盛的批評語氣較范寧似緩和得多，至少還肯定王弼《易》說亦"有可觀者"。但他指摘王弼治《易》所不涉的"爻變"、"羣象"、"歲時"、"五行"諸說，卻恰恰是王弼有意排斥不用的，是王弼心目中兩漢以來《易》說之大弊所在。因此，孫盛對王弼《易》學的批評，顯然出於門户派别之見。這種對立見解，魏晉南北朝以後時時有之，以至成為後世《易》學"象數派"與"義理派"争論的一大焦點，影響至為久遠。南宋趙師秀《秋夜偶成》(見《清苑齋詩集》)詩嘗云：

此生漫與蠹魚同，白髮難收紙上功。

輔嗣易行無漢學，玄暉詩變有唐風。

夜長燈燼挑頻落，秋老蛩聲聽不窮。

多少故人天禄貴，肯將寂寞歎揚雄？

這首詩是咏歎人生治學之多艱，其中第二聯首句謂"輔嗣易行無漢學"，也是批評王弼《易》學對漢以來"象數"之學的全面排斥，其觀點是否平實公允這裏暫勿詳論，但至少可以看出似孫盛之類指摘王弼的論調至南宋仍甚有共鳴者。

然而，清新而富有生命力的學術思想往往是應學術規律之大運而誕生而發展的，其對學術本身的積極作用必有不可抗拒的客觀效應，它的歷史意義也在種種不同觀點的争論中不斷地焕發出特有的光彩。

王弼《易》學一反傳統，獨標新幟，在他生活的時代固未必盡合所有人之意，但畢竟受到學術界大多數人的贊賞(如以何晏等人為代表的"玄學"派)，甚至魏晉期間一些不甚傾向"玄學"的學者，讀其《易注》，也或多或少改變了思想觀念。《三國志·魏志》注引何劭《王弼傳》載：

弼注《老子》，為之《指略》，致有理統。著《道略論》，注

《易》,往往有高麗言。太原王濟好談,病《老》、《莊》,嘗云:"見弼《易注》,所悟者多。"

連平夙好批評《老》、《莊》的王濟,一旦研讀王弼的《易注》,便渾然改易舊説,以為"所悟者多",足見王弼《易》學的學術影響力之强。

自晉以後,王弼《易注》日益盛行,對之崇拜信服的學者愈來愈多,逐漸取代了諸家之説,最後形成了獨冠於世的學術局面。陸德明《經典釋文序録》指出:永嘉之亂,諸家之《易》亡,"惟鄭康成、王輔嗣所注行於世,而王氏為世所重。今以王為主。"又説:"江左中興,《易》唯置王氏博士。"《隋書·經籍志》也叙述説:

> 後漢,陳元、鄭衆皆傳費氏之學,馬融又為其《傳》以授鄭玄,玄作《易注》,荀爽又作《易傳》。魏代,王肅、王弼並為之注,自是費氏大興,高氏遂衰。梁丘、施氏、高氏亡於西晉,孟氏、京氏有書無師。梁、陳,鄭玄、王弼二注列於國學。齊代唯傳鄭義。至隋,《王注》盛行,鄭學浸微,今殆絶矣。

這裏歷述了東漢以來傳西漢費氏(直)《易》學的發展過程,凡經陳元、鄭衆、馬融、鄭玄、荀爽、王肅諸家,最後落實到王弼;而西漢有影響的各派如梁丘氏(賀)、施氏(讎)、高氏(相)、孟氏(喜)、京氏(房)等學説,則相繼衰亡無傳;直至隋代,連費氏《易》中頗具實力的鄭玄之學也終至"浸微",唯獨王弼之學盛行不衰。這一評述,横跨了兩漢、魏、晉、南北朝至隋代的《易》學發展歷程,以極為扼要的語言綜括了諸家學説的盛衰興廢之梗概,顯示出王弼《易》學為魏晉以後各代學者所普遍接受的情實。僅就這一現象看,我們即可感受到王弼新興的《易》思想從一誕生開始,便顯示出至為强烈的影響度。

到了唐代,隨着中國學術全面振興的大潮,王弼《易》學又展現出更為顯著而深遠的歷史意義。唐初貞觀年間,唐太宗十分重視經學,頒敕修撰《五經正義》,孔穎達等人主持其事。其中《周易正義》一書，由孔穎達親自作疏，經文注本即從衆多的舊注中選定王弼之注（王弼所注《易》包括六十四卦經文及《十翼》中的《彖傳》、《象傳》、《文言傳》，而《繫辭》以下諸傳未注，其所未注者則採用晉韓康伯之注，韓注的宗旨實承王弼思想，故孔穎達取之以補王注之所未及）。為何非取王弼注本不可？孔穎達在《周易正義序》中作了深刻論述：

> 若夫龍出於河，則八卦宣其象；麟傷於澤，則《十翼》彰其用。業資九聖，時歷三古。及秦亡金鏡，未墜斯文；漢理珠囊，重興儒雅。其傳《易》者，西都則有丁、孟、京、田，東都則有荀、劉、馬、鄭，大體更相祖述，非有絕倫。唯魏世王輔嗣之注，獨冠古今。所以江左諸儒，並傳其學；河北學者，罕能及之。其江南義疏，十有餘家，皆辭尚虛玄，義多浮誕。……今既奉勑刪定，考察其事，必以仲尼為宗；義理可詮，先以輔嗣為本。去其華而取其實，欲使信而有徵。其文簡，其理約，寡而治衆，變而能通。

這段論說，先明《周易》創作之端始，再叙秦漢以來《易》學發展的趨勢，然後總歸其旨，認為歷來治《易》之家，唯魏代王弼之學"獨冠古今"，故稱"義理可詮，先以輔嗣為本"，遂決定採用王弼《易注》作為《周易正義》的底本。可見，王弼《易》學的勢力，全面取代了兩漢以來的諸家《易》學，以其富有創造精神的"闡理"之説獨樹一幟，籠罩於魏晉南北朝之間，雖鄭玄之注也不能與之抗行。至孔穎達奉勑撰《周易正義》定用王弼注本，一切舊説並廢，乃使王弼《易注》在唐代幾乎定於一尊。

足以引起我們特別注意的，是孔穎達上述論説中所稱"義理可詮，先以輔嗣為本"之語。這"義理"二字，實屬孔穎達的慧眼所在。王弼《易》學的根本思想在於"闡理"，其最本質的歷史意義莫過兩端——一是排除前代"象數"《易》學之積弊，二是開闢後世"義理"

《易》學之先河。可以說,王弼《易》說的異軍突起,又經孔穎達的發揮弘揚,在中國《易》學史上終於形成"義理派"與"象數派"兩軍對陣的先期局勢,並使"義理派"的絕對優勢長期保持了一千多年,歷唐、宋、元、明、清諸朝而盛行不衰。其間宋代程頤、朱熹的開拓,元、明以後諸家的傳承固然起了至關重要的作用,但推本其源,王弼的創始之功赫然而不可磨滅。

這裏我們並不著意於詳評中國《易》學史上"象數派"與"義理派"這兩大主要派系的是非得失,但後世學者對王弼《易》學之毀譽不一,則往往與這兩派的争端息息相關。譽之者稱其以義理闡《易》,獨標新幟;毁之者病其援老莊玄學以入《易》,排斥漢《易》象數之學。平情論之,《易》之為書,本於象數,發為義理。苟遺象數,則《易》義無從而發;苟遺義理,則《易》旨無所歸趣。故象數與義理,於《易》學實為相互依存之兩大要素。然漢代言象數之家,往往頗有泥象數而不化之弊,王弼《易》學乃針對其弊,借助老莊哲學以論《易》,倡揚"忘象"以闡理,無疑有著至為重要的積極意義。故清初學者黄宗羲《易學象數論自序》指出:

> 有魏王輔嗣出,而注《易》得意忘象、得象忘言;日時歲月、五氣相推,悉皆擯落,多所不關,庶幾潦水盡而寒潭清矣。顧論者謂其以老、莊解《易》,試讀其注,簡當而無浮義,何曾籠落玄旨?故能遠歷於唐,發為《正義》,其廓清之功不可泯也。

此說對王弼《易》學的"得意忘象"說作了全面肯定,認為其注《易》雖有引老、莊為說,但"簡當而無浮義",於漢《易》象數之積弊有"廓清之功",改變了當時的研《易》風尚,出現了"潦水盡而寒潭清"的局面。這一評價,應是客觀公允的。此後胡渭撰《易圖明辨》,也十分讚成黄氏之說,並進一步分析曰:

> 按史,魏正始中,何晏、王弼等好《老》、《莊》書,祖尚虛無,以《六經》為聖人糟粕,天下士人慕效成風,迄江左而未艾。故

> 范寧謂"王、何之罪,深於桀、紂"。今觀弼所注《易》,各依彖爻立解,間有涉於老莊者,亦千百之一二,未嘗以文王、周公、孔子之辭為不足貴而糟粕視之也。

胡氏之論,在於辨析王弼並非純粹以老、莊玄言解《易》,其根本宗旨仍不離"文王、周公、孔子"之道。在清代前期,學者多致力於復興漢學,言《易》必注重象數之時,黄宗羲、胡渭能有這樣的認識,宜不愧為學術界的有識之士。

至清乾隆間修撰的《四庫全書提要》,則取折衷手段評述王弼《易》學的歷史意義,認為:王弼"闡明義理,使《易》不雜於術數",乃"深為有功";而"祖尚虚無,使《易》竟入於老、莊",則"不能無過";並謂"瑕瑜不掩,是其定評"(《周易注提要》)。又指出:"《易》本卜筮之書,故末派寖流於讖緯。王弼乘其極敝而攻之,遂能排擊漢儒,自標新學。"(《周易正義提要》)這一評價,合毁者譽者之論而調和之,不偏不倚,貌似公允。然對於王弼援引《老》、《莊》哲學以解《易》的問題,依然保持傳統的偏見,視黄宗羲、胡渭之論則反而不如矣。正如本文前面論述所及的,王弼援《老》、《莊》以入《易》,既是他力圖協調儒道之説的一方面有益嘗試,又是他所處時代精神的富有創造力的體現,正是一位具有遠見卓識的學者的超越時代的重大貢獻之所在。因此,在解《易》過程中,但凡《老》、《莊》哲理有與《易》理密相溝聯旁通者,王弼互為引據參證而闡發精義,實是他對《易》學的獨到創獲,不但不宜輕易掊擊,反而應站在學術發展史的高度予以應有的肯定。

筆者以為,人類學術史上的任何一種卓越創樹,無不是在繼承前代既有研究成果的基礎上作出的,王弼對中國《易》學的貢獻亦然。因此,我們在論及王弼《易》學的歷史意義的同時,還必須注意到他對兩漢以來《易》家舊説的承傳問題。如前所述,王弼提倡"忘象"、"忘言"之説,並非"遺象"、"遺言",與之相反,他是十分深入地考察辨析了歷史上的《周易》"象數"説的特色,然後提出"掃除"漢《易》象數學流弊、"忘卻"孤立外在之象的觀點,主張從最完整的角度研探《周易》象數的内在意蘊。他精心撰述的《周易略例》一書,即是在全面總結前人象數學之利弊的基礎上寫出的,其中所設《明象》、《辨位》、《明爻通辨》、《明卦適變通爻》諸篇,正表明他對傳統象數學的重視,篇中提出的"承乘比應"、"名卦存時"、"卦主"、"初上无定位"等《易》例,亦皆承漢《易》之舊説而發。而王弼《周易注》貫穿始終的屢屢以《十翼》之辭解説六十四卦經義的特色,又十分明顯地流露出繼承西漢費直"《十翼》解經意"這一學説的痕跡。故《隋書·經籍志》謂魏代王弼作《易注》,"自是費氏大興",實以王弼《易》學為費直《易》的流派之一。那麽,前文所引宋人趙師秀謂"輔嗣《易》行無漢學"的説法,則非信實之論。由此觀之,王弼《易》學的建立,與他對前代《易》學的承傳實有不可忽視的關係。

然而,像王弼這樣一位具有傑出創造性的《易》學大師,又決不僅僅滿足於繼承舊説,他之所以要繼承的目的在於進一步發展創造。正是出於這種精神,他提倡"得意忘象"的治《易》綱領,以非凡的悟性援道入儒,熔《易》、《老》、《莊》於一爐而冶之,推行各種發掘《易》理深藴的《易》學條例,終於創立了劃時代的以"忘象"、"闡理"為宗旨的《易》學體系。這一體系的建立,一方面改變了兩漢以來《易》家拘泥於"象數"之學甚至陷入術數之途的流弊,另一方面開闢了《周易》"義理"之學的廣闊的研究途徑。歷兩晉、南北朝、隋、唐諸代,經過許多學者的弘揚推廣,遂在宋代全面形成中國《易》學史上與"象數學"相對峙的"義理學",並沿元、明、清諸朝不斷發展延伸。於是,中國數千年的《周易》研究史,便巍然樹立起"義理學"和"象數學"兩大主幹,吸引了衆多學者緣之而攀求,創造了至今仍為世界所矚目的豐富多彩、精奧深邃的《易》學文化。這些,應當是王弼《易》學歷史意義的最本質最深刻的反映吧!

綜上所論,我們從王弼《易》學推尚自然、崇本息末的世界觀,清靜無為、沖和守謙的行為論,以及得象忘言、得意忘象的思辨性,可以大略感受到這位卓越《易》家空前的煥發著時代精神之光的學術貢獻。同時,這種貢獻所產生的深遠影響,超越時空,啓迪來哲,以至跨過一個又一個朝代,留下永恒的學術印記,展示了經久不衰的歷史意義。

一九九六年二月寫於福建師大易學研究所

王弼的崇本息末觀與易學革命

高晨陽

内容提要 王弼玄易義理學取代漢易象數學是易學史上的一場革命。其原因為得意忘言方法的發現。

象數學派和義理學派的根本分際,在於如何理解義理以及象數的功能,並由此確定二者的關係。象數學派所理解的義理,實際是指形而下的物理世界,義理學派所理解的義理則是一個形而上的意義世界。在《易傳》中已經隱含着象數派和義理派分化的趨勢與可能。《易傳》的象數學觀念因受漢易學者重視,而發展為一個獨立學派。王弼在《明象》中,批評象數方法的最大失誤是"存象忘意",提出了"忘象求意"的義理學原則。

王弼的崇本息末,其要旨是把有無關係理解為本末體用關係。他的解《易》原則,是對《易傳》的解釋學原則的發揮和提升。他之所以能完成這一理論工程,在於他有崇本息末觀念作根基。

王弼的玄易義理學取代漢易象數學,可以視為易學史上的一場革命。湯用彤先生把這場革命歸之為忘言得意的學術新方法①,這確是至當之論。需要進一步探索的是:言意之辨作為一種學術方法,其背後的觀念性根據是什麼? 象數學派與義理學派的分歧何在? 漢代易學何以走上象數學之路? 這些問題落脚到,王

① 見湯用彤《言意之辨》,載《湯用彤學術論文集》,中華書局 1983 年版。

弼易學遵循着什麽樣的理路解釋《周易》而取代象數學的？對這些問題，學術界多未深論，因此仍然有進一步討論的必要。

王弼的《周易略例》是他理解《周易》的總綱。此書分為七篇，內容各有側重。《明彖》論卦，《明爻通變》論爻，《明卦適變通爻》論卦爻關係，《明象》論言象意的關係，《辨位》論爻位陰陽，《略例下》雜論解《易》體例，《卦略》列舉了 11 卦的卦義，帶有舉例性質。在《周易略例》中，王弼闡述了自己的解易原則，對《周易》所特有的卦爻結構及其功能進行了分析，表明了與漢易象數學派的分歧，目的是把象數形式還原為一種表現義理的工具，以彰明《易傳》所蘊涵的哲學思想。在這七篇文章中，前四篇較為重要。其中，前三篇所確定的是"執一禦多"的本體論方法原則，《明象》所確定的是"忘象得意"的認識論方法原則。這兩大原則，可以視為是王弼老子哲學中"崇本息末"觀的具體化。就是説，王弼是以"崇本息末"觀念為底蘊和根據來建構自己的解易原則的。①

《周易》這部書包括《易經》和《易傳》兩部分。《易經》原本卜筮之作，它以象數變化作為測斷卦爻辭的依據，借以判斷人的吉凶休咎。《易傳》賦予了《易經》以義理內容，因而它是一部哲學著作。但《易傳》重在義理，並沒有排斥象數，而是通過象數這一特殊形式來展現自身的內容。事實上，象數體現着義理，義理借助象數表現自身，二者緊密結合在一起而是不可能分割的。象數與義理的這一特定關係，決定了治易的根本路數，講義理不可能完全擺脱象數，講象數也不能不講義理。② 後來在易學史上象數派和義理派的根本分歧，其實質不在於前者不講義理，後者不講象數，而在於

① 這一問題關涉到王弼《老》、《易》二注之先後。據王葆玹考證，《老》注先於《易》注（見《正始玄學》第 163 頁—166 頁，齊魯書社 1987 年版）

② 參見余敦康《何晏王弼玄學新探》第 184 頁，齊魯書社 1991 年版。

如何理解義理以及象數的功能,並由此如何理解和確定二者的關係。

象數派所理解的義理内容,實際上是一個形而下的物理世界。與此相應,他們强調繫辭明象,以象明意,凸現的是象數的指實功能。在象數與義理之間,存在着一一對應的關係。這種關係,就如同指實名言與對象事物一樣,其間是一種表述與被表述的關係。祇要名言清楚明白,就可以由名言去直接認識對象。按照象數派的這一觀念,祇要理解了象數的結構,其藴涵的義理即會自明。與象數學的理路不同,義理派所理解的義理,其内容實際上是一個形而上的意義世界,它是超越時空的本體性存在,是不可言説的。與此相應,他們强調象數的指點功能,而不是表述功能,在象數與義理之間不存在對應的關係。按照義理派的這一觀念,義理固然離不開象數,把握義理不得不借助於象數,但卻不能拘泥於象數。不拘泥於象數,亦即忘言忘象。能忘,方可得聖人之意。不能忘,專執於象數,勢必把義理遮蔽起來。

在《易傳》中,實際上已經隱含着象數派和義理派分化的趨勢和可能。這與其理論自身的含混以及夾雜着象數學和義理學兩種傾向有關。《繫辭》説:"聖人立象以盡意,設卦以盡情僞,繫辭焉以盡其言,變而通之以盡利,鼓之舞之以盡神。""夫乾確然示人易矣,夫坤隤然示人簡矣。爻也者,效此者也。象也者,像此者也。爻象動乎内,吉凶見乎外,功業見乎變,聖人之情見乎辭。"《繫辭》的這些説法,可以視為是對象數和義理關係的概括。卦爻象以及爻數,就是象數,用來説明卦爻象意義的就是卦辭、爻辭。《易傳》承認言象意之間存在着肯定性的關係,但它們是何種意義上的肯定性關係似乎没有作出明確交待,對它們之間的關係祇以一個"盡"字來概括,未免失之籠統。如果聖人之意是指形而下的物理世界,那麽,象數即為指實符號,其功能類於指實名言,在象數與義理之間存在着"盡"的關係。倘若聖人之意屬於形而上的意義世界,那麽,象數則僅僅是一種象徵性的工具,它對於義理衹具有指點功能,其間的肯定性關係則不可簡單地用一個"盡"來概括。象數雖然可以盡意,但總有象外之意存在而不可能全盡,衹可以表述為"盡而未盡"。用《繫辭》自己的說法,叫做"言不盡意"。就把握聖人之意的過程或方法說,衹能概括為"忘象得意"。

事實上,象數與義理的這兩種肯定性關係作為解易的原則在《易傳》中是並存的。《繫辭》所說的"形而上者謂之道,形而下者謂之器",表明了本體界與物理界的區别。物象有形,其理可知,是為形而下的器物世界。道體無形可見,是為形而上的本體世界。站在本體論的層面看,"意"、"情"、"利"、"神"皆為形而上者,都是與象數不盡相應者,屬於"不可名"、"不可道"之物。象數固可盡之,但必有不可盡者存在於其外。《易傳》作者對象數與義理關係作這種理解,其思維方式必然向着忘言忘象的理路上走。《繫辭》說:"神而明之,存乎其人;默而成之,不言而信,存乎其德行。""不言"即"忘言"。"忘言"不是廢棄言,而是强調言對意的指點功能。這一句話側重於從生活實踐上講。若從體悟或認識論的角度說,並關聯於象數,忘言即忘象。忘言忘象而不執,纔能得聖人之意。

但《易傳》的這一義理學傾向並不純粹,它往往也把物象世界看作聖人之意所在。例如,"吉凶"、"功業"都是有形可見之事,它們應該屬於形而下的器物世界,故可由卦爻之"動"、"變"而直接把握之。《説卦》更把八卦與四時、八方相配,把萬物萬事納於其中,組成了一個宇宙圖式。這一宇宙圖式雖然複雜,但並不抽象。八卦圖象表示的都是具體事物,它們佔據一定的時空,按照特定的秩序而運行變化。《説卦》所理解的事物皆為定有,其理為具體事物之理,而八卦圖象則是表示宇宙萬物的直接載體。按照這一觀念,聖人對宇宙的理解,完全有可能通過圖象符號以表示之,運用卦爻辭以言其所欲言。《易傳》對象數與義理的關係作如此理解,又必會向象數學的方向發展。實際情況也是這樣。如《繫辭》所討論的"大衍之數"、"天地之數",就是對筮法規則的總結。作者認為,八卦或64卦及爻數之變"當天地之數"、"天下之事能畢",它們囊括天地之道,包羅萬物萬象。因此,《繫辭》作者所强調的是象數的指實功能。其"極數知來之謂占"之説,就是這一觀念的集中反映。

《易傳》這一象數學觀念極受漢代易學家重視。象數學作為一個獨立學派而真正形成並得到充分發展是在漢代。象數學派的基本工作就是推天道以明人事,運用卦爻結構來説明宇宙的結構和萬物的變化,並以此比附政治人倫的結構與秩序。兩漢時,以孟喜、京房為代表的卦氣説就是一個典型。《漢書·京房傳》介紹京房易學時説:"其説長於災變,分六十四卦,更直日用事,以風雨寒温為候,各有占驗。"這一卦氣説根據《説卦》的八卦方位説,先把八卦與四時、八方相配,再與12月、24節、72候、366日相配,構築了一個整齊有序的象數模式,按日以候氣,分卦以征事,占驗人事的吉凶禍福。剔除漢易陰陽災變的宗教性外衣,其實質就在於通過象數學的方法來建構一個宇宙論的框架,並把天象人事安置於其中。這一象數學方法的認識論的根據就是"言盡意",其背後所潛藏的是宇宙論觀念。它强調物理世界就是聖人之意所在,而聖人之意與經典就是一個東西,其間為直接性的肯定關係。在象數派易者眼中,某一卦或某一爻,必有某一物事與其相應;某一卦辭或某一爻辭必指某一物理。照此所見,卦爻圖象或卦爻辭成為指實符號或指實名言。但物象多變複雜而卦爻結構有限,聖人所言無窮而卦爻辭有盡,因此,漢易學者必在象數上作花樣翻新。他們不止發明了卦氣説,而且到東漢,進而發明了爻辰、升降、互體、納甲、消息諸説,通過增加卦象的方式以説明天象人事變化,走上了繁瑣主義的道路。漢易片面發展的象數學的方法,所着眼的是卦爻象和卦爻辭與器物世界的聯繫,遂使《易傳》所蘊涵的形而上的本體世界被象數形式所淹没。

王弼在《明象》中,對漢易的象數學方法進行了猛烈的批評,認為象數學派的最大失誤是"存象忘意",執於象數形式而丢失了聖人之真意。其實,象數派並不是不要聖人之意,而是它所理解的聖人之意與王弼不同。它所理解的意屬於感性層次的器物世界的義理,而不是如王弼眼中的形而上之理。漢代學者如此看待聖人之意,他們必把卦爻結構坐實,强調象數的指實功能,採取如同王弼所斥責的"案文責卦"的方式,專在象數上做文章。針對漢易"存象忘易"之弊,王弼提出了"忘象以求其意"的原則,强調欲得聖人之意,就應該"忘象"。"忘象"不是不要象數,而是强調不拘於象數。不拘,則可得聖人之意。王弼在易學史上第一次挑明了象數派和義理派的分歧。義理派强調"忘象以求其意",使象數服從義理。象數派强調"存象忘意",把象數置之於義理之上。這一分歧的背後,所潛藏的是對象數功能及其對象的不同理解。就是説,是强調象數的指實功能還是指點功能,是把對象看作形而上之本體還是形而下之器物,這纔是雙方分歧的根源所在。

應該説,這兩種不同的學術方法和思想觀念在《易傳》中同時併存。但漢代易學何以彰顯的是象數學原則而不是義理學原則?有人認為,這與漢代哲學重視陰陽災異有關。這當然是一個原因,但這是表層的、形式的,而不是深層的、本質的。從根本上説,漢易之所以對象數感興趣而凸現了《易傳》的象數學傾向,這與時代風行的宇宙論有關。漢代哲學家不論屬於何派,無不重視宇宙論問題。從董仲舒到揚雄再到王充,盡管其思想分歧很大,但莫不關注萬物的生成或構成。道家著作《淮南子》,儒家著作《白虎通》,其理論焦點全聚在宇宙論的層面上。他們都試圖通過天人同構而合一的論述,以確證人道,確定政治人倫之則。漢易的理論結構,雖與通常運用名言來表達思想的理論結構有別,但理論内容毫無差別。受這一觀念内容的制約,漢易自然重視象數的指實功能,重在象數形式上用力。

由象數學和義理學的分歧以及漢代象數學派的特點可以看出,義理學要取代象數學,需要哲學方法的更新,而方法的更新又以哲學觀念的更新為基礎和前提。王弼的易學革命,就是沿着這一條理路而獲得成功的。

王弼治易,依賴於"忘象以求其意"的方法,而這一方法又可以説得之於他的"崇本息末"觀念。但王弼這一以"崇本息末"觀念為基礎的方法,其直接來源不是《易傳》,而主要是源自道家。王弼所倡導的"忘象以求其意"方法,固然不能説儒家對此絲毫無察,但它作為一種解釋學的原則,在儒家的著述中確實找不到現成的答案。不可否認,從《易傳》的主要傾向看,雖然重在形上之義理,但對於如何把握卻缺少系統、清晰的説明。《易傳》提出"立象以盡意"、"繫辭以盡其言",最後歸為"無言"。但如何把言象意統一起來,實現從言到象到意的過渡並没有明言,没有明確地提出"忘象以求其意"的原則。如果説它在《易傳》中存在着,也是處於潛存、隱蔽的狀態。即使説《易傳》實際上在運用它,但也是不自覺的。相反,"忘象以求其意"作為方法卻以言意之辨的形式而明確地存在於道家經典中。

《莊子》一書中的《天道》、《天運》、《外物》三篇文章,就言意關係進行了系統的分析。莊子首先肯定"迹,履之所出",亦即言由意生;復指出"迹非履","迹非所以迹",亦即"意之所隨者,不可以言傳",點明了言意之間無對應的關係;最後提出了"得意而忘言"的命題,主張擺脱名言去追索經典文本的基本精神。莊子所説的意,即指形而上的意義世界,名言對它衹有指點意義,因而必須忘言而得意。莊子不是解易,因而没有論及象,他衹是從一般哲學意義上進行言意之辨。但不難看出,莊子從本體論的高度大體上道出了言意所當有的關係以及由言到意的根本路徑。

儒道所提供的這兩種不同的思維傳統,就決定了玄理易學家衹能到道家那裏尋找解釋學的工具。如果說在《易傳》中,"忘象以求其意"的方法確實以隱蔽的形式存在着,那麼,玄學的任務就是用道家的思想對《易傳》的"立象以盡意"、"繫辭焉以盡其言"作出創造性的解釋,挑開遮蔽於其上的外衣,把其中隱含的義理觀念彰著於世。這是一項艱苦的理論探索活動。它始於荀粲,中經何晏,成於王弼。

由《三國志·魏書·荀彧傳》注引《荀粲傳》的記載可知,荀粲主張"言不盡意"論。荀粲所理解的意乃"理之微者",亦即"性與天道"。"性與天道"為形而上的本體世界,它超言絶象,不在時空中,因此,聖人之意作為對本體世界的體會,不能盡在六籍中。荀粲依據這一觀念,對《易傳》的"立象以盡意"、"繫辭焉以盡其言"說作了新的解釋。照荀粲的理解,"立象以盡意",此意非本體層面之意。本體層面之意屬"象外之意",存在於卦爻象之外,不能為其所盡。"繫辭以盡其言",此言非指稱本體之言。本體為"系表"之物,存在於卦爻辭之外,不能為辭為盡。荀粲認為六籍文字不能達於本體界,不能盡聖人之深意,故視六籍為糠秕而主"言不盡意"。荀粲顯然是借莊子的言意觀念來解釋象數與義理的關係,但他强調本體的超越性,否定了言象對它的指實功能,而如何通過言象而得意則没有涉及。因而,"言不盡意"作為解釋學的原則是不完整的,無法在言象意之意架起一道溝通的橋樑。這一理論的缺陷,大概與荀粲缺少後來王弼的那樣的崇本息末觀念有關。

何晏無易學著述傳世,因此其易學特點無法詳知,但據現存史料可以推測。管輅批評何晏說:"以攻難之才游形之表,未入於神。……若欲差次老莊而參爻象,愛微辯而興浮辭,可謂射侯之巧,非能破秋毫之妙也。”(《三國志·管輅傳》)注引《輅別傳》)從這段話可以看出何晏易學的特點:一是援道入易;二是撥除象數;三是“愛微辭”,即重義理。何晏治易的理路,可以說就是後來王弼治易的理路。但何晏在易學方面何以没有突破,這值得深思。從理論上說,他大概如同荀粲那樣缺少崇本息末觀念。《南齊書·張緒傳》載:“(緒)常云何平叔所不解《易》中七(九)事,諸卦中所有時義,是其一也。”“時義”即一卦的義理。照王弼的解釋,一卦之義由主爻而見,主爻與衆爻的關係為一與多的關係,亦即本末體用關係。何晏首倡“以無為本”說,但他對有無作為本末體用關係缺乏圓熟的理解,如何由無統有、由有明無,把有無有機地結合起來,未能在理論上加以解決,故其對時義不識。照此推測,何晏對言象意關係認識必定不透,不能達到“忘象以求意”的高度。

王弼沿着荀粲和何晏所開創而未走到底的理路,在觀念和方法上實現了全面突破,終於完成了時代賦予的理論任務。

王弼的崇本息末觀念是他通過研究《老子》而體悟出來的。這一觀念的要旨是把有無視作本末體用關係。“以無為本”,無為萬有存在變化的根據,所以必須“崇本”,盡全力去把握本體,由本體統攝現象。但無作為本體不能空無依據,它通過萬有的存在變化而顯示自己的存在,所以必須“由有明無”,由用見體。照王弼所說,體顯為用,用表現體,體用一如,相即不分。他據此而强調,不能離體言用,也不能離用言體。若離體執用,捨本逐末,必然失本失體。不逐末,不執用,反能“守母存子”,得本全用。[1] 王弼從本體論的高度去理解有無關係,是對漢代宇宙論的一場革命。没有這場觀念上的革命,就不可有方法上革命和整個易學的革命。

---

① 有無為本末體用關係,筆者有詳說,内容詳見拙文《論玄學‘有’‘無’範疇的根本義蘊》,《文史哲》1996年第1期。

依據這一崇本息末觀念,王弼對名言的功能以及如何運用名言而把握本體進行了分析。他認為,"名出於彼,稱出於我"。名號和稱謂是根據客觀對象和主觀意向而確定的。因此,要說明對象或心中之意,就不能不借助於名言,"故涉之乎無物而不由,則稱之曰道;求之乎無妙而不出,則謂之曰玄。"道或玄作為名言,其對象乃本體世界。本體並非實物定有,它無形無象,名言與之不存在對應關係,"名之不能當,稱之不能既。"稱之為道為玄,不過是"字之而已"。如果對此不識,企圖運用名言去說明本體是什麼,勢必"失其常"、"離其真",不能得本體的真相。王弼由此而強調"不言"、"不名"。"不言"、"不名"亦即"忘言",不執著於名言,如此,反而"不違其常"、"不離其真"。(以上均引自《老子指略》)王弼關於名言的討論,旨在證成其崇本息末觀念,盡管尚未提出"忘象以求其意"的命題,但可以說呼之欲出了。

王弼在《明象》中,非常概括而簡明地道出了他對言象意關係的總體看法。由於這段文字較長,茲不具引。從王弼的論說看,顯然是沿着崇本息末的觀念而展開的:

第一,就象數的產生過程看,主體觀念中先有某種情意,然後顯之於象,繫之於言,通過言象來表達意之內容。這是由意而象而言的顯意過程。所謂"言生於象"、"象生於意",所表示的就是這層意思。王弼的這一觀念,可以說是把意當作"本",把言象當作"末",由意而象而言的過程,也就是體顯為用的過程。

第二,就如何理解意的途徑看,理解者不能離開言象。他必須借助卦爻辭和利用卦爻符號纔能得意。這是由言而象而意的理解過程。王弼把這一過程表述為"尋言以觀象"、"尋象以觀意"。這一過程,可以視為由用見體過程。

第三,言象為得意的筌蹄。從上面王弼所表述的言象意關係看,他並不排斥象數,不否認象數與義理之間的肯定關係。但王弼並不是把言象當作指實工具,而是當作指點工具,强調象數的象徵功能。與言象相對待,意之自身也不是實物實理,而屬於形而上的意義世界。主體欲了解聖人之意,固然需要借助於言象,但言象對意衹具有象徵意義,而不是意之本身。若拘泥於言象,把言象看死,反而失意。這就如同筌蹄之於魚兔的關係。筌蹄是工具,但不是魚兔本身。若執於筌蹄,視筌蹄為魚兔,反而失卻魚兔。王弼的這一觀念,實與其老學中所指斥的"捨本逐末"在理路上為一。

第四,王弼根據他對言象功能和意之性質的理解,最後得出結論:"忘象者,乃得意也;忘言者,乃得象也。"忘象忘言不是廢棄言象,而是説既要借助言象,又不可拘於言象,如此,纔能得意,把握《周易》文本的真精神。這一觀念,實即王弼老學中的"由末返本"之道。

不難發現,王弼是依據於崇本息末觀念去解釋《周易》的。他强調易義理學的研究目的在於"得意"。這個"意",就是荀粲所説的"象外之意"、"係表之言",同時亦即莊子所説的"迹"所依據的"所以迹"。這是一個形而上的意義世界,它借助言象這一象徵性的工具來表現自身。漢代象數學派的錯誤就在於把象數當作指實工具,視手段與目的之間存在着直接性的關係,因此,他們所做的工作就是"存言"、"存象",但卻把本質丢掉了。言象意之間作為本末體用關係,就決定了既不能離開言象去求意,也不能執著於言象去求意,而衹能以"忘言"、"忘象"的方式去領悟那超越言象之外的意義世界。這一方法,便是"忘象以求其意"。遵循這一原則,"義斯見矣"。照王弼所見,這一原則即是《易傳》所説的"立象以盡意"、"繫辭焉以盡其言"的真義所在。

王弼解《易》,所面臨的另一個難題,是如何理解卦爻結構以達到把握義理的目的。"忘象以求其意"作為認識論的方法,衹是從言象的功能和意之性質的層面指明了把握對象的可能和途徑,而未涉及卦爻結構問題。如果不能在卦爻結構與義理之間找到一條合理的通道,仍有可能重蹈象數學派的老路。王弼根據崇本息末觀念,進一步提出了執一禦多、以寡統衆的本體論方法,解決了這一理論難題。大體說來,《明象》重在"明本",强調由主爻以見卦義;《明爻通變》重在"明用",揭示六爻變化規律;《明卦適變通爻》則綜合上面二文義後,伸明卦爻為本末體用關係。

王弼極重理統,强調對根本要理的把握,因此,他研究《周易》,首先關注的是把握根本大要的方法。其《明象》,就是旨在確定這一方法。他說:

> 夫衆不能治衆,治衆者,至寡者也。夫動不能制動,制天下之動者,貞夫一者也。故衆之所以得咸存者,主必致一也;動之所以得咸運者,原必無二也。物無妄然,必由其理。統之有宗、會之有元,故繁而不亂,衆而不惑。

"至寡者"可以治衆,此至寡者即是一。一不是數目之一,而是"統之有宗、會之有元"之宗之元,亦即統攝衆物之本。萬物作為具體存在,必有種種動相,動則為具體之動,故不能"制天下之動",制動者必是不動之一。一為宗為元,它乃治多制動者,所以說,"衆之所以得咸存者,主必致一也;動之所以得咸運者,原必無二也。"一能治多制動,說明一為本為體,多與動為末為用。用據體而全其多、成其運,而不是離體妄作,所以說,"物無妄然,必由其理"。在本體的統攝下,萬物雖衆雖動,但皆有其理則。照王弼所見,執一禦多、以寡統衆的原則,既是《周易》的義理所在,又是聖人之意所在。如果從卦爻結構或解《易》體例的層面看,它又是把握客觀義理和主觀之意的方法所在。王弼認為,《易》有衆多的卦爻,看來結構複雜,變化繁多,但其中必有一定的規則,因此,可以用執一禦多、以簡禦繁的方法去把握之。易有 384 爻,每六爻成一卦。在卦體中,其中以一爻為主,這一爻便是每一卦的主要義旨所在,它在每一卦的結構中,處於"宗""元"地位。因此,祗要找到了主爻,弄清了主爻的意義,就可以明了該卦的根本意義。

那麼,如何尋找主爻並根據主爻去理解卦義呢? 王弼指出,《彖傳》是"統論一卦之體,明其所由之主者也",《彖傳》通過對卦體的分析,已經點明了主爻所在,揭示了每一卦的義旨。因此,王弼非常重視《彖傳》的地位,"故觀《彖》以斯,義可見矣。"他根據《彖傳》所提供的線索,確定了尋找主爻的原則。他說:"故六爻相錯,可舉一以明也;剛柔相乘,可立主以定也。"王弼為確定主爻而規定了兩條標準:一是根據以一禦多、以寡統衆的原則,以卦體中較少之爻作為主爻。他說:"夫少者,多之所貴也;寡者,衆之所宗也。一卦五陽而一陰,則陰為之主矣;五陰而一陽,則一陽為之主矣。"一卦由六爻組成,衆陽之中的陰爻,衆陰之中的陽爻,即是在卦體中起主導作用的主爻。找到主爻,即可確定這一卦的意義。二是根據《易傳》中"處中"、"居尊"觀念,以第二爻或第五爻為卦主。《易傳》認為,在一卦六爻中,二、五各處下卦和上卦之中,位次為尊。王弼據此而認為,"是故雜物撰德,辯是與非,則非其中爻,莫之備矣。"所謂"中爻",指處於二、五位上之爻。王弼認為,在64卦中,有一部分卦,其中爻居於主爻地位,據此即可理解該卦之義。

照王弼自己所說,他的這一由主爻以確定卦義的方法源於《易傳》。這不能說無據。如《彖傳》特别重視卦義,對64卦卦義進行了揭示。《易傳》把卦義昭顯於外,就是對卦爻結構分析的結果,其中必有其體例所在。正由於這一原因,《繫辭》對《彖傳》十分重視,如說"知者觀其《彖辭》,則思過半矣"。《繫辭》根據《彖傳》,提出以中爻明卦義的原則。王弼强調《彖傳》對於把握卦義的作用,一方面與《彖傳》自身的性質有關,另一方面顯然受到《繫辭》的啓示,特别是其以中爻明卦義的原則,即是照着《繫辭》説的。但總體看來,《易傳》對於在卦爻結構與義理之間如何建立一種有機的聯繫以及如何揭示這種聯繫,並没有概括出一套系統、嚴整的體例或原則,因此,王弼不可能全部照搬。他以主爻明卦義的方法,乃是創造。這一創造,主要得之於崇本息末觀念。

王弼雖然重本,但並不棄末遺用。《明爻通變》所着重討論的就産"明用"問題。王弼認為,爻的基本功能是表示變化的。他説:"爻者,何也?言乎變者也。變者何也?情僞之所為也。夫情僞之動,非數之所求也。……巧曆不能定其算數,聖明不能為之典要,法制所不能齊,度量所不能均也。"易爻就是講變化的。這種變化錯綜複雜、千差萬别,甚至不能為曆數、聖明、法制、度量所測度。但是,爻變並非無迹可尋,其原因就在於它生於"情僞之動",因此其中潛藏着某種規律性。"情僞之動"是對爻際關係的概括,其内容即是"合散屈伸,與體相乖;形躁好静,質柔愛剛,體與情反,質與願違"。王弼這句話,可以概括為"質同情異,質異相求"。爻分奇(—)偶(- -),奇者為陽,偶者為陰。陰陽兩爻,其性不同,陽剛陰柔,陽躁陰静,二個方面處於相反而對立的兩端。其間的關係可以概括為兩種:一是兩爻體性相同,但是其情態卻常常不同,甚或相斥;二是兩爻體性相反,但其間卻往往是陰求陽、陽求陰。驗之於人情物理,同一屬性者,其情趣或變化往往相背,而屬性相反者卻往往相互吸引。王弼認為,了解了爻生於"情僞之動"的道理,就可以進而把握爻變的規律。

在《明卦適變通爻》中,王弼把六爻變化規律概括為六種,並相應地把明變方法也概括為六種。第一,"夫應者,同志之象也。"一卦六爻,初與四、二與五、二與上,若陰陽互異,則相互感應,表示志同。反之,則謂之"無應"。"故觀變動者,存乎應。"應與無應表示各爻的情趣動向,因此,據此即可以察其動静,辨其變化方向。第二,"位者,爻所處之象也。"王弼認為,初上兩爻無陰陽之位(《辨位》),所剩四爻,其中二、四為陰位,三、五為陽位。陰爻居陰位,陽爻居陽位,是為當位,否則為失位。當位則安,失位則危。因此,"察安危者,存乎位",根據爻位當與不當,即可明其安危之義。第三,"承乘者,逆順之象也。"剛乘柔為順,柔乘剛為逆;剛承柔為逆,柔承剛為順。因此,"辯逆順者,存乎承乘",根據爻之承乘關係即可以明其逆順之義。第四,"内外者,出處之象也。"六爻别卦,由上下兩經卦組成。下卦為内,上卦為外。内卦之象為處,外卦之象為出。因此,"明出處者,存乎外内",由内卦與外卦的關係,即可明其出處之義。第五,"遠近者,險易之象也。"邢璹注說:"遠難則易,近難則險。需卦九三近難,險也。初九遠險,易矣。"第六,"初上者,終始之象也。"初爻為始,上爻為終,表示六爻運行的初始和終結。王弼說:"遠近終始,各存其會。"這是對第五、六兩條爻義的綜合,意即由遠近可得險易之義,由初上可明終始之義。經過王弼的解釋,爻變雖然繁複,但其中有固定的規則可循。照王弼所說,掌握了這六種規則,就可以把握爻際關係,明了爻變的意義,不必像象數學派那樣糾纏於象數形式中而不能自拔。

王弼在確定了由主爻以明卦義和六爻成變的規則之後,進一步對卦與爻之間的關係進行了分析。在王弼的觀念中,卦為本為體,爻為末為用,二者為本末體用關係,《明卦適變通爻》載:

> 夫卦者,時也;爻者,適時之變化。夫時有否泰,故用有行藏;卦有小大,故辭有險易。一時之制,可反而用也;一時之吉,可反而凶也。故卦以反對,而爻亦皆變,是故用無常道,事無軌度,動靜屈伸,唯變所適。故名其卦,則吉凶從其類;存其時,則動靜應其用。尋名以觀其吉凶,舉時以觀其動靜,則一體之變,由斯見矣。

王弼指出,卦的功能是表示"時"。時即時義,也即卦義,是一卦的義理所在。爻是依據於卦時而顯示的易變軌迹。王弼認為,卦體統攝爻變,時義決定爻義。爻的屈伸進退取決於卦時,它所代表的意義取決於卦的意義。落在人情事理上說,卦所代表的特定時境或總體形勢決定着事物的變化以及人的行為選擇方式。事物如何變化,人們應當如何行動以及其行為的後果是吉是凶,這並不僅僅取決於其自身,而且受到時境的制約。從總體上看,時有否泰。泰為亨通,否為閉塞。處於這兩種不同時義下的爻具有不同的意義。否泰兩面可以轉化,隨着卦體的轉化,爻也跟着變化,其意義也相應變化。泰表示形勢在總體上為有利之時,處於此時,君子當有作為;否表示形勢在總體上為不利之時,處於此時,君子當以隱遁為妙。但當形勢發生了變化,主體就應該調整自己的行為,不可拘泥不變。能變則吉,不變則吉。在王弼看來,由於卦為體,爻為用,所以他强調應該首先掌握卦的"一體之變",以此為基礎,纔能進而把握爻變的規律。所謂"存其時,則動靜應具用","舉時以觀其動靜",闡述的就是這一原則。實際上,"明卦適變通爻"這一標題,就是對卦爻關係的高度概括。"明卦",就是對卦時的認識。"適變通爻",就是在把握卦時的基礎上對爻變的認識,並把這一認識用之於生活實踐。這一原則,實即由本統末、由體攝用的原則。

總括地說,王弼的《周易略例》旨在確定解經的方法,它要解決的問題是如何理解《周易》的義理和如何把握義理。在《明象》中,王弼挑明了言象與意之間為本末關係,前者對於後者衹具有指點的功能,因此,把握意既要借助言象,又不可拘泥言象,而必須採用"忘象以求其意"的方法。在《明彖》中,王弼指明了卦義顯之於主爻,主爻與衆爻之間為本末關係,因此,應該盡全力找到主爻,以確定卦義所在。在《明爻通變》和《明卦適變通爻》中,王弼指明了卦的功能是表示時義的,爻的功能是表示變化的,其變化是有規律的,二者乃本末體用關係,因此,必須通過對卦爻關係的分析以掌握爻變規律,把握爻義。經過王弼的解釋,《周易》成為一部有本有末、結構嚴密、系統有序的著作,人們可以運用特定的方法或通過特定的路徑去理解它。在《易傳》之後,能把解《易》規則如此規範化、條理化的,王弼可謂是第一人。

王弼的這一解釋學的原則,當然是對《易傳》解釋學原則的進一步的提升和發展,但他之所以能完成這一艱巨的理論工程,蓋在於他有崇本息末觀念作為解經的理論基礎。無論是言意之辨,還是卦爻之辨,其中都貫穿着本末體用觀念。崇本息末觀念是王弼手中的一把鋒利的解剖刀。他運用這把刀子,剥離了《易傳》中象數學的雜質,凸現了義理及其義理學的方法。又用這把刀子剃掉了漢易象數派的繁瑣形式,扭轉了漢易以宇宙論為理論根基的質實心靈,挺顯了一個形而上的本體世界。王弼所進行的工作是一種創造。這是一種依據傳統又立足於現實的創造。這一創造是繼承與革新、歷史與現實的統一,又是理論與方法的統一。這是易學史上一場真正的革命。王弼易學革命成功的原因固然很多,但從理論的層面看,就在於他發明了崇本息末的原則。但這一原則不是來源於儒家,而是來源於道家。因此,王弼的解易原則在本質上所體現的是以道入儒、以道解儒的理論傾向。

作者簡介 高晨陽,1944年生,河北臨漳人。山東大學哲學系教授。主要著作有《中國傳統思維方式研究》、《阮籍評傳》等。

王弼用《莊》解《易》論略

陳少峰

內容提要　本文以王弼《周易注》及《周易略例》為中心,參證其它王弼文義,嘗試分析王弼以《莊子》義解《易》的特點及其建立的玄學理論之特色。

一

王弼解《易》的基本特點是掃象數説而主取義説,學者詳之。但他並非一概排除原典證釋而自作闡述[①],故其中既有述解本文之言,也保留了儒家重視道德倫理的基本要素。然而,王弼因用老莊學解《易》,借此演繹玄學觀念,故其《易》理極為複雜。限於筆者淺狹之見所及,前輩學者關於王弼注《易》用《老》義的分疏已漸詳

---

① 王弼《易》注素被稱重,但清儒高象數,喜漢學,貶低王注。獨清末章太炎先生稱許之。黄壽祺先生説,"……余嘗見章先生致先師歙吴檢齋先生手札云:'僕之有取於王、程者,亦謂其近道耳。'又云:'讀王注者,當先取《略例》觀之,其言閎廓,亦不牽及玄言。'其宗主王弼甚堅,蓋章先生不獨長於故訓,亦復深於名理,故所尚與乾嘉諸儒異趣矣。"(黄壽祺,《六庵易話》轉引自張善文編《周易研究論文集》第二輯第56頁。北京師範大學出版社,1989年8月)不過,雖然《略例》較完整地表達了王弼的易學觀,但"亦不牽及玄言"之説並不恰確。

備,而對《莊子》義的具體運用尚語焉不詳。① 故本文嘗試就此加以述論。

史載王弼好論儒、道(見《三國志·魏志·鍾會傳》),他注《易》時所發揮的德性學説,所據常不離儒者之訓。如解《習坎卦·象》"君子以常德行,習教事也"云:"至險未夷,教不可廢,故以常德行而習教事也。習於坎,然後乃能不以險難為困,而德行不失常也。"以德濟困,王弼甚重視之,顯示出尚儒之特色。但王弼的玄學系統本於《老》、《莊》哲學,學者概無疑義。如他闡釋《論語》(釋疑佚文)時,常常顯示以道説儒的鮮明特色,如注《泰伯》"子曰:'大哉,堯之為君也!巍巍乎唯天為大,唯堯則之。蕩蕩乎民無能名焉!〖巍巍乎其有成功也,焕乎其有文章。〗'"云:"聖人有則天之德。所以稱唯堯則之者,唯堯於時全則天之道也。蕩蕩,無形無名之稱也。夫名所名者,生於善有所章,而惠有所存。善惡相須,而名分形焉。若夫大愛無私,惠將安在?至美無偏,名將何生?故則天成化,道同自然,不私其子而君其臣。凶者自罰,善者自功;功成而不立其譽,罰加而不任其刑。百姓日用而不知所以然,夫又何可名也!"(《皇疏》,《王弼集校釋》下册,第626頁)道同自然,取法老子。則天成化、至美無偏云云,即莊子所謂其生也天行,其死也物化,以及天地有大美而不言。(《莊子·知北遊》:"天地有大美而不言,四時有明法而不議,萬物有成理而不説。"《繫辭》:"易簡而天下之理得矣"。王弼又稱為大美配天而華不作)等等之説。而"無形無名"

---

① 關於用《老》注《易》之説,如近人鄭慕雍先生《王弼注易用老考》(原載《勵學》第三期,1935年4月。收入黄壽祺、張善文編《周易研究論文集》第二輯。北京師範大學出版社,1989年8月)以及樓宇烈《王弼集校釋》等有詳注。王弼注《易》用《莊》義,學者似未及通達之。馬叙倫先生認為輔嗣為《易》注多取諸老莊(見《列子偽書考》),具體未詳明。樓宇烈先生《王弼集校釋》中隨處標明王弼注《易》用語同於《莊子》處,而未及通論。

即王弼所創發的無的境界説。王弼解《中孚卦》上九"翰音登於天,貞凶"云:"居卦之上,處信之終,信終則衰,忠篤内喪,華美外揚,故曰'翰音登於天'也。翰音登天,正亦滅矣。"又,釋《陽貨》"子曰:'予欲無言。'子貢曰:'子如不言,則小子何述焉?'子曰:'天何言哉?四時行焉,百物生焉。天何言哉'"云:"予欲無言,蓋欲明本。舉本統末,而示物於極者也。夫立言垂教,將以通性,而弊至於湮;寄旨傳辭,將以正邪,而勢至於繁。既求道中,不可勝禦,是以修本廢言,則天而行化。以淳而觀,則天地之心見於不言;寒暑代序,則不言之令行乎四時。天豈諄諄者哉!"(《皇疏》,同上書,第634頁)不言之教即《莊子》"忘言之教",王弼用《老》《莊》義釋《論語》,即不言之教或不教而化。忘(不)言之教,無形而心成,即所謂修本廢言,亦即各正性命,則天而盡極者也。

"明本"之説與"不言"之教的結合,可見王弼受《莊子》影響的基本形態。雖然孔子在道德上强調君子務本、本立而道生,但王弼本體意義上的"本",以及"本"與"言"相對而論,則取自《莊子·天下》"以本為精,以物為粗"和"所以迹"、所"迹"之分辨意蘊。王弼修本云云,即本於莊子之本末關係。王弼主聖人無累之義,更與《莊子》旨趣相合。顯然,王弼注《易》主取義,其哲學方法論淵源似可由此得到解答。

王弼以《老》、《莊》解《易》,時人即已明之。史載"太原王濟好談,病《老》、《莊》,嘗云:'見弼《易》注,所悟者多。'"(《魏志·鍾會傳》注)自漢代嚴遵以後,學者兼治《老》、《易》者,不乏其人。然王弼兼治《老》、《莊》、《易》,則不僅體現出構造玄學思想時的學術淵源新動向;而且也正是通過對《莊子》義的發揮,順利地完成本體論的體系化,表徵出方法論上的重要特點。

二

王弼關於本體的形容，首先明確其絶對性。因本體不可為象、不為具體性質而作為任何具體之象、任何具體性質依存的實在。實在而非體，非體之體是為本體。此本體稱之為無。無即道，而道不可體。《論語》"志於道"章王弼釋曰："道者，無之稱也，無不通也，無不由也。況之曰道，寂然無體，不可為象。是道不可體，故但志慕而已。"(邢疏)此義明顯本於《莊子·知北遊》："夫體道者，天下之君子所係焉。今於道，秋豪之端萬分未得處一焉，而猶知藏其狂言而死，又況乎體道者乎！視之無形，聽之無聲，於人之論者，所以論道而非道也。"本體之不可言傳，王弼通過言意之辨詳加闡發，下文將加以補述。

值得注意的是，王弼關於本體的指稱，明確了它顯現的無限可能性。老子論道，主方法上的以柔克剛，而王弼主本體上的不陰不陽、能陰能陽；不柔不剛，能柔能剛。如唐楊士勳《春秋穀梁傳注疏》莊公三年條引王弼佚文説："一陰一陽者，或謂之陰，或謂之陽，不可定名也。夫為陰則不能為陽，為柔則不能為剛。唯不陰不陽，然後為陰陽之宗；不柔不剛，然後為剛柔之主。故無方無體，非陽非陰，始得謂之道，始得謂之神。"《莊子·知北遊》曰："中國有人焉，非陰非陽，處於天地之間，直且為人，將反於宗。"又如他在《老子指略》中强調炎則不能涼、宫則不能商以及能柔能剛、有形則不能極其大之意，甚通於莊子理："至人神矣！大澤焚而不能熱，河漢沍而不能寒"；"其聲能短能長，能柔能剛，變化齊一，不主故常"。王弼在此固已得"神"韻，而以顯現的無限可能性和會莊子之絶對本體

關於這方面的證據，可以進一步引用如次。王弼解《乾卦》九二云："德施周普，居中不偏，雖非君位，君之德也。"(《象辭》亦言"德施

普")《莊子》中說:周、咸、遍三者,異名同實,其指一也。即物物者與物無際。又,他解釋《象傳》"大明終始,六位時成"曰:"大明乎終始之道,故六位不失其時而成。升降無常,隨時而用。"① 又說:夫形也者,物之累也。此通於莊子所謂形迹為粗以及墮肢體之言。"升降無常,隨時而用"即變化齊一、不主故常。本體之"神",即在於其無常主。《周易略例·辯位》:"夫位者,列貴賤之地,待才用之宅也。爻者,守位分之任,應貴賤之序者也。位有尊卑,爻有陰陽。尊者,陽之所處;卑者,陰之所履也。故以尊為陽位,卑為陰位。去初上而論位分,則三五各在一卦之上,亦何得不謂之陽位?二四各在一卦之下,亦何得不謂之陰位?初上者,體之終始,事之先後也,故位無常分,事無常所,非可以陰陽定也。尊卑有常序,終始無常主。"《莊子》中既强調與化無極、與物終始的無限運化之理,又强調了尊卑有常序之義:"夫天地至神,而有尊卑先後之序","反復終始,不知端倪"。

本體具有絶對的周延性。《周易略例·明爻通變》說:"是故範圍天地之化而不過,曲成萬物而不遺,通乎晝夜之道而無體,一陰一陽而無窮。非天下之至變,其孰能與於此哉!"《老子指略》說:"夫欲定物之本者,則雖近而必自遠以證其始;夫欲明物之所由者,則雖顯而必自幽以叙其本。故取天地之外,以明形骸之内。明侯王孤寡之義,而從道一以宣其始。"案:此乃《莊子》"夫未始夫未始有無"以及"萬物出夫幽冥"之說。王弼《老子》五十一章注"有德而不知其主也,出乎幽冥。"王弼證"無"本,保留了宇宙論的微意,即以莊子的出乎幽冥(源起之不可究詰)為立說根據,而不是老子的

---

① 《莊子》中常見"終始"之說,如《大宗師》"反復終始";《田子方》"終始相反乎無端"等等。《易傳》中"終始"用語,顯然受到《莊子》的影響(參閱陳鼓應先生《易傳與道家思想》,頁18—20。臺灣商務印書館,1994年9月)。而王弼此處也明顯受到《莊子》的影響。

生成説。而“取天地之外,以明形骸之内”即莊子所謂“乘物以遊心”之義。向秀、郭象《莊子注》稱為“遊外以弘内”。又,《莊子·大宗師》説:“夫道有情有信,無為無形;可傳而不可受,可得而不可見;自本自根,未有天地,自古以固存;神鬼神帝,生天生地;在太極之先而不為高,在六極之下而不為深;先天地生而不為久,長於上古而不為老。”道無所不復載,此即王弼所本以解老子之無。《莊子》言,道是超時空的,故能極大而無所不復載;王弼言以無為用,則莫不載。道之性質,以無而為衆物之所依也;無之為本,因其絶對而普遍周延。即是大通大和。他注《睽卦》上九云:“以文明之極,而觀至穢之物,睽之甚也。豕(失)〖而〗負塗,穢莫過焉。至睽將合,至殊將通,恢詭譎怪,道將為一。”此即取自《齊物論》“物固有所然,物固有所可;無物不然,無物不可。故為是舉莛與楹,厲與西施,恢、詭、譎、怪,道通為一”之義。(案:此處將《莊子》“道通為一”改為“道將為一”,文意與《莊子》略有相去處;但王弼取“通”之義甚明。參下文)又,王弼解《旅卦》之《彖辭》“柔得中乎外而順乎剛,止而麗乎明,是以小享,旅貞吉也”云:“陰各順陽,不為乖逆,止而麗明,動不履妄,雖不及剛得尊位,恢弘大通,是以小享。”大通之辭,為《莊子》中重要概念,王弼稱述之,如注《老子》十六章“天乃道”云:“與天合德,體道大通。”注《泰卦》云:上下大通。此保存了齊物和順之義。[1] 因大通而體現本體的絶對性。

王弼通過體用關係來解説本體之極一性質。它通過一多和動静關係體現出來。《周易略例·明象》説:“夫衆不能治衆,治衆者,

---

① 《周易略例·明爻通變》:“近不必比,遠不必乖。同聲相應,高下不必均也;同氣相求,體質不必齊也。召雲者龍,命吕者律。故二女相違,而剛柔合體。……能説諸心,能研諸慮,睽而知其類,異而知其通,其唯明爻者乎?故有善邇而遠至,命宫而商應;修下而高者降,與彼而取此者服矣!”“高下不必均”、“體質不必齊”以及“異而知其通”,保存着莊子齊物以及大通之意。

至寡者也。夫動不能制動,制天下之動者,貞夫一者也。故衆之所以得咸存者,主必致一也;動之所以得咸運者,原必無二也。"朱伯崑先生說:"邢璹注說:'一本,動不能制動,作天地不能作動。'按此版本,王弼認為,天地亦是一物,不能制天下之動,主宰天地萬物的那個'一'居於天地之上。此與《老子指略》所說'取天地之外,以明形骸之内'的說法是一致的。"(《易學哲學史》上册,第254頁)而此正是莊子所謂"天地與我併生,而萬物與我為一"之義。因此,上說與其源自《老子》之說,毋寧更近於《莊子·天地》之義:"天地雖大,其化均也;萬物雖多,其治一也;人卒雖衆,其主君也。君原於德而成於天,故曰:玄古之君天下,無為也,天德而已矣。"在此,本源說讓位於本體義,不是老子的一生二的派生關係,而是運化同均之理。

本體是不可言盡的。《莊子·知北遊》云:"道不可聞,聞而非也;道不可見,見而非也;道不可言,言而非也。知形形之不形乎!(案:王弼注《觀卦》曰:"神則無形者也。")道不當名。"[1] 又,《列禦寇》曰:"莊子曰:'知道易,勿言難。知而不言,所以之天也;知而言之,所以之人也。古之人,天而不人。"王弼則曰:"名之不能當,稱之不能既";"言之者失其常,名之者離其真";"欲辯而詰者,則失其旨也;欲名而責者,則違其義也"(《老子指略》)。盡管王弼顯然吸收了老子的道不可名說和無為說,但參合他關於"真"的概念之使用以及言意之辨的方法論之來源,可知受到《莊子》明顯的影響。

---

① 又,《莊子·天道》說:"世之所貴道者書也。書不過語,語有貴也。語之所貴者意也,意有所隨。意之所隨者,不可以言傳也,而世貴言傳書。……悲夫!世人以形色名聲以得彼之情。"《易傳》有"言不盡意"之說。

三

顯然,王弼本體論之確立,常借《莊子》義以演成(揉和《老》、《莊》、《易》及其它名理學)。上述對比已經初步得到印證。兹詳説之。

道雖不可言説,然道與具體實在之間是一種共在關係。前者為無限顯現的可能性與本體,後者依存於前者,並且部分地顯現前者。顯現者是一種絶對,是非實體之絶對。道與具體實在之間的關係是無和有的關係。王弼論有無,受到老子的重要影響(《莊子·人間世》亦曰:"人皆知有用之用,而莫知無用之用也。"),但無之作為本體,則受到《莊子》更深刻的影響。本體是極一,極一非物亦非數。本體與萬象的關係,不是具體的一與多的關係,而是周延性的本體與萬物的共在關係。王弼據此提出,一者非數,不用之數,可以數用。故(韓康伯注引)王弼闡解《繫辭》"大衍之數五十,其用四十有九"為:"演天地之數,所賴者五十也。其用四十有九,則其一不用也。不用而用以之通,非數而數以之成,斯易之太極(一作大極)也。四十有九,數之極也,夫無不可以無明,必因於有,故常於有物之極,而必明其所由之宗也。"王弼撇開筮法而自衍義理,正契會了莊子的物物者非物之説。然非物之極一不可自見,故王弼主張無不可以無明,必因於有,崇本仍要舉末,則本僅為其宗而已。其宗即是物物者也。

莊子的哲學通過言意之辨的方法揭示出來。上述所揭王弼受《莊子》義影響,在此一方面越發明朗。《莊子·外物》:"筌者所以在魚,得魚而忘筌;蹄者所以在兔,得兔而忘蹄;言者所以在意,得意而忘言。吾安得夫忘言之人而與之言哉!"外物外形而始可與論道。道在本質上衹能契會。王弼在《周易略例·明象》中説道:"夫象者,出意者也。言者,明象者也。盡意莫若象,盡象莫若言。言生於象,故可尋言以觀象;象生於意,故可尋象以觀意。意以象盡,象以言著。故言者所以明象,得象而忘言;象者所以存意,得意而忘象。猶蹄者所以在兔,得兔而忘蹄;筌者所以在魚,得魚而忘筌也。然則,言者,象之蹄也;象者,意之筌也。是故,存言者,非得象者也;存象者,非得意者也。象生於意而存象焉,則所存者乃非其象也;言生於象而存言焉,則所存者乃非其言也。然則,忘象者,乃得意者也;忘言者,乃得象者也。得意在忘象,得象在忘言。故立象以盡意,而象可忘也;重畫以盡情,而畫可忘也。"在此,王弼的立論仍然基於本末關係,"意"和"象"、"言"是無限的顯現者和可能的顯現途徑之關係。關於這一點,《周易略例·明象》說:"是故觸類可為其象,合義可為其徵。義苟在健,何必馬乎?類苟在順,何必牛乎?爻苟合順,何必坤乃為牛?義苟應健,何必乾乃為馬?"王弼注《易》捨象取義,"意"之決定"象",或者說有因無以為體的本體論證明十分明顯。

更值得進一步指出的是,王弼還引《莊子》中關於唯達者知通為一;立之本原而知通於神;道不欲雜、雜則多、多則擾;以及無適[①] 以證言意之辨。上引文之後,他說:"而或者定馬於乾,案文責卦,有馬無乾,則偽說滋漫,難可紀矣。互體不足,遂及卦變;變又不足,推致無行。一失其原,巧愈彌甚。從或復值,而義無所取。蓋存象忘意之由也。忘象以求其意,義斯見矣。"盡管此處他是直接批評由互體說至於卦變說甚至五行說,但又明顯合於《莊子》關於道不當名以及"迹"與"所以迹"、

① 《莊子·齊物論》:"既已為一矣,且得有言乎?一與言為二,二與一為三。自此以往,巧曆不能得,而況其凡乎!故自無適有,以至於三,而況自有適有乎!"王弼以此文注解《老子》。其義即是王弼所謂明本、廢言之所自。

精華糟粕之分的意味。

四

在哲學方法上，把握本體無疑是至關重要的。本體雖不可以言象盡，然仍可契會，仍可通過自悟而達到與物無際的境界。在此方面，莊子標揭處"環中"和廣鑒之理。

王弼取天地一體之義，本於莊子。他屢言天地之心或天心，又取《易》之文以暢"用夫豐亨不憂之德，宜處天中以遍照者也"。天地之心即莊子天地之先之内之外的"道"；而處天中以遍照者，本於莊子照之於明及處環中以應無窮。解《豐卦》"勿憂，宜日中"（順下則《象》有"宜照天下"句）云："豐之為義，闡弘微細，通乎隱滯者也。為天下之主，而令微隱者不亨，憂未已也，故至豐亨，乃得勿憂也。用夫豐亨不憂之德，宜處天中以遍照者也，故曰'宜日中'也。"又，《周易略例·明象》："物無妄然，必由其理。統之有宗，會之有元，故繁而不亂，衆而不惑。故六爻相錯，可舉一以明也；剛柔相乘，可立主以定也。是故雜無撰德，辯是與非，則非其中爻，莫之備矣！故自統而尋之，物雖衆，則知可以執一禦也；由本以觀之，義雖博，則知可義一名舉也。故處璇璣以觀大運，則天地之動未足怪也；據會要以觀方來，則六合輻輳未足多也。"（《王弼集校釋》下册，第591頁）此即本於《莊子·齊物論》"……彼是莫得其偶，謂之道樞。樞始得環中，以應無窮。"王弼同時以之和會名理學。

王弼注《復卦·彖》"復其見天地之心乎"云："復者，反本之謂也。天地以本為心者也。凡動息則靜，靜非對動者也；語息則默，默非對語者也。然則天地雖大，富有萬物，雷動風行，運化萬變，寂然至無是其本矣。故動息地中，乃天地之心見也。若其以有為心，則異類未獲俱存也。"此文意通於《莊子·天道》所謂"天道運而無所積,故萬物成;帝道運而無所積,故天下歸;聖道運而無所積,故海內服。明於天,通於聖,六通四闢於帝王之德者,其自為也,昧然無不静者矣。聖人之静也,非曰静也善,故静也;萬物無足以鐃其心者,故静也。……夫虛静恬淡寂寞無為者,天地之平而道德之至也。……夫明白於天地之德者,此之謂大本大宗,與天和者也;所以均調天下,與人和者也。"(《淮南子·泰族訓》亦言聖人者懷天心,"萬物之本也")當然,王弼這裏所謂"静"非對"動"言者之"静",同時取自《莊子·在宥》"尸居而龍見,淵默而雷聲"。而所謂異類未獲俱存,即不兼之意。而不兼則非本體之性質,故不真:"有分則有不兼,有由則有不盡;不兼則大殊其真,不盡則不可以名(案:指不能得其全),此可演而明也。"重視"兼",重視異類俱存,明顯同於《莊子》萬物與我為一以及周咸遍(王弼稱為周普)之旨。

處中而觀運化,乃取自本體無限顯現及具周延性之義。本體能柔能剛,故居中以應無窮。此與老子處柔之義大相徑庭。王弼解《蒙卦》九二"包蒙,吉。納婦吉,子克家"説:"體陽而能包蒙,以剛而能居中,以此納配,物莫不應,故'納婦吉'也。"(《王弼集校釋》上册,第241頁)又,他解《臨卦》六五"知臨,大君之宜,吉"曰:"能納剛以禮,用建其正,不忌剛長,而能任之。"易言之,王弼强調剛柔相乘,居中(天地之心)而應,亦即處環中以應無窮。

此外,處中而廣鑒,也是王弼契會莊子本體論的特點。他解《觀卦》六二"窺觀,利女貞"云:"處大觀之時,居中得位,不能大觀廣鑒,窺觀而已,誠可丑也。"(亦解《象》"窺觀,女貞,亦可丑也。")(同上書,第316頁)《莊子·應帝王》"至人之用心若鏡,不將不迎,應而不藏,故能勝物而不傷。"又《莊子·天道》:"聖人之心静乎!天地之鑒也,萬物之鏡也。"《莊子·天下》:"……雖然,不該不遍,一曲之士也。"這一觀點對理學尤其王陽明哲學方法産生了深遠影響。

易言之,莊子通過道的設喻將"神"動逍遥與"寂寞至静"相和諧之義同様表現在王弼注《易》的理論中。如他注《乾卦》用九"見羣龍無首,吉"曰:"乘變化而禦大器。静專動直,不失大和,豈非正性命之情邪?"此蓋本於《莊子·逍遥遊》"若夫乘天地之正,而禦六氣之辯,以遊無窮者,彼且惡乎待哉! 故曰,至人無己,神人無功,聖人無名";"乘雲氣,禦飛龍,而遊乎四海之外"。王弼以本體論作為性命論之依據,來於莊子之依乎天理(《莊子·養生主》)以及委命順性之義。

五

在處世方法上,王弼受《莊子》之惠亦很顯然。他解《中孚卦》九二云:"處内而居重陰之下,而履不失中,不徇於外,任其真者也。立誠篤志,雖在暗昧,物亦應焉。……不私權利,唯德是與,誠之至也。"解釋《大有》上九"自天佑之,吉,無不利"曰:"大有,豐富之世也。處〈大有〉之上,而不累於位,志尚乎賢者也。余爻皆乘剛,而己獨乘柔,順也。五為信德,而己履焉,履信之謂也。雖不能體柔,而以剛乘柔,思順之義也。居豐有之世,而不以物累其心,高尚其志,尚賢者也。爻有三德,盡夫助道,故〈繫辭〉具焉。"(同上書,第291—292頁)莊子批評傷性、以身為殉等,如《莊子·應帝王》"順物自然而無私容焉"和《莊子·讓王》"今世俗之君子,多危身棄生以殉物,豈不悲哉";另外,《莊子·讓王》引孔子的話説,知足者,不以利自累;審自得者,失之而不懼;行修於内者,無位而不怍。

王弼與何晏之聖人觀不同,他主聖人有情,然情應萬物而無累,即應物而無累於物者也。這不僅直接承傳了《莊子》物物而不物於物以及定榮辱之分而不殉物的主張,也同於《莊子》的本性論。聖人同於人者五情、茂於人者神明的王弼之學説,恰好體現了《莊子》至人、神人、聖人的特點。《莊子·齊物論》所强調的有情而無形以及有情而因自然不益生等,即王弼聖人茂於神明、故能體沖和以通無之説所由來(《老子》四十二章有"沖氣以為和"之説)。又,《莊子·駢拇》説:"彼正正者,不失其性命之情。"而王弼認為,未能以情從理乃過,流蕩從欲。注《論語》"子曰:'性相近也,習相遠也。'"云:"若心好流蕩失真,此是情之邪也。……情近性者,何妨是有欲。若逐欲遷,故云遠也;若欲而不遷,故曰近。"(《皇疏》)即所謂性其情(又見《魏志·鍾會傳》注引王弼傳,及《乾卦·文言》注)。以情從理,《莊子·盜跖》詳言之:"……小人殉財,君子殉名,其所以變其情、易其性則異矣,乃至於棄其所為而殉其所不為則一也。故曰:無為小人,反殉而天;無為君子,從天之理。若枉若直,相而天極;面觀四方,與時消息。若是若非,執而圓機;獨成而意,與道徘徊。"又,《莊子·漁父》曰:"……子審仁義之間,察同異之際,觀動静之變,適受與之度,理好惡之情,和喜怒之節,而幾於不免矣。謹修而身,慎守其真,還以物與人,則無所累矣。今不修之身而求之人,不亦外乎!"此即情順萬物而無累。向秀、郭象演進為"無心以順有"。此一觀念,對理學(如程顥)產生了重要影響。

甚至在具體的生死觀方面,王弼也贊同《莊子》的意思。他解《離卦》九三"日昃之離,不鼓缶而歌,則大耋之嗟,凶"云:"明在將終,若不委之於人,養志無為,則至於耋老有嗟,凶矣,故曰'不鼓缶而歌,則大耋之嗟,凶'也。"此蓋兼取孔子樂天知命(後來陶淵明《歸去來辭》賦咏:"樂夫天命復奚疑!")和莊子委順之義,而在行文上則同於《莊子·至樂》之意:"莊子妻死,惠子弔之,莊子則方箕踞,鼓盆而歌。"[①]

① 此外,王弼解《豫卦》六三"(目於)豫,悔;遲,有悔"云:"居下體之極,處兩卦之際,履非其位,承動豫之主。若其睢(目於)而豫,悔亦生焉。……"焦循《周易補疏》説:"……王氏之學,習於《老》、《莊》,其'睢盱'二字正本《莊子》。"(轉引自樓宇烈先生校注文)《莊子·寓言》:"老子曰:而睢睢盱盱,而誰與居?大白若辱,盛德若不足。"

六

蒙文通先生說："讀中國哲學,切不可執着於名相,因各人所用術語常有名同而實異者,故必細心體會各家所用名詞術語的涵義,纔能進行分析比較。如果内涵不清,僅就名相上進行分析,皮毛而已,是不着實際的。"(《蒙文通學記》第5頁)《莊子》固然觸處就《老子》義加以發揮,但也有明顯的獨創之理。《老子》與《莊子》使用一些概念的不同,是分疏王弼受誰影響的關鍵。例如,在《莊子》中,"無為"及"自然",即是不加主宰,各正性命,非有相制,以無為體。任其自然,不是以方法無為為立論基礎,而是以本性自足為基礎,即是本體論上的解說,王弼尚無為,而又以莊子義明之(如傳記所說王弼聖人以情應物而無累即是)。其哲學的一個重要基礎是《莊子》自然本性自足論(包含相對自足原理)。

在這方面,王弼去《老》用《莊》義,十分明顯。如解《損卦》曰:"損下益上,非補不足也;損剛益柔,非長君子之道也。"又釋《彖》"損益盈虛,與時偕行"曰:"自然之質,各定其分,短者不為不足,長者不為有餘,損益將何加焉?非道之常,故必與時偕行也。"此即本於《駢拇》:"長者不為有餘,短者不為不足。是故鳧脛雖短,續之則憂;鶴脛雖長,斷之則悲。故性長非所斷,性短非所續,無所去憂也。"王弼取莊子物各有其所是,以是是之,則物莫不是;既已不可以此非彼,則必承認本性自足。值得注意的是,王弼也以《莊子》理注《老子》(見《老子》二十章王弼注),十分明顯地表明了自己的本性觀與《莊子》的繼承關係。又如他注《坤卦》六二"直方大,不習無不利"云:"居中得正,極於地質。任其自然,而物自生;不假修營,而功自成,故不習焉,而無不利。"此本於《莊子·德充符》"常因自然而不益生"。

王弼注解《老子》(第二十九章)時說,"萬物以自然為性,故可因而不為也,可通而不可執也。物有常性,而造為之,故必敗也;物有往來,而執之,故必失矣"以及"聖人達自然之〖性〗,暢萬物之情,故因而不為,順而不施。除其所以迷,去其所以惑,故心不亂而物性自得之也。"(《莊子·秋水》:"……是故迷亂而不能自得也。")此雖保留了老子無為自然的基本意義,但因去除損益之道,同時涵攝齊物順任、與物無際,從而更接近於莊子的哲學立場。

體剛履柔,剛柔相應;不以宰制物性;等等之說,與莊子與物無違相通。《莊子·齊物論》:"如求得其情與不得,無益損乎其真。一受其成形,不亡以待盡。與物相刃相靡,其行盡如馳,而莫之能止,不亦悲乎!"聖人處物而不傷物。《論語釋疑》(輯佚)(皇疏)釋'忠恕'曰:忠者,情之盡也;恕者,反情以同物者也。未有反諸其身而不得物之情,未有能全其恕而不盡理之極也。能盡理極,則無物不統。極不可二,故謂之一也。推身統物,窮類適盡,一言而可終身行者,其唯恕也。莊子强調反情性。王弼强調存真以及異類俱存,不同於老子所謂天之道或人之道,而是結合《莊子》中的本性論與齊物論而加以發展的。

此外,王弼注解《老子》第十章"生而不有,為而不恃,長而不宰,是謂玄德"云:"不塞其原,則物自生,何功之有?不禁其性,則物自濟,何為之恃?物自長足,不吾宰成,有德無主,非玄而何?凡言玄德,皆有德而不知其主,出乎幽冥。"此乃揉和老子無為與《莊子》順物義而成。而"出乎幽冥"以及前述所謂恢弘大通,則本於《莊子·秋水》:"始於玄冥,反於大通。"(王弼注《屯卦·象》"天造草昧"云:"造物之始,始於冥昧,故曰草昧也。")又,《莊子·駢拇》:"且夫待鈎繩規矩而正者,是削其性者也;待繩約膠漆而固者,是侵其德者也。"王弼强調不禁其性,也是揉和《老》、《莊》義而成。但加上大通以及"異類俱存"之義,則既去除了老子"克"、"勝"之目的性主張,同時更突出了各正性命之情以及道無所不復載的原理。

王弼倫理學的基礎正是源自這種自性自足的《莊子》義,[1] 並在此基礎上進一步上升為德性形上學。

七

王弼主張德性自然,其方法秉於形上學,而其内蘊則兼攝儒家正德之義。近人湯用彤先生論曰:"王弼雖深知否泰有命,而未嘗不勸人歸於正。然則其形上學,雖屬道家,而其於立身行事,實仍賞儒家之風骨也。"[2] 但從其後名教之徒責其波蕩禮法,亦可見其所説必不同於兩漢以來綱常之教。盡管王弼亦稱名分,然其意蓋謂不可逃之命(注《訟卦》謂"物有其分"),故安名分仍如《莊子》所謂安命若性(其後向秀、郭象《莊子注》更詳之),以及無所逃乎天地間(《莊子·人間世》)非如名教之徒棄本崇末,大其能尋禮本意也。

顯然,王弼之倫理學,以内自足守真為方法,以德性自然發舒為本,以禮律為末,構成了玄學德性形上學的重要一環。他十分强調誠信發中,反對外飾而偽。解《隨卦》九四"隨有獲,貞凶。有孚在道,以明,何咎"曰:"……雖違常義,志在濟物,心存公誠,著信在道,以明其功,何咎之有!"解《履卦》九二"履道坦坦,幽人貞吉":"履道尚謙,不喜處盈,務在致誠,惡夫外飾者也。"此即他所説的"不徇於外,任其真者"。而任其真者乃莊子守内自得、真神精誠之

---

① 《老子》四十九章曰:"聖人無常心,以百姓心為心。善者,吾善之;不善者,吾亦善之,德善。信者,吾信之;不信者,吾亦信之,德信。聖人在天下渾其心。聖人皆孩之。"此雖表示順物自然而無私,即王弼所謂不用明,但它與王弼據於本體之義上的本性論有微妙的差異。王弼所貴之無,非老子清静無為之"無",而是有無共在、以無為體為本之"無"。易言之,就體用本末關係立論,則有之自在自然乃顯示出本體之方式。

② 見湯用彤先生:《魏晉玄學論稿·王弼之周易論語新義》。《湯用彤學術論文集》,中華書局,1983年5月。

訓。至德即至美,大美配天而華不作,斯為上矣。

《老子指略》云:“夫敦樸之德不著,而名行之美顯尚,則修其所尚而望其譽,修其所道而冀其利。望譽冀利以勤其行,名彌美而誠愈外,利彌重而心愈競。父子兄弟,懷情失直,孝不任誠,慈不任實,蓋顯名行之所招也。”又解《大有卦》六五“厥孚交如,威如,吉”云:“居尊以柔,處大以中,無私於物,上下應之。信以發志,故其孚交如也。夫不私於物,物亦公焉;不疑於物,物亦誠焉。既公且信,何難何備?不言而教行,何為而不威如?”不疑於物,物亦誠焉,即順其自化,以及以是是之,萬物莫不是。《莊子·徐無鬼》:“故無所甚親,無所甚疏,抱德煬和,以順天下。”定乎內外之分,辨乎榮辱之境,是為莊子所重者矣。定內即修己,而非以制物。《老子指略》中還強調無責於人,必求諸己。此同於《莊子·天下》“常寬容於物,不削於人,可謂至極”。《莊子》所謂信行容體,中純實而反乎情。《莊子·徐無鬼》:“修胸中之誠,以應天地之情而勿攖。”王弼解【中孚卦·彖】“中孚,柔在內而剛得中,說而巽。孚,乃化邦也”云:“信立而後邦乃化也。柔在內而剛得中,各當其所也。剛得中,則直而正;柔在內,則靜而順。說而以巽,則乖争不作。如此,則物無巧競。敦實之行著,而篤信發乎其中矣。”

篤信發中,即是強調自覺修養,與《老》、《莊》尤其前者有別。然《莊子·天下》有內聖外王之説,似較和是非積極,亦與王弼旨意相近。另外,《莊子》提出直性而行,如《莊子·養生主》:“為善無近名,為惡無近刑。”王弼意引之,解《家人·象》“君子以言有物而行有恆”云:“……故君子以言必有物,而口無擇言;行必有恆,而身無擇行。”注《遯卦》上九“肥遯,無不利”云:“最處外極,無應於內,超然絕志,心無疑顧。憂患不能累,矰繳不能及,是以肥遯,無不利也。”《莊子·逍遙遊》:

“且舉世而譽之而不加勸，舉世而非之而加沮，定夫内外之分，辨夫榮辱之境，斯已矣。”玄學家嵇康最明顯受到莊學德性形上學的影響，有相同之主張。他强調貴乎亮達，布而存之，惡乎矜吝。追求傲然忘賢，而賢與慶會；忽然任心，而心與善遇；儻然無措，而事與是俱。東晉陶淵明也説，寧固窮以濟意，不委曲而累己。不私權利，直性而行，恰是篤信忠誠之任自然本義。

因此，德性之善在於自善，而不在於外在規定的準則要求。也就是説，德性決定倫理，而不是相反，纔是越名教而任自然的真義。王弼解《老子》“六親不和，有孝慈；國家昏亂，有忠臣”云：“甚美之名，生於大惡，所謂美惡同門。……若六親自和，國家自治，則孝慈、忠臣不知其所在矣。魚相忘於江湖之道，則相濡之德生也。”王弼此處引《莊子》相忘自然以喻説德境，耐人尋味。

總之，王弼强調無心於欲和無心於私（見《老子指略》），與莊子無累説相通。而其無私大公更强調兼通和順。如《老子》第十六章云：“知常，明也。不知常，妄。妄作凶。知常容，容乃公，公乃王，王乃天，天乃道，道乃久，没身不怠。”公，河上公注：“公正無私。”王弼注“容乃公”為“無所不包通，則乃至於蕩然公平也”；注“公乃王”曰：“蕩然公平，則乃至於無所不周普也。”此即是將《莊子》義融於其中。

當然，王弼的德性説無疑吸收了儒家的内德論，故較莊子積極。如他注解《觀卦》九五“觀我生，君子無咎”云：“居於尊位，為觀之主，宣弘大化，光於四表，觀之極者也。上之化下，猶風之靡草，故觀民之俗，以察己（道）。百姓有罪，在（予）一人，君子風著，己乃無咎。上為化主，將欲自觀，乃觀民也。”但他同時取《莊子》内聖外王以及性命不可逃之意。如解《豫卦》六二“介於石，不終日”云：“處豫之時，得位履中，安夫貞正，不求苟豫者也。順不苟從，豫不違中，是以上交不諂，下交不瀆。明禍福之所生，故不苟說；辨必然之理，故不改其操。介如石焉，不終日明矣。"辨必然之理，即是順受性命之正，即《莊子》所謂不可逃於天地間之理。

玄學共同的德性倫理學，尤其無我、無私以及直性不苟信念以及無心以順有的方法論，王弼肇其大端、揚其大體；加之嵇康以及向秀、郭象《莊子注》的發展，從而對理學產生了深遠的影響。①

作者簡介 陳少峰，哲學博士，1964 年生，福建漳浦人，現為北京大學哲學系副教授。著有《生命的尊嚴——中國近代人道主義思潮研究》、《中國倫理學史》(上下册)以及論文十幾篇，主編《原學》集刊。

① 此外，如王弼又有柔邪之說，對周敦頤區分剛善剛惡柔善柔惡具有明顯的影響。

王弼《周易大演論》佚文研究

王葆玹

内容提要　本文發掘出幾節王弼《周易大演論》的佚文，並將這些佚文與學界已知的這部著作的佚文合併，分為三類：一、議論“大衍之數”與“天地之數”的佚文；二、議論“太極”和“兩儀”的佚文；三、議論聖賢問題的佚文。本文就三類佚文作了系統的解釋，由此提出一些關於王弼《易》學的新見解。

長期以來，人們一直注重於王弼《易》學與亞里士多德哲學的共同點，認為王弼所謂的本、體與亞氏所説的本體相似，斷言中國哲學中的本體論乃由王弼首創。然而，我們衹要瀏覽一下王弼與亞氏的著作，便會看出兩者的差異點是更為顯著的。這差異首先表現在“本體是甚麽”的問題上，亞氏所謂本體是“形式”，如“桌子的形式”、“房屋的形式”等；而王弼《易》學中的本體卻是帶有“人事”印迹的義理，亦即社會活動中的各種法則。亞氏所謂“桌子的形式”、“房屋的形式”是從具體物件抽象出來的，王弼所謂義理卻是從《易》學中的象與數抽象出來的。如果繼續追問，王弼究竟是怎樣從象數之中抽象出義理的呢？他又是如何看待義理和象數之間的本末關係的呢？這樣的問題往往會使讀者感到困惑。我們知道，王弼《易》學中的義理本是十分複雜，按其抽象程度，可歸納出較低層次的義理，如卦義、爻義之類；也有最高層次的義理，亦即太極或理之極至。與卦義、爻義相對待的是卦象、爻象,其中卦義、爻義為本,為體;卦象、爻象為末,為用。王弼關於這種層次的本末體用關係的論述,屢見於他所作的《周易注》和《周易略例》,素為學者所了解。然而了解到這一層並不能使學人滿足,因為人們更加關注的是最高層次的太極至理,人們更重視的是王弼對於太極與象數的關係的論述。遺憾的是,王弼在這方面的論述不見於現存的《周易注》及《略例》,而僅見於久佚的《周易大演論》。

從標題上看,可以知道《大演論》的主要內容是解説《繫辭上傳》中的"大衍之數"。《繫辭》説:"大衍之數五十,其用四十有九,分而為二以象兩",西漢以來學界公認這裏五十當中不用的"一"可代表太極,四十九的"分而為二"可代表兩儀,可見《繫辭》所講的太極、兩儀及四象等等也應當在《大演論》的論題範圍之内。由於聖人體道,議論太極至理不能不牽涉聖人性情,可見《大演論》也可能論及聖人的問題。王弼《易》學中的重要見解幾乎多數集中在《大演論》中,而這部著作卻僅有一卷,久已亡佚。學界所承認的此論佚文,僅有人們熟悉的韓康伯《繫辭注》所引的數十字,以及筆者在1983年從《穀梁傳疏》發掘出來的數十字,合計不過百字有餘,支言片語,留有很多推測的餘地,使今人難就王弼《易》學的最高範疇作出確切的解釋。我在1987年曾發表《正始玄學》一書,就《大演論》佚文提出一些創見,但不成熟,未能引起學界重視。今據唐代前後的史料,辨明《周易大演論》原是唐代學者根據王弼著作編纂而成,並輯得此論佚文十節。這些佚文分別圍繞三個問題而作申述,一、大衍之數問題,王弼將大衍之數五十解為天地之數中的至大者,可包融全部的天地之數,因而五十當中"一"與四十九的關係即代表太極與天地萬物的關係,這種關係又可引用道家"有"、"無"之説來作發揮性的解釋。二、太極問題,王弼以為太極的特徵是"無方無體,非陽非陰",而能包融天地陰陽。三、聖人問題,王弼認為聖人體無,就其本性而言"不可以人名而名";聖人又應物,就其情感而言"不能無哀樂",對君子小人的消長不無憂慮。這十節佚文的發得,不僅可使學人得以更清楚地了解王弼《易》學的核心內容,而且可促使學界更注意王弼《易》學的道家特色。

一、關於《周易大演論》的幾個問題

《舊唐書·經籍志》著録王弼《周易大演論》一卷,《魏志·鍾會傳注》所引何劭《王弼傳》則提到荀融"難(王)弼大衍義",在這裏,"大演論"與"大衍義"孰為原名,是個複雜的問題。魏晉隋唐時期的經學著作有"義"的體裁,是諸多箋注體裁的一種,與"論"的性質大為不同。然而據《南齊書·陸澄傳》所載陸澄書,王弼"於注經中已舉《繫辭》,故不復別注",可見王弼"大衍義"不會是一部關於《繫辭》的箋注性作品。試將何劭關於"弼注《易》,潁川人荀融難弼大衍義"的記録與陸澄關於"弼於注經中已舉《繫辭》"的説明相對照,可以看出一種可能,即王弼在《周易注》中可能論及《繫辭》中的"大衍之數",並遭到荀融的駁難。何劭所謂"大衍義"絶非著作名稱,而是指王弼《周易注》中關於"大衍"的解説。進一步推測,王注既以"簡約"著稱,則注中所釋"大衍"之義便不會多達一卷,可見荀融所駁難的王弼"大衍義"與《唐志》中的王弼《周易大演論》一卷不能重合,前者至多是後者的一部份而已。

"大衍義"既可能原出於王弼《周易注》,怎麼又會是《周易大演論》的組成部份呢? 這問題的答案在於《大演論》一卷乃是在王弼之後出現的。《釋文敘録》和《隋志》著録了許多不甚重要的《易》學論文,如有阮渾、宋岱、周顒、范氏諸人的《易論》,卻未著録體裁與此類似而又重要得多的《周易大演論》,可見《大演論》一卷在《隋志》的時代尚未出現。《隋書》中《經籍志》成於唐高宗顯慶元年(公元656年),此年以前,人們大概衹能從王弼《周易注》及其書信等材料中見到他關於大衍之數的論述。在顯慶元年之後,王弼《周易注》已長期立於學官,權威很大,他關於"大衍之數"的論述備受學者重視,當時的學者遂將王弼各種著作中論及大衍之數的文字輯録成册,多達一卷,題為《周易大演論》。輯録所據的原材料,有很多是出自梁代目録所著録的《王弼集》五卷當中。

此處所提到的王弼的書信,是指王弼與荀融、鍾會辯論的信件。王弼曾以書信形式與荀融討論"大衍之數"的問題。鍾會撰有《周易盡神論》,與"大衍"問題有關,王弼又是鍾會的論友,則王弼也可能用書信形式與鍾會討論"大衍"。這些書信可能被收入《王弼集》五卷之内,成為唐初學者編纂《周易大演論》的主要來源。另外,從"弼注《易》,穎川人荀融難弼大衍義"一句話來看,王弼《周易注》可能有論及"大衍"的内容。《周易略例》下篇所存無幾,佚失的文字也可能論及"大衍"。這些文字都被摘引出來,與王弼致荀融等人的書信合併。後人為避免重複,或誤以為這些文字是摻入《注》、《略例》的《大演論》文字,便加删除,以致《注》和《略例》有失完整。當然,《略例》的殘缺還有另外一些原因。王弼可能還撰有《道略論》,"道"即太極,即"大衍之數"中的"不用之一",則《道略論》亦可能為《大演論》的編者所利用。

《周易大演論》在《新唐書·藝文志》寫為《大衍論》,"演"即"衍"。其中哪一個是原文,已無從考證。東晉成帝諱"衍",梁武帝亦諱"衍",則王弼原文為"衍"而後人避諱改為"演",是有可能的。然而《繫辭》韓注引有王弼"演天地之數"一節,則王弼原文為"演"的可能性也不能排除。這篇論文本為一卷,《新唐志》説為三卷,是由於增入他人的作品。《宋書·隱逸傳》説:"晉陵顧悦之難王弼《易》義四十餘條,(關)康之申王難顧",《隋志》又著録《周易難王輔嗣義》一卷,顧夷等撰。有人説顧夷即顧悦之,有人説不是,無論如何,這些材料都有可能成為《大衍論》三卷的來源。至於荀融、鍾會等人與王弼辯論"大衍"的文字,也可能附入《大演論》一卷,而使其卷數增加。

二、佚文之一——關於數的議論

《周易大演論》所論《繫辭》"大衍之數"一節,提到兩種數,其一是"大衍之數五十,其用四十有九";其二是"天地之數五十有五",係由"天數二十五"與"地數三十"相加而成,"天數二十五"即天一、天三、天五、天七、天九之和,"地數三十"即地二、地四、地六、地八、地十之和。東漢一些學者以為這種"天地之數"與"大衍之數"一定是有聯繫的,王弼的見解雖與東漢人不同,所討論的問題卻往往由東漢的《易》學演變而來。由此而論,《周易大演論》在論述"大衍"的同時,很難對"天地之數"迴避不談。下面試舉出三節兼論"大衍之數"、"天地之數"及其相互關係的《大演論》佚文,分别出於《繫辭上傳》韓注、《雅述上篇》和《五行大義》。

韓康伯在《繫辭上傳》"大衍之數五十,其用四十有九"句下注說:

> 王弼曰:演天地之數,所賴者五十也。其用四十有九,則其一不用也。不用而用以之通,非數而數以之成,斯易之太極也。四十有九,數之極也。夫无不可以无明,必因於有,故常於有物之極,而必明其所由之宗也。

孔穎達説這是韓氏"引王弼云,以證成其義",可見韓注自"王弼曰"以下,均為王弼文字。這段文字沿襲漢代成説,將"大衍之數五十,其用四十有九"中"不用"的"一",解為"易之太極";又循由以《老》解《易》的思路,將這"易之太極"與老子的"無"等同起來。漢代學者認為這裏的五十是星象的數目,五十中的一是太極,亦即北極星，其餘的四十九乃是環繞北極星運轉的羣星。這樣解釋的結果，是使太極之一與四十九分為兩截，没有顯示出太極與四十九之間的體用本末的關係。王弼稱一為太極而四十九為"數之極"，使一與四十九的關係發生了變化，兩者都是"極"，唯"一"就本體而言，故為"不用"；四十九是就末用而言，故為"用"。就末用而言，四十九為現象界之總和，故為"數之極"，就本體言，一為統攝現象界的終極性的本原，完全包容了四十九，故為"太極"。按王弼《老子指略例》所説，"崇本"纔可以"舉末"，因而"四十九"的正常運轉，有賴於"一"的確立，亦即"不用而用以之通"。一是無，是超越形象的，因而没有數量；四十九是有，是局限於形象世界的，因而必有數量。無存在於有的背後，是有的主宰，即所謂"非數而數以之成"。一既是無，無形無名，故不可形容，不可直接描述，衹可通過論列"有"的全體，纔可顯示無的存在及其價值，此即所謂"無不可以無明，必因於有，故常於有物之極，而必明其所由之宗也"。王弼《大演論》關於"大衍之數"的見解大致是如此，這些見解在湯用彤先生《王弼大衍義略釋》(見《湯用彤學術論文集》，中華書局 1983 年版)一文中已有精確的論述，筆者不過是作一簡單的概括。然而，未解决的問題在這裏還是存在的。

這問題便是對韓注所引王弼佚文中"演天地之數，所賴者五十"一句應如何理解。"大衍之數五十"固然是關於現象界數量全體的標誌，但為甚麽一定要用"五十"來標誌呢？王弼説"演天地之數"必須依賴五十，則"天地之數"在王弼文中非指"大衍之數"，而是像《繫辭》原義一樣是指"天數五"、"地數五"、"天數二十有五，地數三十"以及"天地之數五十有五"。那麽"天地之數"與"大衍之數"在王弼文中應當是一種甚麽關係呢？有趣的是，東漢末期的鄭玄已將"天地之數"與"大衍之數"的關係當作構築宇宙論的出發點，認為五十之數即天地之數五十五減五而形成的。王弼既是循由鄭玄所探討的問題而推翻鄭玄的理論,便一定會有關於"天地之數"與"大衍之數"的關係的創見,這創見是怎樣的呢?

這問題的答案保存在明人王廷相所作的"雅述"上篇裏,篇中引王弼説:

> 不先言天地之數五十有五,而先言大衍之數五十者,明大衍包天地之數,而非天地之數生大衍也。

文中"不先言……而先言……"的解經方式,合乎王弼《周易注》的風格,例如《乾卦》王注問道:"《文言》首不論乾,而先説元,下乃曰乾,何也?"便是著眼於經傳行文的順序來闡發新義。而這段佚文的意義,首先在於説明"大衍之數"是"天地之數"的根本,與韓康伯所引"演天地之數,所賴者五十"的意思相合。其文筆風格及思想内容均與王弼一致,則《雅述》稱其為王弼所説,當是可信的。有人可能會懷疑明人能否見到王弼《周易大演論》的文字,然而宋代《中興館閣書目》、《直齋書録解題》、《通志·藝文略》、元人所撰《宋史·藝文志》及明人焦竑所著《國史·經籍志》,或著録王弼《周易窮微》一卷,或著録王弼《易辨》一卷,《周易窮微》和《易辨》都是《周易大演論》的别名,可見明人王廷相偶見《大演論》殘篇並在《雅述》中引用,絶不是不可能的事情。由《雅述》所引的這段佚文,可以知道王弼的確在《周易大演論》中探討了"天地之數"與"大衍之數"的關係問題。

王弼既然論説了"天地之數"與"大衍之數"的關係,便應當先對這兩種數加以介紹和説明。韓康伯所引王弼佚文,主要是論述"大衍之數"内部一與四十九的本末關係,而對於"天地之數"王弼是如何論述的,是一個思想史上的疑案。值得慶幸的是,隋人蕭吉在《五行大義》書中引述了一節王、韓文字,似有助於上述疑難問題的解決。蕭吉在書中説:

《易》上《繫》曰:天數五,

王曰:謂一、三、五、七、九也。

韓曰:五奇也。

地數五,

王曰:謂二、四、六、八、十也。

韓曰:五偶也。

五位相得,

王曰:五位,謂金木水火土也。

而各有合。

王曰:謂水在天為一,在地為六,六一合於北;火在天為七,在地為二,二七合於南;金在天為九,在地為四,四九合於西;木在天為三,在地為八,三八合於東;土在天為五,在地為十,五十合於中。故曰:"五位相得而各有合。"

謝曰:陰陽相應,奇偶相配,各有合也。

韓曰:天地之數各有五,五數相配,以合成金木水火土也。

近人沈祖綿說這裏的"王氏"文字即王弼《繫辭傳注》佚文。其說王氏即王弼當是精確的,其說出於王弼《繫辭傳注》則略有失誤,因為南朝齊人陸澄說過:"(王)弼於注經中已舉《繫辭》,故不復別注。今若專取弼《易》,則《繫》、《說》無注。"可見南朝齊代流傳的《周易》王弼注本是不包括《繫辭》、《說卦》、《序卦》和《雜卦》的。隋人蕭吉所見的王弼文字當是出自《周易大演論》,而非《繫辭傳注》。這些文字採用箋注體,當是蕭吉在引用時加以更改,以與韓注的體裁相適應。筆者曾撰《〈五行大義〉所引王弼〈周易大演論〉佚文考釋》一文(刊於《哲學研究》1983年第8期),就此作了考辨。後來在《正始玄學》(齊魯書社1987年版)一書中,又就此作了進一步的論述。然而學界多數人堅信王弼不提象數五行,對蕭吉引文普遍持懷疑態度,認為蕭吉所稱"王氏"不是王弼。這問題牽涉到王弼"演天地之數"

的意義及其“天地之數”概念的來由，至關重要，不能不就此再作申論。

隋人蕭吉所稱引的“王曰”、“韓曰”，正合乎南北朝隋唐時期《周易》王、韓注本流行的背景。《隋書·經籍志》著録《周易》十卷，注明其中有“魏尚書郎王弼注六十四卦六卷，韓康伯注《繫辭》以下三卷，王弼又撰《易略例》一卷”。而對於《周易》王弼注的單行本，《隋志》未加著録，可見在蕭吉所處的隋朝一代，王弼《周易注》的傳本一般附有韓康伯所注釋的《繫辭》、《説卦》等。又據《經典釋文序録》，南朝齊代王儉《七志》已著録《周易》王弼注本十卷，與《隋志》的著録相同，可見《周易》王、韓注合編本至遲在南朝齊代已然流行。《釋文叙録》説：“其《繫辭》以下，王(弼)不注，相承以韓康伯注續之”，亦可見以韓注續王弼注在南朝梁陳兩代是普遍的情況。追究這種王韓合編體例的起源，大概是在南朝宋文帝元嘉年間。在元嘉十六年“立玄學”(《建康實録》)，《周易》為三玄之首，王弼為玄學派《周易》最權威的注家，故“立玄學”意味着《周易》王弼注本立於學官，成為官方學者用來教授弟子的課本。但課本必須完整，王弼注本缺少《繫辭》、《説卦》、《序卦》和《雜卦》，故用東晉韓康伯所注的《繫》、《説》等四傳來補充。齊代先立“四學”，後立國學，完全是宋代學術制度的延續或摹仿，因而《周易》官方注釋採用王、韓注的情況便由南朝宋代延續下來，歷經梁、陳、隋唐，因循不改。這樣看來，蕭吉所稱“王曰”、“韓曰”，必為“王弼曰”、“韓康伯曰”，絶不會是另有“王”、“韓”。

有人可能會推測蕭吉所稱“王曰”是指王肅《周易注》。今按在蕭吉的時代以前，注《易》的王氏已有很多，除王肅、王弼之外，還有西晉人王濟、東晉人王廙及《釋文》所稱王嗣宗等，蕭吉在這情況下若稱引王肅，應當舉出名字，不應當簡稱王氏。再説，《釋文叙録》指出，東晉以後“唯鄭康成、王輔嗣所注行於世，而王氏為世所重”；

《隋志》指出,在梁陳兩代"鄭玄、王弼二注列於國學",到隋朝王弼注盛行而"鄭學浸微",幾乎無人傳授了。鄭玄注在隋朝已不很流行,則影響尚在鄭注以下的王肅注一定更遭冷落。這一時期的學者顯然衹有對王弼可簡稱王氏,對王肅、王廙等人是一定要指出其名的。考察《經典釋文叙録》、《隋書經籍志》小序、孔穎達《周易正義序》及李鼎祚《周易集解序》所稱"王"或"王氏",幾乎都指王弼,那麼蕭吉所稱"王曰"顯然也不可能是例外。

蕭吉所稱引王氏的文字,包含着前面的問題的答案:王弼所提到的"天地之數",即天一、地二、天三、地四、天五、地六、天七、地八、天九、地十。王弼所說的"演"即是"合",至少有"合"的意思,《周易集解》引干寶之文即以"合"釋"衍",而"衍"、"演"可以互換則是公認的。韓氏引王弼所謂"演天地之數"即"合天地之數",亦即蕭吉引王氏所云:"六一合"、"二七合"、"三八合"、"四九合"、"五十合"。《雅述》所引王弼佚文為甚麼說"大衍包天地之數,而非天地之數生大衍"呢?這是因為"大衍之數"即"大合天地之數",亦即"五十合於中"。"五十合於中",在五行即為中土之數,而漢魏學者公認土是五行之主,可以總攝或包容五行,例如《白虎通》說木、火、金、水各主一時,唯土"最尊","不名時","不自居部職",更早的《春秋繁露·五行之義篇》說:"五行而四時者,土兼之也。"又說:"土者,五行之主也。""五十"既為中土之數,按"土兼之"的說法自然意味着"五十"之數可以兼容或包容五行之數。

五行之數即是"合天地之數",那麼又可推導出"五十"可包容"天地之數"的結論,因而韓注引王弼說:"演天地之數,所賴者五十也。"《雅述》引王弼說:"大衍包天地之數,而非天地之數生大衍也。"附帶指出,"五十合於中"不是相加,而是相乘,正如《漢書·律曆志》所說:"以五乘十,大衍之數也,而道據其一"。這正是王弼"大衍"理論的根源。當然,王弼並非一成不變地因襲前人,而是發揮出"大衍包天地之數"的新義。從表面看來,"天地之數五十有五"多於"大衍之數五十",然而從本體論的意義上說,"大衍之數五十"卻是"天地之數五十有五"的根本所在,因而不是"五十有五"包括"五十",而是"五十"包容"五十有五"。這樣,由於參照蕭吉引文與《雅述》引文,使王弼"演天地之數,所賴者五十"一語的涵義大白於天下了。

筆者在《〈五行大義〉所引王弼〈周易大演論〉佚文考釋》的結尾,曾指出韓康伯引文與蕭吉引文正好是《周易大演論》的上下文,並將兩段佚文連接起來,抄成論文的樣式。後來見到《雅述》引文,覺得這正是韓氏引文與蕭吉引文的中間環節,應處在韓、蕭引文之間。今將三節引文連起來,抄録如下:

> [天數五]謂一、三、五、七、九也。[地數五]謂二、四、六、八、十也。五位,謂金、木、水、火、土也。謂水在天為一,在地為六,六一合於北;火在天為七,在地為二,二七合於南;金在天為九,在地為四,四九合於西;木在天為三,在地為八,三八合於東;土在天為五,在地為十,五十合於中。故曰:"五位相得而各有合。"(《繫辭》)不先言天地之數五十有五,而先言大衍之數五十者,明大衍包天地之數,而非天地之數生大衍也。演天地之數,所賴者五十也。其用四十有九,則其一不用也。不用而用以之通,非數而數以之成,斯易之太極也。四十有九,數之極也。夫无不可以无明,必因於有,故常於有物之極,而必明其所由之宗也。

連讀之下,文義層層遞進,邏輯思路與思想史的演進順序正好吻合。文中先説明奇數、偶數分屬於天地或陰陽,這可能是中國歷史上較為原始的思想。在解説陰陽奇偶之數的基礎上,説明水一、火二、木三、金四、土五之數,這正是《尚書·洪範》所舉出的五行序數;再説明水六、火七、木八、金九之數,正是《吕氏春秋》、《淮南子》

等書所說的五行四方之數。這些王弼佚文進而指出一六合水、二七合火、三八合木、四九合金、五十合土的構成法則,此為中國古代宇宙構成論在"數"上面的體現,發端於揚雄《太玄》,在東漢班固《五行志》已有成熟的理論形態,在東漢末期為鄭玄所沿襲。王弼在此傳統的數的構成理論的基礎上,進而論說土數五十可包容天地之數,五十中的"一"又是其餘四十九之數的根本,從而由漢代宇宙構成論的數論引出本體論的數論。《周易大演論》的主要部分,即是如此。

三、佚文之二——關於太極的議論

韓康伯所引王弼《周易大演論》佚文公認是可靠的,文中提到"易之太極",指出太極即是五十當中不用的"一",暗示出"四十有九"的"分而為二以象兩"(《繫辭》語)即是象徵兩儀,那麽太極與兩儀的關係如何,一定是王弼《周易大演論》的論題之一。在這方面,有三節王弼佚文值得注意,三節分別出自《春秋穀梁傳疏》、《周易說卦傳疏》及《晉書·紀瞻傳》。

《晉書·紀瞻傳》詳細記載了顧榮和紀瞻關於《易》之太極的一席對話。顧榮說:

> 五氏云:太極,天地。

顧榮對王氏此說表示反對:"今若謂太極為天地,則是天地自生,無生天地者也。"紀瞻則為王氏辯解:"意者直謂太極極盡之稱,言其理極,無復外形,外形既極,而生兩儀。王氏指向可謂近之。古人舉至極以為驗,謂二儀生於此,非復謂有父母。若必有父母,非天地其孰在?"從紀瞻"理極"之語來看,他和顧榮所議論的王氏乃是王弼,不會是王肅,因為王肅祇是探討了義理,尚未推演到"理極";王弼則論證"能盡理極,則無物不統"(見於《論語·里仁篇》皇侃疏)。另外,《文選注》引王肅説:“兩儀,天地也。”以天地為兩儀本是漢魏通義,王弼並不反對,然而王弼不會强調兩儀為天地這一點,在《繫辭》“是生兩儀”句下,追隨王弼的韓康伯也没有指出兩儀和天地的關係。王肅特别指出兩儀即天地,表現出與“太極,天地”命題相反的意向,可見“太極,天地”命題的提出者不是王肅,而是王弼。不過,這一命題在漢魏《易》學史上是很奇特的,需要作一簡單的説明。湯用彤先生在《王弼大衍義略釋》中,指出王弼書中“天地”二字的用法有兩種,其一是就體而言,如説“與天地合其德”,即以天地為“本體之别名”;其二是就用而言,如説天地“以無為本”,即以天地為實物(參見《湯用彤學術論文集》中華書局 1983 年版)。這種即體即用的解釋,用在“太極”亦可成立。王弼所謂“太極”就其外在表現而言,是“無形無名”,可簡稱為“無”;就其數量而言,是絶對地統一的,故又稱“一”;此種無形無名且統一着的東西,衹能是義理,不會是實物,因而太極又是“理之極盡”;唯其“理極”,無形無名,故可包容世界全體,故稱“天地”,“天地”即宇宙大全之義。先秦老莊所推崇的“道”即有宇宙大全的意思,王弼沿襲了道家的這種見解,並將這見解與其義象體用的思想結合起來,太極就體而言是某種義理,就用而言是天地的總和。當我們把太極析為體用兩個層面時,應注意王弼所謂“太極”的字義乃是“大極”的意思,“大”、“太”兩字古通用,王弼《老子》三十八章注説:“夫大之極也,其唯道乎!”其所謂“大之極”就是“太極”。“大之極”的意思是指大到極點,在王弼哲學裏,大到極點的東西衹有道(至理或理極)和天地(宇宙全體)兩種。

不過,問題還是存在的。王弼關於太極與天地關係的解釋,含有將太極與兩儀混同的意思,因為他無論如何不能否認兩儀即天地的常識。太極是一,兩儀是二,則王弼“太極,天地”的命題又有混同一與二的意思。這從邏輯上看似有混亂之感,當如何解釋呢?

《春秋穀梁傳》莊公三年"獨陰不生,獨陽不生"一節之下,楊士勛《疏》引述了一節與此有關的王弼佚文,《疏》中說:

> 《易·繫辭》云:"一陰一陽謂之道",王弼云:"一陰一陽者,或謂之陰,或謂之陽,不可定名也。夫為陰則不能為陽,為柔則不能為剛。唯不陰不陽,然後為陰陽之宗;不柔不剛,然後為剛柔之主。故無方無體,非陽非陰,始得謂之道,始得謂之神。

古書中常將韓注誤為王注,但此處的王弼文字絕不會是韓注之誤,因為《繫辭上傳》"一陰一陽之謂道"句下韓注說:"陰陽雖殊,无一以待之,在陰為无陰,陰以之生;在陽為无陽,陽以之成。故曰一陰一陽也。"其思想實質與《穀梁傳疏》引文相近,而文字形式則迥然不同,可見《穀梁傳疏》絕没有犯以韓注為王注的錯誤。《穀梁傳疏》這段引文以陰陽為論題之一,與王弼《周易注》及《略例》的論題相合,王注及《略例》主要是根據六十四卦陰陽兩爻的不同位置關係來判斷卦的形式,他關於六十四卦的注文,幾乎都是從解釋陰陽同性排斥而異性相感著手的。《晉書·王衍傳》說,何晏與王弼立論以為"無也者,開物成務,無往不存者也。陰陽恃以化生",則王弼原有關於陰陽依賴"無"而化生萬物的見解。王弼《老子指略例》說:"五物之母,不炎不寒,不柔不剛",其中"不炎不寒"是就五行而言的,古人通常以五行配五季,木温,火炎,金涼,水寒,本體為五行的主宰,故可"不温不涼,不炎不寒"(《老子》四十一章注);"不柔不剛"是就陰陽而言的,陰陽就其實體而論則可說是陰氣、陽氣、陰物、陽物等,就其性能而論則常被形容為柔弱與剛强,本體為陰陽的宗主,因而"不柔不剛"。《穀梁傳疏》所引王弼佚文聲稱"唯不陰不陽,然後為陰陽之宗;不柔不剛,然後為剛柔之主",斷定"無方無體,非陽非陰,始得謂之道,始得謂之神",在思想內容和行文風格上都與王弼著作極為相似,其為王弼所作,幾乎是無可置疑的。

此節佚文的價值很大,其中之一是澄清了王弼關於太極與兩儀的關係的看法。文中"道"即太極,陰陽即兩儀,正如《晉書·紀瞻傳》所引顧榮説:"夫兩儀之謂,以體為稱,則是天地;以氣為名,則名陰陽。"王弼這段佚文指出:"夫為陰則不能為陽,為柔則不能為剛。"從而道出一種遺憾的心情,即如果局限於陰或者陽,便永不能實現對陰陽全體的兼而有之。王弼由此得出結論:"唯不陰不陽,然後為陰陽之宗",意謂唯有超越陰陽的形體,纔能進入更高的境界:既已為陽,又可為陰,亦即對陰陽可以兼容或兼有。王弼對於太極和兩儀的關係也正是這樣看的,他認為兩儀若是分而言之,各自成形,衹能自有,而不能容攝對方。兩儀若能合為一體,融攝無間,便可達到"大全"的境地,但這時已不能稱其為兩儀,而衹能稱其為太極了。太極不是兩儀中的任何一方,因而不能説太極即是兩儀;太極是兩儀的全體,既是此又是彼,或者説既是天又是地,故又可以道出"太極,天地"命題。講到這裏,可以明白王弼《易》學中天地太極理論的矛盾,乃是根據於語義的含混,當王弼説太極為天地或兩儀的時候,他實際上是在説"太極兼為天地或兩儀";當王弼説太極至道不是天地或兩儀的時候,他實際上是在説太極既非天亦非地,既非陽亦非陰,亦既是説"太極分别與兩儀不同"。

在王弼哲學裏,兩儀或天地陰陽的總和就是宇宙的總和,或是萬物的總和。萬物就其門類而論,可分為陰類和陽類,亦可稱為陰物和陽物。萬物就其羣體而論,可稱羣陰和羣陽。考察王弼《周易注》及《略例》,"羣陰"、"衆陽"屢見,則太極與陰陽的關係可表現為太極與羣陰衆陽的關係。孔穎達《説卦傳疏》有一節文字與此有關:

> 王氏云:索,求也,以乾坤為父母,而求其子也。得父氣者為男,得母氣者為女。坤初求得乾氣為震,故曰長男;坤二求得乾氣為坎,故曰中男;坤三求得乾氣為艮,故曰少男。乾初

求得坤氣為巽,故曰長女;乾二求得坤氣為離,故曰中女;乾三求得坤氣為兌,故曰少女。

此文大意與《說卦》"乾、天也,故稱乎父;坤,地也,故稱乎母。震一索而得男,故謂之長男……"一節相合,都以為八經卦當中乾坤為父母,震、坎、艮、巽、離、兑為子女。震、坎、艮三卦都由兩個陰爻和一個陽爻組成,依次為長男、中男和少男,巽、離、兑三卦都由兩個陽爻和一個陰爻組成,依次為長女、中女、少女。假若《說卦疏》所引的這段佚文出於王弼之手,當有很高的參考價值,然而馬國翰等人認為這是王肅《周易注》的文字,理由是《經典釋文·周易說卦音義》出傳文"一索"兩字,引王肅云:"求也。"與《說卦傳疏》引文首句相同。這理由從表面看來似很充足,實際上卻是難以成立的,因為李鼎祚《周易集解》也引述了這段佚文,與《說卦傳疏》引文字句全同,唯李氏不稱"王氏云",而稱"孔穎達曰"。李鼎祚《集解》撰於唐代宗初期,當時王肅《周易注》尚存,僅傳授者罕見。李氏所集錄的都是唐代宗以前各家關於《周易》的注釋,其中包括王肅、王弼、韓康伯、孔穎達的注本。而對於各家《易》學的非箋注性論著,李氏幾乎一概不加引述,顯然是未加參閱。他引"索求也"一節而不稱"王肅曰",意味着他在王肅《周易注》中未見到此節文字,李氏稱"孔穎達曰"意味着他所引述的這段文字乃是抄自孔穎達疏,由於不知孔氏所稱"王氏"為何許人,便衹好寫上孔穎達姓名以敷衍了事。其實這"王氏"乃是王弼,這一節王氏文字乃是《周易大演論》的一部分,李鼎祚未能參閱各家非箋注性的《易》學論著,自然無法推斷出處。有一個證據可以支持這一結論,即在李鼎祚的時代,王弼、韓康伯注本是唯一受官方尊崇的注本,孔穎達又是官方學者,他"奉詔作疏,始專崇王注"(《四庫全書總目提要》),大概衹對王弼可以簡稱王氏,對於在當時已失去影響的王肅則是應當舉出其名的。

試將《說卦疏》引文與王弼《周易注》及《略例》對照,思想内容完全吻合,例如這段佚文提到"求得乾氣"、"求得坤氣",是以天地或乾坤為父母,天地合氣産生萬物猶如父母感合而生子女,而王弼《周易損卦注》説:"天地相應,乃得化醇,男女匹配,乃得化生。陰陽不對,生可得乎?"與孔疏引文一致。孔疏引文分别以震、坎、艮為長男、中男、少男,以巽、離、兑為長女、中女、少女,而王弼《節卦注》説:"坎陽而兑陰也";《歸妹卦注》説:"兑為少陰,震為長陽";《益卦注》説:"巽,陰也",也與孔疏引文相合。震坎艮巽離兑分為陰陽男女,是根據一個原則:凡由兩個陽爻和一個陰爻組成的三畫卦,均為陰性或女性;凡由兩個陰爻和一個陽爻組成的三畫卦,均為陽性或男性。這種原則正是王弼《周易略例·明象章》反覆申明的:"夫少者,多之所貴也;寡者,衆之所宗也。一卦五陽而一陰,則一陰為之主矣;五陰而一陽,則一陽為之主矣。夫陰之所求者陽也,陽之所求者陰也。陽苟一焉,五陰何得不同而歸之? 陰苟隻焉,五陽何得不同而從之?"王弼這種確定卦主的方法,顯然是從八經卦分陰分陽的原則引申出來的。《明象》所謂"陰之所求者陽也,陽之所求者陰也",與孔疏引文"索,求也"一句亦有關連。按王弼此説,《説卦傳》中的"一索"、"再索"、"三索",便是"一求"、"再求"、"三求",因而王肅"索,求也"的訓詁,必為王弼所沿襲。

孔疏所引的這段佚文,涉及"少者多之所貴,寡者衆之所宗"的原則,而這種少多、衆寡的關係即一與多的關係,亦即太極與羣陰、羣陽的關係。上述顧榮引文和《穀梁傳疏》引文分别論述太極與天地、太極與陰陽的關係,當是《周易大演論》的重要的部分,而且都與孔疏引文聯繫密切。由這三節佚文,可以知道《周易大演論》關於太極與兩儀有如下的規定:一、太極本身是理之極至,無形無名,因而既不是天,也不是地,既不是陰,也不是陽;或者説,太極不是兩儀當中的任何一個。二、太極由於不是具體的天或地,故可兼為天地兩儀或包容天地兩儀;由於不是具體的陰或陽,故可兼為陰陽或包容陰陽。三、太極由於可包容陰陽,故為陰陽的宗主,從"數"的角度說,太極與衆多的陰物與陽物的關係,可體現為一與多、寡與衆的關係。

四、佚文之三——關於聖人的議論

上文指出"大衍之數"與聖人性情問題有關,而現在所能見到的《周易大演論》佚文也確有關於聖人的論述。此類佚文分別見於《文選·魏都賦注》、《毛詩·周頌疏》及何劭《王弼傳》。

《文選》卷六《魏都賦》:"得聞上德之至盛,匪同憂於有聖",李善注說:

> 王弼《周易注》曰:不與聖人之憂,憂君子之道不長,小人之道不消,黍稷之不茂,荼蓼之蕃殖。至於乾坤,簡易是常,無偏於生養,無擇於人物,不能委曲與彼聖人同此憂之。

張雲璈《選學膠言》卷四提到這段文字,說:"今本《周易注》無此文,當是王肅注。"錢鍾書先生在《管錐編》中則當作王弼注加以引用。今按此文當出自王弼《周易大演論》,由於文中闡釋了《繫辭上傳》"顯諸仁,藏諸用,鼓萬物而不與聖人同憂"一節文義,故李善稱其為《注》[1]。此文大意與《老子》五章王弼注相合,《老子》五章云:"天地不仁,以萬物為芻狗",魏人周宣說:"芻狗者,祭神之物。"(見《三國志·魏志·周宣傳》)《莊子·天運篇》也說芻狗是一種祭品。王弼喜好《莊子》,對於在他之前的周宣的言論也可能了解,可是在《老子注》中卻一定要加以曲解:"天地不為獸生芻而獸食芻,不為人生狗

① 《繫辭》此句在馬王堆帛書本寫為:"聖者仁,壯者勇,鼓萬物而不與衆人同憂"(見張政烺《馬王堆帛書〈周易·繫辭〉校讀》),帛本所寫當是原文,通行本《繫辭》乃是西漢儒者的改編本。王弼在思想統緒上乃遥繼漢代以前的《易》學,但在《繫辭》傳本方面卻不得不以漢儒的改編本為依據。

而人食狗,無為於萬物而萬物各適其所用”。這解釋雖不合《老子》原義,卻因否定天地產生動物、植物的為人服務的動機,具有反對神學目的論的重要意義。李善所引王弼佚文的意義也在於此,此文申明乾坤不像聖人那樣對君子勢力不長、小人勢力不減、莊稼不茂盛而毒草卻繁殖的情況擔憂,與王弼《老子注》關於芻狗的解說有異曲同工之妙。至於王肅,則有相反的思想傾向,他說:“乾坤與天地通功”(見《說卦傳疏》),“管、蔡犯天誅而汝不欲伐,則亦不知天命之不易也”(見《尚書·大誥疏》)。《詩經·大雅》:“上帝耆之”,孔疏引王肅說:“惡桀紂之不德也。”這些說法都承認上天有懲惡揚善的動機和功效,富於神學目的論色彩,與上述《文選注》引文的說法大相徑庭。另外,《文選注》引文說聖人對“君子之道不長,小人之道不消”等情況深為憂慮,而王弼在《周易否》、《臨》、《剥》、《大壯》等卦注釋中則屢次表示對“小人道長,君子道消”的非難和對“君子道長,小人道消”的贊許,這都是一致的。《文選注》引文所謂的“聖人之憂”乃是“情”的一種,而王弼《易》學恰有“聖人有情”的見解,以為聖人“不能無樂”,“不能無哀”(見何劭《王弼傳》)。凡此種種,都有助於證明《文選注》引文不是王肅佚文,而是王弼《周易大演論》的部分文字。

另一節論及聖人的《大演論》佚文見於《詩經·周頌·天作疏》:

> 而(《繫辭》)云“賢人之德”、“賢人之業”者,王弼云:不曰聖人者,聖人體無,不可以人名而名,故易簡之主,皆以賢人名之。然則以賢是聖之次,故寄賢以為名。窮易簡之理,盡乾坤之奥,必聖人乃能耳。

此文不見於《周易》王韓注本,絶非誤以韓注為王注。文中“聖人體無”一語,為王弼所提出的著名命題,則此文很像是王弼的手筆。唯有“聖人不可以人名而名”一說,易使讀者有怪誕之感,有必要加以解釋。

此種“聖人不可以人名而名”的說法,在魏晉時期其實是很流行的,例如《莊子注》一書多次議論聖人無名的問題,《逍遥遊》篇注説:“堯舜者,世事之名耳。為名者,非名也。故夫堯舜者豈直堯舜而已哉?必有神人之實焉。今所稱堯舜者,徒名其塵垢粃糠耳。”又説:“夫堯實冥矣,其迹則堯也。自迹觀冥,内外異域,未足怪也。世徒見堯之為堯,豈識其冥哉!”《應帝王篇注》説:“夫有虞氏之與泰氏,皆世事之迹耳,非所以迹者也。所以迹者,無迹也。世孰名之哉!”《在宥篇注》説:“夫堯舜帝王之名,皆其迹耳,我寄斯迹而迹非我也,故駭者自世。……故聖人一也,而有堯舜湯武之異。明斯異者,時世之名耳,未足以名聖人之實也。故夫堯舜者,豈直一堯舜而已哉!”諸注大意,是將聖人分為“迹”和“所以迹”兩個方面,這兩方面的關係可表現為名與實的關係。就聖人的“所以迹”或聖人之實來講,聖人本是無名的;而就聖人的“迹”來講,聖人又是有名的。歷史上傳説的聖人有堯、舜、湯、武等,這些不同的“名”都是聖人之迹的標誌,而非聖人之實的標誌。郭注這種精彩的議論,可能是沿襲向秀的《莊子隱解》,向秀為魏末竹林七賢之一,生活時代與王弼很接近。誠然,王弼尚未注重於“迹”與“所以迹”兩個概念的區分,然而他已强調聖人之性與聖人之情的對立,聖人之性可通無,聖人之情則應物(見何劭《王弼傳》)。聖人本性既可通無,則無以名狀,可稱為“無名”;聖人之情既可應物,故隨物而變,有形有名,故聖人之名有堯、舜、湯、武、周、孔的差異。王弼曾按這種見解來解釋《論語》中“唯天為大,唯堯則之,蕩蕩乎民無能名焉”的命題:“蕩蕩,無形無名之稱也。夫名所名者,生於善有所章而惠有所存。善惡相須,而名分形焉。若夫大愛無私,惠將安在?至美無偏,名將何生?故則天成化,道同自然,不私其子,而君其臣。凶者自罰,善者自功,功成而不立其譽,罰加而不任其刑。百姓日用,而不知所以然,夫又何可名也!”(《論語·泰伯篇》皇疏所引《論語釋疑》佚文)王弼這一席議論均就聖人之性或聖人之實而言,論證“聖人無名”的原則,與向、郭所用的術語雖不同,宗旨卻很相近。《毛詩疏》引文所謂“聖人不可以人名而名”,意即如此,孔疏稱其為王弼所言,當是可信的。

另外,《毛詩疏》引文所說的“易簡之主皆以賢人名之”,與何劭《王弼傳》所引王弼答裴徽之言相合,王弼對裴徽說:“聖人體無,無又不可以訓,故不說也;老子是有者也,故恒言無,所不足[也]。”意謂聖人雖可窮盡“易簡之理”,卻不加以解說;賢人没有這種能力,卻一定要論道説無,闡發易簡的原理,此即《毛詩疏》引文“易簡之主皆以賢人名之”一説的來由。此節引文圍繞《易》學問題展開,合於王弼學説卻不見於現存的王弼著作,除《周易大演論》之外顯然不會另有出處。

在這方面,《魏志·鍾會傳注》所引何劭《王弼傳》中的兩節文字也許是引人注目的。其中一節是:

> 弼注《易》,潁川人荀融難弼“大衍”義,弼答其意,白書以戲之曰:“夫明足以尋極幽微,而不能去自然之性。顏子之量,孔父之所預在,然遇之不能無樂,喪之不能無哀,又常狹斯人,以為未能以情從理者也。而今乃知自然之不可革:足下之量,雖已定乎胸懷之內,然而隔踰旬朔,何其相思之多乎! 故知尼父之於顏子,可以無大過矣!”

此文之“戲”,在於以王弼對荀融“相思之多”,比擬孔子對顏回的“遇之不能無樂,喪之不能無哀”,為免除王弼自比聖人之嫌,故何劭稱其為“戲”。但這戲論的意義很大,其結論為聖人“不能無樂”,“不能無哀”,實為針對何晏“聖人無喜怒哀樂”一説的有力挑戰。此文既是關於“荀融難弼大衍義”的答覆,當為王弼關於“大衍之數”的議論的重要部分,為後人編輯《周易大演論》的材料之一。何劭生活在《大演論》形成之前,故不得不直接援引王弼《答荀融書》。

在"弼注《易》"一節之前,《王弼傳》還有一節文字與"大衍"問題有關:

何晏以為聖人無喜怒哀樂,其論甚精,鍾會等述之。弼與不同,以為:"聖人茂於人者神明也,同於人者五情也。神明茂,故能體沖和以通無;五情同,故不能無哀樂以應物。然則聖人之情,應物而無累於物者也。今以其無累,便謂不復應物,失之多矣。"

自"弼與不同"以下的王弼文字,大意是説聖人兼有性情,智性可通無,五情則應物。應物之"應"即卦爻之應,應物之"物"即羣庶衆人,在卦爻當中指卦主以外的羣陰衆陽。聖人之"應物"即卦主之"無所不應",例如王弼《周易比卦注》稱主爻九五"有應在二","所親者狹";《大有卦注》稱主爻六五"無私於物,上下應之";《升卦注》説六五之爻"升得尊位,體柔而應,納而不距,任而不専";《鼎卦注》説上九之爻"處上","應不在一,則靡所不舉"。按王弼所説,各卦主爻有應則吉,無應則凶。若能"應不在一",則統治得法;若能"無所不應",便達到聖王的水準。在這當中,性為本,情為末;道為本,物為末。若能以情近性,以性統情,則可謂崇本舉末,本末兼顧;若摒除情欲,則為"棄末守本",本末分離。聖人唯在"通無"的同時"應物",纔合乎"崇本舉末"的標準;聖人唯有與衆物廣泛應和,達到"無所不應"的程度,他的"應物"纔比賢人羣庶的"應物"更高明。由此而論,何劭所引王弼"聖人茂於人者神明也,同於人者五情也"一節,原屬王弼《易》學範圍,當為後人編輯《周易大演論》的素材,而不會是《論語釋疑》或《老子指略例》等著作的佚文。

《周易大演論》中涉及聖人的這幾部分文字,正好討論了聖人問題的兩個方面,一方面,聖人之性可以通"無"或"體無",與本體發生聯繫;另一方面,聖人之情可以"應物",與賢人和賢人以下的凡庶發生溝通。《大演論》關於這兩個方面的構想,實際上是將聖人置於形上世界與形下世界之間,亦即在太極與天地萬物的連結點上,聖人衹可"通無",本身卻不是"無"。與形上的本體相比較,聖人有兩點不足,第一,聖人之性的"通無",不過是精神上的"體無",不是使自己的肉體化為虛無,正如王弼《論語釋疑》所説:"道不可體,故但志慕而已。"(見《論語·述而》篇邢疏)第二,聖人有情,而且這情感包括着對人類利益與前途的關心,太極與天地卻不是如此。王弼説乾坤"無偏於生養,無擇於人物",其所謂乾坤可作兩種解釋,其一,可理解為乾坤的總體,亦即太極至理,太極至理完全是形上的,自然不會有憂慮一類的情的牽累;其二,乾坤可理解為天地的别名,天地之交感在王弼看來當以"情"為動機,但這"情"卻是自然正大,衹是交感的衝動,不像聖人之情那樣有善惡的傾向。王弼《大演論》所謂的聖人並不是神,而是從精神上與至道溝通的智者,其優越之處僅在於性,不在於命。聖人之性可通虛無,賢人之性則限於"有"的層次。聖人知道"無"的絶對性,故不加談論;賢人了解到"無"的存在,卻又不能體會"無"的根本義蘊,故加以談論而淪落到形下的層次。不過,賢人的論道説無仍是必要的,羣庶正是通過了解賢人的論述,纔會産生對形上世界的響往。這種響往雖不能實現,卻有助於社會的穩定。從這一意義上説,賢者又是聖人的喉舌,是聖人與羣庶之間的橋樑。《大演論》所述的太極與兩儀,正是通過聖賢纔連結起來。這種形上學也衹有通過聖賢的理論,纔有落實的可能。

綜結《大演論》佚文的内容,可以看出王弼《易》學實已藴有"道言其本,儒言其末"之説。此説屢見於東晉士人的各種言論,過去多以為是王弼著作所不具備的。今按王弼在名義上似尊儒抑道,如稱"聖人體無","老子是有","老未及聖",似將名份上的尊位讓予儒家,承認道家的地位在儒家之下。然而若從思想實質上看,情況正好相反。王弼將《易》學中的“一”或“太極”歸結為道家所説的“無”,屬形上範圍;將天地、陰陽、善惡等等歸結為儒者所説的“有”,屬形下範圍。這種形上、形下的關係,正好是“道言其本,儒言其末”。王弼所描述的聖人亦有本末之分,自本、體而言,聖人之性“通無”,“不可以人名而名”,帶有道家色彩;自末、用而言,聖人之情“應物”,對君子小人勢力消長懷有憂慮,具有儒家傾向。則在聖人之心,也是以道為本,以儒為末。

王弼《易》學中的政治學説

馬良懷

内容提要　本文從君權、變革、治國三個方面探討了王弼《易》學中的政治學説,認為王弼政治學説的理論基礎是道家思想,而並非所謂的"儒道互補。"

唐人李鼎祚《周易集解序》曰:"自卜商入室,親授微言,傳注百家,綿歷千古,雖競有穿鑿,猶未測深淵。唯王鄭相沿,頗行於代。鄭則多參天象,王乃全釋人事。"此言甚是精當。的確,"全釋人事"乃是王弼突破傳統易學,標新立異的一個顯著標誌。而其政治學説又是王弼"全釋人事"中的最為主要的内容。

一

皇權至上,是封建社會的基本特徵,也是封建政治學説的核心内容。

董仲舒建構天人感應神學體系的時候,極力鼓吹"君權神授",言皇帝是天的"大使者。"(《漢書·董仲舒傳》)"唯天子受命於天,天下受命於天子。"(《春秋繁露·為人者天》)在世俗皇權的表面,蒙上一層神祕的外紗,使其顯得更加神聖。然而,時至東漢末年,由於自然災異的頻繁出現,政治局勢的動蕩不安等等原因,導致了天人感應神學的崩潰,皇權思想也因此而陷入危機。《後漢書·逸民傳》中有這樣一則記載:"桓帝延熹中,幸竟陵,過雲夢,臨沔水,百姓莫不觀者,有老父獨耕不輟。尚書郎張溫異之,使問曰:'人皆來觀,老父獨不輟,何也?'老父笑而不對。溫下道百步,自與言。老父曰:'我野人耳,不達斯語。請問天下亂而立天子邪?理而立天子邪?立天子以父天下邪?役天下以奉天子邪?昔聖王宰世,茅茨采椽,而萬人以寧。今子之君,勞人自縱,逸遊無忌。吾為子羞之,子何忍欲人觀之乎!'溫大慚。"桓、靈之後,天下大亂,社會陷入無序,皇權的危機變得更加深刻。正是在這樣一種社會背景之下,王弼開始了他對皇權的思考。

首先,王弼從社會的現實性出發,肯定君王的合理存在。於《周易·乾卦》"首出庶物,萬國咸寧"句下,王弼注曰:"萬國所以寧,各以有君也。"認為君王的存在是社會安寧的首要條件。若是社會處於無序,君王的存在就顯得更為必要。王弼於《周易·屯卦》中注曰:"屯體不寧,故利建侯也。屯者,天地造始之時也。……處造始之時,所宜之善,莫善建侯也。""夫息亂以靜,守靜以侯;安民在正,弘正在謙。屯難之世,陰求於陽,弱求於強,民思其主之時也。"

王弼之所以要肯定君王的合理存在,是有其理論依據的,這就是他在《周易略例·明彖》中所言的:"夫眾不能治眾,治眾者,至寡者也。夫動不能制動,制天下之動者,貞夫一者也。故眾之所以得咸存者,主必致一也,動之所以得咸運者,原必無二也。""物無妄然,必由其理。統之有宗,會之有元,故繁而不亂,眾而不惑。"從政治學的角度而言,所謂"眾",是指庶民百姓;所謂"至寡",是指君王。在王弼看來,一個社會,如果任其庶民百姓自由自在,隨心所欲,必然是混亂無序。所以,要想社會安寧,君王的存在是必要的。祇有這個至高無上的"至寡"、"一",纔能使社會"繁而不亂",運行有序。

其次,在皇權理論上,王弼有一個大的變化。與董仲舒的天人感應神學相比較,王弼不僅剥去了"君權神授"的神祕外衣,而且揚棄了儒家的理論,轉而用道家的思想來解釋皇權、規範君王。

傳統道家認為,作為一個理想的君王,並非要象儒家所言,事必躬親,奮發有為;而是要效法"天道"順應自然,"處無為之事,行不言之教,萬物作焉而不辭,生而不有,為而不恃,功成而不居。"(《老子》2章)"清静為天下正。"(《老子》45章)衹有這樣,纔可能出現一種"我無為而民自化;我好静而民自正;我無事而民自富;我無欲而民自樸"(《老子》57章)的理想的社會局面。這種以静制動,以柔御剛,以無為治天下的理論,既是道家對君王的規範,同時也是一種君人南面之術。對此,王弼在其關於皇權的理論之中予以了承襲和發揮。

王弼也認為:"以無為為居,以不言為教,以恬淡為味,治之極也。"(《老子》63章注)因此,君王要"藏明於内","以蒙養正,以明夷莅衆",(《周易·明夷卦注》)而不要用聰明智慧去治理百姓。"不見天之使四時,而四時不忒;不見聖人使百姓,而百姓自服也。"(《周易·觀卦注》)"是以聖人之於天下歙歙焉,心無所主也。為天下渾心焉,意無所適莫也。無所察焉,百姓何避?無所求焉,百姓何應?無避無應,則莫不用其情矣。"(《老子》49章注)衹要君王能够清静無為,任其自然,百姓就會俯首聽命,社會也就安寧無事。

如何處理君臣關係,是封建政治學説中的一大内容。在這方面,王弼同樣主張以道家思想為指導。他認為,為君馭臣之道,有三條是十分必要的。一是要以柔順居尊,使天下的賢能之士都聚集在自己身邊,任其使用。二是以損道守之,即盡量少過問政事,放開臣下的手脚,充分發揮他們的聰明才智,使其人盡其才,才盡其用。三是用人不疑,不忌臣下之才。王弼説:"以柔居尊,而為損道,江海處下,百谷歸之。……尊以自居,損以守之。故人用其力,事竭其功，智者慮能，明者慮策，弗能違也，則衆才之用盡矣。”(《周易·損卦注》)“夫以柔順文明之質，居於尊位，付與於能，而不自役，使武以文，禦剛以柔，斯誠君子之光也。付物以能，而不疑也，物則竭力，功斯克矣。”(《周易·未濟卦注》)“處於尊位，履得其中，能納剛以禮，用建其正，不忌剛長，而能任之。委物以能，而不犯焉，則聰明者竭其視聽；知力者盡其謀能；不為而成，不行而至矣！”(《周易·臨卦注》)至於為臣之道，王弼也力主柔順應上，恭謙謹慎。“不為事始，須唱乃應，待命乃發。”“有事則從，不敢為首。”“不為事主，順命而終。”(《周易·坤卦注》)如此，則君無所疑。君臣同心，清静無為，則天下可治矣。

二

王弼生活在一個動蕩不安的年代，現實使他對社會變革的問題予以了深刻的思考，並於其《易》學之中就產生變革的原因，變革所依賴的對象，變革的主要任務，如何鞏固變革的成果等等一系列有關社會變革的問題提出了自己的理論。

社會為甚麽會發生變革？王弼認為，這主要是由於當時的社會出現了不可調和的尖鋭矛盾，原有的制度規範已不能維繫社會的穩定和有序。他說：“凡不合然後乃變生，變之所生，生於不合者也。”“水火相戰，而後生變者也。”而一旦社會處於“棟橈之世”，需要進行變革的時候，君王則要“應天順民”，“不失時願”，“改命創制。”(《周易·革卦注》)不可固守陳規，畏縮不求進取，否則將有大凶。王弼說：“居大過之時，處下體之極，不能救危拯弱，以隆其棟，而以陽處陽，自守所居，又應於上，係心在一，宜其淹弱而凶衰也。”“處得尊位，而以陽處陽，未能拯危。……處棟橈之世，而為無咎無譽，何可長哉？”(《周易·大過卦注》)

“夫民可與習常,難與適變,可與樂成,難與慮始。”(《周易·革卦注》)在王弼看來,庶民百姓由於他們的本性和素質所決定,不可能參預社會的變革。也就是説,社會變革衹是少數社會精英的事情,衹有他們纔是進行社會變革的主力軍。不過,也不是所有的精英分子都可以承擔得起如此重任的。有的人雖然品行端正,才智出衆,但是頭腦僵化,固持舊矩,“不肯變也。”王弼認為,這種“未能應變者”“可以守成,不可以有為也。”(《周易·大過卦注》)衹有那些具有剛健進取精神的人,纔可能於變革的時代裏成其大事,即王弼所言:“處益之初,居動之始,體夫剛德,以涖其事,而之乎巽,以斯大作,必獲大功。”(《周易·益卦注》)“成大事者,必在剛也。”(《周易·小過卦注》)一般説來,為臣之道應該是以柔順上,“不為事主”,“須唱乃應。”但變革屬於“拯救危難,經綸屯蹇”的非常時刻,所以為臣者可以、也應該剛健有為,努力承擔重任,即王弼所謂“處未濟之時,而出險難之上,居文明之初。體乎剛質,以近至尊,雖履非其位,志在乎正,則吉而悔亡矣。”(《周易·未濟注》)

變革的目的在於消解社會的尖鋭矛盾和弊端,將社會由無序導入有序,因此,“改命創制”,“制器立法”就成了最主要的内容,用王弼的話説,“易故而法制齊明。”“為節之初,將整離散而立制度者也。故明於通塞,慮於險偽,不出户庭,慎密不失,然後事濟而無咎也。”(《周易·節卦注》)而為了達到變革的目的,“改命創制”必須遵從如下原則:

一是要“應天順民。”所謂“應天”,就是遵從社會的客觀規律;所謂“順民”,就是順從人的本性,滿足人們的基本需求。具體説來,“制器立法”要以“不傷財,不害民”為前提,寬嚴必須適中,能為民衆樂意接受,如此纔能收到應有的效果。王弼於《節卦注》中説:“當位居中,為節之主,不失其中,不傷財,不害民之謂也。為節之不苦,非甘而何?術斯以往,往有尚也。”如果所創立的制度過於苛刻,違背了人的本性,超出了人們的承受能力,就會適得其反,即王弼所言:"過節之中,以至亢極,苦節者也。以斯施人,物所不堪,正之凶也。""為節過苦,則物所不能堪也,物不能堪,則不可復正也。"。

二是要"正位凝命。"所謂"正位",即"明尊卑之序也。"(《周易·鼎卦注》)因為,等級制度是封建社會的一個基本特徵,王弼自然不可能超越,所以,他要將君、臣、父、子、兄、弟、夫、婦等嚴格的尊卑等級的確立作為"改命創制"的一個重要原則來加以肯定,他說:"始制,謂樸散始為官長之時也。始制官長,不可不立名分以定尊卑。""法制應時,然後乃吉;賢愚有別,尊卑有序,然後乃亨,故先元吉而後乃亨。"(《周易·鼎卦注》)"剛柔分而不亂,剛得中而為制,主節之義也。節之大者,莫若剛柔分,男女別也。"(《周易·節卦注》)所謂"凝命",王弼解釋說:"成教命之嚴也。"(《周易·鼎卦注》)也就是要嚴格教化,大力宣傳封建社會的禮法規範,等級秩序,使其深入人心,為民衆百姓自覺遵守。

王弼認為, 變革的法制都是因時而定, 旨在"救危拯弱", 故一旦制定出來, 就要馬上公佈, 諭曉天下, 即所謂"初已造之, 至二宜宣其制矣。"如果隱匿"不出門庭", 則"失時之極", "凶也。"(《周易·節卦注》)這是問題的一面。另一面,由無序轉入有序需要一個過程,所以,新創的法制在執行之時又不能操之過急,首先要有一個反復宣傳階段,等民衆對新的法制了解熟悉之後,方可以法行事。王弼說:"甲者,創制之令也。創制不可責之以舊,故先之三日,後之三日,使令洽而後乃誅也。因事申令,終則復始,若天之行用四時也。"(《周易·蠱卦注》)"夫以正齊物,不可卒也。民迷固久,直不可肆也。故先申三日,令著之後,復申三日,然後誅而無咎怨矣。"(《周易·巽卦注》)

封建社會是一個注重人治的社會,歷代統治者都將社會的穩定、昌盛寄托於人才的發現和使用之上。王弼當然也不可能超越其生活的時代，他説："取新而當其人。""去故取新，聖賢不可失也。"(《周易·鼎卦注》)在王弼看來，社會的變革能否成功，變革後的成果能否鞏固，關鍵在於得人。所以，王弼主張"以大亨養聖賢。"認為"聖賢獲養，則己不為而成矣，故巽而耳目聰明也。"(《周易·鼎卦注》)

在王弼的政治學説中，變革祇是在社會處於非常時期時，為了"救危拯弱"所採用的一種非常手段，目的在於使社會進入有序，實現無為而治的理想政治。因此，王弼雖然主張變革，但認為必須要有節制。穩定社會的新法制一旦得到確立，變革就應該停止，統治者的剛健有為也應隨之而消竭，逐漸歸於無為之政治。其《革卦注》曰："居變之終，變道已成。君子處之，能成其文，小人樂成，則變面以順上也。""改命創制，變道已成。功成則事損，事損則無為。"反之，若變革没有休止，長久地實行崇剛尚力的有為政治，社會就不會安寧，所謂"尚力取勝，物所同疾也。""居則得正而吉，征則躁擾而凶也。"(《周易·革卦注》)説的就是這一意思。

王弼認為，天地萬物皆以"無"為本，静是絶對的。社會自身也存在着一種静態的自然和諧，這是最基本的，由於種種原因而出現的社會秩序的紊亂，則是一種脱離"本"的非常規表現，而社會變革就是為了"反本。"王弼曰："復者，反本之謂也。天地以本為心者也。凡動息則静，静非對動者也，語息則默，默非對語者也。然則天地雖大，富有萬物，雷動風行，運化萬物，寂然至無是其本矣。故動息地中，乃天地之心現也。若其以有為心，則異類未獲其具存矣。""先王則天地而行者也，動復則静，行復則止，事復則無事也。"(《周易·復卦注》)"夫静為躁君，安為動主，故安者，上之所處也；静者，可久之道也。"(《周易·恒卦注》)這就是社會變革結束之後為甚麼要放棄有為而實行無為而治的理論依據。

三

既然天地以"寂然至無"為本,社會自身具有一種自然的和諧,那麽,清靜無為自然是最為理想的政治,所以王弼要説:"以無為為居,以不言為教,以恬淡為味,治之極也。"(《老子》63章注)同樣的道理,無為而治也就成了統治者最高明的治國之術:"善治政者,無形、無名、無事、無政可舉,悶悶然,卒至於大治。故曰:'其政悶悶'也。"(《老子》58章注)所謂無為而治,並非是無所作為,撒手不管,而是"因物自然",順應人的自然本性,維持社會自然的和諧,不要象儒家那樣,人為地製造出一些仁、義、禮、信之類的東西去强迫人們遵守執行,破壞人們固有之"常性"。王弼説:"萬物以自然為性,故可因而不可為也,可通而不可執也。物有常性,而造為之,故必敗也。物有往來,而執之,故必失矣。"(《老子》29章注)因此,作為一個理想的統治者,應該"因物自然,不設不施。""達自然之性,暢萬物之情,故因而不為,順而不施。除其所以迷,去其所以惑,故心不亂而物性自得之也。"(《老子》29章注)

如何纔能"達自然之性,暢萬物之情","除其所以迷,去其所以惑"呢? 王弼認為,一是要營造一個使人不産生私欲的社會環境,二是"以觀感化物。"

在《老子》第三章中,曾提出了一個通過"不尚賢","不貴難得之貨","不見可欲"的途徑來營造一個使人不産生私欲的社會環境的理論,王弼是贊成這一理論的,其《老子》二十七章注曰:"聖人不立形名以檢於物,不造進向以殊棄不肖。輔萬物之自然而不為始,故曰'無棄人'也。不尚賢能,則民不争;不貴難得之貨,則民不為盜;不見可欲,則民心不亂。常使民心無欲無惑,則無棄人矣。"因此,一切有可能使人"傷自然"、失本性的東西——諸如名利、榮譽、

“五色”、“五音”、“五味”等等，均要設法排除，以免對人們構成誘惑。王弼於《周易·艮卦》中注曰：“艮者，止而不相交通之卦也。各止而不相與，何得無咎？唯不相見乃可也。施止於背，不隔物欲，得其所止也。背者，無見之物也。無見則自然静止，静止而無見，則不獲其身矣。相背者，雖近而不相見，故‘行其庭，不見其人’也。夫施止不於無見，令物自然而止，而强止之，則奸邪並興。近而不相得，則凶。其得無咎，艮其背不獲其身，行其庭不見其人故也。”在其《老子指略》裏，王弼也表達了這一意思：“故不攻其為也，使其無心於為也；不害其欲也，使其無心於欲也。謀之於未兆，為之於未始，如斯而已矣。”

所謂“以觀感化物”，就是“行不言之教。”王弼曰：“天地萬物之情，見於所感也。凡感之為道，不能感非類也，故引取女以明同類之義也。”(《周易·咸卦注》)“統説觀之為道，不以刑制使物，而以觀感化物也。”(《周易·觀卦注》)無論是“觀”還是“感”，其主體都是最高統治者，他們以自身的恭謙、無私、誠信等良好的品德、行為作表率，以此來感化、影響、引導庶民百姓，使社會維持其自然的和諧。王弼曰：“天地雖廣，以無為心；聖王雖大，以虚為主。……故滅其私而無其身，則四海莫不瞻，遠近莫不至。”(《老子》38章注)“夫謙以待物，物之所歸。”(《周易·困卦注》)“若能不距而納，順物之情，以通庶志，則得吉而無咎矣。”(《周易·升卦注》)“居尊以柔，處大以中，無私於物，上下應之。信以發志，故其孚交如也。夫不私於物，物亦公焉；不疑於物，物亦誠焉。既公且信，何難何備？不言而教行，何為而不威如？”(《周易·大有卦注》)

王弼之所以主張“以觀感化物”，是因為認為民衆百姓具有一種“隨”的本能，衹要統治者能够作出榜樣，庶民百姓就會追隨、效仿，就會“變面以順上也。”(《周易·革卦注》)故王弼説：“上之所欲，民從之速也。我之所欲唯無欲，而民亦無欲而自樸也。”(《老子》57章注)

皇帝“居於尊位,為觀之主,宣弘大化,光於四表,觀之極者也。上之化下,猶風之靡草,故觀民之俗,以察己道。百姓有罪,在予一人,君子風著,己乃無咎。”(《周易·觀卦注》)“物皆説隨,可以無為,不勞明鑒,故君子嚮晦入宴息也。”(《周易·隨卦注》)

盡管王弼認為“静為躁君,安為動主”,無為而治是最為高明的統治之術,但他也認識到社會是一個發展變化的存在,所以在統治方法上也要隨着社會變化的實際而不斷變化。《周易略例·明卦適變通爻》曰:“夫時有否泰,故用有行藏;卦有大小,故辭有險易。一時之制,可反而用也;一時之吉,可反而凶也。故卦以反對,而爻以皆變。是故用無常道,事無軌度,動静屈伸,唯變所適。”因此,王弼並不否定歷史上沿襲下來的聖智、仁義、巧利、威刑、征伐等等統治手法的存在和合理使用。他説:“噬,嚙也。嗑,合也。凡物之不親,由有間也;物之不齊,由有過也。有間與過,嚙而合之,所以通也。刑克以通,獄之利也。”(《周易·噬嗑卦注》)“剛德齊長,一柔為逆,衆所同誅而無忌者也。”(《周易·夬卦注》)“處離之極,離道已成,則除其非類,以去民害,王用出征之時也。”(《周易·離卦注》)“真散則百行出,殊類生,若器也。聖人因其分散,故為之立官長。以善為師,不善不資,移風易俗,復使歸一也。”(《老子》28章注)“始制官長,不可不立名分以定尊卑,故始制有名也。”(《老子》32章注)王弼將無為而治稱之為“道”(《老子》五十七章注中所謂“以道治國”即為斯),而將聖智、威刑、征伐等統治手段的合理使用稱之為“權”。權是道的變化,道是權的根本,道與權必須有機地結合起來靈活使用,方可應付複雜多變的社會現實。因此,作為一個統治者,應該掌握好道與權有機結合而靈活使用的統治方法。王弼《論語釋疑》曰:“權者,道之變。變無常體,神而明之,存乎其人,不可豫設,尤至難者。”道與權的靈活使用,主要是“因時而動”,也就是説,要根據社會的具體實際來決定採用何種統治手段。因此,王弼特別注重對時機的了解和把握，認為審時度勢、因時變化是能否有效地治理國家的一大關鍵。他說："為隨而不大通，逆於時也；相隨而不為利正，災之道也。故大通利貞，乃得無咎也。為隨而令大通利貞，得於時也；得時則天下隨之矣。隨之所施，唯在於時也，時異而不隨，否之道也，故隨時之義大矣哉！""吉凶有時，不可犯也；動靜有適，不可過也。犯時之忌，罪不在大，失其所適，過不在深。"(《周易·隨卦注》)

肯定聖智、仁義、巧利、威刑、征伐等統治手法的合理存在，但又不執着於其中而不知反本歸無；肯定無為而治的主導地位，但又不排斥對有為統治手法的合理使用，這便是王弼在治國理論上的辯證統一。

作者簡介 馬良懷，1953年生，湖北當陽人。歷史學博士，現任華中師範大學歷史系教授。主要著作有《崩潰與重建中的困惑——魏晉風度研究》、《張湛評傳》等。

周敦頤《易》學的道家思想淵源

陳少峰

內容提要 本文考察周敦頤《太極圖·易說》、《易通》中所發揮的《易》理生成論和修養論與道家哲學之間的關係,重點疏證周敦頤對老子"致虛極,守靜篤"思想的運用。

一

周敦頤(年二十改名為惇。年譜載:"景祐三年丙子。先生時年二十,行義名稱有聞。於時龍圖公名子皆以惇字,因以惇名先生。")是理學的代表人物之一。但他與其他理學家有所不同的是,他的思想非常集中地通過發揮《易》理而展開,並且受到道家哲學極為顯著的影響。事實上,他在理學中的重要地位是由《太極圖·易說》而確定的,而且是通過朱熹對該圖說的闡釋而聞名的。從宋代哲學史的角度來看,周敦頤初步提出了理學的基本哲學結構和方法。在其中,道家《易》理和老學思想占有很大比重。

就行狀記載來看,周敦頤具有玄儒色彩。黃庭堅說:"舂陵周茂叔,人品甚高,胸中灑落,如光風霽月。好讀書,雅意林壑,初不為人窘束。廉於取名而樂於求志,薄於徼福而厚於得民。"(《周子全書》卷十九)這裏所謂"好讀書,雅意林壑,初不為人窘束”云云，宛然魏晉人如陶淵明者情趣。《近思録》十四《總論聖賢》載：“明道先生曰：‘周茂叔窗前草不除去，問之，云與自家意思一般。’”這裏似乎有如莊子觀魚樂之意。從他的一些詩文來看，大有脱俗之向。就儒者的角度説，則周敦頤的雅趣不異曾點之志。如程顥説：“自再見茂叔後，吟風弄月以歸，有‘吾與點也’之意。”

不過，周敦頤之恬淡遠致，無疑深受道家道教影響。性情上如此，思想上也如此。如陳鍾凡説：“五代之亂，天下擾攘者四五十年，賢人君子黄冠棄世，遁迹山林，尤難指數。如陳摶之棲華山，种放之隱終南……或著述自娱，或勤行修練，並為當代王者所宗仰。而圖書之學類之以傳，學者乃據之以言性道。觀朱震言‘陳摶以先天圖傳种放，种放傳穆修，穆修傳李之才，之才傳邵雍（此兼言數理一派）放以河圖、書傳李溉，李溉傳許堅，許堅傳范諤昌，諤昌傳劉牧（此言數一派）。修以太極圖傳周敦頤，敦頤傳程顥程頤（此言理一派）。是時，張載講學於程邵之間，故雍著皇極經世書，牧陳天地五十有五之數，敦頤作通書，程頤述傳，載造太和參兩等篇。’震為謝良佐門人，當不誣其師傳。”[①] 先天圖能傳予周敦頤，與其社會關係和交往應有關係。雖然朱熹力言《太極圖》是周敦頤自得於心，但《朱子語類》卷九十四又載：“……因問：‘周子之學，是自得於心，還有所傳授否？’曰：‘也須有所傳授。渠是陸詵婿。温公《涑水記聞》載陸詵事，是個篤實長厚底人。’”朱熹之所以説明周敦頤仍有所傳授，因為陸詵與張伯端關係甚密，而張伯端則曾受金丹藥物火候於陳摶弟子“真人”劉海蟾。而周敦頤與陳摶再傳弟子碧虛子陳景元又有直接交往。總之，除朱震所説外，周敦頤和道士之間的關係甚密，尤其受陳摶及其弟子影響當可確定。也有人（如清代毛

① 《兩宋思想述評》第9—10頁。臺灣華世書局，1977年。

奇齡和日本武內義雄)指出周敦頤的《太極圖》受到佛教的影響。

不過,近年日本學者吾妻重二在所著《太極圖之形成》[①] 一文中詳細考證太極圖之由來既非受到道教之傳和影響,也並没有象其他一些學者所説受到佛教的明顯影響。該文在日本中國學會發表時曾得到高度重視。然該文有兩個明顯的缺點。首先,該文指出從傳續之説上衹提到《先天圖》而没有説及《太極圖》。此一證據,其實難以説明實質問題。因為不僅《太極圖》中的觀念和方法,尤其是先天觀念和追溯先天的方法與道家道教完全相通,就其所説《太極圖》和《先天圖》名字之差異,仍然不是問題所在,因為《先天圖》即是《太極先天之圖》。其次,吾妻文中没有對"説"的部分加以分析,而如果脱離"説"這一部分,就難於在證據不充分的情況下説明《太極圖》的思想淵源。相反,吾妻氏的文章的説服力正是因為擺開了"説"的文字纔成立。如果從"説"的部分來理解《太極圖》,則不管該圖是否直接傳自陳摶等,其中受到道家道教的影響十分昭著。它主要體現在生成説和主静説兩方面。但吾妻重二無疑提出了一個仍然值得思考的問題,即今所據《道藏》第一百九十六册中的《太極先天之圖》和黄宗炎所見《無極圖》都是在周敦頤《太極圖》之後(今人束景南分析指出《太極先天之圖》和《無極圖》是道教之二圖,對周敦頤都有影響[②]),且黄宗炎所説該圖傳承並不可信。

我認為,周敦頤的《太極圖》在來源上尚未得到足够的證據説明其受陳摶《先天圖》的影響,但結合周敦頤的"圖"和"説",以及他的交往等等内容,基本可以確定該圖的成立受到道家道教的深刻影響。

---

① 《日本中國學會報》第 46 集,1994 年。

② 《周敦頤〈太極圖説〉新考》,《中國社會科學》1988 年第二期。

二

周敦頤受道家哲學影響之最明顯者為《太極圖·易説》(今人一般稱之為《太極圖説》。侯外廬、邱漢生等主編的《宋明理學史》上册據潘志在《墓誌銘》中説周敦頤"……尤善談名理,深於《易》學,作《太極圖·易説》、《易通》數十篇,詩十卷"等而核定《太極圖説》為《太極圖·易説》。[①] 今從之)。關於《太極圖·易説》,争論的焦點是"易説"開篇一句是否為"自無極而為太極"。如日本江户時代的學者山鹿素行就據此批評周敦頤和欣賞該圖説的朱熹:"周子《太極圖説》曰:'無極而太極',又曰'太極本無極也',又曰'無極之真'。朱子《圖説注》曰:'上天之載,無聲無臭,而實造化之樞紐、品匯之根柢也。故曰:無極而太極,非太極之外復有無極也'。……愚謂周子以'無極而'三字呈太極字上,甚為聖人之罪人,後學之異端也。凡聖人之道,唯在日用事物之間耳。日用事物之間格物致知,則天地自然之妙,不言而著,不求而來,故聖人恒不語性與天道。……《易》曰:'子曰:夫易何為者也?夫易開物成務,冒天下之道,如斯而已者也。'今周子所謂以無方形之可見為太極之上層,則聖人之言太極,其本意已失。故諸儒太極之上為非有所謂無極。然則太極是無極也,何無極之言贅乎?以太極,恐為一個有形象之者,説無極,則太極無形無象也。是甚失聖人之意。太極者象數已具,何以無方形論焉。方象無,則無所以可生。聖人唯詳象數之間,正日用之功,周子不知聖人之淵源,漫以意見冒聖人之語,是聖人之罪人也。後世學者終弄精神、騖空妙,忘日用事物之學,儒而老莊,儒而浮屠,是據無極之説也,故曰:後學之異端也。朱子以無

① 《宋明理學史》上卷第49—51頁。1984年。

極說為孔子所未嘗言,有先聖後聖同條貫之稱,……朱子專宗太極之圖,故有此附會之稱美也。"[①] 朱子力辨"自""而"兩字為增竄,而定"無極而太極"為原文。束景南撰《周敦頤〈太極圖說〉新考》,詳考版本源流,力證朱子之說為正(然束景南認為洪邁之說不可信,其中證據之一是洪邁人品不佳。然洪邁作道學傳,《四庫全書》編撰者稱其為忠於道學,似難於因其人品而斷其所說之非)。[②] 但問題是,即使朱子所說周文中没有"自無極而為太極"字句,周氏學說之根據仍然是道家的生成論和修養論。(陸九淵認為周敦頤"無極而太極"是床上叠床,)因為顯然,《易傳》中衹有"太極"概念,而先秦典籍中說到的"無極"多指無窮意,儒家僅論太極,以之為"有"(如《魏書·儒林列傳》第七十二《李業興傳》載梁武以太極有無問業興。"衍又問:《易》曰'太極,是有無? 業興對:所傳太極是有,素不玄學,何敢輒酬。"),道家則視其道為無極而太極(即恍惚之道與真精之一的關係)。

就周敦頤的思想而論,《易說》無疑遠較《太極圖》重要。從周敦頤的原文中重新審視其思想淵源最富於說服力。《易說》的內容可以劃分為三個部分:

> 無極而太極。太極動而生陽,動極而静;静而生陰,静極復動。一動一静,互為其根。分陰分陽,兩儀立焉。陽變陰合,而生水、火、木、金、土。五氣順布,四時行焉。五行,一陰陽也;陰陽,一太極也;太極本無極也。
>
> 五行之生也,各一其性。無極之真,二五之精,妙合而凝,乾道成男,坤道成女,二氣交感,化生萬物。萬物生生,而變化無窮焉。惟人也,得其秀而最靈。形既生矣,神發知矣,五性

① 《山鹿語類》第四十三卷,《日本倫理匯編》第四册第 655—657 頁。
② 《周敦頤〈太極圖說〉新考》。

感動而善惡分,萬事出矣。聖人定之以中正仁義而主靜(自注:無欲故靜),立人極焉。故聖人與天地合其德,日月合其明,四時合其序,鬼神合其吉凶。君子修之吉,小人悖之凶。

故曰:'立天之道,曰陰與陽;立地之道,曰柔與剛;立人之道,曰仁與義。'又曰:'原始反終,故知死生之說。'大哉易也,斯其至矣!"

這裏前兩個部分中都包括"原始"即順化過程和"反終"即體極復性兩個方面,第三部分則為總結。在段落劃分上,這裏借鑒束景南上文中的劃分方法。束景南並認為,"周敦頤的《太極圖易説》是借圖式描述了正反順逆的兩種變易過程",《易説》文中所説的"易"不是指《易》書,而是指變易。此外,他還認為,周敦頤的太極圖受到了道教順行造化和逆施成丹兩種圖式(《無極圖》和《太極圖》)的影響。我認為束景南之説對理解周敦頤《太極圖·易説》大有幫助,但周敦頤在其中所説的"易"並不是"變易"之意,而是《易》道(理)。《太極圖·易説》所描述的是宇宙生成論和修養論。

而且,這一宇宙生成論和修養論基本上是根據老子的學説來發揮解釋《易》理的。從順化過程來看,兩個段落都是根據老子所説的"道生一,一生二,二生三,三生萬物"。第一段是講宇宙化生,第二段在此基礎上講性命之根據。第一段中的"無極而太極"即如老子所説的"道生一",即是恍兮惚兮,其中有精,其精甚真的一,故下面提到"無極之真"。下面所謂生陰生陽,即是一生二。王陽明曾評論説:"周子'靜極而動'之説,苟不善觀,未免有病。蓋其意從'太極動而生陽,靜而生陰'説來。太極生生之理,妙用無息,而常體不易。太極之生生,[即陰陽之生生。就其生生之中,指其妙用無息者而謂之動,謂之陽之生,]非謂動而後生陽也。就其生生之中,指其常體不易者而謂之靜,謂之陰之生,非謂靜而後生陰也。若果靜而後生陰,動而後生陽,是陰陽動靜截然各自為一物也。"(《傳習録·答陸靜原書》)而"陽變陰合,而生水、火、金、木、土"則是二生三。而第二段中的"無極之真,二五之精,妙合而凝,……"則是三生萬物。當然,這裏也説明了性命之依據。如果考察周敦頤可能受到張伯端《悟真篇》中所説的"道自虛無生一炁(氣),便從一炁產陰陽,陰陽再合成三體,三體重生萬物昌"的影響,那麽,在這一點上圖和説兩者受到道家道教的影響就更明朗。值得注意的是,這裏所説的"無極之真,二五之精,妙合而凝",與張載所謂天命之性與氣質之性的根源即分太虛與氣的理論非常相近。而'真'、'精'之妙合之理,確乎不離道家道教之内保其真精之説,即在生成論上説明真精之源起。

從體極復性的逆順序(反終)而論,則周敦頤在第一段中强調的是體極,第二段中强調的是復性,正好是根據《老子》十六章所説的"致虛極,守静篤"。第一段中所説的"五行,一陰陽也;陰陽,一太極也;太極本無極也"所説的是"致虛極"。第二段中,"聖人定之以中正仁義而主静(自注"無欲故静"),立人極焉"之説,即是"守静篤",並且同於《老子》三十七章又説的"無欲以静,天下將自定"(以及與《管子·内業》中所説"天主正,地主平,人主安静。……能正能静,然後能定"相近)。尤其主静之説,與道家之説合契不違。周子之逆修方法中之强調最後關鍵在"本無極",也就是後來《通書》中所謂之"寡之又寡以至於無",即"致虛極"之境界。其受道家影響至明。此外,周氏的"無極"、"太極"之地位與張載"太虛"之主張,都體現為根源性的證明,前者生成意味更濃厚,而後者本體之傾向已初步成熟。當然,這裏的本體,實際上包含宇宙生成論和修養論的因素,後者又與性善論相統一。戴震認為周子之學得於老氏者深,當是確論。

無極太極的設定,是為了解釋性命修養的依據。無極之真是性命的本體。周敦頤認為主静是復性體極的關鍵,朱熹大體承繼之。值得深思的是,朱熹在為周敦頤辯護時,實際上加深了對周氏受道家哲學方法影響的説明。例如,他注解“聖人定之以中正仁義而主静”道:“静者誠之復而性之真也。苟非此心寂然無欲而静,則又何以酬酢事物之變而一天下之動哉! 故聖人中正仁義動静周流,而其動也必主乎静,此其所以成位乎中而天地日月四時鬼神有所不能違也,蓋必體立而後用有以行,若程子論乾坤動静而曰‘不專一則不能直遂,不翕聚則不能發散’,亦此意爾”;“敬則欲寡而理明。寡之又寡以至於無,則静虚動直而聖可學矣。”雖然此處的寡之又寡取自周敦頤在《養心亭説》中所説的“孟子曰:養心莫善於寡欲。其為人也寡欲,雖有不存焉者寡矣,其為人也多欲,雖有存焉者寡矣。子謂養心不止於寡焉而存耳,蓋寡焉以至於無,無則誠立明通。誠立,賢也;明通,聖也。”然其立論竟然同樣不忌諱運用老子的損逆法,説明他自已也漸入道家哲學之境。甚至如朱子那樣常常辨別儒道差異者,已經如此深受道家之理,更不用説其他了。事實上,朱熹對老子的欣賞也常常表現出來(當專文論述),這可能也是他對周敦頤吸收老子哲學説“聖人所未言”加以贊美之根據。

三

《易通》(《通書》)也是發揮《易》理的著作。周敦頤在《易通》中提出“懲忿窒欲”,强調欲之“寡焉以至於無”,同於老子所謂損之又損以至於無(致虚極,即“虚心”),進一步體現了運用老學内聖説的特徵。此外,《易通》中受道家尤其老子的主静説、莊子的順化説以及玄學王弼執一統衆説也十分明顯。如《易通》:“天道行而萬物順,聖德修而萬民化。大順大化,不見其迹,莫知其然之謂神。故天下之衆,本在一人,道豈遠乎哉! 術豈多乎哉!”“聖可學乎? 曰:可。有要乎? 曰:有。請問焉。曰:一為要。一者無欲也,無欲則静虚動直;静虚則明,明則通;中直則公,公則溥。明通公溥,庶矣乎。"此外,他還崇拙,著有《拙賦》。主無欲而去巧智,則老學之意涣然。他所説的"懲忿窒欲",曾經受到許多後來許多儒者的批評,尤其是王夫之認為它是完全消極的,如聽見戰鼓聲即自投車下一般。

從周敦頤的《易通》中同樣可見其受莊學尤其是經由向、郭《莊子注》加以發揮的義理之影響,如説:"天地間有至貴至愛可求而畢乎? 彼者見其大而忘其小焉爾。見其大則心泰,心泰則無不足,無不足則富貴貧賤處之一也。處之一則能化而齊。故顔子亞聖。"前者為向、郭《莊子注》中的自足説:"夫年知不相及若此之懸也,比於衆人之所悲,亦可悲矣。而衆人未嘗悲此者,以其性各有極也。苟知其極,則分毫不可相跂,天下又何所悲乎哉! 夫物未嘗以大欲小,而必以小羡大,故舉小大之殊各有定分,非羡欲所及,則羡欲之累可以絶矣。夫悲生於累,累絶則悲去,悲去而性命不安者,未之有也";"各以得性為至,自盡為極也。"(《逍遥遊注》)而上文所謂顔回"能化而齊"之説出於《莊子》,即《莊子》書中稱顔回"坐忘"、"心齋"。周敦頤對《莊子》義和玄學的吸收也可以由此看得明白。

當然,周敦頤是以道家哲學的結構方法和道家道教的修養論來解釋儒家順受性命之理和實踐中正仁義之德性,雖滿蓄仙風道骨,仍然不忘儒家成聖的價值指歸。

《蘇氏易傳》與三蘇的道家思想

曾棗莊

内容提要 本文分三部分，第一部分論《蘇氏易傳》的作者雖署名蘇軾，但實為三蘇父子共同撰著，《蘇氏易傳》是蘇軾奉蘇洵之命在蘇洵《易傳》十卷的基礎上完成的，蘇轍也曾送自己所解與軾，今存《蘇氏易傳》中蒙卦部分，實為蘇轍所作。第二部分論朱熹指責《蘇氏易傳》以"釋老之説"解"聖人之言"，確是事實，本文主旨是論三蘇的道家思想，故側重論述《蘇氏易傳》如何以老莊之説解《易》。最後一部分追述三蘇之所以以老莊之説解《易》，是時代使然，與當時的學術氛圍、三人的坎坷經歷及他們所受老莊思想影響，都是分不開的。

一、《蘇氏易傳》實為三蘇合著

《易經》是産生於殷周之際的占筮書，含有一定的哲理，《易傳》是孔子之後歷代學者對《易經》所作的解釋，含有比較豐富的哲學思想。漢人解《易》，偏重象數；晉人解《易》，偏重義理。宋人解《易》成風，在蘇軾以前或同時，沿着象數之學解《易》的有陳摶的《先天圖》、《無極圖》，邵雍的《皇極經世》、周敦頤的《太極圖説》，劉牧的《易數勾引圖》等；沿着義理之學解《易》的有李覯的《易論》，張載的《易說》,歐陽修的《易童子問》,司馬光的《易説》,程頤的《易傳》,邵伯温的《易學辨惑》等。王安石也有解《易》的專著,可惜没有流傳下來。(陸遊《跋蒲郎中易老解》:“王荆公乃自毁其説,以為不足傳。”)

《蘇氏易傳》又名《毗陵易傳》,因蘇軾卒於毗陵(常州),而宋徽宗時嚴禁三蘇文,當時的人“不敢顯題軾名”,故把它叫做《毗陵易傳》。蘇軾作《易傳》,“自恨不知數學”,故偏重於義理分析,走的是晉人王弼的路子。

《蘇氏易傳》九卷,耗費了蘇軾一生很多精力,而且可説是蘇氏父子三人共同完成的。

蘇洵著有《六經論》,其中第一篇就是《易論》。蘇洵説:“聖人之道,所以不廢者,《禮》為之明而《易》為之幽也。”貴賤、尊卑、長幼,耕而食,蠶而衣,雖勞,但可避免殘殺,這是顯明的道理,“雖三尺豎子,知所趨避”。顯明的道理容易取信於人,但衹有幽深難測的道理纔能獲得人們的尊敬。顯明的道理易行也易廢,衹有幽深不可測的道理纔能長久維繫人心。蘇洵説:

> 聖人懼其道之廢,而天下復於亂也,然後作《易》。觀天地之象以為爻,通陰陽之變以為卦,考鬼神之情以為辭,探之茫茫,索之冥冥,童而習之,白首而不得其源,故天下視聖人如神之幽,如天之高,尊其人而其道亦隨而尊。故其道之所以尊於天下而不敢廢者,《易》為之幽也。……此聖人用其機權,以持天下之心,而濟其道於無窮也。

在蘇洵看來,《易》之所以要弄得茫茫冥冥,神祕莫測,無非是聖人利用人之常情即對那些“新奇祕怪”的東西特别尊敬的心理,來維持其對聖人之道的尊敬;無非是“聖人用其機權,以持天下之心”。蘇洵實際上是把儒家視為神聖的《易經》看作神道設教,看作愚民手段,以使天下之人把聖人之道當作宗教來信仰。蘇洵晚年嘗作《易傳》,其《送蜀僧去塵》詩云:“十年讀《易》費膏火。”《上韓丞相書》云:"自去歲以來,始復讀《易》,作《易傳》百餘篇。此書若成,則自有《易》以來,未始有也。"歐陽修在《蘇明允墓誌銘》中說:"(蘇洵)晚而好《易》,曰:'《易》之道深矣,汩而不明者,諸儒以附會之說亂之也。去之,則聖人之旨見矣。'作《易傳》未成而卒。"這"百餘篇"《易傳》,當時編為十卷,張方平《文安先生墓表》謂蘇洵著述有"文集二十卷、《謚法》三卷、《易傳》十卷。"蘇轍在《東坡先生墓誌銘》中說:

先君晚歲讀《易》,玩其爻象,得其剛柔、遠近、喜怒、逆順之情,以觀其詞,皆迎刃而解。作《易傳》未完,命公(蘇軾)述其志,公泣受命,卒以成書,然後千載之微言煥然可知也。

從以上記載可以看出,蘇洵晚年好《易》,曾作《易傳》十卷百餘篇,可惜未成而卒。蘇軾在蘇洵遺著的基礎上,撰成《易傳》九卷。蘇洵之所以要著《易傳》,主要是因為"諸儒以附會之說"弄得《周易》之旨"汩而不明";他要去掉這些"附會之說",重現"聖人之旨"。以現在的觀點來看,蘇洵研究《周易》的方法確實高過"諸儒",他主要是以對立統一的觀點來理解《周易》,因此,感到"迎刃而解"。這樣,他就剥去了長期被"諸儒""附會"在《周易》上的神祕外衣。看來,三蘇著《易傳》也同著其他書一樣,"務一出己見,不肯躡故迹",頗富獨創性。蘇氏父子對這部書都很自信。蘇洵說:"此書若成,則自有《易》以來未始有也。"蘇軾完成此書後,蘇轍又說,從此,"千載之微言,煥然可知也"。

蘇軾早在青年時代對《周易》就頗有研究,他在二十一歲應進士試時所作的《御試重巽申命論》,就對《周易》作了雖是局部的卻是精辟的論述。應制科試所上文有《易論》一篇。以後他在很多文章中也經常引用《周易》論證自己的觀點。他寫《易傳》主要集中在兩次貶官期間。一是在元豐三年到元豐七年貶官黄州時,他在黄州所作的《與滕達道書》中說:"某閑廢,無所用心,專治經書,一二年間,欲了卻《論語》、《書》、《易》。"這裹所說的《論語》、《書》、《易》,即指他後來逐漸完成的《論語說》五卷、《書傳》十三卷、《易傳》九卷。在《黄州上文潞公書》中,更詳盡地敘述了撰寫《易傳》的情況和心情。

> 到黄州無所用心,輒復覃思於《易》、《論語》。端居深念,若有所得。遂因先子之學,作《易傳》九卷;又自以意作《論語說》五卷。窮苦多難,壽命不可期,恐此書一旦復淪沒不傳。意欲寫數本留人間,念新以文字得罪,人必以為凶衰不祥之書,莫肯收藏;又自非一代偉人,不足託以必傳者。莫若獻之明公,而《易傳》文多,未有力裝寫,獨致《論語說》五卷。公退閑暇,一為讀之,就使無取,亦足見其窮不忘道,老而能學也。

從這封信可看出,蘇軾的九卷《易傳》在貶官黄州期間已大體完成。在紹聖元年到元符三年貶官嶺南(惠州、儋州)期間,蘇軾又對《易傳》作了修改補充。他在海南著書很辛勤。其《夜夢》詩感慨道:

> 棄書事君四十年,仕不顧留書繞纏。
> 自視汝與丘孰賢?《易》韋三絕丘猶然,
> 如我當以犀革編。

據說孔子讀《易》,"韋編三絶",由於經常翻閱《易經》,串聯竹簡的熟牛皮條都斷了多次。蘇軾認為自己在《易經》上花的功夫比孔子還多,應當用更牢韌的犀革來串聯竹簡。蘇軾去世前不久,在《答蘇伯固書》中說:"撫視《易》、《書》、《論語》三書,即覺此生不虛過,如來書所諭;其他何足道!"蘇轍在《東坡先生墓誌銘》中說:"既成三書,(蘇軾)撫之嘆曰:'今世要未能信,後有君子,當知我矣!'"可見蘇軾對自己這三部書是非常重視的。

蘇轍也是從少年時代起就開始研究《周易》,在他為應制科試所上的二十五篇進論中,也有一篇《易論》。蘇洵著《易傳》未完,不衹是命蘇軾"述其志",而是命他們兄弟共同述其志,有蘇籀《欒城遺言》為證：

> 先曾祖（蘇洵）晚歲讀《易》，……作《易傳》未完，疾革，命二公述其志。東坡受命，卒以成書。初，二公少年皆讀《易》，為之解說。各仕他邦，既而東坡獨得文王、伏羲超然之旨，公乃送所解於坡，今蒙卦獨是公解。

"公乃送所解於坡"，可見蘇轍也曾作《易傳》；"今蒙卦獨是公解"，可見現存《蘇氏易傳》中的蒙卦實為蘇轍所作。故《四庫全書總目提要》謂"此書實蘇氏父子兄弟合力為之，題曰軾撰，要其成耳"，是完全合乎實際的，這既肯定了這部書是蘇軾三父子"合力為之"，又肯定了蘇軾的主要功績。

二 以老莊之説解《易》

對於《蘇氏易傳》，朱熹很不滿意，曾"作《雜學辨》，以軾是書為首"（《四庫全書總目提要·蘇氏易傳》）。朱熹在《雜學辨》中指責蘇軾的觀點"乃釋老之説，聖人之言豈嘗有是哉！"在朱熹看來，蘇軾之學是"雜學"、是"異端"，是以佛老釋儒學。這當然也没有冤枉蘇軾，蘇轍在《東坡先生墓誌銘》中就曾公開説：

> （東坡）初好賈誼、陸贄書，論古今治亂不為空言，既而讀《莊子》，喟然嘆息曰："吾昔有見於中，口未能言，今見《莊子》，得吾心矣。"……後讀釋氏書，深悟實相，參之孔墨，博辨無礙，浩然不見其涯矣。

這段話充分説明了蘇軾思想的龐雜。其實，以程顥、程頤、朱熹為代表的宋代理學雖以純儒自稱，實際卻"出入於佛老"，衹是他們口頭上否認這點罷了。蘇軾兄弟不但敢於公開承認自已對於老、莊、佛學的愛好，蘇軾在《易傳》中還敢於公開指責孟子之學為"未至"，算不上盡善盡美。因為本文的重心是研究三蘇父子的道家思想，故這裏不擬全面論述《蘇氏易傳》如何以“釋老之説”釋“聖人之言”,而側重論述《蘇氏易傳》如何以老莊之説解《易》。

《四庫全書總目》卷一《易類》序云:“《易》道廣大,無所不包,旁及天文、地理、樂律、兵法、韻學、算術,以及方外之爐火,皆可援《易》以為説。”的確如此,儒家積極用世的主張“可援《易》以為説”,道家消極避世的思想也“可援《易》以為説”。

道家思想的主旨可用《老子》第六十七章的一段話來概括:“我有三寶,持而保之:一曰慈,二曰儉,三曰不敢為天下先。慈,故能勇;儉,故能廣;不敢為天下先,故能成器長。”慈就是以柔克剛,儉就是以一勝多,無為而無不為,不敢為天下先就是以退為進。這既可認為是老子的君人南面之術,也可認為是他的處世哲學。《四庫全書總目》卷一四六《道家類》序云“要其本始,則主於清净自持,而濟以堅忍之力,以柔制剛,以退為進。”《蘇氏易傳》確有不少地方是本着這一主旨來闡釋《周易》的。

《蘇氏易傳》卷一(後面凡引《蘇氏易傳》,祇注卷次)在闡釋“天行健,君子以自强不息”時説:“夫天豈以剛故能健哉? 以不息故健也。”這就是説,天之健並不是靠“剛”,而是靠“自强不息”的韌性。又云:“夫物非剛者能剛,惟柔者能剛耳”;“惟其順也,故能濟其剛。”卷四云:“以陽居陽,過於用剛,故悔且危也。”為甚麽柔纔能剛,順纔能濟剛,過於用剛,反將致危招悔呢? 因為“處羣剛之間而獨用柔,無備之甚也。以其無備而物信之,故歸之者交如也。此柔而能威者何也? 以其無備,知其有餘也。夫備生於不足,不足之形見於外,則威削。”(卷二)以剛對人祇能招致相反的結果:“畏人者,人亦畏之;慢人者,人亦慢之。”(卷四)《老子》好以水為喻來闡明他的以柔克剛的思想,《蘇氏易傳》也是如此,卷三云:

> 所遇有難易,而未嘗不志於行者,是水之心也。物之窒我者有盡,而是心無已,則終必勝之。故水之所以至柔而能勝物

者,惟不以力爭,而以心通也。不以力爭,故柔;以心通,故剛中。

卷六云:

世之方治也,如大川安流而就下。及其亂也,潰溢四出而不可止。水非樂為此,蓋必有逆其性者。泛溢而不已,逆之者必衰,其性必復,水將自擇其安而歸焉。古之善治者,未嘗與民爭,而聽其自擇,然後從而導之。……犯難而爭民者,民所之疾也。處危而不偷者,衆之所恃也。先王居渙散之中,安然不爭,而自為長久之計,宗廟既立,亨帝之位定,而天下之心始有所繫矣。

水之所以能以柔克剛,就在於它有一種韌性,"所遇有難易,而未嘗不志於行者";就在於它能不争,有"窒我者",它就繞過並繼續前進;即使"有逆其性者",它也能"自擇其安而歸"。蘇軾主張要居不争之地,卷二云:"居於不争之地,而後可居於陽。陽猶之,拒之固傷,不拒猶疑之,進退無所利者,居之過也。"卷五云:"雖不争而處争之地,猶未免也,故去而遠出,然後無咎。"他在元祐初自貶所還朝,青雲直上,多次任翰林學士,但也多次辭去這一職務,就因為他認為"清要之地,衆之所趨",不願處於衆争之地。他認為處不争之地是有利的,"失於此而償於彼",卷五云:

上有所適,下升而避之,失於此而償於彼,雖不爭可也。今六四下為三之所升而上不為五之所納,此人情必爭之際也。然且不爭而虛邑以待之,非仁人其孰能為此?太王避狄於豳而亨於岐,方其去豳也,豈知百姓之相從而不去哉?亦以順物之勢而已。以此獲吉,夫何咎之有?

争衹會引起災難,卷一云:"難未有不起於争,今又欲以争濟之,是使相激為深而已。"以剛臨弱、以强陵弱衹會引起反叛:"以剛自高而下臨弱,故至於用擊也。發蒙不得其道,而至於用擊,過矣,故有以戒之。王弼曰:'為之捍禦則物咸附之,若欲取之,則咸叛矣。'"即使取得暫時的勝利,也祇會引起無休止的爭鬬:"使勝者自多其勝以誇其能,不勝者自恥其不勝,以遂其惡,則訟之禍,吾不知其所止矣。故勝者褫服,不勝者安貞,無眚止訟之道也。"他認為即使對小人也不宜過分,卷二云:

聖人獨安乎泰者,以為世之小人不可勝盡,必欲迫而逐之,使之窮而無歸,其勢必至於爭,爭則勝負之勢未有決焉。故獨安乎泰,使君子居中,常制其命,而小人在外,不為無措。然後君子之患無由而起,此泰之所以為最安也。

元祐黨争,舊黨盡逐新黨,蘇軾就反對,而力主"使君子居中,常制其命,而小人在外,不為無措"。小人有兩種,他主張都要採取懷柔政策,同卷云:"小人之可用惟其勇者,荒者其無用者也。有用者用之,無用者容之,不暇棄也,此所以懷小人爾。"

老子一與多、無為而無不為的思想在《蘇氏易傳》中也有很多表現。卷三云:"火得其所附,則一炬可以傳千萬;明得其所寄,則一耳目可以盡天下,天下之續吾明者衆矣。"這兩個比喻充分闡明了一與多的辨證關係。卷七云:

天地一物也,陰陽一氣也,或為象,或為形,所在之不同,故在云者,明其一也。象者形之,精華發於上者也。形者象之,體質留於下者也。人見其上下,直以為兩矣,豈知其未嘗不一耶? 由是觀之,世之所謂變化者,未嘗不出於一而兩於所在也。自兩以往,有不可勝計者也。故在天成象,在地成形,變化之始也。

這正是《老子》所謂"道生一,一生二,二生三,三生萬物"(四十二章)的觀點。老莊都主張要以相對的觀點來看待一與多、禍與福、勝與衰、無為和有為等的辯語關係,蘇軾也主張要以"弘通"的觀點來待這些問題,卷八云:"貞,正也,一也。老子曰:'王侯得一以為天下貞。'夫貞之於天下也,豈求勝之哉?故勝者,貞之衰也,有勝必有負,而吉凶生矣。"卷八又云:"不以貞為觀者,自大觀之則以為小,自高觀之則以為下。不以貞為明者,意之所及則明,所不及則不明。故天地無異觀,日月無異明者,以其正且一也";"悔吝者生於不弘通者也。天下孰為真遠?自其近者觀之則遠矣。孰為真近?自其遠者觀之則近矣。遠近相資以為別也,因其別也,而各挾其有以自異,則或害之矣。或害之者,悔吝之所從出也。"這裏連語氣都與《莊子》相近。為甚麽一可以勝多,自損反而能自益呢?卷四在闡釋損卦時説:

自陽為陰為之損,自陰為陽謂之益。兑本乾也,受坤之施而為兑,則損下也;艮本坤也,受乾之施而為艮,則益上也。惟益亦然,則損未嘗不益,益未嘗不損。然其為名則取一而已。何也?曰君子務知遠者大者,損下以自益,君子以為自損;自損以益下,君子以為自益也。

益與損是相對的,"損未嘗不益,益未嘗不損",自損就是自益,自益反而自損。卷五云:

易簡者,一之謂也。凡有心者,雖欲一,不可得也。不一則無信矣,夫無信者豈不難知難從哉?乾坤惟無心,故一;一,故有信;信,故物知之也易,而從之也不難。

卷七云:

夫無心而一,一而信,則物莫不得盡其天理,以生以死,故生者不德,死者不怨,無怨無德,則聖人者豈不備位於其中哉?吾一有心於其間,則物有僥倖夭枉、不盡理者矣。僥倖者德之,夭枉者怨之,德怨交至,則吾任重矣,雖欲備位,可得乎?

無心而一則無德無怨,有心而别則德怨交至。無為而無不為是老莊的核心主張,《蘇氏易傳》也力主"無為而物自安"(卷一),"居至寡之地"(卷二),"口欲止,言欲寡"(卷四)。卷三云:"復者,變易之際也。聖人居變易之際,以待其定,不可以有為也。"同卷又云:"人之所共知而難能者,慎言語,節飲食也。言語一出而不可復入,飲食一入而不可復出者也。"人們之所以有為是因為欲望太多,不安其分,卷三云:

> 古之為過正之行者,皆內不足而外慕者也。夫內足者,恃內而略外,不足者反之。陰之居陰,安其分者也,六二是也。而其居陽也,不安其分而外慕者也,六三是也。

他認為能安其分,做到無咎無譽就不錯了,卷一云:"咎與譽,人之所不能免也。出乎咎,必入乎譽;脱乎譽,必罹乎咎。咎所以致罪,而譽所以致疑也。甚矣,無咎無譽之難也。"

老子主張"不敢為天下先",實際就是要審時度勢,適可而止,可行則行,不可則罷。卷一云:"聖人之於蒙也,時其可發而發之,不可則置之,所以養其正心而待其勝也,此聖人之功也。"卷四云:"勢不可往者,非徒往而無獲,亦將來而失其故也。何則?險難在前,不慮可否,而輕以身赴之,苟前不得進,則必有議吾後者矣。"同卷又云:

> 所貴於聖人者,非貴其靜而不交於物,貴其與物皆入於吉凶之域而不亂也。故夫艮,聖人將有所施之艮,止也。止與靜相近而不同,方其動而止之,則靜之始也;方其靜而止之,則動之先也。故曰時止則止,時行則行,動靜不失其時,其道光明,此言艮之得其所施者也。

不審時而動,不安其分,則有害無益,卷一云:"因世之屯,而務往以求功,功可得矣,而爭功者滋多,天下之亂甚";"人各歸安其主,雖有往者,夫誰與為亂?"卷四云:"不安其分而奮於上,欲求有功而非其時矣,故凶。"卷五云:"君子之動,見勝而後往,故勝在往前;不能必勝而往,宜其為咎也。"就個人處世而言,蘇軾認為應像水那樣隨遇而安,隨物賦形:

> 萬物皆有常形,惟水不然,因物以為形而已。世以有常形者為信,以無常形者為不信,然而方者可斲以為圓,曲者可矯以為直,常形之不可恃以為信也如此! 今夫水雖無常形,而因物以為形者可以前定,是故工取平焉,君子取法焉。惟無常形,是以迕物而無傷,惟莫之傷也,故行險而不失其信。由此觀之,天下之信,未有若水者也。(卷三)

老子主張全身遠害,蘇軾認為審時度勢 ,可行纔行,是全身遠害的有效辦法,君子處世,力能救則救之,力能正則正之。既不能救,又不能正,則君子不敢辭其辱,以私便其身。君子居明夷之世,有責必有以塞之,無責必有以全其身,而不失其正。(卷四)

無論《周易》還是老莊,都具有豐富的辯證法思想,這集中表現在他們的變化觀上。《老子》說:“飄風不終朝,驟雨不終日。孰為此者? 天地。天地尚不能久,而況於人乎?”蘇軾經常以這種思想警告當政者,《蘇氏易傳》也不例外。卷二在闡釋蠱卦時寫道:“夫蠱,非事也。以天下為無事而不事事,則後將不勝事矣。此蠱之所以為事也。”意思是說,蠱本來不是事,但因天下無事就無所作為,就將出事。蘇軾還說:“器久不用而蠱生之,謂之蠱;人久宴溺而疾生之,謂之蠱;天下久安無為而弊生之,謂之蠱。”這就是說,一切靜止不變、因循苟且都會產生蠱。祇有動纔能止蠱,他說:“器欲常用,體欲常勞,天下欲常事事,故曰巽而止蠱。”巽是《易經》八卦之一,代表風。風總是在“不息”地運動着,所以“巽而止蠱”,實際就是動而止蠱。祇要不斷地運動變化,就能做到“上下大通,而天下治”。天下為甚麼會亂? 蘇軾認為天下大亂並不是突然出現的,而是長期的苟且偷安造成的。他說:“治生安,安生樂,樂生偷,而衰亂之萌起矣。蠱之災非一日之故,必世而後見。故爻皆以父子言之,明父養其疾,至子而發也。”“父養其疾,至子而發”,是蘇軾向他歷仕的仁宗、神宗、哲宗經常發出的警告,要他們居安思危,注意後患。《蘇氏易傳》主張"未窮而變",他說:"窮而後變,則有變之形;及其未窮而變,則無變之名。"蘇軾比喻說:"陽至於午,未窮也,而陰已生;陰至於子,未窮也,而陽已萌。故寒暑之際,人安之。如待其窮而後變,則生物無類矣。"(卷四)蘇軾在《問養生》中把這一漸變的觀點闡述得更加清楚。他說:

> 子不見天地之為寒暑乎?寒暑之極,至於折膠流金,而物不以為病,其變者微也。寒暑之變,晝與日俱逝,夜與日並馳,俯仰之間,屢變而人不知者,微之至、和之極也。使此二極者相尋而狎至,則人之死久矣。

蘇軾主張的變就是這種漸變,微變。如果說蘇軾"動而不息"的觀點是他反對守舊派的理論基礎,那麼他的"微之至和之極"的漸變論,就是反對王安石變法的理論基礎。怎樣纔能漸變以防亂達治呢?他認為應象徒步過河那樣小心謹慎,防患於未然,卷一云:"天下莫大之福,不測之禍,皆萃於我而求決焉,其濟不濟,間不容髮,是以終日乾乾,至於夕而猶惕然,雖危而無咎也。"同卷又云:"人之情,無大患難,則日入於偷。天下既已治矣,而猶以涉川為事,則畏其偷也。"又說:"君子見蠱之漸,則涉川以救之。"卷五云:"凡物之有敝者,必自其方盛而慮之,迨其衰則無及矣。"

我國古人常以陰陽表示矛盾,表示對立統一,《周易·繫辭》謂"一陰一陽之謂道"。《老子》謂"萬物負陰而抱陽"。(四十二章)蘇軾一方面看到矛盾是事物發展的動力,認為"陰陽相蘊而生物,乾坤者,生生之主也",認為"剛柔相推而變化生";同時又强調統一是變化的條件,"剛柔變化本出於一"。他說:"變者兩之,通者一之。不能一,則往者窮於伸,來者窮於屈也。"蘇軾在闡釋"一陰一陽之謂道"時說:

> 陰陽果何物哉?雖有婁曠之聰明,未有得見其彷彿者也。陰陽交然後生物,物生然後有象,象立而陰陽隱矣。凡可見者

皆物也,非陰陽也;然謂陰陽為無有可乎?雖至愚知其不然也。物何自生哉?是故指生物而謂之陰陽,與不見陰陽之仿佛而謂之無有者,皆惑也。聖人知道之難言也,故借陰陽以喻之,曰一陰一陽之謂道。"(卷七)

蘇軾這段話告訴我們,陰陽是看不見摸不着的,對立統一規律作為事物發展變化的客觀規律與事物本身確實是有區别的,可見的是事物而不是規律。但不能因此就認為"陰陽為無有",陰陽雖然不可見,但它仍然客觀存在着。把事物與陰陽等同,或借口陰陽不可見而謂"陰陽為無有",都是錯誤的。蘇軾的上述意見基本上是正確的。但他的表述確實有不够準確的地方,他因强調客觀事物同客觀規律的區别而忽略了他們之間的聯繫,如説"陰陽交然後生物,物生然後有象,象立而陰陽隱矣",彷佛陰陽不是事物的内在規律(道)本身,而祇是喻道的,陰陽與道似乎是兩個東西。朱熹正是抓着蘇軾這些漏洞,指責蘇軾説:"以為借陰陽以喻道之似,則是道與陰陽各為一物,借此而況彼也。""道外無物,物外無道。今曰道與物接,則是道與物為二,截然各據一方,至是而始與物接,不亦謬乎?""達陰陽之本者,固不指生物而謂之陰陽,亦不别求陰陽於物象聞見之外也。"(《雜學辨·蘇氏易解》)朱熹關於物雖不等於陰陽,陰陽卻存在於物中的觀點是合理的,他對蘇軾的指責有一定的合理因素。

"執其兩端而用其中"的中庸思想是儒家學説的重要思想,但據蘇轍講,老子"常欲無以觀其妙","常欲有以觀其徼";"無之以為用","有之以為利"等觀點,"亦近於中庸"。(《老聃論》)《蘇軾易傳》充分發揮了儒道二家共有的中庸思想。謙卦《象辭》説:"地中有山,謙。君子以裒多益寡,稱物平施。"蘇軾闡釋道:

裒,取也。一之為名,生於過也。物過然後知有謙。使物不過,則謙者乃其中爾。過與中相形,而謙之名生焉,聖人即世之所名而名之，而其實則反中而已矣。地過乎卑，山過乎高，故地中有山，謙，君子之居是也。多者取之，謙也；寡者益之，亦謙也。"(卷二)

謙是《易經》中六十四卦之一。本來是山高地卑，"地中有山"，就是卑下含着崇高，取其中叫謙；取多的以增益少的，使物之多寡得其平而均其施也叫做謙。謙就是使物不過，就是"反中"，就是"不敢為過正之行"(卷三)。蘇軾還研究了不能"守中"的原因："知之未極，見之不全，是以有過"(卷七)。也就是說，認識的片面性，不能全面地把握矛盾雙方，是產生"過正之行"的重要原因。蘇軾還指出："夫無守於中者，不有所畏則有所忽也。忽者常失於太早，畏者常失於太後；既失之，又懲而矯之，則終身未嘗及事之會矣。"(卷八)這就是說，那些輕率的人("忽者")常常"失於太早"，超越了客觀事物；而那些畏首畏尾的人("畏者")又常常"失於太後"，落後於客觀事物；出現上述情況後，他們又來矯正，而一矯枉又常常過正，結果是"終身"也不能"守中"，"終身未嘗及事之會"。這類教訓在現實生活中也夠多了。

三　三蘇的老莊思想

《蘇氏易傳》以老莊思想解《易》，這與當時的社會環境、學術氛圍、三蘇因經歷坎坷而深受老莊思想影響都是分不開的。

蘇軾一生在政治上"辟佛道"，這是因為宋王朝從建立之日起就採取儒釋道並尊的政策，而佛道在唐和五代所造成的嚴重後果，使以"致君堯舜"為己任的蘇軾，不得不向統治者敲起"晉以老、莊亡，梁以佛亡"的警鐘。

在儒、釋、道長期並存的過程中，它們相互鬥争而又相互汲取營養，到宋代更有儒、釋、道三教合一的趨勢。試把王安石的《漣水君淳化院經藏記》同蘇軾的《莊子祠堂記》作一比較,就可看出他們的觀點非常接近。王安石說:“有國之老莊,西域之佛也。既以此為教天下而傳後世,故為其徒者,多寬平不忮,質靜而無求。不忮似仁,無求似義。”這是公開主張、儒、道有相似之處。宋代的理學家雖然以正統自居,排斥佛老,但他們所宣揚的“存天理,滅人欲”,實際就是佛、道鼓吹的禁欲主義。宋代理學是在吸收釋、道禁欲主義的基礎上集中宣傳封建的三綱五常的新儒學。他們雖自稱淳儒,實際卻“出入於佛、老”。三蘇生活於理學家和反理學家或暗自偷運或公開兜售佛老思想的時代,生活於“士大夫至以佛老為聖人”的時代,當然也不可能超塵出世。

蘇洵從青年時代起就與道士多有往來。蘇洵二十二歲時遊成都玉局觀,買得一幅張仙畫像,迷信者以為祀之能令人有子。當時蘇洵“尚無子嗣,每晨必露香以告”。後來生下“皆嗜書”的蘇軾兄弟,他相信這是他的禱告之功,還專門寫了一篇《題張仙畫像》來“記其本末,使異時祈嗣者於此加敬。”蘇洵後來又送蘇軾兄弟到眉山天慶觀讀書,以道士張易簡為師。在蘇洵現存詩中,還有《過木櫪觀》、《題仙都觀》、《題仙都山鹿》等,都與從道家演生出的道教有關。三蘇父子都是用世之人,但由於仕途失意,也常以老莊的避世思想安慰自己。蘇洵少不喜學,年已壯猶不知書。年二十七始發奮苦讀,但舉進士和制科皆不中,遂絕意於功名而自託於學術。嘉祐初,三蘇父子以文章名動京師,但求官仍未遂。他曾在《答二任》中說:

重祿無意最,思治山中畬。
往歲栽苦竹,細密如蒹葭。
庭前三小山,本為山中楂。
當前鑿方池,寒泉昭谽岈。
於此可竟日,胡為踏朝衙?

《老翁井》詩云：

井中老翁誤年華，白沙翠石公之家。

公來無蹤去無迹，井面團團水生花。

翁今與世兩何與，無事紛紛驚牧豎。

改顏易服與世同，勿使世人知有翁。

老翁井之所以叫老翁井，據蘇洵《老翁井銘》說："往歲十年，山空月明，天地開霽，則常有老人蒼顏白髮，偃息於泉上，就之則隱而入於泉，莫可見，蓋其相傳以為如此者久矣。"這首詩描述了這一傳說，這位"蒼顏白髮"的老翁以泉為家，來無蹤，去無迹，與世無爭。此詩與《老翁井銘》都作於嘉祐二年(1057)，當時他因入京求官未遂，故有老於泉旁之念。"改顏易服與世同，勿使世人知有翁"，和光同塵，不求有聞於世，顯然是以老莊思想來排解他當時的抑鬱心情。但表達得比較含蓄，朱熹所謂"其意怨而不怒，用意亦遠矣。"(《晦庵詩話》)

蘇軾一生深受儒、釋、道思想的影響，而以儒家思想佔主導地位，這在學術界幾乎没有分歧，筆者也無異議。但學術界還普遍認為，蘇軾對儒、釋、道的態度，前後期各不相同：前期(指貶官黄州以前)主異，認為儒與釋、道是對立的；後期(從貶官黄州到去世)主同，融合儒、釋、道。這一觀點，南宋江應辰就已提出："東坡初年力辟禪學，其後讀釋氏書，見其汗漫而無極，……始悔其少作。於是凡釋氏之說，盡欲以智慮臆度，以文字解說。"(《與朱元晦書》)今人多從其說，我對此卻有些不同看法。說蘇軾隨着仕途的失意，受釋、道影響越來越深是對的。但是，如果說蘇軾前期纔"辟佛老"，後期則"融合佛老"，根據似乎不足。實則蘇軾一生在政治上都在"辟佛老"，而在其他方面他一生又都在"融合佛老"。總之，他在融其所認為可融，辟其所認為不可不辟。

蘇軾在為應制科試所作的《韓非論》中說："聖人之所為惡乎異

端,盡力而排之者,非異端之能亂天下,而天下之亂所由出也。"他認為正是老、莊的"輕天下,齊萬物之術"造成了法家的"敢為殘忍而無疑",結果"秦以不祀,而天下被其毒"。因此,"申、韓之罪",是"老聃、莊周之使然"。後又在《議學校貢舉狀》中指責"今士大夫至以佛、老為聖人,鬻書於市者非老、莊之書不售也";認為"使天下之士能如莊周齊生死,一毀譽,輕富貴,安貧賤,則人主之名器爵禄,所以礪世磨鈍者廢矣!"這是從佛、老思想不利於宋王朝的統治說的。蘇軾後期對釋、道的這種態度是否發生了變化呢?没有,元祐年間所作的《居士集叙》就是明證。在這篇《叙》中,一開頭就提出:"夫言有大而非誇,達者信之,衆人疑焉。"接着他舉例說:"孔子曰:'天之將喪斯文也,後死者不得與於斯文也'。孟子曰:'禹抑洪水,孔子作《春秋》而予距楊墨。'"一般人對此是懷疑的:"禹之功與天地並,孔子、孟子以空言配之,不已誇乎?"蘇軾深信不疑,他從正反兩面論證了孔、孟之功可以"配禹"。從正面看:"自《春秋》作,而亂臣賊子懼;孟子之言行,而楊、墨之道廢。"從反證看:"孟子既没,有申、商、韓非之學,違道而趣利,殘民以厚生。……秦以是喪天下,陵夷至於勝、廣之禍,死者十八九,天下蕭然。洪水之患,蓋不至此也。"這與他早年在《韓非論》中所說的老、莊導致申、韓,申、韓造成"秦以不祀,天下被其毒"的觀點完全一致:"自漢以來,道術不出於孔氏而亂天下者多矣。晉以老、莊亡,梁以佛亡。"

但在處世態度上,他從青年時代起就深受老莊思想影響。蘇軾自稱"齠齡好道"。嘉祐二年蘇軾兄弟一舉進士及第,可謂少年得志。但嘉祐四年,蘇軾在南行赴京途中,一面說"蠻荒安可住,幽邃信難耽";一面又說"盡解林泉好,多為富貴酣。試看飛鳥樂,高遁我心甘。"(《入峽》)究竟是高卧"林泉",還是奔走"富貴",他是很矛盾的。嘉祐六年蘇軾應制科試入三等(一二等為虚設),接着出任鳳翔簽判,仕途比較順利,根本没有遇到甚麼挫折,但卻有"何年謝簪紱,丹砂留迅晷"(《自仙遊回……》)的詩句。蘇軾在貶官黄州以前,就已經用老莊思想作為自己的處世態度,他說:"人之所欲無窮,而物之可以足吾欲者有盡。美惡之辨戰乎中,而去取之擇交乎前,則可樂者常少,而可悲者常多。"而他之所以"無所往而不樂者,蓋遊於物之外也。"(《超然臺記》)元豐元年蘇軾在徐州任上所作的《莊子祠堂記》說,認為莊子"詆訾孔子之徒,以明老子之術",這祇是"知莊子之粗者"。他提出了一個相反的觀點,認為"莊子蓋助孔子者","莊子之言皆實予而陽不予,陽擠而陰助之"。甚至認為《莊子·天下篇》,"論天下道術,自墨翟、禽滑厘、彭蒙、慎到、田駢、關尹、老聃之徒,以至於其身,皆以為一家,而孔子不與",都是尊崇孔子到極點的表現("其尊之也至矣")。這比認為儒、道的某些思想可以相通的觀點還要徹底得多。蘇軾在貶官黄州以前還用道家清静無為的思想反對新法的擾民,早在熙寧二年的《上皇帝書》中,他就以道家的養生說喻政:"善養生者慎起居,節飲食,道引關節,吐故納新,不得已而用藥,則擇其品之上、性之良,可以久服而無害者,則五臟和平而壽命長。不善養生者,薄節慎之功,遲吐納之效,厭上藥而用下品,伐真氣而助强陽,根本以空,僵僕無日。天下之勢,與此無殊。"《問養生》說:"余問養生於吴子,得二言焉,曰和曰安。"這和、安二字,既是養生之術,也是為政之術。蘇軾從貶官黄州起,受老莊思想的影響確實更深了,元祐年間他曾說:"道家者流本於黄帝老子,其道以清静無為為宗,以虚明應物為用,以慈儉不争為行,合於《周易》'不思不慮',《論語》'仁者静壽'之語"(《上清儲祥宫成降德音表》)去世前不久,他在《跋子由〈老子解〉後》中甚至説:"使戰國時有此書,則無商鞅、韓非;使漢初有此書,則孔、老為一;晉宋間有此書,則佛老不為二。"可見他關於儒、道可以相通的言論確實更鮮明了,但並未因此而改變他"晉以老、莊亡"的觀點。

蘇軾兄弟從少年時代起就開始接觸釋、道著作。蘇軾在《子由生日以檀香觀音像為壽》中說:"君少與我師皇墳,旁資老聃釋迦文。"蘇轍批判了"學者不可以讀天下之雜說"的觀點(《上兩制諸公書》),聲稱自己"百氏之書無所不讀"。(《上韓樞密書》)蘇轍早年曾作《老聃論》,提出了很多大膽的觀點。從任陳州教授開始,又注意研究道家的養生之術。蘇軾與僧道廣泛交遊開始於通判杭州時,蘇轍開始於貶官筠州期間。這是因為筠州自來是佛、道流傳很廣的地方,佛刹道觀、和尚道士很多。自東晉道士許遜與其徒十二人散居此地,以其術救民疾苦以來,這裏的道士就比鄰近州郡多得多,即使婦人孺子也喜着道士服裝。蘇轍在筠州廣交僧道,也與他的特殊經歷有關。他說:

> 余既少而多病,壯而多難,行年四十有二而視聽衰耗,志氣消竭。夫多病,則與學道者宜;多難,則與學禪者宜。既與其徒出入相從,於是吐故納新,引挽屈伸,而病以少安;照了諸妄,還復本性,而憂以自去。灑然不知網罟之在前,與桎梏之在身,孰知乎險遠之不為吾安,而流徙之不為予幸也哉!"(《筠州聖壽院法堂記》)

也就是說他通過向道士學"吐故納新"的養生之術以療疾病,通過向寺僧學佛教精義以忘憂患,以達到"是非榮辱不接於心"(《廬山棲賢寺記》)的境界。蘇轍在筠州交往的道士,有名可考者有方子明,此人住在聖壽寺附近,蘇轍同他幾乎旦暮相見。此人除精通道家的養生術外,對佛學也頗有研究:"調心開《貝葉(經)》,救病讀《難經》";"禪關敲每應,丹訣問無經。贈我圭刀藥,年來髮變星。"(《題方子明道人東窗》)他曾向蘇轍傳授過煉金術,是否有驗,蘇轍未說(自然不會有驗),但"子言舊事浄慈師,未斷有為非浄慈",卻深深觸動了蘇轍。(《贈方子明道人》)蘇轍還曾向牢山道士陳璞問養生術,陳璞未作回答,衹是說三年之後當再見:"養生尤復要功圓,溜滴南溪石自穿。近見牢山陳道士,微言約我更三年。"養生不但"要功圓",要有必要的時間；而且更要有錢，煉丹没有巨款是不行的。蘇轍在《送楊騰山人》詩中感慨道："胸中萬卷書，不如一囊錢。……一窮百不遂，此事終無緣。君看抱朴子，共推古神仙。無錢買丹砂，遺恨盈塵編。歸去守茅屋，道成要有年！"蘇轍晚年又作《老子解》，而《老子解》中的觀點，在他青年時所作《老聃論》中已經提出來了。他認為儒釋道可以合一，老莊反對各"是其所是而非其所非"，主張"無所是非"的觀點符合孔子的"無可無不可"(《論語·微子》)的主張；前面已舉的老子的某些觀點，他認為也"近於中庸"。他公開反對以周孔之言定佛老之非。他説："昔者天下之士，其論老聃、莊周與夫佛之道者皆未嘗得其要也。"因為他們都以周孔之言去駁佛老之言，而佛老之徒根本就不相信周孔之言，因此，他認為"老聃、莊周之言不可以周孔辯"。這就像與鄰里辯論，"而曰吾父以為不然"，誰會以你父親的話為是非標準？那麼要怎樣纔算"得其要"呢？蘇轍認為祇能"平心而觀焉，而不牽乎仲尼、老聃之名，而後可與語此"。祇能就觀點本身的"是非利害"進行辯論，祇有那些"辯之而無窮，攻之而無間"的觀點纔是"天下之道"。早在宋代蘇轍就這樣明確地反對以周孔之言為是非標準，是大膽的、深刻的。經過蘇轍的"平心而觀"，他認為老莊學説比楊朱、墨翟之言深刻得多，全面得多。楊朱主張為我，墨翟主張兼愛，"天下之事，安可以一説治也？彼二子者欲一之以兼愛，斷之以為我，故其説有時焉而遂窮。"老莊就不是這樣："今夫老莊無所是非，而其終歸於無有，此其思之亦曰詳矣"；"老聃、莊周，其思之不可謂不深矣"；"其論縱横堅固而不可破也。"(均見《老聃論》)這簡直是公開為老莊思想唱贊歌。蘇軾多批評佛老對治國的危害，蘇轍早在《御試制科策》中就認為，即使就治國而言，儒、道兩家亦各有得失："老子之所以為得者，清浄寡欲；而其失也棄仁義，絶禮樂。儒之得也，尊君抑臣；而其失也，崇虚文而無實用。……漢文取老子之所長而行之，是以行之而天下豐;漢武取儒者之所失而用之,是以用之而天下弊。此儒、老得失之辨也。”由此可見,在對佛道的態度上,蘇軾兄弟的看法並不完全一致。蘇轍在這一問題上比蘇軾更加徹底和大膽。

作者簡介 曾棗莊,男,1937年生,四川簡陽人。四川大學教授,全國蘇軾研究學會副會長。早年從事杜詩研究,著有《杜甫在四川》。後從事三蘇研究,著有《蘇洵評傳》、《蘇軾評傳》、《蘇轍評傳》、《蘇轍年譜》、《三蘇文藝思想》、《三蘇選集》,與人合作箋註有《嘉祐集》、校點有《欒城集》。最近十餘年以主要精力主編《全宋文》、《中華大典·宋元文學分典》,並著有《論西崑體》。

程頤易學和道家哲學

陳少峰

内容提要 本文以程頤解《易》文字為基本資料，旁及他的其它相關學説，考察其於思想結構、方法上具體受道家哲學之影響。

程頤的思想在淵源上比較廣泛。他曾從不同角度吸收了道家哲學的部分内容。具體而言，主要體現在三個方面：直接吸收老莊道體之説；從周敦頤而接受宇宙萬物生化的道家易學程序和修養論上的虚静主一之學；從王弼的言意之辨和他所發展的道家之“理”論而展開理一分殊，複受其自然誠信修養論影響而完善儒家德性倫理説。就這些影響在他的思想歷程中的表現而言，早年受周敦頤的影響比較明顯，而盛年以後受老莊及王弼的影響較切著。本文擬以程頤《易》學中所發揮的思想為核心，具體疏證程頤在思想結構和方法方面擷取道家哲學的特徵。

一

《河南程氏遺書》[①] 卷三中記載了程頤的一條重要語録：“莊

① 引文據《二程集》。(下同)中華書局，1981年版。

生形容道體之語,盡有好處。老氏'谷神不死'一章最佳。"這是他自己思想與道家哲學關係的點睛之語,對幫助理解程頤思想與道家哲學之間的關係大有助益。除此之外,還有許多資料足以輔證說明道家哲學與程頤思想之間具有重要的直接的或間接的淵源關係。

但在有關程頤的傳記資料中,他被視為對道家哲學漠然的思想人物。如《遺書》卷六中,程顥稱程頤從小不看《莊子》和《列子》書,非禮不動。另外,朱熹在《朱子語類》卷九十三中也說:"明道曾看釋老書,伊川則《莊》、《列》亦不曾看。"從程頤夫子自道可知,這些解說顯然與事實不符,大有曲諱之意。從程頤對老莊學說的評論,明顯可見他對老莊的道說甚為欣賞。從其它直接的資料也可見他對莊學玄學盡有溫存之意。如他說:"學者後來多耽《莊子》。若謹禮者不透,則是佗須看《莊子》,為它極有膠固纏縛, 則須求一放曠之 說以自適。譬之有人於此, 久困纏縛, 則須覓一個出身處。如東漢之末尚節行, 尚節行太甚, 須有東晉放曠, 其勢必然。"(《遺書》卷十八)經楊時整理的《程氏粹言》中說:"子曰:後漢名節之風既成,未必皆自得也,然一變可至於道矣。"這是主張自然放曠在矯正膠固思想行為之價值。又曾說:"《易》有百餘家,難為遍觀。如素未讀,不曉文義,且須看王弼、胡先生、荊公三家。理會得文義,且要熟讀,然後卻有用心處。"(同上)顯然他對玄學的評價亦不盡輕貶。

實際上,從程頤評論老莊及其它思想活動的相關資料(如受王弼影響)中,可以尋見其受道家哲學影響的基本綫索。其一,程頤常將理、道與神併用。馬叙倫《論性》認為,程朱論理,與老子可道非道最近。而形氣之外別求本然之性,則密合於老氏(道家)之神。[1] 程

---

① 見《國粹學報》第3年第一册第34期。

頤所强調的理一之理即是突出理之遍在的特徵,也就是莊子所謂道無所不在。同時,程頤正是從張載的萬物一體論中歸結出理一分殊説,與莊子學説更有密合之處。程頤所説的理一即相當於無(形而上),而分殊相當於有(形而下)。理一以及分殊乃綜合莊學道體説、老學主一説和王弼的一多關係説以及佛教理事無礙説而形成。理的概念尤其受老學、王弼之説的影響最彰著。谷神就是理一,即是程頤所謂"所以陰陽者"之道,亦即是極一之神。《遺書》卷五中有"虚心實腹"以及"虚而不屈,動而愈出"等語,推斷為程頤語録,以其釋"谷神"故。可以為證。其二,理之特徵是自然,即如王弼所説的"無物妄然,必有其理"。因此,理之性質在無為。程頤還直接引述老子無為之説:"夫常人之情,自處既當,則無所顧慮,有能則自居其功。惟聖人至公無我,故雖功高天下而不自有,無所累於心。蓋一介存於心,乃私心也,則有矜滿之氣矣。故舜稱禹功能,天下莫與争而不矜伐,乃聖人之心也。……聖人之公心,如天地之造化,生養萬物,而孰尸其功?故應物而允於彼。……亦由乎理而已,故無居有之私。"(《河南程氏經説》卷二)當然,他略加以伸展:"天地不與聖人同憂,天地不宰,聖人有心也。天地無心而成化,聖人有心而無為。"(《河南程氏經説》卷一)又,程頤解釋《坤卦·文言》"直方大,不習無不利,則不疑其所行也"道:"敬義既立,其德盛矣,不期大而大矣,德不孤也。無所用而不周,無所施而不利,孰為疑乎?"此乃明無為而無不為,其條件是敬以達理。又,《遺書》卷十八中説:"天下無一物無禮樂。……又問:'如此,則禮樂衹是一事?'曰:'不然。如天地陰陽,其勢高下甚相背,然必相須而為用也。有陰便有陽,有陽便有陰。有一便有二,纔有一二,便有一二之間,便是三,以往更無窮。老子亦曰:'三生萬物。'此是生生之謂易,理自然如此。'維天之命,於穆不已',自是理自相續不已,非是人為之。如使可為,雖使百萬般安排,也須有息時。衹為無為,故不息。《中庸》言:'不見而彰,不動而變,無為而成,天地之道可一言而盡也。'使釋氏千章萬句,說得許大無限說話,亦不能逃此三句。衹為聖人說得要,故包含無盡。釋氏空周遮說爾,衹是許多。'"這是區分天地之自然無為和聖人無為的不同方式,而欣賞無為之義則與老莊不異。無為之根據在順道之自然,具有方法上的意義。

總之,程頤認為莊子形容道體之說為佳,則道體之說的長處在道無所不在;而道即是谷神,是所以陰陽者之理一。程頤强調事事皆有理,物各有分,則似乎也受到向秀和郭象《莊子注》的啓迪(《河南程氏遺書》卷第一:"天地生物,各無不足之理")。加上王弼"理"論的影響,成為一學說整體。由此可見,道家哲學的基本結構體現於程頤的理一分殊的學說中。另外,程頤所說的形而上之道(理一),也即是《易》中的神,在性質上就是"谷神",而有生生之易。他認為,易之"神"無大小精粗,而物有大小精粗,故需由用以明體。

谷神與復性相聯結。程頤釋《蒙卦》之"蒙"為純一未發之狀態(區別於"昏蒙"性質的後天之"蒙"),似乎也可見老學"若嬰兒之未孩"在其中的影響。

二

程頤受道家影響的一些方面來自他受到周敦頤的學說之影響。朱熹在《周子太極通書後序》中說:"蓋先生之學,其妙見於太極一圖。《通書》之指皆發明此圖之蘊,而程先生兄弟語及性命之際未嘗不因其說。觀《通書》之誠、動静、理性命等章及程氏之書李仲通銘、程邵公志、顔子好學論等篇,則可見矣。"此說蓋有所據。要其歸,周子受老學影響甚深,而程頤欣賞老子之說谷神不死等義,乃保存了太極論根源生化之意。今本《二程集》中有《易序》一文,文中論及太極無極:"散之在理,則有萬殊;統之在道,則無二致。所以‘易有太極,是生兩儀。’太極者道也,兩儀者陰陽也。陰陽,一道也。太極,無極也。萬物之生,負陰而抱陽,莫不有太極,莫不有兩儀,絪緼交感,變化不窮。形一受其生,神一發其智,情偽出焉,萬緒起焉。”有人以為,《易序》之文,疑為編者周行己所加。朱伯崑先生則認為,在沒有其它佐證前,該文應視為伊川早年所作。[①] 從他文也可見程頤受周敦頤的影響。程頤成名之學說的主干即取自周敦頤。《顏子所好何學論》(先生始冠,遊太學,胡安定以是試諸生,得此論,大驚異之,即請相見,遂以先生為學職)說:“聖人可學而至歟? 曰:然。學之道如何? 曰:天地儲精,得五行之秀者為人。其本也真而靜,其未發五性具焉,曰仁義禮智信。形既生矣,外物觸其形而動於中矣。其中動而七情出焉,曰喜怒哀樂愛惡欲。情既熾而益蕩,其性鑿矣。是故覺者約其情使合於中,正其心,養其性,故曰性其情。愚者則不知制之,縱其情而至於邪僻,梏其性而亡之,故曰情其性。凡學之道,正其心,養其性而已”;“……所謂化之者,入於神而自然,不思而得,不勉而中之謂也。”這裏所說“真”、“靜”之本性特徵,無疑是老子學說的主旨之一。周敦頤以之解釋修養所達之極,而程頤也同樣納入養性說。

周敦頤受到老學的影響最明顯,而程頤也直接承之。當然,程頤對老學也有批評。如在《入關語錄》中說:“《老子》言甚雜,如《陰符經》卻不雜,然皆窺測天道之未盡者也。”他還直接批評老子:“沖漠無朕,萬象森然已具,未應不是先,已應不是後。如百尺之木,自根本至枝葉,皆是一貫,不可道上面一段事,無形無兆,卻待人旋安排引入來,教入塗轍。既是塗轍,卻祇是一個塗轍。”此似批評不當另立無極。朱子與陸象山都說二程沒有說及“無極”,似可信。但這應是指程頤後來的思想。就是說,程頤在後來拋棄了生化論上

① 參閱《易學哲學史》中冊第185—187頁。北京大學出版社,1988年。

的無極概念,更加突出了理一分疏,而在道(理)論上似乎更加突出了對道家哲學的綜合發揮。

當然,盡管程頤後來對直接取自周敦頤的學説略有删除,但他受周敦頤的影響仍然明顯存在。這是朱子論程頤與周敦頤學説之間授受關係的根據。又如,程頤所著《四箴》中之《視箴》謂:"心兮本虛,應物無迹;操之有要,視為之(一作之為)則。蔽交於前,其中則遷;制之於外,以安其内。"其《聽箴》則曰:"人有秉彝,本乎天性;知誘物化,遂亡其正。卓彼先覺,知止有定;閑邪存誠,非禮勿聽。"其《言箴》則曰:"人心之動,因言以宣;發禁躁妄,内斯静專。"主静中既吸收周敦頤的修養論,同時似乎也體現出王弼静為躁君的理論指導。

三

程頤的《易》學思想受王弼哲學的影響比較顯著。盡管《遺書》卷一(及《外書》)中曾論述王弼以老莊注《易》,元不見道(應為程頤語)。而程頤的《周易程氏傳》中也批評先儒以静為天地之心,不知動乃天地之心,似乎兼含批評王弼主静説之意。但程頤的易學學説中受到王弼的兩方面的影響則很明朗。一方面是解釋《周易》的性質與體例,如對卦爻辭的解釋以取義説,一爻為主説,爻變説,適時説等體例;以及主張隨時變易以從道等方面的思想。另一方面在是貫穿在易説中的哲學方法。其一是言意之辨。王弼將《莊子》中所説"筌蹄"發展為尋言觀象、尋象觀意和得意忘言互補之兩端。《周易略例·明象》中説:"夫象者,出意者也;言者,明象者也。盡意莫若象,盡象莫若言。言生於象,故可尋言以觀象;象生於意,故可尋象以觀意。意以象盡,象以言著。……然則,忘象者,乃得意者也;忘言者,乃得象者也。得意在忘象,得象在忘言。故立象以盡意,意象可忘也;重畫以盡情,而畫可忘也。"此即王弼他處所謂無不可以無明,必因於有,故常於有物之極,而必明其所由之宗的意思。程頤在《易傳序》中論"辭"與"意"的關係,主要批評前後儒的解《易》失誤 在"失意以傳言"和"誦言而忘味";另外,他認為聖人體道之妙用,設為政教之說,完全同於王弼之取意(義)說。王弼對"筌""蹄"與"意"之間的外在說加以發展,主張象在出意、言在明象,二者不可隔絶相離,因而在解釋《易》時主取義而又不廢言象之工具性(用)。程頤直接加以繼承。如他說:"得意則可以忘言,然無言又不見其意。"(《河南程氏外書》卷一)意思完全同於王弼。程頤釋《乾卦》時說:"理,無形也,故假象而顯義。"這也同於王弼在解釋該卦時所說的"識物之動,則其所以然之理,皆可知也"。象乃顯義(意)之工具,其說與王弼相似,强調理(道)是物之根據,是須體悟把握的本體。王弼之所以對言意之說做出這種發展,關鍵在於他認為無不能生有,而是決定有之體。程頤反對道家虛生氣之說,而積極吸收王弼的理之學說,關鍵在於他同樣認為有無、理事之間的關係是根源決定而不是派生。

當然,程頤也受到了佛教理事無礙說的影響。在《易傳序》中,他曾論"顯微無間,體用一源",被指為"洩漏天機",而自己對此之辯護辭是"為不得已而言之"。其實,佛教理事無礙說的特點在客觀描述,而程頤哲學的重點在方法的解說,因此他又說:"大本言其體,達道言其用,體用自殊,安得不為二乎?"(《河南程氏文集》卷九)如此,則他主張體無而用有之殊,無疑與王弼之學相通矣。《遺書》卷十五中說:"物形便有大小精粗,神則無精粗。神則是神,不必言作用。三十輻共一轂,則為車。若無轂輻,何以見車之用?"此即同於王弼所說於有用之極見無之體。其實,即如他所論的體用一源,亦同於王弼所稱之得言以盡意。他在《答張閎中書》中說:"必欲窮象之隱微,盡數之毫忽,乃尋流逐末,術家之所尚,非儒者之所務也";

"理無形也,故因象以明理。理既見乎辭矣,則可由辭以觀象。故曰:得其義,則象數在其中矣"。解《乾卦》初九爻中説:"理無形也,故假象以顯義。"當然,程頤比王弼更强調"有"之價值,並且没有象王弼那樣有劃隔有無之嫌。但落實在言(象)意關係上,則程頤所取是莊子一王弼學説,如《文集》中載程頤遺文《與方元寀手帖》(見《近思録》)説:"今之治經者亦衆矣,然而買櫝還珠之蔽,人人皆是。經所以載道也,誦其言辭,解其訓詁,而不及道,乃無用之糟粕耳。"此説則直接同於莊子。

王弼解釋《周易》時主取義説的根據,乃在言(象)意之辨。他根據言不盡意解釋《論語》中孔子所説"志於道"曰:"道者,無之稱也,無不通也,無不由也。況之曰道,寂然無體,不可為象。是道不可體,故但至慕而已。"[①] 程頤解《咸卦·彖》曰:"觀天地交感化生萬物之理,與聖人感人心致和平之道,則天地萬物之情可見矣。感通之理,知道者默而觀之可也。"(《周易程氏傳》卷三)又曾説:"大而化,則己與理一,一則(一無此字)無己";"六經之言,在涵畜中默識心通。(精義為本)"(《河南程氏遺書》卷第十五伊川先生語一·入關語録或云:明道先生語)

同時,在王弼那裏,理是體,而物為用;物皆有理,因理而各得其正。程頤加以利用,以之解釋倫理定位。如他解釋《艮卦》卦辭"艮其背,不獲其身"説:"夫有物必有則。父止於慈,君止於仁,臣止於敬。萬物庶事,莫不各有其所,得其所則安,失其所則悖。聖人所以使天下順治,非能為物作則也,唯止之,各於其所而已。"這裏實際上包含着對無為觀的運用。天、理即道,王弼認為人世行為之大者在則天而行化。程頤解釋《恒卦·彖》"觀其所恒而天地萬物之情可見矣"曰:"此極言常理。日月陰陽之精氣耳,唯其順天之

---

① (《邢疏》引),《王弼集校釋》上册第624頁。中華書局,1980年。

道,往來盈縮故能久照而不已。得天,順天理也。四時陰陽之氣耳,往來變化,生成萬物,亦以得天故長久不已。聖人以常久之道,行之有常,而天下化之以成美俗也。"當然,程頤較王弼更强調理事、道與陰陽之間的統一,關鍵在於他繼承了儒家的序禮秩思想,故從儒家經學言之,則言、象之意義在於體現了本體之理,此即:理者,禮也。

四

程頤在《周易程氏傳》卷第二解《觀卦》受王弼的影響最顯著。他釋《觀卦·彖》"觀天之神道而四時不忒,聖人以神道設教而天下服矣"為:"天道至神,故曰神道。……至神之道,莫可名言,惟聖人默契,體其妙用,設為政教,故天下之人涵泳其德而不知其功,鼓舞其化而莫測其用,自然仰觀而戴服,故曰'以神道設教而天下服矣。'"這明顯揉合老子不居其功與王弼冥體見用之意而成。王弼解《觀卦》九五爻辭"觀我生,君子無咎"曰:"居於尊位,為觀之主,宣弘大化,光於四表,觀之極者也。上之化下,猶風之靡草,故觀民之俗,以察己(之)【道】。百姓有罪,在(於)【予】一人,君子風著,己乃無咎。上為化主,將欲自觀,乃觀民也。"① 而程頤釋曰:"九五居人君之位,時之治亂,俗之美惡,係乎己而已。觀己之生:若天下之俗皆君子矣,則是己之所為政化善也,乃無咎矣:若天下之俗未合君子之道,則是己之所為政治未善,不(一作未)能免於咎也。"又解釋該爻之《象》"觀我生,觀民也"說:"我生,出於己者。人君欲觀己之施為善否,當觀於民,民俗善則政化善也。王弼云:觀民以察己之道,是也。"王弼主張因用以明體,此其說不僅僅倡化民

---

① 《王弼集校釋》上册,第317頁。

自然而已。

此外,王弼解《蒙卦》時說:"夫明莫若聖,昧莫若蒙,蒙以養正,乃聖功也;然則養正以明,失其道矣。"[①] 而程頤則說:"苟恃其明,專於自任,則其得不弘。"又,他解釋《晉卦》六五爻曰:"大明之主,不患其不能明照,患其用明之過,至於察察,失委任之道,故戒以失得勿恤也。夫私意偏任不察則有弊,盡天下之公,豈當復用私察也?"解釋《明夷卦》及其《象傳》則更進一步發揮了"不晦其明,則被禍患"的思想。此明顯同於道家所謂智慧出則大偽生,反對自私而用智之意,在文意上直接採自王弼。

王弼既繼承了老子之主一,又加以發展,形成執一統衆之方法論。這一學說同樣明顯地被程頤所吸收。王弼在注《老子》四十九章時說:"故自統而尋之,物雖衆,則知可以執一禦也。由本以觀之,義雖博,則知可以一名舉也。故處璇璣以觀大運,則天地之動,未足怪也;據會要以觀方來,則六合輻輳,未足多也。"(王弼此說同樣繼承了莊子處環中之意)程頤所說同此,如他(解《咸卦》"九四,貞吉,悔亡。憧憧往來,朋從爾思")說:"……天下之理一也,塗雖殊而其歸則同,慮雖百而其致則一。雖物有萬殊,事有萬變,統之於一,則無能違也。"(《周易程氏傳》卷三)又如他解釋《大畜》"六五""豶豕之牙,吉";"夫物有總攝,事有機會,聖人操得其要,則視億兆之心猶一心,道之斯行,止之則戢,故不勞而治,其用若豶豕之牙也。"解《咸卦》"物雖異而理本同,故天下之大,羣生之衆,睽散萬殊,而聖人為能同之。"當然,與王弼比較,在解釋《易》理方面,程頤更強調陽尊為衆陰所應而"統衆",而不是一般的一多之間的統執關係。

程頤釋《咸卦·象》"君子以虛受人"說:"夫人中虛則能受,實則不能入矣。虛中者,無我也。中無私主,則無感不通。"程頤虛實併

① 《王弼集校釋》上册,第239頁。

用,就一般方法之虛中無我言之,同於道家之義;就其"實"論之,則同於王弼誠信發中,自任本懷之義。在動靜觀方面,他解《復卦·彖》"復其見天地之心乎":"先儒皆以靜為見天地之心,蓋不知動之端乃天地之心也。"這雖是批評王弼等本體説,實際在思路上仍就王弼等人的學説而加以發展。程頤欣賞"谷神不死",張湛注《列子》引該言説:"夫谷虛而宅有,亦如《莊子》之釋環中。至虛無物,故謂谷神;本自無生,故曰不死。"程頤的本體説與此相通。

五

劉師培認為,程氏"……極深研幾,間符《大易》,惟存心至公,流為無欲;觀化之極,自詡通微,則又老解之餘緒,(注'張子程子皆從老、釋入手')濂溪之遺教也。"[①] 在倫理學上,王弼結合自然方法疏通儒道而主德性自然,對程頤的影響也非常顯著。如他説大愛無私;用心存公,志不在私。無私於物,大公中正。而程頤同樣認為,"人才有意為公,便是私心。"王弼解釋《比卦》時説:"處比之首,應不在一,心無私吝,則莫不比之。著信立誠,盈溢乎質素之器,則物終來,無衰竭也。親乎天下,著信盈缶,應者豈一道而來?故必有他吉也。"又在解釋《履卦》時强調"惡乎外飾"。程頤屢屢申述之,如解《比卦》初六爻"有孚盈缶,終來有他吉"云:"誠信充實於内,若物之盈滿於缶中也。缶,質素之器。言若缶之盈實其中,外不加文飾,則終能來有他吉也。他,非此也,外也。若誠實充於内,物無不信,豈用飾外以求比乎?"解《同人卦》"同人於野,亨,利涉大川,利君子貞":"夫同人者,以天下大同之道,則聖賢大公之心也。

① 《南北學派不同論·南北理學不同論》,載《國粹學報》(學篇)第一年第四册第六期。

常人之同者,以其私意所合,乃暱之情耳。故必於野,謂不以暱近情之所私,而於郊野曠遠之地,既不繫所私,乃至公大同之道,無遠不同也,其亨可知。能與天下大同,是天下皆同之也。"此又王弼所謂包弘上下、通乎大同之意。又,程頤認為,至誠無私;無私,天德也。此與嵇康在《釋私論》中所說"君子行道,忘其為身。斯言是矣。君子之行賢也,不察於有度而後行也;仁心無邪,不議於善而後正也;顯情無措,不論於是而後為也。是故傲然忘賢,而賢與度會;忽然任心,而心與善遇;儻然無措,而事與是俱也"完全相通。這是主張自然德性的價值(明道又較伊川傾心明德自然為强烈)。誠中無偽之德性自然之說,由王弼而周敦頤而至於程頤的延續順序非常明朗。

王弼注老子,强調無心於欲、無心於為,程頤注釋《艮卦》時說:"人之所以不能安其止者,動於欲也。欲牽於前而求其止,不可得也。故艮之道,當艮其背。……止於所不見,則無欲以亂其心,而止乃安。不獲其身,不見其身也,謂忘我也。無我則止矣。不能無我,無可止之道。……外物不接,内欲不萌,如是而止,乃得止之道,於止為無咎也。"此意即不以形物累心之道家旨意,在方法上為"無心"說。又,程頤解釋《咸卦》時說:"……以有繫之私心,既主於一隅一事,豈能廓然無所不通乎?"(王弼在注《老子》及《易》中强調道無所不遍覆之意,為程頤所繼承。《河南程氏經說》卷八《中庸解》:"夫天德無所不覆者,不越不倚於物而已。有倚於物,則覆物也有數矣。由不倚,然後積而至厚,厚則深,深則大。")此即無心以順有以及無為而無不為之意。如當無為時而違背了自然無為,則是妄動之私。王弼解釋《無妄卦》,强調私欲不行,程頤與之相同。又,王弼釋該卦六二爻爻辭"不耕獲,不菑畬,則利有攸往"云:"不耕而獲,不菑而畬,代終已成而不造也。不擅其美,乃盡臣道,故'利有攸往'。"而程頤釋曰:"不耕而獲,不菑而畬,謂不首造其事,因其事理，所當然也。首造其事，則是人心所作為，乃妄也。”這裏仍然採用王弼無為説之解釋内容。

當然，程頤强調，誠信無我的自然德性價值是一種更理想化的主張，就現實實踐而論，則必須側重於尊卑秩序之禮。由是在自然德性的主張上更突出了人為而不是自然的因素。如王弼主張不以刑禁為用，而程頤則强調刑德併用，以達到序綱常範倫紀的目的。王弼結合了道家的德性自然和儒家的以德化民來提倡達到無為自然的道德大同理想，而程頤雖然以之為可能理想，但並不以之為實際之唯一過程。程頤主張在人為之事上的克欲，雖然同於王弼所强調的無心於欲，但畢竟更突出了强制規範制約的方面。因此，在倫理學上，與程頤相比較，程顥的倫理學更接近於玄學倫理學。盡管如此，程頤在解釋《易》理時所發揮的德性自然之説，仍然比較明顯地體現了道家哲學方法的運用特徵。